भारत की विदेश नीति और आतंकवाद

भारत की विदेश नीति और आतंकवाद

जे. एन. दीक्षित

GYAN

ज्ञान पब्लिशींग हाउस
नई दिल्ली - 110002

भारत की विदेश नीति और आतंकवाद

मुल्य: 540

ISBN: 81-212-0885-8

भारत में सन् 2010 में प्रकाशित
ज्ञान पब्लिशिंग हाउस
23, मेन अंसारी रोड, दरियागंज
नई दिल्ली–110002
फोन: 23282060, 23261060, फैक्स: 23285914
ई–मेल: gyanbooks@vsnl.com
वेबसाइट : http://www.gyanbooks.com

लेजर टाइपसेटिंग: टैक्ट कम्प्यूटर ग्राफिक्स, दिल्ली
मुद्रित: चावला आफसैट प्रिंटर्स, दिल्ली

अनुक्रम

प्रस्तावना

यह पुस्तक ज्ञान पब्लिशिंग हाउस द्वारा जुलाई, 2001 में प्रकाशित की गई पिछली किताब 'भारत की विदेश नीति और इसके पड़ोसी' की अगली कड़ी है। एक बार फिर यह उन लेखों का संग्रह है जिन्हें मैंने सन् 1995 से लेकर 11 सितम्बर, 2001 को न्यूयार्क में विश्व व्यापार संगठन की जुड़वां इमारतों पर हुए हमले के बाद तक लिखा।

पिछले साल कई महत्वपूर्ण घटनाएं हुईं। आगरा में भारत-पाकिस्तान शिखर वार्ता विफल हुई, पहले तो भारत-पाकिस्तान रिश्तों में विपथन रहा और फिर अक्टूबर, 2001 से ये अत्यधिक तनाव के वातावरण में प्रवेश कर गए। न्यूयार्क के विश्व व्यापार संगठन और वाशिंगटन के पेंटागन पर हुए आंतकवादी हमलों ने भू-रणनीतिक समीकरणों और प्रमुख शक्तियों द्वारा अपनाई गई राजनीतिक प्राथमिकताओं के संदर्भ में पूरी दुनिया को बदल डाला है।

अब दुनिया ने अंतर्राष्ट्रीय आतंकवाद और हिंसक धार्मिक अतिवाद पर अधिक ध्यान केंद्रित कर दिया है। अमेरिका द्वारा चलाए गए सैनिक अभियान के चलते अफगानिस्तान में तालिबान को सत्ता से हटा दिया गया है। अब अफगानिस्तान पुनर्निर्माण व विकास तथा स्वयं को व्यवस्थित करने के कठिन काम में जुटा है।

अंतर्राष्ट्रीय दबाव में जनरल परवेज मुर्शरफ को अपने देश में इस्लामी अतिवादिता से जुड़े मसलों पर नीतियां बदलनी पड़ी हैं। लेकिन नीतियों में इस बदलाव का भारत के प्रति उनकी नीतियों पर कोई सकारात्मक प्रभाव नहीं पड़ा है। पाकिस्तान स्थित जैश-ए-मोहम्मद द्वारा 13 दिसम्बर को भारतीय संसद पर आतंकवादी हमले ने भारत को राजनैतिक और सैन्य प्रतिक्रिया के लिए प्रेरित किया और स्पष्टतया इसी वजह से दोनों देशों के बीच राजनैतिक व सैन्य तनाव चरम पर पहुंच गया। इसके परिणामस्वरूप उपमहाद्वीप के राजनैतिक वातावरण में अमेरिका व अन्य प्रमुख शक्तियों की लिप्तता कहीं अधिक बढ़ गई।

दिसम्बर 2001 और जनवरी 2002 के बीच चीन और ब्रिटेन के प्रधानमंत्री तथा अमेरिका व रूसी परिसंघ के विदेश मंत्री भारत आए। यद्यपि नेपाल, श्रीलंका और बांग्लादेश के घटनाक्रम तनावपूर्ण रहे हैं, लेकिन इस हद तक नहीं कि भारत के पाकिस्तान से रिश्तों अथवा अफगानिस्तान को प्रभावित करने वाली राजनैतिक अनिश्चितताओं पर असर डाल सकें। निश्चित रूप से भारतीय विदेश नीति देश की सुरक्षा, आंतरिक स्थिरता और क्षेत्रीय अखंडता को लेकर तात्कालिक और उभरती हुई चुनौतियों एवं चिंताओं में उलझी है।

अमेरिका और चीन से भारत के रिश्ते गुणात्मक एवं सकारात्मक बदलाव की प्रक्रिया के दौर से गुजर रहे हैं जबकि जापान एवं रूसी परिसंघ सरीखे महत्वपूर्ण देशों से इसके संबंध सन् 1998 और सन् 2000 के मध्य की अनिश्चितताओं के बाद स्थिर हो रहे हैं और विस्तार भी ले रहे हैं।

इस पुस्तक के लेख विश्व अंतर्प्रवाह और बदलाव के बारे में है। दंभपूर्ण प्रतीत होने के खतरे के बावजूद यह कहना चाहूंगा कि ज्ञान पब्लिशिंग हाउस द्वारा प्रकाशित पिछली कड़ी की तुलना में यह पुस्तक कहीं ज्यादा समकालिक है। आशा करता हूं कि भारत की विदेश नीति व अंतर्राष्ट्रीय राजनीति में दिलचस्पी रखने वाले पाठकों के लिए राजनीतिक विश्लेषण के मामले में इस पुस्तक की सामग्री संदर्भ ढांचा मुहैया कराएगी।

संग्रहित रूप में इन लेखों के प्रकाशन के प्रति दिलचस्पी बनाए रखने के लिए मैं ज्ञान पब्लिशिंग हाउस का आभार व्यक्त करता हूं। मेरे सचिव श्री आर. एन. शर्मा भी हार्दिक धन्यवाद के पात्र हैं जो मेरी लेखनी के लिए एक बहुमूल्य सहयोगकर्ता बने हुए हैं।

मैं इस पुस्तक का सामग्री और गलतियों, दोनों के लिए बेहिचक खुद को जिम्मेदार घोषित करता हूं।

जे. एन. दीक्षित

1

कश्मीरः प्रस्ताव और उद्देश्य कश्मीर पर ताजा ब्योरा–ओवेन डिक्सन विकल्प

न तो इतिहास को नजरअंदाज किया जा सकता है, न ही नीतियों को

पिछले पखवाड़े के दौरान एक अखबार के राजनयिक समाचार स्तम्भों में इस बात की चर्चा होती रही है कि अमेरिका 1950–51 की ओवेन डिक्सन योजनाओं में कुछ फेरबदल के आधार पर जम्मू और कश्मीर मुद्दे पर एक मध्यमार्ग तैयार करने का प्रयास कर रहा है। इन्हीं रपटों में यह अनुमान लगाया गया था कि औपचारिक विचार–विनिमय में मतान्तरों और मतभेदों के बावजूद इस बात की सम्भावनाएं दिखती हैं कि पाकिस्तान और भारत एक दूसरे के साथ व्यवहार करने में एक बुद्धिमत्तापूर्ण और व्यावहारिक रवैया अपनाएंगे। पर, पाकिस्तान द्वारा कराची में भारतीय वाणिज्य दूतावास को बंद करने से यह आशावादिता अप्रासंगिक हो जाती है।

कश्मीर के सन्दर्भ में होने वाली महत्वपूर्ण गतिविधियां इस प्रकार हैं: पहला, संयुक्त राष्ट्र आम सभा समेत विभिन्न बहुपक्षीय मंचों की बैठकों के दौरान कश्मीर पर संयुक्त राष्ट्र के पूर्व प्रस्तावों को पुनर्जीवित करने और संयुक्त राष्ट्र के हस्तक्षेप पर अपने कूटनीतिक और राजनीतिक अभियान में पाकिस्तान एक अंधी गली में खड़ा जान पड़ता है।

प्रस्तावों को पारित कराने या कार्रवाई की सिफारिश के सारे पाकिस्तानी प्रयास असफल हुए। दूसरा, भारत ने कश्मीर में न सिर्फ राजनीतिक प्रक्रियाओं को सक्रिय करने पर ध्यान केन्द्रित किया है, बल्कि जम्मू व कश्मीर पर आतंकवादी संगठनों के साथ किसी समझौते को साकार करने के इच्छुक विदेशी संगठनों और एजेंसियों को बेहतर पहुंच उपलब्ध कराने के प्रति भी भारत ने दिलचस्पी दिखाई है। तीसरा, भारत ने कई महत्वपूर्ण आतंकवादी नेताओं को

मुक्त किया है और उनकी अलगाववादी विचारधाराओं को जानते हुए भी उनके साथ संपर्क स्थापित किया है। भारत ने पहली बार जम्मू व कश्मीर के हुर्रियत संगठन के सदस्यों को मोरक्को में ओ आई सी की बैठक में हिस्सा लेने की अनुमति दी। पाकिस्तान के विदेश मन्त्री सरदार आसिफ अली ने यह विचार व्यक्त किया है कि उनके पास कश्मीर मसले को सुलझाने के लिए कथित आयामों से हट कर अनेक वैकल्पिक सुझाव मौजूद हैं जिन्हें पाकिस्तान सरकार सही समय पर सामने रखेगी। राष्ट्रकुल के वरिष्ठ अधिकारियों की बैठक में भाग लेने के लिए इस्लामाबाद गए विदेश सचिव श्रीनिवासन के दौरे को पाकिस्तान के विदेश सचिव नजमुद्दीन शेख के साथ विचार-विनिमय के रूप में उपयोग किया गया था। विदेश सचिव श्रीनिवासन के अनुसार नजमुद्दीन शेख ने उनसे कहा कि घरेलू राजनीतिक बाध्यताओं और दबावों की वजह से पाकिस्तान भारत के साथ कश्मीर मसले को सुलझाने के लिए व्यावहारिक विकल्पों पर विचार-विमर्श करने में असमर्थ है। जिस तरह ओवेन डिक्सन के सारभूत नजरिये ने जम्मू व कश्मीर की समस्याओं को ज्यादा जनसांख्यिक, धार्मिक और सांप्रदायिक तफसील में गौर करते हुए समाधान की डगर तलाशने का प्रयास किया था, उससे अमेरिकी लोगों को शायद महसूस होता है कि लगभग 43 साल पुराने उसके विचार किसी समाधान का आधार रच सकते हैं।

जिन सम्भावनाओं का अनुमान लगाया जाता रहा है, उनकी व्यावहारिकता के विश्लेषण के दौरान पिछले तीन-चार साल के दौरान फिजां में तैरते रहे उन प्रयासों पर नजर डालना जरूरी है। यहां पर उन प्रस्तावों और आयामों को इंगित किया जा रहा है जो भारत और पाकिस्तान के बीच प्रधानमन्त्रियों, विदेश मन्त्रियों और विदेश सचिवों के स्तर पर औपचारिक और संस्थागत विचार-विनिमय के ढांचे के बाहर बतौर आजमाइश अभिव्यक्त किए जा रहे थे। वे इस प्रकार हैं

(क) जम्मू और कश्मीर में वर्तमान नियन्त्रण रेखा को अन्तर्राष्ट्रीय सीमा के रूप में मानना, स्थिति में स्थिरता कायम करना और उसके बाद पाक अधिकृत कश्मीर के कश्मीरियों और भारत के कश्मीरियों के बीच सामान्य पारस्परिक व्यवहार की गुंजाइश निकालना;

(ख) संयुक्त राष्ट्र के प्रस्तावों को पुनर्जीवित कर जम्मू और कश्मीर का भविष्य जनमत संग्रह द्वारा निर्धारित किया जाए;

(ग) जम्मू और कश्मीर पर भारत और पाकिस्तान के बीच एक तटस्थ स्थिति की रचना करना और जम्मू और कश्मीर राज्य क्षेत्र को संयुक्त राष्ट्र की किसी न्यासिता प्रणाली के अन्तर्गत डालना और

कुछेक सालों बाद, जम्मू व कश्मीर के लोगों की राजनीतिक आकांक्षाओं को जान लेने के बाद उसी आधार पर उनके अंतिम दर्जे क निर्णय किया जाए;

(घ) दो जनमत संग्रह किए जाएंः एक नियन्त्रण रेखा के इस पार भारतीय क्षेत्र में, दूसरा पाकिस्तानी क्षेत्र में;

(ड.) 1990 के शरदकाल के दौरान जे. के. एल. एफ. (जम्मू एंड कश्मीर लिबरेशन फ्रंट) ने जम्मू व कश्मीर को एक स्वतन्त्र राज्य बनाने की अपनी आकांक्षा और मंशा जाहिर की थी;

(च) उसके बाद 1991 के मध्य में पाकिस्तान की ओर से खासे उच्च राजनीतिक स्तरों पर ऐसी सलाहें उभरीं कि कश्मीर घाटी पाकिस्तान को सौंप दी जानी चाहिए जबकि लद्दाख और जम्मू पर भारतीय अधिकार बना रहे।

जम्मू और कश्मीर के मौजूदा संकट को दूर करने के लिए ओवेन डिक्सन की विचारधारा की छाया तले ही समाधान तलाशना न तो मौलिक है, न ही नवीनतापूर्ण। जम्मू और कश्मीर समस्या के प्रति उनके नजरिये के मूलबिंदु ऊपर जिक्र किए हुए अनेक विकल्पों में पैबस्त हैं। जम्मू और कश्मीर को एक स्वतन्त्र राज्य बनाने के आयाम को छोड़ दूसरे सभी विकल्प 1949 से किसी न किसी रूप में भारत–पाक वार्ता और जम्मू व कश्मीर पर बहुपक्षीय अभ्यासों का हिस्सा बन रहे हैं। इन विचारों पर अयूब–शासन के पहले के कालखंड में पंडित नेहरू और पाकिस्तान के भिन्न–भिन्न प्रधानमन्त्रियों के साथ परस्पर विचार–विनिमय के दौरान चर्चा होती रही थी। जुल्फिकार अली भुट्टो और सरदार स्वर्ण सिंह के बीच की बातचीत के एजेंडा में भी इन्हें फिर शामिल कर लिया गया था। जुलाई, 1972 में शिमला में जम्मू और कश्मीर पर हुई चर्चाओं में इनमें से कुछेक सम्भावनाओं पर भी नजर डाली गई। बिना किसी लंबी तकनीकी भूमिका के, सबसे पहले हम यह जानने की कोशिश करें कि ओवेन डिक्सन ने क्या प्रस्ताव रखा था। ओवेन डिक्सन, एक वरिष्ठ आस्ट्रेलियाई विधिवेत्ता, को सुरक्षा परिषद ने मार्च 1950 में इस संक्षिप्त निर्देश के साथ नियुक्त किया कि वह उसी साल के अगस्त तक राज्य को असैन्यीकृत करने की वयवस्था करें। सर ओवेन डिक्सन सुरक्षा परिषद के तत्कालीन अध्यक्ष जनरल मैकनॉटन द्वारा सूत्रबद्ध सलाहों और संयुक्त राष्ट्र प्रस्तावों में जनमत संग्रह के प्रत्याशित प्रबंधकर्ता के रूप में पदासीन एडमिरल निमिट्ज के कुछेक परामर्श के अनुसार आगे की कार्रवाई कर रहे थे। उन्होंने जो निष्कर्ष और सिफारिशें पेश की; उनकी विशेषताएं अधोलिखित हैं:

उन्होंने 1947-48 के संघर्ष की जवाबदेही के सन्दर्भ में भारत और पाकिस्तान को समान धरातल पर रखने का प्रयास किया था, पर उन्होंने इस बात को पूरी तरह नजरअंदाज कर दिया कि वैध संवैधानिक व्यवस्था को सैन्य बल से उथल-पुथल कर देने पर पाकिस्तान ही उतारू हुआ था। उन्होंने असैन्यीकरण के लिए प्रस्तावित व्यवस्थाओं में तथाकथित आजाद कश्मीर को भी एक पक्ष के रूप में ला खड़ा किया मानो यह कोई विधिसम्मत सरकार हो। वह संयुक्त राष्ट्र प्रस्तावों के तत्वों में बदलाव लाने की इच्छा रखते हुए यह सुझाव देना चाहते थे कि भारत और पाकिस्तान, दोनों की ही सैन्य टुकड़ियां, साथ ही साथ कश्मीर की राज्य सेनाएं और तथाकथित आजाद कश्मीर की सेनाएं उन्हीं स्थानों पर बनी रहें जहां वे युद्ध विराम के समय थीं। इसके बाद डिक्सन ने यह निष्कर्ष निकाला कि कश्मीर में बड़े पैमाने पर जनमत संग्रह न तो जरूरी था न ही सम्भव। इसलिए उन्होंने वैकल्पिक योजनाओं का सुझाव दिया जिसका नाम रखा ''जम्मू व कश्मीर राज्य के विभिन्न हिस्सों में बहुखंडीय जनमत संग्रह''। आम सोच यह है कि भारत ने इस सुझाव को पूर्णतया खारिज कर दिया था और पाकिस्तान ने इसे स्वीकार किया था, परन्तु वस्तुस्थिति यह है कि हमने सर ओवेन के प्रस्तावों को सीधे-सीधे मानने के बजाय पहले उनकी जांच करने की इच्छा का संकेत दिया था, जबकि पाकिस्तान ने उन्हें पूरी तरह से अस्वीकार कर दिया था। इस बारे में वी. के. कृष्णा मेनन का जनवरी 24, 1957, में सुरक्षा परिषद में दिया गया वक्तव्य लिखित रूप से दर्ज है। सवाल यह उठता है कि, ''क्या ये किसी भी तरह कश्मीर पर समझौते के लिए आधार बन सकते हैं''? कुछ और प्रश्न इस प्रकार हैं:

1. क्या भारत और पाकिस्तान जम्मू एवं कश्मीर का स्वतन्त्र राज्य बनना स्वीकार करेंगे?
2. क्या भारत लद्दाख और जम्मू को अपने अधिकार में रखते हुए जम्मू और कश्मीर की घाटी और कुछ अन्य मुस्लिम बहुल क्षेत्रों का जनमत संग्रह के आधार पर पाकिस्तान में मिलना स्वीकार कर सकता है?
3. किसी आश्चर्यजनक हालात में यदि भारत को ऐसी स्थिति को स्वीकार करना भी पड़े तो क्या वह लद्दाख और जम्मू पर अपना अधिकार कायम रख पाएगा जबकि इस क्षेत्र की भौगोलिक संघटनात्मकता खंडित हो चुकी हो?
4. यह भारत की एकता और भौगोलिक अखंडता के सन्दर्भ में उभरने वाले वृहत्तर नकारात्मक राजनीतिक परिणामों को दरकिनार कर रहा है।

जम्मू एवं कश्मीर राज्य से संबद्ध विशिष्ट रणनीतिक वातावरण में पिछले तीन दशकों में गहरे परिवर्तन हो गए हैं, जो डिक्सन की योजनाओं के किसी समाधान की नींव रखने की राह में, यदि उन्हें रूपान्तरित स्वरूप में विचारा जाए तब भी, कठिनाइयां खड़ी कर सकती हैं। अफगानिस्तान और वखन गलियारे की बेहद अशांत और अनिश्चित स्थिति अब हमारे सामने है। चीन ने जम्मू और कश्मीर के भू-भाग का विस्तृत इलाका 1963 में पाकिस्तान के साथ किए सीमा समझौते के तहत अपने अधिकार में कर रखा है। पाकिस्तान और चीन, दोनों ही, काराकोरम राजमार्ग के साथ-साथ जम्मू और कश्मीर के उत्तर-पश्चिमी हिस्से पर भूभागीय नियन्त्रण के साथ रणनीतिक रूप से अच्छी स्थिति में बने हुए हैं।

यदि ओवेन डिक्सन योजना के ढांचे के अन्तर्गत कोई प्रस्ताव या सुझाव निकल कर आता है तो भारत को इन कारकों को ध्यान में रखना है और आगे भी रखना होगा। इस बात को भी नहीं भूलना चाहिए कि पाकिस्तान ने जम्मू और कश्मीर के भू-भाग के लगभग 32,358 वर्ग मील पर 1949 से अपना अधिकार बना रखा है। यह उन क्षेत्रों के अतिरिक्त है, जो चीन को सौंप दिए गए। जम्मू एवं कश्मीर मसले पर किसी भी आंशिक समाधान की रचना करने का दृष्टिकोण भारत के रणनीतिक हितों और सुरक्षा बाध्यताओं के विरूद्ध जाएगा।

कश्मीर मुद्दे की उभरती रूपरेखाएं–एक नई बिसात

वर्तमान में कश्मीर में एक भ्रमित उन्मत्तता और राजनीतिक दोहरापाना व्याप्त होता जा रहा है। एक तरफ जम्मू और कश्मीर के अन्दर राजनीतिक गतिविधि का सूक्ष्म पुनरूत्थान हमारे सामने है। जिसके साथ ही बाहर की दुनिया की पहुंच कश्मीर तक होने लगी है और जम्मू और कश्मीर की गतिविधियों के बारे में भारत सरकार वृहत्तर पारदर्शिता बनाए रख रही है। दूसरी तरफ आतंकवादियों और अलगाववादियों के बीच की असंगति, बढ़ती हुई अराजकता और अत्यधिक हिंसा का माहौल नजर आता है। इस माहौल में उन बेहिसाब परस्पर विरोधी राजनीतिक उद्देश्यों द्वारा पैदा किए गए भ्रम ने और इजाफा कर दिया है, जो अलगाववादियों और आतंकवादियों, उनके राजनीतिक संगठनों, और स्थापित राजनीतिक दलों या गुटों जैसे नेशनल कान्फ्रेंस और जम्मू और कश्मीर की कांग्रेस पार्टी द्वारा अभिव्यक्त किए जाते रहे हैं। इसके अतिरिक्त, एक तरफ जम्मू घाटी और दूसरी तरफ लद्दाख की घाटी में भारत विरोधी तत्वों के बीच नई शत्रुता और तनावों के उभरने से स्थिति और भी बदतर हो उठी है।

मैंने बातचीत कर रहे दो दिलचस्प समूहों के साथ, जो इस ग्रीष्म काल के पहले कश्मीर गए थे, जम्मू और कश्मीर के उभरते हालात पर चर्चा की।

पहला समूह युवाओं के एक छोटे दल के प्रतिनिधियों का था, जो मुम्बई स्थित एक गैर सरकारी संगठन, इन्टरनेशनल इंस्टीट्यूट फॉर पीस इनिशिएटिक्स, की तरफ से जम्मू-कश्मीर गए थे। यह दल जम्मू-कश्मीर में राजनीति की मौजूदा अवस्था का आकलन सरकार के या राज्य के मामलों के स्तर के बनिस्पत ज्यादा मानवीय स्तर पर करने गया था। दूसरे मेरे एक पुराने मित्र, विश्लेषणात्मक और व्यावसायिक यर्थाथपरकता संपन्न अमेरीकी राजदूत फ्रैंक वाइजनर थे, जिनकी कश्मीर यात्रा मीडिया द्वारा उनकी अपनी यात्रा को मुलतवी करने के संबद्ध में उड़ाए जा रहे खासे गलत प्रचार के बाद हुई थी। इन विचारों में, जिनका आगे मैं ब्योरा देने वाला हूं, तीसरा योगदान रहा कश्मीर पर दिन भर चली उस विचार गोष्ठी का जो इंडिया इन्टरनेशनल सेन्टर में आई आई सी के विदेशी मामलों के समूह और उल्लिखित इन्टरनेशनल इंस्टीट्यूट फॉर पीस इनिशिएटिक्स के तत्वाधान में 18 अगस्त को आयोजित की गई थी।

सबसे पहले राजनीतिक स्थिति। भारत सरकार जम्मू-कश्मीर में जितनी जल्दी हो सके चुनाव कराने के लिए कृतसंकल्प है। यह एक जानी हुई बात है, जिसकी व्यावहारिकता पर सवाल उठे और जिसकी बारीकी से जांच-पड़ताल भी हो रही है। सरकार के इस दृष्टिकोण के प्रति जम्मू और कश्मीर में उभरी प्रतिक्रिया दिलचस्प है। एक सकारात्मक रुख के तौर पर सत्तारूढ़ कांग्रेस पार्टी की जम्मू और कश्मीर शाखा द्वारा बैठकें बुलाई गईं और नेशनल काफ्रेंस ने भी कुछ बैठकें की। एक लंबे समय बाद श्री कार और श्री फारूक अब्दुल्ला राजनीतिक रूप से पुनः सक्रिय होने में दिलचस्पी दिखा रहे हैं। भारत के विरोध में खड़ा शीर्ष संगठन, हुर्रियत, राजनीतिक वार्ता को सीधे-सीधे तो खारिज नहीं कर रही लेकिन एक जटिल और मुश्किल पूर्व-शर्तों की श्रृंखला का ताना-बाना बुनने में जरूर लिप्त है।

ये सारी गतिविधियां, जहां तक मेरा आकलन है, तीन कारकों का परिणाम हैं। पहला, जम्मू और कश्मीर के आम निवासी हिंसा और इसके नकारात्मक आर्थिक और सामाजिक नतीजों से थक चुके हैं। दूसरे, जम्मू और कश्मीर में अलगाववाद का संचालन-स्तर का नियन्त्रण पाकिस्तान द्वारा नियुक्त भाड़े के आतंकवादियों को सौंप दिया गया है, जिनकी दबंग और मतिहीन हिंसा ने 'हुर्रियत' और नए 'विदेशी अलगाववादी संगठन' के बीच दूरी पैदा कर दी है। इसी के साथ, इस स्थिति ने मूल रूप से भारत विरोधी कश्मीरी युवाओं को भी इन पाकिस्तान समर्थित विदेशी बलवाइओं की जमात से, जो जम्मू और कश्मीर के लोगों की भलाई के बारे में कोई भी राजनीतिक या भावनात्मक सम्बन्ध नहीं

रखते हैं, अलग कर दिया है। तीसरा कारक है जम्मू व कश्मीर के लोगों को इस बात का अहसास होना कि घाटी में बरकरार हिंसा का अर्थ है अराजकता और तबाही में डूब जाना। इसलिए ऐसे आधार की रचना हो जो राजनीतिक समाधान के लिए अच्छी टेक बन सके। घाटी में हिंसा का फिर से उभर आना, खास तौर पर इसकी रची-बुनी नाटकीय प्रकृति, दरअसल राजनीतिक बातचीत के लिए बनते रुख को रोकने के लिए उठी प्रतिक्रिया है। अल फरान का यूरोपीय पर्यटकों को बंधक बनाना और उनमें से एक की हत्या कर देना; बेअंत सिंह की हत्या के तुरन्त बाद श्रीनगर में हुए बम विस्फोट पाकिस्तानी उद्देश्यों को, जो जम्मू-कश्मीर में पिछले पांच सालों से लगातार अपने विनाशकारी प्रयासों के बावजूद असफल रहे हैं, पूरा करने के इरादे से आतंकवादियों द्वारा चलाए जा रहे हिंसक आपराधिक अभियान के मोटे तौर पर असफल हो जाने से जुड़ी सोच का प्रतिबिंब है। मेरा मानना है कि पाकिस्तान और विदेशों में बसे सिख अलगाववादियों को ऊंचे स्तरों पर मिल रहा पाकिस्तानी समर्थन और जम्मू व कश्मीर में पाकिस्तान द्वारा लाए गए भाड़े के विदेशी सैनिक के सिरे परस्पर जुड़े हुए हैं। धीरे-धीरे ही सही पर भारतीए सुरक्षा बल को जम्मू-कश्मीर में आतंकवादी हिंसा पर लगाम कसने में मिल रही सफलता से ऐसा लगता है कि इन सब बातों से सरोकार रखने वाले पाकिस्तान सरकार की सम्बद्ध एजेंसियों में ऐसी विचार-धारा पुनर्जीवित होने लगी है कि भारतीय सुरक्षा बलों की कार्रवाई में मिली सफलताओं की गति धीमी करने का बस एक ही रास्ता है कि न सिर्फ जम्मू-कश्मीर, बल्कि पंजाब में भी उनके लिए दुष्कर स्थिति पैदा की जाए। निश्चित तौर पर, पाकिस्तान का पूरा ध्येय यही है कि कश्मीर में नागरिक प्रतिनिधियों और भारत सरकार के बीच कोई भी ऐसी राजनीतिक वार्ता न होने पाए, जो इस प्रांत के माहौल को सामान्य बना दे।

जम्मू-कश्मीर के हमारे लोगों की विकट स्थिति का दूसरा ध्यान देने योग्य दुखद पक्ष यह है कि उन्हें पाकिस्तान प्रायोजित भाड़े के विदेशी आतंकवादियों के दलों द्वारा अपमान और परेशानी झेलनी पड़ती है। मेरे साथ बातचीत कर रहे लोगों ने भी, जो कश्मीर का दौरा कर चुके थे, इस बात की पुष्टि की कि ऐसे लोगों ने कश्मीरी घरों में अपना ठिकाना बना रखा है। वे बंदूक के बल पर न सिर्फ रुपये-पैसे और दूसरी चीजों की मांग करते हैं बल्कि वे इन परिवारों की औरतों और लड़कियों पर भी अपना दावा ठोकने लगते हैं। ये विदेशी आतंकवादी अपने विवश कश्मीरी मेजबान के सामने यह तर्क रखते है: ''हम यहां तुम्हारे लिए आजादी लाने आए हैं, तुम्हारी आकांक्षाएं पूरी करने आए हैं। उसके लिए

हम अपनी जान कुर्बान कर रहे हैं। तुम लोग रुपये या अन्य चीजें और अपनी औरतें हमें देने से इंकार कैसे कर सकते हो?'' इस तरह जम्मू-कश्मीर के लोग मानों उन्हीं घटनाओं की पुनरावृति सामने देख रहे हैं जब 1947-48 में उनकी सरजमीं पर पाकिस्तान द्वारा समर्थित अफरीदी आक्रमण हुआ था। हुर्रियत अब दुविधाग्रस्त है। उग्रवादी कार्रवाइयों पर से उसका नियन्त्रण खत्म हो गया है और अब इनकी लगाम विदेशी आतंकवादियों के हाथ में है जिनके अलग-अलग एजेंडे हैं। जम्मू-कश्मीर के निवासियों के प्रति इन लोगों का व्यवहार और इस पर अंकुश लगाने में हुर्रियत की असमर्थता से हुर्रियत और अपने ही लोगों के बीच मीर वायज की मौजूदा विश्वसनीयता और कश्मीरी मुसलमानों की आकांक्षाओं को प्रभावी ढंग से पेश करने का दावा मद्धिम पड़ गया है। दूसरी तरफ भारत सरकार या जम्मू-कश्मीर प्रशासन के साथ किसी राजनीतिक वार्ता की तरफ अग्रसर होना भी उनके बस में नहीं है क्योंकि ऐसा होते ही उन्हें उग्रवादी संगठनों की आलोचना और हिंसा का शिकार होना पड़ेगा और पाकिस्तान समेत दूसरे देशों से होने वाले संसाधनों की पूर्ति भी रोक दी जाएगी जिनके बूते काफी हद तक उनका राजनैतिक स्तर कायम रहता है। 18 अगस्त को इंडिया इन्टरनेशनल सेन्टर की विचार-गोष्ठी में जम्मू-कश्मीर से आए कुछ सहभागियों ने कुछ महत्वपूर्ण बिन्दुओं पर जोर डाला जिस पर भारत सरकार को ध्यान देना चाहिए। उन्होंने कहा कि न तो जम्मू-कश्मीर के राज्यपाल न ही भारत सरकार वहां के बदलते हुए राजनीतिक माहौल, जो एक राजनीतिक समाधान की ओर उन्मुख हो उठा है, का कोई लाभ उठा पा रही है। जम्मू-कश्मीर के राज्यपाल को इन चीजों से कोई मतलब नहीं दिखता और राजनीतिक समाधान को ढूंढ निकालने के अपने दृढ़ निश्चय के बारे में बात करते समय अभी भी वह परिस्थिति को कानून व्यवस्था या सेना जुड़ी समस्या के तौर पर देखते हैं।

गृह राज्य मन्त्री राजेश पायलट और गृहमन्त्री के आपसी मतभेदों के परिणामस्वरूप प्रधानमन्त्री कार्यालय द्वारा कश्मीर मामलों का प्रभार प्रत्यक्ष तौर पर अपने हाथ में ले लेने के बावजूद एक राजनीतिक वार्ता को तैयार करने के लिए दिए जा रहे परस्पर विरोधी विचार और मशविरों से भारत सरकार बेबस बनी हुई है। सरकारी प्रतिनिधियों, हुर्रियत और उग्रवादी गुटों के बीच के संपर्क उन विशेष संवेदनशील स्थितियों और घटनाओं पर ही केन्द्रित रहे हैं, जो हो जाती रहीं। अब भी जम्मू व कश्मीर के सारे लोगों तक पहुंचने का कोई प्रयास नहीं हो रहा है। दूसरा जटिल कारक यह है कि घाटी में पाकिस्तान समर्थक पहली बार अपना असली रंग दिखा रहे हैं और यह विचार व्यक्त कर रहे हैं कि एकमात्र

समाधान यही है कि जम्मू-कश्मीर पाकिस्तान को दे दिया जाए, और लद्दाख या जम्मू के लोगों का इस मुद्दे पर कोई अलग विकल्प होने का सवाल ही नहीं उठता।

अन्तर्राष्ट्रीय प्रतिक्रिया के सन्दर्भ में देखा जाए तो बस दो ही सरोकार उभर कर आए हैं: मानवाधिकार स्थितियों पर नजर रखनी होगी और कश्मीर में छद्म युद्ध और हिंसा भारत व पाकिस्तान के बीच एक खुले युद्ध में तब्दील नहीं होनी चाहिए, क्योंकि इसमें नाभिकीय संघर्ष हो जाने का अंदेशा है। इस तथ्य को भी ध्यान में रखना होगा कि दो महत्वपूर्ण शक्तियां, रूस और चीन, जम्मू व कश्मीर के कुछ अलगाववादी गुटों द्वारा एक आजाद कश्मीर की वकालत के रूप में तीसरे विकल्प का समर्थन नहीं करती हैं। इधर भारत में निकट भविष्य में आम चुनाव होने वाले हैं जिससे भारत सरकार के कश्मीर पर केन्द्रित ध्यान पर असर पड़ेगा। फलतः पाकिस्तान और उग्रवादी गुट इस विकट अवस्था का फायदा उठाते हुए हिंसक कार्रवाइयों को तेज कर देंगे ताकि भारत सरकार बचाव की मुद्रा में आ जाए और राजनीतिक प्रक्रियाओं में कोई भी प्रगति न हो पाए।

यही वह परिप्रेक्ष्य है जिसमें हमें कश्मीर से जुड़े मुद्दों को संभालना है। यह जरूरी है कि भारत सरकार और जम्मू-कश्मीर प्रशासन इस प्रांत के हमारे लोगों की इच्छाओं का पूरा लाभ उठाते हुए उनके दैनिक जीवन को सामान्य बनाने के लिए राजनीतिक समाधान का प्रयास करे। कैसा भी जोखिम क्यों न हो, हमें कश्मीरियों के सारे वर्गों के साथ आमने-सामने बैठ उनकी राजनैतिक आकांक्षाओं को जानने और उन्हें पूरा करने के तरीकों की रूपरेखा तय करने के लिए एक राजनैतिक वार्ता का प्रयास करना चाहिए। हमें एक तरफ जम्मू व कश्मीर के अपने लोगों के साथ हमारे प्रयासों को एक खाने में रखना चाहिए और दूसरी तरफ पाकिस्तानी चालबाजी के प्रति हमारी प्रतिक्रिया को। पाकिस्तान के साथ व्यवहार करने का काम जब तक चल रहा है तब तक अतिरिक्त सैन्य निर्णायकता के साथ पाकिस्तानी गतिविधियों के विरूद्ध हमें अवश्य हमारी सुरक्षा कार्रवाई जारी रखनी चाहिए।

हमें मानवाधिकारों इत्यादि से जुड़े अन्तर्राष्ट्रीय सरोकारों के प्रति जवाबदेही बरकरार रखते हुए उन्हें इस बात के लिए अवश्य ही आगाह भी कर देना होगा कि पाकिस्तान के साथ कोई भी खुला संघर्ष पूरी तरह से पाकिस्तान रचित ही होगा।

तेहरान की ओ आई सी शिखर वार्ता–कश्मीर और अन्य सम्बद्धित मसले

चुनावी परिदृश्य को लेकर हमारे प्राथमिक सरोकारों के बीच हम विदेशों में हो रही गतिविधियों पर ज्यादा ध्यान नहीं दे रहे हैं। इस्लामी देशों के संगठन

(ओ. आई. सी.) की शिखर वार्ता ने, जिसका समापन 12 दिसम्बर को तेहरान में हुआ, भारत में कुछ गहन सोच-विचार को जन्म दिया क्योंकि ओ. आई. सी. की तेहरान घोषणा में जम्मू व कश्मीर में मुसलमानों के मानवाधिकारों के उललंघन को लेकर चिन्ता व्यक्त की गई है और कश्मीरी मुसलमानों को समर्थन देने के लिए उम्मा से अनुरोध किया गया है। भारत सरकार के आधिकारिक प्रवक्ता ने मानक भारतीय प्रतिक्रिया को प्रकट करते हुए भारतीय क्षेत्राधिकार के अंतर्गत आने वाले किसी मामले पर टिप्पणी करने के ओ आई सी के अधिकार पर सवाल खड़ा किया तथा घोषणा में दिए गए कश्मीर के सन्दर्भों और अलग प्रस्ताव पर वहां की गई चर्चा को दृढ़ता से खारिज कर दिया। जम्मू-कश्मीर के मुख्यमंत्री डा. फारूक अब्दुल्ला एक कदम और आगे बढ़ गए। नेशनल कान्फ्रेन्स के अध्यक्ष चुने जाने के बाद जम्मू-कश्मीर में पार्टी को सम्बोधित करने के दौरान उन्होंने ओ आई सी के सदस्यों को यह मशविरा दिया कि भारत को अप्रासंगिक सलाह देने के बजाय वे अपने-अपने देशों में मानवाधिकारों की चिन्ता करें।

हमारा ध्यान और प्रतिक्रिया हमारी क्षेत्रीय संप्रभुता और एकता के सन्दर्भ में हमें सीधे तौर पर प्रभावित कर रहे विषय के ऊपर इस्लामी देशों के अनुमानित और औपचारिक सामूहिक दृष्टिकोण पर केन्द्रित थी। फिर भी, हमारे देश में विश्व की दूसरी बड़ी मुस्लिम आबादी बसने के मद्देनजर तेहरान ओ आई सी शिखर वार्ता में जो कुछ भी घटा, उसके वृहत्तर निहितार्थों की जांच हमें कर लेनी चाहिए। पर विस्तृत मूल्यांकन की ओर बढ़ने से पहले कश्मीर मुद्दे पर ओ आई सी के दृष्टिकोणों का संक्षिप्त विश्लेषण प्रासंगिक होगा।

ओ आई सी की घोषणा पर स्वीकृति होने के बाद नई दिल्ली में ईरानी राजदूत अली राजा शेख अत्तार द्वारा दिया गया साक्षात्कार और उस विषय पर 13 दिसम्बर को की गई एक टीवी परिचर्चा, जिसका संचालन पाकिस्तानी शिक्षाविद् शीरीन मजारी ने किया था, इस विश्लेषण के लिए संदर्भ सूत्रों को मुहैया कराएंगे। राजदूत अत्तार ने अपनी सरकार का नजरिया अभिव्यक्त करते हुए कहा कि ईरान भारत की एकता और संप्रभुता पर कतई सवाल नहीं उठा रहा है, बल्कि वह सिर्फ यह गुजारिश करता है कि कश्मीर घाटी में रह रहे मुसलमानों की बेहतरी सुरक्षा और अस्मिता सुनिश्चित हो। ईरान कश्मीर मसले के लिए जो ...ी माध्यम संभव हो, उसके जरिए एक सौहार्दपूर्ण समाधान चाहता है। फिर भी ...रीन मजारी का कार्यक्रम काफी महत्वपूर्ण था, क्योंकि उस ...ा झुकाव इस तथ्य पर बना हुआ था कि कश्मीर मसले पर

पाकिस्तान के रुख में परिवर्तन की सम्भावनाओं को लेकर भारत के राजनैतिक परिदृश्य में जो आशावादिता अभिव्यक्त हो रही थी वह असत्य थी और गलत तरीके से रखी गई थी। इस परिचर्चा में ओ आई सी की तेहरान घोषणा को एक ऐसे कारक के रूप में स्पष्ट किया गया है, जो पाकिस्तान को जम्मू-कश्मीर पर उसके दावों पर टिके रहने के निश्चय को मजबूत करता होः यह एक ऐसी व्याख्या है जिसे ओ आई सी की शिखर वार्ता के बाद पाकिस्तानी विदेश मन्त्रालय द्वारा दिए गए वक्तव्यों से भी समर्थन मिलता है। हमें इस तथ्य पर भी ध्यान देना चाहिए कि इस शिखर बैठक ने कश्मीर पर ओ आई सी के संपर्क समूह को भी बरकरार रखा है जिसके सदस्य हैं तुर्की, पाकिस्तान, सऊदी अरब, मोरक्को और नाइजीरिया। प्रधानमंत्री नवाज शरीफ ने शिखर वार्ता के संपर्क समूह को बरकरार रखने को यह कहते हुए उचित ठहराया कि आज विश्व में कश्मीर ''हॉरेस्ट फ्लैश प्वाइंट'' (सबसे ज्वलंत मसला) है। उस शिखर वार्ता में ''कश्मीर'' पर की गई घोषणा, साथ ही साथ उसके समापन के बाद से उस पर होने वाली टिप्पणियों के मद्देनजर हमारी विदेश नीति को जिन निष्कर्षों पर नजर डालनी होगी वे अधोलिखित हैं:

(क) भारत-पाकिस्तान वार्ता के पुनः शुरू होने के बावजूद पाकिस्तान से यह अपेक्षा नहीं की जा सकती है कि भारत के साथ कश्मीर पर बातचीत करते समय वह किसी व्यावहारिक विवेक का परिचय देगा:

(ख) ओ आई सी में हुए विचार-विमर्श और घोषणा में जहां कश्मीर के सन्दर्भों का ध्यान रखना जरूरी है, वहीं इन सारी बातों को लेकर ज्यादा आवेश में आने की जरूरत नहीं, क्योंकि यह ओ आई सी घोषणाओं की पुनरावृति मात्र ही है जो 1990 से होती रही है।

(ग) कश्मीर मुद्दे पर ओ आई सी के सदस्यों के बीच अत्यधिक दिलचस्पी या मतैक्य नहीं दिखता; वह घोषणा दरअसल इस्लामी एकजुटता की आकांक्षा से प्रेरित व्यापक औपचारिक आम सहमति की अभिव्यक्ति है न कि ओ आई सी के सदस्य देशों द्वारा अपनी-अपनी विदेश नीतियों में कश्मीर के मसले पर प्रभावी भारत-विरोधी नीतियों को अपनाना;

(घ) ईरानी नेताओं द्वारा हमारे विदेश राज्य मन्त्री शेरवानी को दिए गए आश्वासनों से तेहरान के पीछे हटने पर हमें अभियोगात्मक रुख नहीं रखना चाहिए। ईरान ने पहले भी कश्मीर के ऊपर ऐसी आम

सहमति युक्त घोषणाओं में हिस्सा लिया है, पर साररूप में देखा जाए तो कश्मीर मुद्दे ने कभी भी भारत-ईरान सम्बन्धों को प्रभावित नहीं किया है। बेशक, हमें कोई भी भ्रम नहीं होना चाहिए; ईरानी क्रांति की विचार धारा के मद्देनजर विश्व के विभिन्न भागों में रहने वाले मुसलमानों के हित को लेकर ईरान का नजरिया सहानुभूतिपूर्ण ही होगा;

(ड.) कश्मीर पर मौजूदा सूरतेहाल का जवाब देने के लिए हमारी नीति यह होनी चाहिए कि ओ आई सी में भारत के प्रतिनिधित्व के लिए हमारा प्रयास जारी रहे और हम इतने आत्मविश्वासी हो पाएं कि जम्मू-कश्मीर से उन भारतीय नागरिकों को, जो इन सम्मेलनों में भाग लेने के लिए ओ आई सी की बैठकों में शामिल होना चाहते हैं, अनुमति दे पाएं। यह दुख की बात है कि पिछली शिखर वार्ता के विपरीत इस बार हमने ऐसे भारतीय सहभागियों को तेहरान जाने की इजाजत नहीं दी।

भारत के ज्यादा महत्वपूर्ण क्षेत्रीय और रणनीतिक सरोकार यह होना चाहिए कि तेहरान में हाल में संपन्न ओ आई सी की शिखर वार्ता के वृहत्तर सिलसिले का आकलन हो। पहली और सबसे अहम बात यह है कि यह शिखर वार्ता तब हुई जब 55 इस्लामी देश, जो ओ आई सी के सदस्य हैं, एक आम नाजुक विकट-स्थिति का सामना कर रहे हैं। खाड़ी देशों के शासन भ्रूणीय लेकिन आकार लेते लोकतान्त्रिक दबाव के अधीन होते जा रहे हैं, जिसके अनुकूल उन्हें अपनी शक्ति संरचना के साथ अपनी अर्थ व्यवस्थाओं के बढ़ते आधुनिकीकरण, उच्चस्तरीय शिक्षा और राजनीतिक चेतना के अनुसार सामन्जस्य बिठाना ही होगा। ईरान खुद 1979 की क्रांति के बाद से रूढ़िवादिता और अन्तर्राष्ट्रीय राजनीतिक प्रक्रियाओं की मुख्यधारा में शामिल होने के लिए अपनी निस्संगता से निकलने के यथार्थपरक आवेशों के बीच की खींच-तान में उलझा हुआ है, जैसा कि 14 दिसम्बर को तेहरान में एक संवाददाता सम्मेलन में राष्ट्रपति मोहम्मद खातमी के वक्तव्य से प्रकट होता है जिसमें उन्होंने कहा था:

''मैं महान अमेरीकी लोगों का अभिवादन करता हूं और यह आशा करता हूं कि उनके साथ तथा अमेरीका के बारे में एक बातचीत हो, पर वह सुदूर भविष्य में न हो।''

कुवैत पर किए गए आक्रमण और खाड़ी युद्ध की वजह से इराक विवादों से घिरा रहा। मध्य एशियाई देश सोवियत संघ के विखंडन के बाद अब भी अपनी पहचान को सुदृढ़ करने और अपनी अर्थव्यवस्थाओं को स्थिर करने की

प्रक्रिया में हैं। मग्रब के मुस्लिम देश, सूडान से मिस्र तक और सेनेगल तक फैले हुए, अपने-अपने देशों में हिंसक धार्मिक चरमपंथी शक्तियों के अचानक उभर आने की स्थिति से जूझ रहे हैं। यही वह परिप्रेक्ष्य है जिसमें मुस्लिम देशों के बीच स्थिरता और सामूहिक एकजुटता के निर्माण के लिए ओ आई सी एक मंच मुहैया कर रहा है। तेहरान शिखर वार्ता का इसी संवेदनशील और महत्वपूर्ण अभ्यास को आरंभ करने के लिए उपयोग किया गया था। हमें इस बात को लेकर सचेत रहना चाहिए कि ओ आई सी के सदस्य क्षेत्रीय और अन्तर्राष्ट्रीय मुद्दों के प्रति अपने दृष्टिकोणों में एकजुट नहीं हैं। वे वैचारिक व राजनैतिक मतभेदों, और विश्व के विभिन्न शक्ति केन्द्रों के साथ समीकरणों के भिन्न और परस्पर विरोधी ताने-बाने से ग्रसित हैं। एक सारगर्भित बिन्दु यह है कि अमेरीका और मलेशिया, ईरान व सीरिया जैसे देशों के बीच मौजूद दूरियों के ठीक विपरीत अमेरीका और खाड़ी के देशों के बीच नजदीकी भू-रणनीतिक समीकरण विद्यमान हैं। हालांकि 12 दिसम्बर की तेहरान घोषणा में यरूशलम और गोलन पर्वतीय क्षेत्रों के साथ-साथ सारे अधिग्रहित अरब भू-भागों को मुक्त कराने की मांग रखी गई थी, पर इसमें मध्य-पूर्व शांति प्रक्रिया को कोई समर्थन नहीं दिया गया, जिससे ओ आई सी के कई सदस्य और मध्य-पूर्वी उप-क्षेत्र जुड़े हुए हैं। अफगान की स्थिति और तालिबान की गतिविधियों-जिनकी आलोचना की गई थी-पर एक तरफ ओ आई सी के ज्यादातर सदस्यों और दूसरी तरफ पाकिस्तान सऊदी अरब और लीबिया जैसे देशों के बीच मतान्तर रहे।

हमारे लिए खास दिलचस्पी की बात यह है कि तेहरान घोषणापत्र ने इस्लाम के नाम पर फैलाए जा रहे सभी तरह के आतंकवाद की भर्त्सना की है, जिसे ओ आई सी के उन सदस्यों से अबाधित सहमति नहीं प्राप्त हुई, जो ऐसे उग्रवादी आन्दोलनों को समर्थन देने में जुटे हैं। यहां तक कि बोस्निया से संबद्धित मसलों पर घोषणापत्र में परिलक्षित स्पष्ट एकजुटता छिन्न-भिन्न हो जाएगी जब वही विषय अन्य किसी बहुपक्षीय मंच पर बहस के लिए उठा दिया जाए। पुनश्च, संयुक्त राष्ट्र निरीक्षकों के मुद्दे पर अमेरीका और इराक में हाल के गतिरोध के बावजूद ओ आई सी ने इराकी लोगों की विकट स्थिति पर कोई निश्चित विचार अभिव्यक्त नहीं किए हैं।

अतः ओ आई सी के द्वारा अन्तर्राष्ट्रीय संबन्धों में एक टकरावपूर्ण वातावरण तैयार करने के माध्यम से व्यापक अखिल-इस्लामी दर्शन के बारे में शक्ति-विद्या की रचना करना वस्तुतः गलत है और राजनैतिक भविष्यवाणी के सन्दर्भ में युक्ति विरूद्ध। किसी भी अन्य बहुपक्षीय मंचों की तरह ओ आई सी

भी सदस्य देशों का एक मंच है जो परस्पर धार्मिक और आम वैचारिक प्रवृति के साझेदार हैं, जिसमें हर एक सदस्य एक सामूहिक कारक के जरिए अपने हित को आगे बढ़ाने के प्रयास में हैं।

यह काबिले गौर है कि बहुत सारे कश्मीरी संगठनों ने तेहरान घोषणा की कश्मीर मुद्दे पर द्विअर्थी होने के कारण कड़ी आलोचना की है। जम्मू और कश्मीर लिबरेशन फ्रंट (यासिन गुट) ने ओ आई सी की कार्रवाई संबद्धित झुकाव न होने की वजह से आलोचना की है। यूरोप में जम्मू और कश्मीर लिबरेशन फ्रंट के जनरल सेक्रेटरी अजमत खान ने घोषणा को कश्मीर के लोगों के लिए निराशाजनक बताते हुए आलोचना की। जम्मू एंड कश्मीर पीस कमेटी के अध्यक्ष अनवर खान ने यह कहा कि यह बड़े अचरज की बात है कि सऊदी अरब और तुर्की जैसे देश, जिनके यहां पीढ़ियों से अल्पसंख्यकों के साथ तनावपूर्ण स्थिति बनी हुई है, दूसरी जगह के अल्पसंख्यकों के मसलों के बारे में बात कर रहे हैं। वह आगे कहते हैं कि ईरान और पाकिस्तान ने कश्मीरियों, बलूचियों, पठानों और सिन्धियों के साथ दुर्व्यवहार किया है, इसके साथ उन्होंने यह बात भी जोड़ी कि उनका संगठन एक अन्तर्राष्ट्रीय सम्मेलन संयोजित करने जा रहा है, जिसमें इस्लामी देशों, खासतौर पर तुर्की, ईरान, सऊदी अरब, पाकिस्तान, नाईजीरिया और मोरक्को जैसे देश जो कश्मीर संपर्क समूह के सदस्य हैं, में अल्पसंख्यकों के ऊपर होने वाले अत्याचारों पर चर्चा होगी।

मिस्र के विदेश मन्त्री वह शख्स थे जिन्होंने तेहरान शिखर वार्ता की एक सकारात्मक उपलब्धि पर ध्यान खींचा, वह यह कि खाड़ी के देश और ईरान, साथ ही साथ कई अन्य मुस्लिम देश ईरान के साथ रिश्तों को सामान्य बनाने के लिए एक साथ इकट्ठे हो पाए और उन्होंने वैश्विक सरोकारों के वृहत्तर मुद्दों पर एक़ साझा आधार को साकार करने के लिए क्षेत्रीय मसलों, जिस पर उन्होंने बातचीत की थी, से परे विचार-विमर्श आरंभ किया। राष्ट्रपति खातमी ने जिस तरीके से तेहरान शिखर वार्ता का नेतृत्व किया, उससे ईरान की अन्तर्राष्ट्रीय संबन्धों पर अपनी हठधर्मिता से निकल कर ज्यादा व्यावहारिक और सहयोगात्मक रवैया अपनाने की प्रवृति साफ झलकती है।

2

कश्मीर पर वार्ताः समझौते के कदम

कश्मीर–वार्ता की दुविधाएं

पिछले छः सप्ताह से कश्मीर मुद्दे को सुलझाने के लिए विभिन्न स्तरों पर राजनीतिक वार्ता की कई श्रेणियों को लेकर काफी विचार मंथन और अनिश्चित सी गतिविधि होती रही है। दोनों पक्षों ने युद्धविराम की घोषणा की, फिर इसे वापस ले लिया; शर्तें निर्धारित हुईं, नकारी गईं और पुनः तय की गईं। भारत सरकार के शिष्ट मंडलों ने हिज्ब और हुर्रियत से मुलाकात की; आर. के. मिश्रा और एम. के. रसगोत्रा द्वारा पर्दे के पीछे बातचीत की गई। अगस्त के तीसरे सप्ताह में हुर्रियत नेता दिल्ली आए और पाकिस्तानी उच्चायुक्त और अमेरीकी दूतावास के उच्चाधिकारियों से मुलाकातें की। अब्दुल माजिद दार ने इस पर जोर दिया कि बातचीत ''सिर्फ देर से हुई है न कि पटरी से उतर गई है।'' और वे दो या तीन महीनों में फिर शुरू हो सकेंगी। जबकि हुर्रियत के प्रमुख ने जोर देकर कहा कि बातचीत टूट चुकी है। लश्कर-ए-तोयबा और अन्य गुटों के नेताओं ने यह घोषणा की कि संघर्ष विराम की घोषणा के जरिये जेहाद के साथ विश्वासघात और काफिर भारत सरकार के साथ बातचीत को नहीं स्वीकारा जाएगा और यह भी कहा कि कश्मीर समस्या को सुलझाने का एकमात्र उपाय है जम्मू-कश्मीर में पाकिस्तान सरकार द्वारा प्रत्यक्ष सैन्य कार्रवाई और जेहाद।

जम्मू-कश्मीर मुद्दे की त्रासदी में शामिल सभी पक्ष एक चक्करघिन्नी में फंसे नजर आते हैं, जहां से वे निकलना चाहते तो हैं पर नहीं निकल पाते; या फिर एक ऐसे भंवर में फंस गए हैं जिससे वे बाहर नहीं आ सकते हैं। इन घटनाक्रमों पर स्पष्ट और निष्पक्ष नजर डालना, कम से कम ऐसा प्रयास करना प्रासंगिक होगा।

सम्बद्ध पक्षों के उभरते समझौता पूर्ण रवैये के बावजूद इस बात को स्वीकार कर लेना है कि इससे जुड़े पक्षों में से हर एक के पास फिलहाल

जम्मू-कश्मीर से संबद्ध सभी मुद्दों का समाधान निकालने के सिलसिले में कुछ न कुछ आधारभूत उद्देश्य हैं। भारत की प्राथमिकताओं के लिहाज से भारतीय उद्देश्य इस प्रकार हैं:

(क) हिंसा और आतंकवाद से जुड़ी सारी धाराओं की समाप्ति;

(ख) यह सुनिश्चित करना कि जम्मू-कश्मीर के क्षेत्र, जो भारत के हिस्से में है, भारतीय गणतन्त्र के भू-भागों से अलग न हो पाएं,

(ग) जम्मू-कश्मीर के लोगों का प्रतिनिधित्व कर रहे विभिन्न विरोधी गुटों के साथ बातचीत के आधार पर किसी भी समझौते पर पहुंचने की स्थिति में जम्मू-कश्मीर राज्य में भारत का रणनीतिक दर्जा हल्का न पड़े;

(घ) परिणाम के रूप में ऐसा कतई नहीं हो कि कोई क्षेत्र पाकिस्तान को सौंप दिया जाए; और

(ड.) ऐसे समझौते की स्थिति बने जो भारत के दूसरे हिस्सों को प्रभावित कर रहे केन्द्रविमुख शक्तियों को निरस्त करने में योगदान दे सके और देश की एकता और संप्रभुता को एक सृजनात्मक संघीय ढांचे के रूप में मजबूत कर सके।

विरोधी और अलगाववादी शक्तियों के उद्देश्य पूर्णतया स्पष्ट नहीं हैं। उन्होंने भिन्न-भिन्न उद्देश्यों को अपने मन में बैठा रखा है। पहला और सबसे अहम यह है कि ये गुट जम्मू-कश्मीर में भारी और बड़े पैमाने पर उपस्थित भारतीय सेना और सुरक्षा बलों की वापसी चाहते हैं। उनमें से कुछ गुट इन बलों की पूर्ण वापसी चाहते हैं। जम्मू-कश्मीर के लोगों का एक वर्ग उसी तरीके की स्वायत्तता चाहता है जो इस राज्य को 1948-53 के बीच हासिल थी। एक दूसरा वर्ग है जो जम्मू-कश्मीर को एक स्वतन्त्र राजनीतिक अस्तित्व के रूप में देखना चाहता है, जिसकी सुरक्षा का जिम्मा अन्तर्राष्ट्रीय समुदाय, और खास कर भारत और पकिस्तान उठाए। तीसरा वर्ग उन लोगों का है जो जम्मू-कश्मीर राज्य को पाकिस्तान का हिस्सा बनाना चाहते हैं। चौथे वर्ग में लद्दाख और जम्मू के निवासी शामिल हैं जो इस राज्य के भारतीय गणतन्त्र का एक समग्र भाग बने रहने के आकांक्षी हैं।

पाकिस्तान के उद्देश्य स्पष्ट हैं:

1. वह जम्मू-कश्मीर को हासिल करने को भारत के विभाजन के समय बाकी रह गए काम के रूप में देखता है;

2. पाकिस्तान का कश्मीर पर किया गया दावा दो-राष्ट्र सिद्धान्त पर मजबूती के साथ टिका है;
3. पाकिस्तान भारत स्वतन्त्रता अधिनियम के प्रावधानों और जम्मू-कश्मीर राज्य भारत को सौंपने के लिए महाराजा द्वारा हस्ताक्षर किए गए विलय के दस्तावेजों को अविधिमान्य ठहराना चाहता है;
4. जम्मू-कश्मीर को भारत का हिस्सा बनाने के लिए शेख अब्दुल्ला द्वारा लिए गए निर्णय पर भी पाकिस्तान ने सवाल खड़े किए हैं;
5. पाकिस्तान यह सोचता है कि सीमा-पार आतंकवाद और हिंसापूर्ण हस्तक्षेप को जारी रखकर, साथ ही साथ भाड़े के आतंकवादियों और गैर-कश्मीरी गुटों को जम्मू-कश्मीर में भेज संघर्ष की स्थिति बना कर वह उपरोक्त उद्देश्यों को प्राप्त कर लेगा।

पाकिस्तान का दूसरा व्यावहारिक लक्ष्य है अन्तर्राष्ट्रीय हस्तक्षेप की भूमिका रचना और किसी अन्तर्राष्ट्रीय व्यवस्था की प्रक्रिया या संयुक्त राष्ट्र प्रस्तावों के जरिये जम्मू-कश्मीर पाकिस्तान को सौंप देने के लिए भारत के ऊपर दबाव अरोपित करना।

इन विचार-विमर्शों को लेकर उन पक्षों के रुख में व्याप्त होते मतभेद पर भी गौर करना जरूरी है। जहां भारत और जम्मू-कश्मीर के लोगों का एक वर्ग इस बात पर सहमत हैं कि कश्मीर विवाद का निर्णायक समाधान सिर्फ राजनैतिक माध्यमों और समझौतों के जरिये ही हो सकता है, वहीं विरोधी उग्रवादी गुट, खासतौर पर जो पाकिस्तान में स्थित हैं, इस बात पर विश्वास करते हैं कि उन्हें हिंसापूर्ण आतंकवादी और सैन्य कार्रवाइयों, 'जेहाद', को जारी रखना ही होगा क्योंकि यही या तो एक लंबे युद्ध की प्रक्रिया से या भारत पर पाकिस्तान द्वारा आरोपित प्रत्यक्ष सैन्य पराजय के जरिये भारत को परास्त कर रहा है, जो समस्या का समाधान करेगा।

पाकिस्तान की एक-एक कर आई सरकारों, जिसमें वर्तमान सरकार भी शामिल है, का यह नजरिया रहा है कि पाकिस्तान के उद्देश्य गुप्त सैन्य कार्रवाइयों के एक संयोजन द्वारा पूरे हो पाएंगे जिसे एक ही समय में अन्तर्राष्ट्रीय दबाव, हस्तक्षेप या मध्यस्थता का माहौल बनाते हुए जारी रखना होगा। 'मध्यस्थता' सुनिश्चित करने के लिए जम्मू-कश्मीर में हिंसा को क्षेत्रीय तनाव की चरम सीमा तक बढ़ा दिया जाए ताकि भारत और पाकिस्तान के नाभिकीय अस्त्रीकरण के मद्देनजर अन्तर्राष्ट्रीय हस्तक्षेप की बाध्यता उत्पन्न हो जाए।

इन्हीं आधारभूत वास्तविकताओं के परिप्रेक्ष्य में भारत को जम्मू-कश्मीर पर और पाकिस्तान के लिए अपनी नीतियों की रूपरेखा तय करनी है। पिछले दो महीनों में जो भी घटा है उसका विश्लेषण करते हुए भविष्य की कार्रवाई के लिए यह पाठ निश्चित तौर पर अपने मन में बैठा लेना चाहिए। हिजुबल मुजाहिदीन ने एकपक्षीय संघर्ष विराम के निर्णय की घोषणा की और यह जाहिर किया कि पाकिस्तान के आई एस आई और वहां की सैन्य सरकार द्वारा उन्हें जाने की अनुमति दिए जाने के आधार पर वह भारत के साथ समझौते के लिए इच्छुक है। पाकिस्तान द्वारा हिजबुल के इस प्रयास को समर्थन देने के पीछे ये कारण थे: पहला, यह आशंका गहराने लगी थी कि कुछ हुर्रियत नेताओं के साथ भारत की बातचीत और जम्मू-कश्मीर को और ज्यादा अधिकार देने के भारत के कदम से वहां मौजूद पाकिस्तान समर्थित राजनीतिक और सैन्य तत्वों को दरकिनार कर दिया जाएगा; दूसरा, जम्मू-कश्मीर में राजनैतिक गतिविधियों और भारतीय सुरक्षा बलों द्वारा बनाए जा रहे दबावों का सामना करने के लिए पुनः-संघटित और पुन: साजो सामान सुलभ कराने के उद्देश्य से हिजबुल चाहता था कि भारतीय सैन्य कार्रवाई कुछ समय के लिए बंद हो जाए। एक बार जब समझौते के लिए बातचीत का दौर शुरु हुआ तो पाकिस्तान में हिजबुल मुख्यालय और आई एस आई के मन में यह डर समा गया कि शायद समझौता आगे बढ़ सकता है और पाकिस्तान की दीर्घकालिन योजना निष्फल हो जाएगी। अत: समझौता वार्ता के समापन के बाद बातचीत में पाकिस्तान की उपस्थिति की मांग रखी गई और भारत को किसी अंतिम चेतावनी की तरह 8 अगस्त तक बहुत ही छोटे समयांतराल, दो से ढाई दिन के भीतर, जवाब देने के लिए कहा गया।

यह अनुमान है कि भारत सरकार को इन सम्भावनाओं का अंदाजा था। किसी भी तरह हिज्ब के साथ शुरुआती बातचीत और गृह मन्त्रालय के वरिष्ठ अधिकारियों और हिज्ब प्रतिनिधियों के बीच समझौते के लिए वास्तविक वार्ता, मीडिया की ऐसी तेज नजर और इस प्रकार के प्रचार जिसके अनतर्गत यह हुई, के साथ संपन्न नहीं की जानी चाहिए थी। ऐसी बहसें तभी आगे बढ़ सकती हैं जब वे गोपनीयता से आयोजित की जाएं, लगभग उस समय तक जब तक समझौते की सम्भावनाओं के अंतिम चरण आकार न लेने लगें। दूसरे पहलू से देखा जाए तो समझौता-वार्ता करने वालों को सार्वजनिक चेतना के प्रति उत्तरदायी होना चाहिए और इसे विशाल जन समूह के बीच चलाना चाहिए। दूसरा, यह बात कतई जरूरी नहीं थी कि हमारे प्रधानमन्त्री दार जैसे हिजबुल नेताओं के द्वारा रखी गई मागों और वक्तव्यों पर खुद जवाब दें। इतना ही काफी होता यदि भारत के गृह मन्त्रालय का कोई प्रवक्ता ने समझौता-वार्ता की संचालन-क्षमता और

लचीलेपन के लिए पर्याप्त जगह बनाते हुए अंतरिम और नपी-तुली प्रतिक्रिया दे दी होती। प्रधानमन्त्री की ओर से दिया गया जवाब देश की नीति बन जाता है। राजनैतिक आकांक्षाओं के अन्तर्गत इससे मुंह मोड़ना सरकार की विश्वसनीयता को प्रभावित करता है।

अतएव यहां से हट कर हम कहां जाएं। भारत सरकार को सिर्फ इस अनुमान पर कि आतंकवादी गुट आपस में बंट चुके हैं और ऐसे विभाजन का फायदा उठाया जा सकता है, अपनी कुल समझौता-वार्ता स्थिति का दावा नहीं करना चाहिए। यदि कुछ शुरूआती मतभेद मौजूद हों तो भी निर्णायक कारक तो पाकिस्तान है, जो अपने उद्देश्यों के ढांचे के बाहर किसी भी समझौता-वार्ता को आगे बढ़ने की अनुमति नहीं देगा। पाकिस्तान को ऐसी समझौता-वार्ताओं में हिस्सा बनाने की मांग एक सूक्ष्म अर्थभेदी जवाब के काबिल है। भारत को हिजबुल और हुर्रियत को यह बता देना चाहिए कि हम उनसे प्रत्यक्ष रूप से बात करने के लिए तैयार हैं, इसी बीच पाकिस्तान के साथ खुद से बात कर पाकिस्तान के विचारों को हमारे साथ की जा रही अपनी समझौता-वार्ता में मिला कर रखने के लिए उनका स्वागत है। इसके साथ-साथ हमें यह रुख भी अपनाना चाहिए कि हम कश्मीर मसले के उन पहलुओं पर बात करने के लिए तैयार रहें जिसमें पाकिस्तान शामिल है और जो उसके और हमारे बीच के परस्पर सरोकार में से है। कोई भी समझौता वार्ता आगे नहीं बढ़ सकती है अगर उसे सीधे-सीधे खरिज कर दिया जाए। इसी बीच हमें जम्मू-कश्मीर में बड़े पैमाने पर हिंसा की आशंकाओं की बाबत सर्तकता बनाए रखनी चाहिए। हमें ऐसी हिंसा के प्रति अपनी प्रभावी प्रतिक्रियाओं में निर्णायक बने रहना होगा। यह जिक्र किया जा सकता था कि कठोर कार्रवाई करने का और प्रतिशोधपूर्ण कदम उठाने का अधिकार अन्तर्राष्ट्रीय कानून के तहत मान्याप्राप्त चलन हैं। उन्हें सार्वजनिक घोषणाओं द्वारा समय से पहले जाहिर करने की जरूरत नहीं है। यह कहने के साथ ही भारत को पाकिस्तान और अलगाववादी गुटों, दोनों ही के साथ, कहीं भी, कभी भी, जब भी अवसर मिले, वार्ता को पुनः बहाल करने के लिए तैयार रहना होगा। जम्मू-कश्मीर के लोग और यहां के वे राजनीतिक वर्ग, जिनका भारत की एकता और संप्रभुता पर विश्वास है, कश्मीर पर आगे की समझौता-वार्ताओं में अहम और प्रभावी कारक बने रहेंगे।

कश्मीर, भारत और पाकिस्तान-शांति के प्रयास?

पिछली जुलाई को भारत सरकार और हिजबुल मुजाहिदीन के बीच की वार्ता पाकिस्तान द्वारा इसे त्रिपक्षीय शक्ल बनाने पर जोर दिए जाने की वजह से

जब अचानक समाप्त कर दी गई तो भारत और जम्मू-कश्मीर के लोगों, दोनों को ही अपार निराशा हुई थी। फिर भी, हिज्ब के नेता माजिद दार ने आशा की एक किरण जगाई जब उन्होंने कहा कि बातचीत टूटी नहीं है, बल्कि विलंबित या अवरूद्ध हो गई है और उन्हें आशा है कि दो से तीन महीनों के भीतर ही वार्ता को फिर से बहाल कर लिया जाएगा। उनका पूर्वानुमान इस लिहाज से सच होता नजर आ रहा है कि सरकार और गैर-सरकारी साधनों, दोनों ने ही पिछले आठ सप्ताह से कश्मीर और सारे सम्बद्धित मसलों पर बातचीत को पुनर्बहाल करने के लिए लगातार कई प्रयास किए हैं। राष्ट्रीय और अन्तर्राष्ट्रीय, दोनों ही स्तरों पर सबका ध्यान, थोड़ी सी आतुर चिंता के साथ, इस बात पर केन्द्रित है कि वर्तमान प्रयासों से कश्मीर मुद्दे पर सभी सम्बद्धित पक्षों के बीच एक सार्थक बातचीत का परिणाम निकले और जिस ढांचे के अन्तर्गत ऐसे विचार-विमर्श आयोजित हुए हों उसकी प्रकृति ऐसी हो जो वार्ता को एक दीर्घकालिक आधार पर तब तक जारी रखना सुनिश्चित करे जब तक कि किसी समझौते पर पहुंच न जाएं।

कश्मीर मसले के साथ जुड़े पक्षों द्वारा उठाए गए हाल के ज्यादातर कदमों की सफलता के परिप्रेक्ष्य का तीन कसौटियों के सन्दर्भ में आकलन करना होगा। मौजूदा प्रयासों को जीवंत बनाने वाले अभिप्रेरण, भारत सरकार का नीतिगत रुख, पाकिस्तान व कश्मीरी गुटों का उन्हें समर्थन, और 28 नवम्बर से जमीनी वास्तविकताएं, जब रमजान के महीने के शुरू होने पर भारत सरकार ने एकपक्षीय संघर्षविराम की घोषणा की थी। संघर्षविराम का निर्णय और उसके बाद की गतिविधियों में मुख्य भूमिका निभाने वाले सम्पर्कों और बातचीत को संक्षेप में याद करना प्रासंगिक होगा। पिछली जुलाई की वार्ता में किए गए प्रयास की विफलता के बावजूद कश्मीर के विरोधी गुटों के प्रतिनिधियों और राष्ट्रीय सुरक्षा सलाहकार बोर्ड के सदस्यों के बीच पर्दे के पीछे सम्पर्क बना रहा। पूर्व राजनयिकों, सेवानिवृत्त सैन्य अधिकारियों और महिला संगठनों के शिष्ट मंडलों द्वारा राजनीतिक और सुरक्षा मसलों पर भारत और पाकिस्तान के बीच पिछले छह महीनों के दौरान अंतर्व्यवहार बना रहा। सितम्बर में हमारे पूर्व विदेश सचिव रसगोत्रा की जनरल परवेज मुशर्रफ के साथ लंबी बातचीत हुई थी। हाल-फिलहाल नवम्बर में, सुब्रमण्यम स्वामी और सेवानिवृत्त भारतीय विदेश सचिव सलमान हैदर को जनरल मुशर्रफ ने बातचीत के लिए निमन्त्रित किया था। अक्टूबर और नवम्बर के महीनों की खासियत यह रही कि इस दौरान भारत की पाकिस्तान एवं कश्मीरी अलगाववादी गुटों से बातचीत शुरू करने की वांछनीयता पर कई

विचार गोष्ठियां और परिचर्चाएं आयोजित की गईं। हुर्रियत कान्फ्रेन्स से जुड़े जम्मू-कश्मीर, यूरोप और अमेरीका के कश्मीरी गुटों के प्रतिनिधियों ने इन विचार गोष्ठियों और बहसों में हिस्सा लिया।

इन ब्योरों को याद करने के पीछे की वजह यह है कि एकतरफा संघर्षविराम घोषित करने का भारत सरकार का निर्णय और कश्मीरी अलगाववादी गुटों के साथ बातचीत की इच्छा जताते हुए दिए गए संकेत; ये सारी गतिविधियां किसी शून्य में नहीं रची गई थीं; बल्कि भारत की जम्मू-कश्मीर में अलगाववाद की समस्या को शांतिपूर्ण तरीके से हल करने की आकांक्षा का परिणाम था दूसरा, यह भारत पाक के बीच बातचीत के पक्ष में बने व्यापक जनमत के अनुकूल प्रतिक्रिया थी और तीसरा इसकी जड़ें जम्मू-कश्मीर में हमारे हमवतनों के बीच राजनैतिक उथल-पुथल और हिंसा को लेकर छाई चिंता और क्लान्ति में मौजूद थीं।

आखिर कब ये अभिप्रेरण और दबाव, जो सारे पक्षों को प्रेरित कर रहे हैं, समझौता-वार्ता की मेज तक उन्हें बढ़ा कर लाएंगे? भारत ईमानदारी से जम्मू-कश्मीर में शांति और सामान्य स्थिति को बहाल करने और राज्य में लोकतान्त्रिक संस्थानों को सुदृढ़ करने का आकांक्षी है। इसी तरह पाकिस्तान के साथ भी सामान्य और शांतिपूर्ण सम्बन्ध बनाए रखने के लिए भारत इछुक है। भारत इस बात को मानता है कि जम्मू-कश्मीर में मौजूद हिंसा और राजनीतिक उथल-पुथल को सैन्य माध्यमों, टकराव और बल-प्रयोग के द्वारा समाप्त नहीं किया जा सकता है। भारत यह चाहता है कि सारे राजनैतिक गुट और जम्मू-कश्मीर के लोगों का प्रतिनिधित्व कर रहे सारे संगठन खुद को बाहर के देशों और अन्तर्राष्ट्रीय आतंकवादी संगठनों द्वारा समर्थित हिंसक विदेशी संगठनों के जाल से छुड़ा कर लोकतान्त्रिक राजनीति की मुख्यधारा में लौट आएं।

जहां तक जम्मू-कश्मीर में अलगाववादियों और आतंकवादियों के अभिप्रेरणों की बात है, वे जटिल रहे हैं और राजनैतिक रूप से कुछ अस्पष्ट। वे शायद इस निष्कर्ष पर पहुंच चुके हैं कि भारत की राज्य और केन्द्र सरकारों के साथ सशस्त्र टकराव से उनके उद्देश्यों की पूर्ति नहीं होगी। उन्हें शायद इस बात का अहसास भी हो चला है कि अपने उद्देश्यों को हासिल करने के ध्येय से अपनाए गए उनके हिंसक और सैन्य रुख के प्रति जम्मू-कश्मीर की जनता का समर्थन कम होने लगा है। जम्मू-कश्मीर में चरमपंथी धार्मिक गुटों से जुड़े भाड़े के विदेशी आतंकवादियों के उपद्रवों से यहां के लोगों में उनके विरुद्ध रोष बढ़ता जा रहा है, यह रोष इस स्थिति में और भी ज्यादा हो गया है कि इन विदेशियों के पास

ज्यादा वित्तीय और शस्त्र संसाधन मौजूद हैं और वे पाकिस्तान से मिल रहे निर्देशों के अन्तर्गत यहां की अलगाववादी राजनीति में हावी होने का प्रयास कर रहे हैं। ऐसे में हुर्रियत और हिज्ब के लिए इस रोष के प्रति जवाबदेही निभाने के सिवा कोई चारा नहीं है। जम्मू-कश्मीर में अलगाववादी आंदोलन में बढ़ती विदेशी घुसपैठ के सामने यह शायद एक आवश्यकता बन गई है कि वे यहां के लोगों के सच्चे प्रतिनिधियों के रूप में अपनी विश्वसनीयता फिर से बनाएं। अतः हिज्ब और हुर्रियत ने राजनीतिक प्रक्रियाओं में अपनी स्वायत्त भूमिका को स्थापित करने के लिए भारत के प्रति सहमति जताने का निर्णय लिया। अपनी योजनाओं के अनुसार उन्हें यह आशा थी कि यह वार्ता समाधानों के द्वार खोलेगी जो जम्मू-कश्मीर के दर्जे को बदल डालेंगे। पर मसला यह है कि उनके बीच अभी तक ऐसी कोई भी पूर्णतया स्पष्ट सहमति नहीं है जो दर्जे का निर्णय करे-क्या इसे स्वतन्त्र राज्य होना चाहिए या इसे पाकिस्तान में मिल जाना चाहिए या फिर इसे भारत में ही वृहत्तर स्वायत्तता के साथ बने रहना चाहिए?

जहां तक पाकिस्तान के अभिप्रेरण और नीतियों ने काम किया है, यह भारत के निरन्तर इन्कार के इर्द-गिर्द ही रास्ता तलाश करना चाहता है। भारत तब तक पाकिस्तान के साथ समझौता वार्ता के लिए तैयार नहीं, जब तक वह सीमा पार आतंकवाद समाप्त नहीं करता और अलगाववादियों को साधन मुहैया करना रोक नहीं देता है।

पिछली जुलाई की वार्ता जब पाकिस्तान के रुख के कारण बाधित हो गई तो उसे जम्मू-कश्मीर और अन्तर्राष्ट्रीय समुदाय, दोनों की ही आलोचना का शिकार होना पड़ा। अतः इस बार उसने शुरूआती चरणों में वार्ता से दूर रहने की इच्छा जताई।

पाकिस्तान को उम्मीद है कि भारत सरकार, जम्मू-कश्मीर की राज्य सरकार और अलगाववादी गुटों के बीच की बातचीत से जम्मू-कश्मीर के दर्जे में परिवर्तन हो सकेगा, खासतौर पर जम्मू-कश्मीर के राजनीतिक और संवैधानिक दर्जे के सन्दर्भ में, जो अन्ततः उसी के लिए फायदेमंद होगा। पाकिस्तान द्वारा वार्ता को समर्थन देने से उसकी इस नकारात्मक छवि को सुधारने में भी मदद मिलेगी कि सरकार समर्थित सीमा-पार आतंकवाद के जरिए वह अपने एक पड़ोसी देश की क्षेत्रीय अखंडता को प्रभावित कर रहा है। एक अभिप्रेरण ऐसा है जो उपयुक्त लिखे तीनों मुख्य पक्षों को प्रेरित करता रहा है। वह है अन्तर्राष्ट्रीय समुदाय की ओर से वार्ता को पुनः आरंभ करने और हिंसा व मतभेद को खत्म करने के लिए दिया जा रहा दबाव, क्योंकि उनका मानना है कि ये स्थितियां नाभिकीय टकराव का सबब बन सकती हैं।

भारत अलगाववादी गुटों और पाकिस्तान के नीतिगत रुखों को ऊपर सारांश में कहे गए अभिप्रेरणों से अलग करना होगा। भारत के नीतिगत रुख को इधर हाल में प्रधानमंत्री अटल बिहारी वाजपेयी और गृह मंत्री लाल कृष्ण आडवाणी द्वारा दिए गए वक्तव्यों के आधार पर अधोलिखित तरीके से व्यक्त किया जा सकता है:

भारत जम्मू-कश्मीर की राजनीति के आंतरिक आयामों के साथ व्यवहार करने के लिए कश्मीरी अलगाववादियों से एक वार्ता के जरिये कश्मीर से जुड़े सारे मसलों का एक शांतिपूर्ण समाधान चाहता है। इसी तरह, भारत पाकिस्तान के साथ भी कश्मीर मुद्दे के उन पहलुओं को, जिसमें पाकिस्तान की नीतियां और गतिविधियां शामिल हैं; सुलझाने के लिए वार्ता को फिर से बहाल करना चाहता है। ऐसा प्रतीत होता है कि भारत सरकार का नजरिया यह है कि उसकी ओर से कश्मीर पर की जाने वाली बातचीत इस राज्य के हमारे अपने लोगों के साथ और पाकिस्तान के साथ, अलग-अलग आयोजित हो। वह किसी भी त्रिपक्षीय वार्ता या कश्मीरी अलगाववादी गूटों के साथ की जा रही अपनी वार्ता में पाकिस्तानी भागीदारी के सर्वथा विरुद्ध है। फिर भी, कश्मीरी अलगाववादियों द्वारा उनके पाकिस्तानी संरक्षकों के साथ कोई अनौपचारिक गैर-संस्थागत सलाह-मशविरा किए जाने पर भारत को कोई ऐतराज नहीं है। वह पाकिस्तानी अधिकारियों और कश्मीरी अलगावादी गुटों के बीच औपचारिक या संस्थागत बातचीत को अनदेखा नहीं कर सकता और उसे करना भी नहीं चाहिए क्योंकि इससे जम्मू-कश्मीर के भविष्य और राजनीतिक दर्जे का निर्णय लेने में पाकिस्तान के रुख को वैधता मिल जाएगी, जो उन मुद्दों को फिर से उछालने का कारण बन जाएगा जिन पर भारत के बंटवारे के समय ही निर्णय हो चुका है।

यह कहने के साथ, भारत स्वीकार करता है कि कश्मीर मुद्दे पर अंतिम समाधान व समझौतों के लिए पाकिस्तान की तरफ से सामान्य सहयोग की जरूरत होगी, जिसके तहत भविष्य में कार्य प्रणालियों और साधन-तन्त्रों पर बातचीत करने के लिए वह तैयार हो पाएगा। एक जोखिम भरी सलाह यह हो सकती है कि भारत को कश्मीरी अलगाववादी गुटों के सदस्यों को व्यक्तिगत रूप से अपने पाकिस्तानी परामर्शदाताओं के साथ सलाह करने वहां जाने के लिए यात्रा सुविधा मुहैया कराने में कोई आपत्ति नहीं होनी चाहिए। वर्तमान समझौता वार्ता प्रक्रिया में जिस जमीनी हकीकत को ध्यान में रखना है वह अधोलिखित हैं:

(क) वर्तमान में जहां एक तरफ हिज्ब और हुर्रियत संघर्ष विराम का अनुपालन कर रहे हैं, वहीं लश्कर-ए-तोयबा, हरकत-उल-मुजाहिदीन जैश-ए-मोहम्मद और तहरीक-उल-जेहाद-ई-इस्लाम जैसे सारे आतंकवादी गुटों ने, जिन्होंने पाकिस्तान में अपना अड्डा बना रखा है, संघर्षविराम को नकारते हुए अपनी हिंसापूर्ण गतिविधियों को बरकरार रखा है;

(ख) पाकिस्तान के विदेश मन्त्री अब्दुल सत्तार ने संघर्षविराम को एक स्वागतपूर्ण पर अधूरा कदम बताया है और कहा कि नियन्त्रण रेखा पर एक स्थायी संघर्षविराम और सर्वाधिक संयम बनाए रखना उस समझौता वार्ता की सफलता पर निर्भर करता है जिसमें पाकिस्तान भी एक पक्ष के रूप में मौजूद हो;

(ग) 4 दिसम्बर को वाजपेयी ने यह संकेत दिया कि यदि संघर्षविराम सही रहता है और सार्थक समझौता वार्ता संपन्न होती है तो वह रमजान के बाद तक इसे बढ़ाने के इच्छुक हैं;

(घ) भारत और पाकिस्तान, दोनों ही देशों में आम जनता इस बात को लेकर व्यग्र है कि संघर्षविराम बना रहे और भले ही समझौता वार्ता में समय लगे पर यह समाधान की राह निकाले;

(ड.) अन्तर्राष्ट्रीय समुदाय की मुख्य शक्तियां पूरी तरह से भारत के प्रयासों को समर्थन देती हैं और मानती हैं कि पाकिस्तान की प्रतिक्रिया निस्सन्देह सीमित और युक्तिपूर्ण है;

(च) नियन्त्रण रेखा पर तनाव थोड़ा कम हुआ है;

(छ) हिंसा की छिट-पुट वारदात के बाद भी वाजपेयी की संघर्ष विराम को लेकर बनी हुई प्रतिबद्धता शांतिपूर्ण वार्ता के लिए गहरे पैठी आकांक्षा का घोतक है।

इस सकारात्मक शुरुआत को निरस्त करने वाले दो कारक इस प्रकार हैं; पहला, भारत की क्षेत्रीय अखंडता से कोई कमी नहीं आनी चाहिए और दूसरा, भारत को कश्मीरी अलगावादियों और पाकिस्तान, दोनों के ही हित के प्रति प्रतिबद्ध होना होगा।

कश्मीर पर वार्ता-शीघ्र हो पर शनैः-शनैः 2000 में जुलाई और अगस्त के शुरुआती सप्ताह में वार्ता के पुनः शुरुआत को लेकर भारत सरकार और जम्मू-कश्मीर में विभिन्न उग्रवादी गुटों की तरफ से कई गतिविधियां दिखीं। इन

गतिविधियों के साथ-साथ कई घोषणाएं भी हुईं। मीडिया के कुछ वर्गों ने अपनी समझ के हिसाब से इसे जम्मू-कश्मीर में और भारत पाकिस्तान के बीच बहुप्रतीक्षित शांति-स्थापना के प्रयास के रूप में व्यक्त किया। यह जानी हुई बात है कि शांति एक अत्यावश्यक और वांछित उद्देश्य है। पर मैं भारत के सरकारी प्रतिनिधियों और उग्रवादी गुटों के बीच संवादों के मद्देनजर लिए जा रहे कदमों को शांति प्रयास नहीं कहूंगा। सही-सही कहा जाए तो वार्ता को पुनः आरंभ करने के लिए ये बस प्रयास भर हैं जो ऐसी व्यवस्था की आशा में किए जा रहे हैं कि इसके परिणाम से शायद शांति बहाल हो जाए। जम्मू-कश्मीर से सम्बंद्धित आकार लेती स्थिति का आकलन और परीक्षण तीन आयामों में करना है। पहला, वास्तविक पृष्ठभूमि और संघटक, जिन्होंने वार्ता होने के लिए मौजूदा रजामंदी का मार्ग प्रशस्त किया। दूसरा, इस वार्ता के लिए इस प्रयास को मजबूत करने वाले अभिप्रेरण और परिस्थितियां।

तीसरा, उद्देश्यों के परिप्रेक्ष्य में इस आसन्न वार्ता के आसार, जो व्यावहारिक सम्भावनाओं के सन्दर्भ में और मानदंड को लेकर सभी सम्बद्धित पक्षों के मन में बैठा है। उन घटनाओं और उपायों पर फिर से नजर डालने की जरूरत है, जिन्होंने हिजबुल मुजाहिदीन को संघर्षविराम की घोषणा करने के लिए प्रेरित किया। भारत सरकार ने यह निर्णय लिया कि इस साल की शुरुआत में जम्मू-कश्मीर पर आवाम के सभी तबकों और सारे पक्षों के साथ एक सार्थक वार्ता को पुनः आरंभ किया जाए। बसंत ऋतु और ग्रीष्मकाल के उत्तरार्द्ध तक हुर्रियत कान्फ्रेंस के वरिष्ठ नेताओं को जेल से रिहा कर कश्मीर वापस भेज दिया गया था। इसी बीच, केन्द्र सरकार की ओर से हुर्रियत को की जाने वाली पेशकश की संभावनाओं से डा. फारूक अब्दुल्ला और उनके दल के मन में दुष्चिंताओं ने जन्म लिया, जिसने उन्हें राज्य विधान सभा में पूर्व में आई स्वायत्तता समिति की रपट को समर्थन देने से जुड़े प्रस्ताव को पारित करने के लिए प्रेरित किया।

समांतर रूप से, केन्द्र सरकार ने ऑल पार्टी हुर्रियत कान्फ्रेंस के सभी नेताओं के साथ पर्दे के पीछे संपर्क की रूपरेखा तैयार कर ली थी।

पर्यवेक्षक समूह के आर के मिश्रा पूर्व सचिव रसगोत्रा, यहां तक कि रिसर्च एंड एनालिसिस विंग (रॉ) के प्रमुख दुल्ले इन संपर्कों के लिए तैनात किए गए। पाकिस्तान के साथ 'ट्रैक-II' संपर्कों को भी क्रियाशील किया गया। पत्रकारों और महिलाओं के दो शिष्ट-मंडलों ने दिल्ली और इस्लामाबाद का दौरा किया। इस प्रक्रिया में अमेरिका स्थित कश्मीरी कार्यकर्ताओं ने भी हिस्सा लिया है।

कश्मीरी अमेरीकी काउंसिल के डा. गुलाम नबी फाई, फारूक कथवारी, वर्ल्ड कश्मीर फ्रीडम मूवमेन्ट के डा. मुहम्मद अयूब ठाकुर, कश्मीरी कनाडियन काउंसिल के मुश्ताक जोइलानी और न्यूयार्क के एक बैंकर मंसूर एजाज़ जैसे व्यक्तियों ने कश्मीरी उग्रवादियों के लिए संपर्क वाहिनियों की तरह काम किया है। उनके प्रयासों को अमेरिका के विदेश मंत्रालय और दक्षिण एशियाई मामलों में विशेषज्ञता रखने वाले अमेरीकी बुद्धिजीवियों का समर्थन हासिल है। हाल में प्रधानमंत्री के प्रमुख सचिव द्वारा की गई घोषणा यह रही है कि पूर्व विदेश सचिव रसगोत्रा को पाकिस्तानी प्रतिष्ठान के साथ गैर-प्रशासनिक माध्यम से संपर्क आरंभ करने के लिए अधिकृत किया गया है, जो विदेश सेवा के चार अधिकारियों के साथ अगस्त के पहले सप्ताह में इस्लामाबाद गए थे। शिष्टमंडल के अन्य सदस्यों में पूर्व विदेश सचिव सलमान हैदर और पूर्व राजदूत मनोरमा भल्ला, अलान नाज़ेरथ और सी. वी. रंगनाथन शामिल थे। पाकिस्तानी विदेश मंत्री अब्दुल सत्तार ने उनकी आगवानी की। इन बातचीत की कड़ियों की पहली परिणति थी हिजबुल मुजाहिद्दीन द्वारा घोषित किया गया तीन महीने का संघर्षविराम, जो भारत सरकार के साथ बिना किसी पूर्वशर्त्तों के बातचीत करने की उनकी इच्छा का संकेत दे रहा था। हिजबुल मुजाहिद्दीन के स्थानीय नेता अब्दुल माज़िद दार ने जहां ऐसी पेशकश की वहीं उनके संगठन की पाकिस्तान स्थित सुप्रीम कांउसिल ने शुरू में इसका विरोध किया और फिर अनिच्छा से आजमाइशी विचार-विमर्श के लिए सहमत हो गई। पाकिस्तान स्थित लश्कर-ए-तोयबा, हरकत-उल-मुजाहिदीन या अन्सार जैसे अन्य आतंकवादी गुटों ने हिजबुल के प्रयास को धोखाधड़ी और विश्वासघात करार दिया।

लश्कर-ए-तोयबा के प्रमुख, मोहम्मद सईद ने 31 जुलाई को यह वक्तव्य दिया कि भारत के खिलाफ तब तक जेहाद जारी रहेगा जब तक कश्मीर पाकिस्तान का हिस्सा नहीं बन जाता है। लश्कर की यह नीति तुरन्त ही हकीकत में भी नजर आई जब उसने बांदीपुर सैन्य ठिकाने पर आक्रमण कर छह सैनिकों को मार डाला। भारतीय सेना द्वारा हिजबुल मुजाहिदीन के खिलाफ कार्रवाई न करने के निश्चय के वावजूद श्रीनगर में हिंसा जारी है। हिजबुल ने भारत सरकार के साथ वार्ता की रूपरेखा तय करने के लिए चार सदस्यीय शिष्टमंडल को नामांकित किया है जो इस प्रकार हैं गुलाम अली (कश्मीरी अमेरीकी काउंसिल के नेता), मुश्ताक गिलानी (वर्ल्ड कश्मीर फ्रीडम मूवमेन्ट) और मोहम्मद अली साहिब (ओवरसीज कश्मीरी सिटी जन्स कमिटी के सदस्य)। हिज्ब ने यह संकेत दिया है कि समझौता वार्ता दल में यह अपने वरिष्ठ कार्यकर्ताओं के कुछ

अतिरिक्त सदस्यों को भी नामांकित करेगा। भारत सरकार ने इसके जवाब में गृह सचिव कमल पांडे के नेतृत्व में एक दल के साथ बात करने के लिए हिज्ब को निमन्त्रण दिया है।

इसी बीच, वार्ता को आरंभ करने के लिए कई अनौपचारिक संपर्क जारी रहे, इस आसन्न संवाद के लिए दोनों ही पक्षों द्वारा की गई सार्वजनिक घोषणाएं भ्रामक और विसंगतिपूर्ण रहीं जो वार्ता की प्रगति को प्रभावित कर सकती हैं। पर इन परिप्रेक्ष्यों का आकलन करने से पहले कश्मीर के संदर्भ में की जा रही विभिन्न पहलों को आधार दे रहे अभिप्रेरणों और आवेगों पर नजर डालना जरूरी होगा। निश्चित रूप से पाकिस्तान और भारत के ऊपर अप्रत्यक्ष रूप से अमेरिका दबाव बना रहा है कि कश्मीर में सामान्य स्थिति बहाल करने के लिए आतंकवादियों के साथ और पाकिस्तान-भारत के बीच वार्ता पुनः आरंभ हो। अमेरीकी प्रतिष्ठान यह चाहता है कि राष्ट्रपति बिल क्लिंटन के साथ द्विपक्षीय वार्ता के लिए मध्य-सितम्बर में प्रधानमंत्री अटल बिहारी वाजपेयी के वहां जाने से पहले कोई सारभूत प्रगति हो पाए। अमेरिका की दक्षिण एशिया सम्बंधित नीतियों की विश्वसनीयता के लिए कश्मीर से जुड़े मसलों में व्यक्तिगत दिलचस्पी लेने की क्लिंटन की प्रतिबद्धता कुछ ठोस गतिविधियों में तब्दील होनी चाहिए। पाकिस्तान सीमा पर आतंकवाद को रोकने के लिए कोई आश्वासन दिए बगैर (पाकिस्तान इस बात को बार-बार कहता रहा है कि कश्मीर में जो कुछ भी हो रहा है वह स्थानीय कारणों से हो रहा है) वार्ता में सहयोग देने के लिए तैयार है। वार्ता को सहयोग देने के जरिये पाकिस्तान अमेरिका को कह सकेगा कि इसने उग्रवादियों को संघर्ष विराम की घोषणा करने, हिंसा रोकने और वार्ता में शामिल होने के लिए तैयार किया है। वह इसी दावे को सितम्बर में संयुक्त राष्ट्र आम सभा और संयुक्त राष्ट्र सुरक्षा परिषद में भी पेश कर सकता है, जब वाजपेयी न्यूयार्क में होंगे। यदि भारत वार्ता पुनः आरंभ करने से इंकार करता है तो इसे अविवेकी ठहराया जा सकता है। यदि भारत वार्ता पुनः शुरु करता है और इसमें गतिरोध उत्पन्न होता है तब भी भारत को हठी ठहराया जा सकता है। अमेरिका के साथ-साथ अन्य प्रमुख शक्तियां भी मूल रूप से भारत व पाकिस्तान के बीच नाभिकीय टकराव को टालने के लिहाज से ही ऐसी वार्ता के लिए इच्छुक हैं जो सामान्य स्थिति बहाल कर सके। सुरक्षा परिषद के पांच स्थायी सदस्यों में से कोई भी जम्मू-कश्मीर के भारत का एकीकृत हिस्सा बनने को पूरी तरह स्वीकार नहीं करेगा। संभव है संयुक्त राष्ट्र के आम सदस्य इन्हीं का अनुसरण करें। उनका सामूहिक झुकाव इस बात पर होगा कि उपमहाद्वीप में

नाभिकीय टकराव को टालने के मद्देनजर उच्चत्तर प्राथमिकताओं की पूर्ति के लिए जम्मू-कश्मीर में क्षेत्रीय निपटारा हो। यह महत्वपूर्ण बात है कि संघर्षविराम का प्रस्ताव हिज्ब की ओर से रखा गया है जो जम्मू-कश्मीर में कार्य कर रहे विभिन्न उग्रवादी गुटों में सबसे ज्यादा स्वदेशी है। अनेक गुट ऐसे भी हैं जिनमें बड़ी संख्या में भाड़े के आतंकवादी भरे हुए हैं; पर उन्हें भी पाकिस्तान स्वदेशी गुटों जैसा ही समझता है। उन्होंने संघर्षविराम का कोई भी प्रस्ताव नहीं रखा है। अतः पाकिस्तान और इन गुटों ने, जिनमें हिज्ब भी शामिल है, इस विकल्प को थाम रखा है कि यदि वार्ता उनके अनुसार नहीं चली तो वे वापस हिंसा पर उतर आएंगे।

यह बात भी राजनैतिक रूप से उतनी ही महत्वपूर्ण है कि वार्ता के लिए आगे आए उग्रवादी शिष्टमंडल में शामिल व्यक्तियों का ठिकाना अमेरिका है। हिज्ब इस बात पर जोर दे रहा है कि वार्ता में पाक की उपस्थिति अनिवार्य है, जिससे यह एक त्रिपक्षीय प्रक्रिया बन जाएगी। यही वह परिप्रेक्ष्य है जिसमें वार्ता के लिए तैयार किए जा रहे परिदृश्यों का आकलन करना होगा। पहला और सबसे महत्वपूर्ण, वार्ता के प्रति भारत के आधारभूत नजरिये में स्पष्टता का अभाव है। यही आशा की जा सकती है कि शायद यह एक सोचा-समझा कदम है। भारत सरकार ने जहां यह संकेत दिया था कि वह कोई भी अपरिवर्तनीय पूर्व-शर्त नहीं रखेगी, वहीं राष्ट्रीय सुरक्षा सलाहकार ब्रजेश मिश्रा ने 29 जुलाई को यह वक्तव्य दिया था कि एक शर्त हो सकती है कि बातचीत से निकलने वाला कोई भी समाधान भारतीय संविधान के प्रावधानों के अन्तर्गत ही हो। भारत के वामपंथी दलों ने समाधान तलाशने के लिए पूर्णरूपेण लचीले रुख के साथ बिना शर्त वार्ता को सलाह दी है। इस विषय पर कांग्रेस पार्टी ने अब तक कोई स्पष्ट नीतिगत घोषणा नहीं की है। न तो प्रधानमंत्री न ही गृह मंत्री ने भारत के रुख के बारे में संसद में कोई वक्तव्य दिया है। हिज्ब और हुर्रियत नेताओं ने भारतीय संविधान के अन्तर्गत सुझाए गए किसी भी समाधान को स्वीकार करने से साफ इंकार कर दिया है। कश्मीर मुद्दे के विषय पर उग्रवादियों के प्रतिनिधिमंडल के समझौता वार्ता के संभावित रुख का अगर अनुमान लगाया जाए तो (अमेरिका और ब्रिटेन स्थित कश्मीरी गुटों द्वारा पिछले दशक में पेश किए गए विभिन्न मशविरों के निष्कर्ष पर) जनमत संग्रह, संयुक्त राष्ट्र पर्यवेक्षण में अंतरिम दर्जा या जम्मू-कश्मीर का त्रिविभाजन, जो अभी भारत के क्षेत्राधिकार के अन्तर्गत है, जैसे विकल्पों के सुझाव का एक प्रस्ताव हो सकता है। यह सलाह भी दी जाएगी कि जम्मू-कश्मीर में नियंत्रण रेखा का मूल रूप से पुनः समायोजन किया

जाएगा, जब तक कि नई व्यवस्थाएं निर्धारित नहीं हो जातीं। भारत को इस वार्ता में शामिल होने और इन सलाहों पर विचार-विमर्श के संदर्भ में एक जटिल और गंभीर अवस्था का सामना करना पड़ रहा है। भारत द्वारा एक त्रिपक्षीय ढांचे के तहत पाकिस्तानी शिष्टमंडल के साथ बातचीत में भाग लेने का मतलब होगा कि वह जम्मू-कश्मीर समस्या के समाधान के लिए पाकिस्तान के मत की वैधानिकता को औपचारिक रूप से मान्यता दे रहा है, जबकि उसने बार-बार इस बात पर जोर दिया है कि जम्मू-कश्मीर भारतीय क्षेत्र का एक अभिन्न अंग है। यदि जम्मू-कश्मीर की स्वायत्तता के लिए रखे गए व्यावहारिक प्रस्तावों को उग्रवादियों ने खारिज कर दिया और वे भौगोलिक समझौते पर ही-जोर डालते हैं; तो इससे कश्मीर पर भारत का औपचारिक क्षेत्राधिकार-धूमिल होगा और यह कश्मीर घाटी को भारत से अलग कर इसे पाकिस्तान में मिलाने की दिशा में पहला कदम होगा, ऐसे में लद्दाख और जम्मू के ऊपर अपनी अधिकारिता और रणनीतिक नियंत्रण बनाए रखने की भारत की क्षमता भी खतरनाक रूप से प्रभावित होगी। भारत से जम्मू-कश्मीर या कश्मीर घाटी को किसी भी तरीके से अलग करने पर जम्मू के हिस्सों और हमारे पंजाब की अर्थव्यवस्था और जल संसाधन प्रबंधन पर प्रभाव पड़ेगा। पाकिस्तान के दो-राष्ट्र सिद्धान्त को प्रोत्साहन देने के अलावा एक अंतरिम और संशोधित संवैधानिक व्यवस्थाओं के वेश में भारत से जम्मू-कश्मीर के हिस्से के इस तरह अलग होने से यहां के दूसरे हिस्सों में भी इसी तरह की अलगाववादी प्रवृत्तियों को बढ़ावा मिलेगा। जुलाई के अंतिम सप्ताह में एक बैठक में तमिलनाडु की पी. एम. के. पार्टी ने इस बात पर जोर दिया कि उप-महाद्वीप में तमिलों की आकांक्षाओं को तभी पूरा किया जा सकता है जब दक्षिण एशिया क्षेत्र में तमिल गणतंत्र का निर्माण हो। यदि हम इस रुख की लिट्टे की ईलम की मांग के साथ जोड़ कर देखें तो भारत के लिए क्षेत्रीय और राजनीतिक रूप से इसके नकारात्मक निहितार्थ स्पष्ट हैं। पी. एम. के. ने अपने प्रस्ताव में राष्ट्रीय जातीय गणतन्त्रों की खतरनाक अवधारणा के बारे में बात की है। यहां तक कि एक ढीले-ढाले भारतीय संघ का हवाला दिया है। संघ जितना ज्यादा शिथिल होगा विघटन की संभावनाएं उतनी ही ज्यादा होंगी।

इस विश्लेषण का उद्देश्य समझौता वार्ता में प्रवेश करने से इंकार करने वकालत करना नहीं है। बल्कि इस बात पर ध्यान दिलाना है कि ये वार्ताएं भारत की एकता और क्षेत्रीय अखंडता को क्षीण करने और फिर उसे नष्ट करने का जरिया न बन जाएं। न ही युक्तिपूर्ण मिली-भगत द्वारा जम्मू-कश्मीर संबद्धित

मसले पर भारत के आधारभूत नीतिगत रुखों का यह नकार पाए और नष्ट कर पाए। आदेशात्मक रवैया अपनाना घृष्टता होगी क्योंकि इस बात की आशा है कि हमारी सरकार और हमारे राजनैतिक हलके इन कारकों को लेकर सचेत हैं।

फिर भी कुछ सलाह तो दी ही जा सकती है:

1. भारत को उन उग्रवादी गुटों से बातचीत करने की इच्छा दिखानी चाहिए जो हमारे साथ वार्ता के लिए सहमत हैं।
2. भारत को पहले से ही पूर्व-शर्तों के बारे में कोई कथन देने की जरूरत नहीं है।
3. कश्मीर मसले के जिन पहलुओं के साथ हमारे और पाकिस्तान के सरोकार जुड़े हैं, उन पर हमें उग्रवादी गुटों के साथ अलग बातचीत आरंभ करनी चाहिए और पाकिस्तान के साथ अलग विचार-विमर्श करने के लिए तैयार होना चाहिए। एक शर्त को छोड़कर, हमें पाकिस्तान के इस दृष्टिकोण को कतई स्वीकार नहीं करना चाहिए कि जम्मू-कश्मीर के मुद्दे को सुलझाना ''बंटवारे के समय का अधूरा रह गया काम है''।
4. बातचीत संम्बधी हमारे रुख के अवयव उग्रवादी गुटों और उनके राजनैतिक संगठनों की मांग के अनुसार निर्धारित नहीं होने चाहिए बल्कि उनकी रचना सावधानीपूर्वक की जानी चाहिए ताकि जम्मू कश्मीर के आम लोगों के सरोकारों और आकांक्षाओं के प्रति वे जवाबदेह हों।
5. वार्ता के दौरान एक स्पष्ट संदेश दिया जाना चाहिए कि भारत के पास वैसी दृढ़ता और क्षमता मौजूद है जो जम्मू-कश्मीर में आतंकवाद या किसी भी हिंसा के पुनर्जीवित होने पर उसका सामना कर सकती है।

3
कश्मीर पर वार्ताः परिप्रेक्ष्य, संभावनाएं और चुनौतियां

कश्मीर पर विचार-विमर्श-एक त्रिआयामी परिप्रेक्ष्य

20 नवम्बर को रमजान के महीने के लिए प्रधानमंत्री वाजपेयी की ओर से एकपक्षीय संघर्ष विराम को घोषणा के बाद से ही जम्मू-कश्मीर से जुड़े सभी मसलों के समझौतापूर्ण निपटारे के लिए विचार-विमर्शों, वक्तव्यों और प्रयासों की बाढ़ सी आ गई है। एक सतर्क अपेक्षा और आशा भी हो चली है कि ये मौजूदा प्रयास कश्मीर मसले पर एक सारपूर्ण और प्रयोजनात्मक बातचीत का मार्ग प्रशस्त करेंगे जो ऐसे समाधान तक ले जाएगा जो सभी पक्षों को स्वीकार्य होगा। ये अपेक्षाएं और आशाएं पूरी होंगी कि नहीं, यह मूल रूप से धरातल पर होने वाली वास्तविकताओं पर निर्भर करेगा। इन प्रयासों की संभावनाओं का आकलन हर लिहाज से तीन आयामों में करना होगा। पहला, वह तरीका, जिसमें हुर्रियत, हिज्ब और अन्य कश्मीरी गुटों के बीच की वार्ता आगे बढ़ेगी। दूसरा, वे दिशा निर्देश, जो पाकिस्तान सरकार के साथ अन्य अलगाववादी गुटों और हुर्रियत के बीच की बातचीत में और वहां के जेहादी संगठनों द्वारा अपनाए जाएंगे। तीसरा, वह दिशा, जिसका अनुसरण कश्मीर पर फिर से प्रत्यक्ष बातचीत में शामिल होने के लिए पाकिस्तान-भारत के राजी होते ही दोनों के बीच होने वाली वार्ता में किया जाएगा।

जब इन आयामों में कश्मीर से सम्बद्ध मौजूदा प्रयासों की संभावनाओं का विश्लेषण करें तो यह शाश्वत तथ्य सभी संबंधित पक्षों को महसूस होना चाहिए कि एक स्थायी समाधान तभी हासिल किया जा सकता है जब भारत और पाकिस्तान के पूर्वाग्रहों या राजनैतिक जटिलताओं में अंतर्निहत वृहत्तर रुखों के बजाय यथार्थपरक और व्यावहारिक प्रवृत्तियों की नींव पर वार्ता संपन्न हो।

भड़काऊ हिंसा के बावजूद भारतीय सुरक्षा बलों ने संघर्ष विराम को बनाए रखा है। इस सिलसिले में अपनी प्रतिक्रिया स्वरूप पाकिस्तान ने नियन्त्रण रेखा पर रणनैतिक संयम पालन करने के अपने रुख की घोषणा कर दी है।

परिणामस्वरूप नियन्त्रण रेखा पर भारत और पाकिस्तान के सशस्त्र बलों के बीच गोली बारी और सीधी मुठभेड़ खत्म हो चुकी है। इस बात पर ध्यान देना बहुत जरूरी है कि पाकिस्तान का रणनैतिक संयम जम्मू-कश्मीर में नियन्त्रण रेखा पर सर्दी के मौसम के प्रभाव का भी परिणाम है। भारत सरकार ने समझौता वार्ताओं, जिन पर काम चल रहा है, को प्रोत्साहित करने और सुगम बनाने के लिए संघर्ष विराम को रमजान के महीने से और आगे तक बढ़ा दिया है। कश्मीरी अलगाववादी गुटों के साथ वार्ता की प्रक्रियाओं, जो अभी चालू हैं, के लिए एस. एस धूलत को प्रधानमंत्री कार्यालय में विशिष्ट कार्य अधिकारी के रूप में नियुक्त किया गया, जो हाल ही में भारत के विदेश गुप्तचर संगठन के प्रभारी थे। धूलत एक ऐसे अधिकारी हैं; जो लंबे समय से कश्मीर मामलों को देख रहे हैं और उनके पास आवश्यक अनुभव और संपर्क दोनों ही विधमान हैं। भारत सरकार ने पिछले दिसम्बर में पाकिस्तानी उच्चायुक्त अशरफ जहांगीर काजी के साथ हुर्रियत नेताओं की लंबी बातचीत पर कोई आपत्ति नहीं की थी। हमारी सरकार ने यह इच्छा भी जताई है कि वह हुर्रियत नेताओं को बातचीत के लिए पाकिस्तान जाने की अनुमति देने के लिए तैयार है। कश्मीर में अलगाववादी गुटों को यह संकेत दिया गया है कि भारत सरकार 15 जनवरी को या उसके आस-पास उनके साथ समझौता वार्ता पुनः शुरू करने के लिए तैयार है। जे के एल एफ (जम्मू-कश्मीर लिबरेशन फ्रंट) के संस्थापक सदस्यों में से एक, हाशिम कुरैशी को, जो 1971 में इंडियन एयरलाइंस विमान के अपहरण में भी शामिल था, पाक अधिकृत कश्मीर के कश्मीरियों और जम्मू-कश्मीर दोनों जगह के अलगाववादी तत्वों के साथ एक अतिरिक्त संपर्क के तौर पर वापस भारत बुला लिया गया है। जहां एक ओर जम्मू-कश्मीर में हिजबुल मुजाहिदीन बातचीत में भाग लेने के लिए इच्छुक दिखता है, वहीं पाकिस्तान स्थित लश्कर-ए-तोयबा जैसे अन्य आतंकवादी संगठनों ने संघर्षविराम को कोई अहमियत नहीं दी है और अपनी हिंसा जारी रखी है न सिर्फ जम्मू-कश्मीर में, बल्कि और आगे के क्षेत्रों में भी जैसे दिल्ली का लाल किला, जहां वे सफल हुए और हैदराबाद और कर्नाटक, जहां उनकी हिंसापूर्ण योजनाओं का समय रहते पता लगाकर उसे निष्फल कर दिया गया। जहां तक जम्मू-कश्मीर के राजनैतिक दलों और गुटों का सवाल है, हुर्रियत के अन्दर पाकिस्तान समर्थक तत्वों और

कश्मीर समस्या का समाधान पाकिस्तान की योजनाओं के बाहर तलाशने वालों के बीच मतभेद उभरने लगे हैं। सईद अली शाह गिलानी जैसे पाकिस्तान समर्थक नेताओं की अब्दुल गनी लोन के साथ तकरार हो गई है। जनवरी के पहले सप्ताह में उनके बीच के मतभेद सार्वजनिक हो गए। कुछ हुर्रियत नेता बातचीत करने के लिए पाकिस्तान जाने वाले हैं। डा. फारुख अब्दुल्ला के नेतृत्व में नेशनल कान्फ्रेन्स जम्मू-कश्मीर में पंचायत चुनाव की तैयारी करवा रही है ताकि जम्मू-कश्मीर में एक प्रभावपूर्ण लोकतांत्रिक शक्ति के रूप में वह अपनी विश्वसनीयता और राजनैतिक प्रभाव साबित कर सके।

पाकिस्तान पिछली जुलाई को समझौता वार्ता के लिए दिखलाए गए अपने इस रुख कि वह भारत और जम्मू-कश्मीर के अलगाववादी गुटों के बीच किसी भी समझौता वार्ता में आरंभिक चरणों से ही भाग लेगा, से मुकर गया है। पाकिस्तान के विदेश मंत्री अब्दुल सत्तार ने यह घोषणा की है कि पाकिस्तान इस बात पर जोर नहीं डालता कि वह आरंभ से ही भाग लेगा, बल्कि बाद के चरणों में वह एक त्रिपक्षीय समझौता-वार्ता प्रक्रिया में शामिल होना चाहेगा। भारत में सार्वजनिक रुख इन प्रयासों को लेकर बंटा हुआ है; एक वर्ग हिंसा जारी रहने की वजह से समझौता वार्ता के खिलाफ है, दूसरा वर्ग इन प्रयासों को इस आशा के साथ समर्थन दे रहा है कि इससे आने वाले समय में हिंसा की समाप्ति होगी और एक शांतिपूर्ण समाधान निकल कर आएगा।

अतएव, जमीनी हकीकत के संदर्भ में भारत सरकार द्वारा किया गया प्रयास अभी भी भ्रम और राजनीतिक अनिश्चितताओं का शिकार है। जहां तक वार्ता के परिप्रेक्ष्यों पर असर डाल रहे पहले आयाम का सवाल है, जैसे कि कश्मीर के गुटों और भारत को दो समस्याओं का सामना करना पड़ा रहा है। पहला, इस बात का निश्चय कैसे हो कि कौन सा गुट कश्मीर के लोगों की आकांक्षाओं का सही प्रतिनिधित्व कर रहा है, क्योंकि इन गुटों के कुछ नेताओं पर पाकिस्तानी प्रभाव पड़ने की वजह से यह एक ऐसी दुविधा है जिसका निराकरण मुश्किल है। भारत सरकार इन बातचीत में अन्य गुटों द्वारा नेशनल कान्फ्रेस को अलग करने या हाशिए पर डालने की अनुमति नहीं दे सकती है। दूसरा, यद्यपि भारत, बातचीत के दौरान सारे कश्मीरी गुटों द्वारा हिंसा रोकने की शर्त को छोड़ कर, इस बात को स्वीकार करता है कि वार्ता में कोई भी पूर्व-शर्तें नहीं शामिल होनी चाहिए, तथापि अलगाववादी गुटों में समाधान तलाशने के लिए अपने अभिप्राय को लेकर उनके उद्देश्यों में एकता स्पष्ट नहीं हो पाई है। कश्मीरी गुटों के साथ भारत की वार्ता लगातार पाकिस्तान स्थित उग्रवादियों और भाड़े के आतंकवादियों द्वारा बाधा

पहुंचाने के प्रयासों का शिकार होती रहेगी। दूसरी तरफ, भारत एक उद्देश्य को लेकर स्पष्ट है कि भारतीय गणतंत्र से जम्मू-कश्मीर का कोई क्षेत्रीय अलगाव नहीं होना चाहिए। भारत अन्य राजनैतिक समझौतों पर बात करने के लिए तैयार है।

जहां तक हुर्रियत और पाकिस्तानी अधिकारिओं के बीच के विचार-विमर्श के प्रभावों से संबंधित दूसरे आयाम का सवाल है, तो यह पूर्वानुमान तर्कपूर्ण दिखता है कि पाकिस्तान हुर्रियत को जम्मू-कश्मीर को भारत से अलग करने की बाबत बातचीत करने के लिए प्रोत्साहित करेगा, इसी के साथ उसे यह सलाह भी देगा कि वह शुरुआती दौर में जम्मू-कश्मीर को पाकिस्तान का हिस्सा बनाने की वकालत न करे। इस तरह की सलाह यथास्थिति को बदलने के लिए स्पष्टतया रणनैतिक युक्ति है और होगी। शुरूआती तौर पर अलगाववादी गुटों के बीच मौजूद उन तत्वों को, जो जम्मू-कश्मीर के पाकिस्तान का हिस्सा बनने के खिलाफ हैं, संतुष्ट करते हुए पाकिस्तान का अंतिम उद्देश्य यह होगा कि उसके साथ जम्मू-कश्मीर का जुड़ाव खोजा जाए। पाकिस्तान हुर्रियत को यह सलाह भी दे सकता है कि भारत के साथ अपनी बातचीत में कश्मीर के मावी दर्जे को निर्धारित करने के लिए अंतर्राष्ट्रीय संगठनों के तत्वाधान में जनमत संग्रह के लिए वह पुनः अपनी सलाह पेश करे। लश्कर-ए-तोयबा जैसे अन्य आतंकवादी संगठनों द्वारा हिंसापूर्ण और आतंकवादी गतिविधियों के माध्यम से भारत पर दबाव डालने के लिए पाकिस्तानी अधिकारियों द्वारा मूल रूप से इंटर सर्विसेज इंटेलिजेंस को समर्थन दिया जाएगा। कश्मीर पर भारत-पाक विचार-विमर्श के बारे में तीसरा आयाम भारत और पाकिस्तान के उद्देश्यों में आधारभूत अंतरों पर निर्भर करता है। भारत का लक्ष्य अपनी क्षेत्रीय एकता और अखंडता को किसी भी तरह से धूमिल किए बगैर जमीनी हकीकत के आधार पर कश्मीर से जुड़े मसलों के समाधान निकालना है। पाकिस्तान का अभिप्राय ठीक इसके विपरीत है। वह ऐसे समाधान की बात करता है जो ''भारत के बंटवारे के समय अधूरा रह गया कार्य पूरा कर सके।'' भारत का यह मानना है कि कश्मीर के अलगाववादी गुटों के साथ बातचीत जम्मू-कश्मीर के लोगों की आकांक्षाओं से संबंधित समस्याओं की एक अलग ही कड़ी होगी और पाकिस्तान के साथ की बातचीत समस्याओं की एक अन्य श्रेणी होगी, जिसकी जड़ें पिछले 50 सालों से, खासतौर पर पिछले दस सालों के दौरान पाकिस्तान की कश्मीर नीतियों मे जमीं हैं। भारत का रुख यह है कि इन समस्याओं पर अलग-अलग वर्गों में बातचीत की जाए, परन्तु पाकिस्तान समाधान के लिए किसी त्रिपक्षीय ढांचे की

बातचीत का समग्र हिस्सा बनना चाहता है, हालांकि युक्तिपूर्ण प्रयोजनों के लिए, वह सिर्फ बाद के चरण में, हो बातचीत में शामिल होने के लिए तैयार हुआ है।

जहां एक ओर जनरल मुशर्रफ ने अधिकतम संयम का पालन करने के लिए हामी भरी है और किसी भी समय किसी भी जगह प्रधानमंत्री वाजपेयी से मिलने की इच्छा का इजहार किया है, वहीं भारत से जम्मू-कश्मीर को अलग करने की इच्छा वहां हिंसापूर्ण जेहाद को समर्थन देने के मूल पाकिस्तानी रवैये में कोई कमी नहीं दिखती। जब पाकिस्तान यह मांग रखता है कि भारत कश्मीर मुद्दे पर गंभीरता और उद्देश्य पूर्ण तरीके से उसके साथ बातचीत करे तो यह समझ लेना होगा कि वह जम्मू-कश्मीर पर अपने दावे को लेकर प्रतिबद्ध है।

विश्व की महत्वपूर्ण शक्तियां और अंतर्राष्ट्रीय समुदाय भारत-पाकिस्तान के बीच एक प्रत्यक्ष वार्ता को लेकर सामान्य रूप से उत्सुक हैं क्योंकि दोनों ही देश नाभिकीय हथियार संपन्न हैं और कश्मीर पर विवाद की वजह से नाभिकीय टकराव की स्थिति बन जाने की संभावना दिखती है। इस परिप्रेक्ष्य में भारत और पाकिस्तान, दोनों को ही कश्मीर पर समझौता कर लेने के लिए अंतर्राष्ट्रीय दबाव का सामना करना पड़ेगा।

ऊपर लिखी जटिलताओं और स्थितियों के मद्देनजर यह स्पष्ट है कि यथाशीघ्र किसी सफलता की अपेक्षा नहीं की जानी चाहिए। वाजपेयी के प्रयास से साकार हुए इन समझौता-वार्ताओं को अभी लंबा रास्ता तय करना है। सवाल यह है कि पाकिस्तान के मूलभूत उद्देश्यों और जम्मू-कश्मीर की अंदरूनी स्थिति को प्रभावित कर रही राजनीतिक अनिश्चितताओं और मतभेदों के समक्ष भारत इन समझौता-वार्ताओं को कैसे संभालेगा। भारत की ओर से एक संभावित रुख यह होगा कि वह वार्ता को बरकरार रखे इस पूर्वानुमान के साथ कि इसके विरुद्ध हिंसापूर्ण बाधाएं खड़ी होंगी और जारी रहेंगी। दूसरा, वार्ता को बाधित करने का प्रयास करने वाले उन तत्वों के खिलाफ एक धीर-गंभीर तरीके से सुरक्षा कार्रवाई को लेकर निर्णायात्मक प्रतिक्रिया दिखानी होगी। यह बड़ी ही नपी-तुली प्रक्रिया होनी चाहिए ताकि वार्ता में कोई रुकावट न आए। तीसरा, अंतर्राष्ट्रीय समुदाय और विश्व की महत्वपूर्ण शक्तियों को भारत द्विपक्षीय या बहुपक्षीय मंचों से यह स्पष्ट संदेश दे कि कश्मीर मुद्दे का स्थायी समाधान बस एक ही हो सकता जो सामान्य रूप से जम्मू-कश्मीर की जमीनी हकीकत के अनुकूल हो। इसे और सही तरीके से कहें तो समाधान ऐसा हो जो थोड़े से समायोजन के साथ नियंत्रण रेखा (जहां तक पाकिस्तान का संबंध है) के आधार पर हो और गुणात्मक रूप से जम्मू-कश्मीर के शासन के तहत राजनैतिक

व्यवस्थाओं के प्रति और उस राज्य के लोगों की आकांक्षाओं के प्रति जवाबदेह हो।

चौथा, इस बसंत ऋतु या ग्रीष्मकाल तक भारत को पाकिस्तान के साथ श्रेणीबद्ध अवस्थाओं में प्रत्यक्ष वार्ता को फिर से संपन्न कराना चाहिए जो अंततः इस साल के अंत तक या आने वाले साल में किसी समय तक उच्च स्तरीय राजनैतिक बैठक का मार्ग प्रशस्त करे। इस तरीके का नपा-तुला रुख व्यावहारिक तो होगा पर यह तय नहीं है कि यह सफल होगा। यह भी मान लेना चाहिए कि यह प्रक्रिया धीमी गति से एक-एक कदम आगे बढ़ेगी। हमें बाहरी दबावों का शिकार नहीं होना चाहिए और न ही कोई हड़बड़ी दिखानी चाहिए। यदि मौजूदा प्रयास असफल होते हैं तो हमारे अन्दर वह क्षमता और दृढ़ता होनी चाहिए कि जम्मू-कश्मीर में अपने महत्वपूर्ण हितों की रक्षा करते समय हम मजबूत रह पाएं।

कश्मीर पर वार्ता–चुनौतियां और संभावनाएं

पिछले साल नम्बर में प्रधानमंत्री वाजपेयी द्वारा एकपक्षीय संघर्ष विराम की घोषणा के साथ कश्मीर समस्या से निपटने के लिहाज से भारत द्वारा किए गए सबसे हाल के ''शांति प्रयास'' की शुरूआत से अब तक लगभग छह महीनें बीत चुके हैं। यह भी याद रखना चाहिए कि इससे भी पहले पिछले साल की जुलाई को हिजबुल मुजाहिदीन ने भी वार्ता के लिए एक पेशकश रखी थी जो हिजबुल की पाकिस्तानी शाखा और पाकिस्तान सरकार द्वारा वार्ता में भाग लेने के लिए जोर डालने की वजह से आगे नहीं बढ़ सकी। नवम्बर का प्रयास उतार-चढ़ाव से भरा था। सरकार ने संघर्ष विराम को तीन बार बढ़ाया। इसे अलगाववादी गुटों द्वारा न तो स्वीकारा गया न ही कोई प्रतिक्रिया दिखाई गई। सर्वदलीय हुर्रियत कान्फ्रेंस भारत सरकार के साथ वार्ता में शामिल होने के लिए इस शर्त के साथ तैयार हुई कि उसकी मर्जी से चुने हुए शिष्टमंडल को भारत सरकार के साथ प्रत्यक्ष संवाद के संपन्न होने से पहले पाकिस्तान के साथ समांतर बातचीत के लिए जाने की अनुमति दी जाएगी। परन्तु भारत सरकार ने पाकिस्तान जाने वाले शिष्टमंडल में कुछ नेताओं के शामिल होने पर रोक लगा दी। इससे हुर्रियत शिष्टमंडल के पाकिस्तान जाने में विलंब हो गया और यह एक ऐसा मसला बन गया है जो अभी भी हल नहीं हुआ है।

इसी बीच, जम्मू-कश्मीर में उग्रवादी हिंसा न सिर्फ जारी रही बल्कि बढ़ भी गई, जिससे नागरिक और सैन्य अधिकारी काफी प्रभावित हुए। अप्रैल के अंत तक संघर्षविराम की अवधि खत्म हो रही थी, लिहाजा भारत सरकार ने पूर्व रक्षा मंत्री के. सी. पंत को, जो योजना आयोग के वर्तमान उपाध्यक्ष है; मुख्य

समझौता-वार्ताकार के तौर पर चुना और यह घोषणा की, कि पंत जम्मू-कश्मीर के लोगों के उन सारे गुटों और समूहों के साथ भारत सरकार की ओर से बातचीत करने के लिए तैयार हैं जो एक शांतिपूर्ण समाधान चाहते हैं।

पंत के प्रयास को लेकर कोई अनुमान लगाने से पहले उन चुनौतियों के स्वरूप पर विचार-मंथन प्रासंगिक होगा जिसका सामना कश्मीर मुद्दे का समाधान निकालने के दौरान भारत को करना पड़ेगा।

सबसे पहली बात जो याद रखनी होगी, वह यह है कि हिंसापूर्ण अलगाववादी आंदोलन और जम्मू-कश्मीर को भारत से अलग कर अपना हिस्सा बनाने के लिए पाकिस्तान का दावा कि यह ''बंटवारे के समय के अधूरे कार्य'' को पूरा करने जैसा है, भारत की एकता और अखंडता के सामने चुनौती खड़ी कर रहा हैं, जिसका आकलन न सिर्फ जम्मू-कश्मीर बल्कि भारत के उत्तर-पूर्वी राज्यों पर असर डाल रहे आकार लेते विघटनकारी आंदोलनों और नेपाल, चीन व बांग्लादेश के साथ भारत के क्षेत्रीय विवादों के संदर्भों में भी करना चाहिए।

दूसरी चुनौती यह है कि जम्मू-कश्मीर की बहुसंख्यक आबादी की सामूहिक पहचान के आधार पर भारतीय गणतंत्र से कश्मीर का किसी भी तरह कोई संभावित अलगाव उन धर्म निरपेक्ष बहुलतावादी विचारधारा और संदर्भ-सूत्रों को छिन्न-भिन्न कर देगा जो भारतीय संघटित समाज के आधार हैं। ऐसे हस्तांतरण, अगर ऐसा हो गया तो, से जुड़ी दलील भारत में फिर अन्य केन्द्रविमुख आवेगों को भी उभारने लगेगी।

तीसरी चुनौती है जम्मू-कश्मीर की आबादी की बहुजातीय, बहुधर्मी और बहुलतावादी विशिष्टताओं के साथ सामंजस्य बिठाना। विघटनकारियों और पाकिस्तान की दलील इस गलत धारणा पर टिकी है कि जम्मू-कश्मीर का भविष्य इस राज्य के मुस्लिम निवासियों द्वारा तय किया जाना चाहिए (इसके पीछे की सोच यह है कि राज्य के सारे मुसलमान भारत से नाता तोड़ पाकिस्तान से जुड़ने के लिए तैयार हैं। यह आकलन कतई सही नहीं है)

पाकिस्तान द्वारा समर्थित अलगाववादी समूह जम्मू-कश्मीर की हिन्दू आबादी, लद्दाख की बौद्ध आबादी और यहां तक कि राज्य की आबादी के शिया समुदायों तक के दृष्टिकोणों की अहमियत और प्रासंगकिता को स्वीकार करने के लिए तैयार नहीं है।

चौथी चुनौती है जम्मू-कश्मीर के उस जनसांख्यिक संतुलन को पुनः कायम करना जो भीषण आतंकवादी हिंसा के दौर के पहले मौजूद था। 250-300 हजार कश्मीरी हिन्दुओं को, जिन्हें राज्य से निष्कासित कर दिया गया

था, इज्जत और सुरक्षा के साथ वापस उनके घरों में फिर से बसाना है। समाधान का कोई भी प्रयास करते वक्त उपरोक्त तथ्य कतई नजरअंदाज नहीं किया जा सकता है।

पांचवी चुनौती यह है कि जम्मू-कश्मीर के लोग खुद ही एक प्रतिनिधि समूह बनाने या नामज़द करने का सामर्थ्य रखते हैं, जो सभी लोगों की नहीं भी तो उनमें से अधिकतर की बात सामने रख सके, पर अलगाववादी गुट जानबूझ कर ऐसा नहीं होने देना चाहते हैं। हुर्रियत, जिसमें लद्दाख से प्रतिनिधित्व नहीं है और न ही घाटी के अन्य राजनैतिक दलों या गुटों से इस बात का दावा कर रही है कि वह ही एकमात्र प्रतिनिधि संगठन है जिसके साथ भारत सरकार को वार्ता करनी चाहिए। भारत में न तो सरकार न ही जनमत जम्मू और लद्दाख के लोगों और नेशनल कान्फ्रेन्स के वैध दावों को नजरअंदाज कर हुर्रियत के दावे को स्वीकार कर सकती है। इसके समांतर व्यावहारिक समाधान के रुख को लेकर कश्मीरी संगठनों के अन्दर के मतभेद चुनौती बने हुए हैं। कुछ वृहत्तर स्वायत्तता चाहते है, कुछ जम्मू-कश्मीर को एक स्वतंत्र राज्य देखना चाहते हैं, तो अन्य जम्मू-कश्मीर के पाकिस्तान में विलय की इच्छा रखते हैं। इन सारे मतभेदों पर विजय हासिल करना जरूरी है, ताकि सभी संबद्ध लोगों को स्वीकार्य समाधान की ओर बढ़ने की राह दिखाई जाए।

दबी चुनौती है पाकिस्तान का रवैया और उसका दावा। यह सब हानिकारक घटनाक्रमों पर टिके हैं। एक, पाकिस्तानी शक्ति संरचना और पाकिस्तानी जनमत समूहों में यह आम धारणा व्याप्त है की जम्मू-कश्मीर पर अपना अखंड हिस्सा बनाए रखने की भारत की क्षमता सीमित है और धूमिल पड़ रही है। पाकिस्तान का आकलन है कि यह बस थोड़े ही समय की बात है जब कश्मीर में आतंकवादी हिंसा और अलगाववादी तत्वों की वजह से त्रस्त हो भारत जम्मू-कश्मीर को उसके हवाले कर देगा। दो, जम्मू-कश्मीर में सारे पाकिस्तानी अभियान जेहाद की हिन्दू भारत के खिलाफ एक सिद्धांतवादी धार्मिक संघर्ष-वैचारिकऔर धार्मिक धारणा पर टिके हैं। इस जेहाद की वैधता पर जमा विश्वास पाकिस्तान की ओर से किसी भी विवेकपूर्ण मानकों या तर्कसंगत कानूनी, तथ्यपरक या ऐतिहासिक दलीलों को स्वीकार करने की भूमिका रच सकता है। इस कारक के साथ यह धारणा भी जुड़ती जा रही है कि जम्मू-कश्मीर को भारत से अलग करना भारत द्वारा बांग्लादेश मुक्ति संघर्ष को मदद करने के कारण 1971 में हुए पाकिस्तान के विखंडन का एक वैध प्रतिशोध होगा।

सांतवी चुनौति है भारत-पाकिस्तान के नाभिकीय शस्त्र संपन्न होने के संदर्भ में कश्मीर की दुविधाओं के साथ निबटना। पाकिस्तान के नाभिकीय शस्त्र संपन्न होने से उसके सैन्य और आतंकवादी उत्पातों का सामना आम हथियारों से करने की भारत की क्षमता में कमी आ गई है। इससे पाकिस्तान को ऐसा आत्मविश्वास हो चला है कि उसकी नाभिकीय शस्त्र क्षमता के कारण जम्मू-कश्मीर में उसके द्वारा भारत के खिलाफ छोटे पैमाने पर चलाए जा रहे युद्ध के विरूद्ध भारत कोई भी निर्णायक या स्थायी कार्रवाई नहीं कर पाएगा।

इस नाभिकीय शस्त्र संपन्नता के कारण आठवीं चुनौती के रूप में खड़े हैं। यहां पर तात्पर्य कश्मीर मसले पर महत्वपूर्ण बाहरी शक्तियों की प्रवृति से। वे मसले के विधिसम्मत तत्थों या ऐतिहासिक पृष्ठभूमि में दिलचस्पी नहीं रखते हैं। उनका आधारभूत सरोकार बस इतना ही है कि यह एक संवेदनशील मसला है जो भारत और पाकिस्तान के बीच नाभिकीय टकराव की संभावनाओं से भरा हुआ है। उनकी दलील यह है और होगी कि भारत और पाकिस्तान को उससे पड़ने वाले संकेतों पर ध्यान दिए बगैर एक समझौते को साकार करना होगा जो नाभिकीय टकराव को टालने का आश्वासन दे सके। इसके साथ जुड़ा है आत्मनिर्णय, मानवाधिकारों इत्यदि को लेकर बलात् हावी हो रहा अंतर्राष्ट्रीय सरोकार। भारत के वृहत्तर सामाजिक-राजनैतिक और रणनैतिक परिणामों पर ध्यान दिए बगैर पाकिस्तान और अलगाववादियों के साथ एक समझौता तलाशने के लिहाज से बातचीत के लिए उस पर दबाव लगातार बढ़ता ही जाएगा। नौवीं चुनौती भारत की घरेलू राजनीति के संदर्भ में है। किसी भी समाधान को तलाशते वक्त भारत के प्रमुख राजनैतिक दलों और भारतीय जनमत का समर्थन प्राप्त करना जरूरी है। कश्मीर मुद्दे पर पाकिस्तान के साथ पांच लड़ाइयों की पृष्ठभूमि के मद्देनजर जम्मू-कश्मीर पर सामूहिक भारतीय रुख कड़ा हो गया है। भारत सरकार के लिए यह एक महत्वपूर्ण कार्य होगा कि पाकिस्तान, साथ ही साथ अलगाववादी गुटों के साथ कश्मीर पर बातचीत करते वक्त वह अपने साथ भारतीय जनमत का दृष्टिकोण भी पेश करे।

दसवीं चुनौती है जम्मू-कश्मीर की हिंसा में अंतर्राष्ट्रीय धार्मिक चरमपंथी संगठनों और भाड़े के विदेशी आतंकवादियों का शामिल होना। यह एक गोपनीय समर्थन है जो न सिर्फ पाकिस्तान बल्कि कुछ अन्य मुस्लिम देशों की ओर से भी दिया जा रहा है। बाहरी शक्तियों के निहित स्वार्थ सर्व-इस्लामी एजेंसियों, नशीले पदार्थ जन्य आतंकवाद, हाथियारों की खरीद-फरोख्त इत्यादि के संदर्भों में परवान चढ़ रहे हैं, जो कश्मीर से जुड़े विशिष्ट मसलों पर केन्द्रित विवेकपूर्ण वार्ता की संभावनाओं को नकरात्मक तरीके से प्रभावित कर रहे हैं।

के. सी. पंत को इस जटिल और अवांछनीय पृष्ठभूमि में समझौता-वार्ता को आरंभ करना होगा। आखिर संभावनाएं क्या हैं? इस प्रारंभिक अवस्था में मूल्यांकन करना या निर्णय सुनाना गलत होगा। परन्तु मौजूदा प्रतिक्रियाओं और राजनैतिक अन्त:धाराओं पर नजर डालना जरूरी है जो इन वार्ताओं को प्रभावित कर सकते हैं।

हुर्रियत ने यह कहते हुए वार्ता में भाग लेने से इन्कार कर दिया है कि वह ऐसी प्रक्रिया में शामिल नहीं होना चाहती है जो किसी परिणाम तक पहुंचने नहीं जा रही है। शब्बीर शाह के नेतृत्व वाला कश्मीर डेमोक्रेटिक फ्रंट सैद्धांतिक रूप से वार्ता में भाग लेने के लिए तैयार है बशर्ते वे जिस स्पष्टीकरण की मांग कर रहे हैं वह उन्हें दी जाए। यह स्पष्टीकरण, जैसी जानकारी मिली है, पूर्व शर्त्तों पर आधारित हैं और राजनीतिक रूप से मुश्किल है। भारत सरकार शायद इस स्थिति में न हो कि वह विशेष रूप से स्पष्टीकरण दे पाए। नेशनल कान्फ्रेंस और जम्मू व लद्दाख के अन्य कश्मीरी गुट इस बात से खुश नहीं कि हुर्रियत और अलगाववादियों को इस वार्ता में मुख्य भूमिका दी जा रही है। इस मसले पर पाकिस्तान के साथ अंतरसंवाद की समस्या का निराकरण अनिवार्य है। कोई भी समाधान संभव ही नहीं है जब तक किसी एक चरण में किसी कार्यविधिक गुंजाइश के तहत पाकिस्तान को वार्ता में शामिल न कर लिया जाए।

इस बात पर आश्चर्य होता है कि भारत सरकार ने हुर्रियत शिष्टमंडल को पाकिस्तान क्यों नहीं जाने दिया। सारांश में देखा जाए तो बातचीत के लिए हुर्रियत शिष्टमंडल के पाकिस्तान जाने से कोई अंतर पड़ने वाला नहीं था। हमें उन्हें जाने की अनुमति देनी चाहिए थी। सबसे बुरी स्थिति यही हो सकती थी कि पाकिस्तान में विचार-विमर्श के बाद अपनी नीति से जुड़े वक्तव्य में वे कश्मीर की स्वतंत्रता की बात करते या इस राज्य को पाकिस्तान से मिलाने की पेशकश करते। जो भी हो, नई दिल्ली में पाकिस्तान के उच्चायुक्त के साथ उनकी मुलाकातें होती रही हैं—ऐसा वक्तव्य कुछ हुर्रियत नेता देते रहे हैं। पाकिस्तान जाने के सिलसिले में उनपर हमने जो रोक लगाई उससे कश्मीर समस्या पर एक सारभूत और सार्थक वार्ता करने के लिए दर्शाई गई भारत की इच्छा और पिछले नवम्बर से हमारी ओर से किए गए संघर्ष विराम के प्रयासों की विश्वसनीयता कुछ हद तक धूमिल पड़ी है।

दूसरा कारक, जिसे हमें ध्यान में रखना होगा वह यह है कि के. सी. पंत के एक प्रबुद्ध और अनुभवी राजनेता होने के बावजूद संघ परिवार से जुड़े संगठनों ने भाजपा की दलगत राजनीति के संदर्भ में उसकी विश्वसनीयता के बारे में शंका जाहिर की है। कश्मीरी अलगाववादी गुट इस बात का फायदा उठा सकते

हैं। मौजूदा समझौता वार्ता को प्रभावित कर रहे इन कारकों के मद्देनजर प्रक्रिया लंबी खिंच सकती है और नतीजा अनिश्चित ही रह जाएगा। फिर भी, प्रधनमंत्री वाजपेयी ने पिछले नवम्बर को अपनी ओर से उठाए गए कदम को और आगे बढ़ाते हुए एक निश्चित प्रयास किया है जो तीन बातों का संकेत करता है: पहला, भारत सही मायने में इस बात को मानता है कि कोई भी समाधान जम्मू-कश्मीर के लोगों के साथ राजनैतिक समझौता-वार्ता के जरिये ही हासिल किया जा सकता है; दूसरा, भारत समस्या के स्थायी समाधान के लिए पाकिस्तान के साथ बातचीत करने की जरूरत को स्वीकार करता है; तीसरा, पाकिस्तान द्वारा समर्थित अलगाववादी गुटों की ओर से लगातार जारी आतंकवादी हिंसा के बावजूद भारत वार्ता को बरकरार रखने के लिए इच्छुक है। सवाल यह है कि समय और राजनैतिक संभाव्यता के सन्दर्भ में उच्चतम सीमा क्या हो जहां तक भारत सरकार का यह नपा-तुला धैर्य व विवेक प्रासंगिक रहेगा। इस सवाल का कोई तयशुदा जवाब नहीं है। भारत निश्चित तौर पर अपनी आधारभूत सुरक्षा, वैचारिक और क्षेत्रीय हितों को लेकर गंभीर होगा।

कश्मीर पर वार्ता के गहरे निहितार्थ

वाजपेयी द्वारा एक पक्षीय संघर्ष विराम की घोषणा एवं इसकी अवधि को और बढ़ाना, भारत के साथ वार्ता शुरू होने से पहले हुर्रियत के कुछ प्रतिनिधियों को पाकिस्तान स्थित अपने मुख्य संगठनों के साथ बातचीत करने जाने के लिए भारत सरकार की मोटे तौर पर सहमति व पाकिस्तान द्वारा नियंत्रण रेखा पर अधिकतम संयम बरतने को लेकर उसकी कार्यविधिक प्रतिक्रियाएं और त्रिपक्षीय वार्ता को तत्काल शुरू करने के लिए कोई जोर न डालना, इन सारी बातों से भारत व पकिस्तान के बीच वार्ता को पुनर्बहाल करने की संभावनाओं के संदर्भ में कुछ आशाएं जन्म लेने लगी हैं। इसका परिणाम यह हुआ कि इस तरह की दलीलें दी जाने लगीं कि भारत को जम्मू-कश्मीर से संबद्ध सभी समस्याओं को सुलझाने के तहत एक सारभूत बातचीत तैयार करने के लिए अपनी पहल को ही साधन के रूप में इस्तेमाल करना चाहिए।

यह जरूरी है कि मौजूदा जमीनी वास्तविकताओं और साथ ही संभाव्य दुष्कर परिस्थितियों और गतिविधियों की जांच की जाए ताकि इस बात का आकलन हो सके कि ऐसी सार्थक वार्ता संभव है भी या नहीं । इस सच को स्वीकारना होगा कि संघर्षविराम जारी रहने के पीछे वजह हैं प्रधानमंत्री वाजपेयी और भारत सरकार की शांति प्रयास को अधिकतम सीमा तक बनाए रखने की प्रतिबद्धता न कि आतंकवादी हिंसा में आई कोई नई कमी। सच तो यह है कि

पाकिस्तान स्थित उग्रवादी संगठनों के मुख्यालयों की तरफ से संघर्षविराम का लगातार मखौल उड़ाया गया है और नकारा गया है और उनहोंने हिंसा जारी रखने का अपना उद्देश्य भी घोषित कर दिया है। उनकी धमकी कोरी नहीं है, यह भी उन्होंने 3 फरवरी को श्रीनगर के महजूर नगर में सिखों का कत्लेआम कर साबित कर दिया। भारत सरकार, पाकिस्तान के साथ वार्ता की पुनर्बहाली की इच्छा जाहिर करते समय अपनी विवेकपूर्ण मांग पर अभी भी जोर दे रही है कि पाकिस्तानी क्षेत्र से उत्पन्न हो रही आतंकवादी हिंसा को कम करने के लिए पाकिस्तान सरकार को अवश्य कोई ठोस कदम उठाना चाहिए। पाकिस्तान की प्रतिक्रिया बेतुकी और गूढ़ रहीं है। उसका दावा है कि उग्रवादी गतिविधियां पूर्णरूपेण स्वदेशी है और सिवाय नैतिक व राजनैतिक समर्थन देने के उसका इससे कोई लेना देना नहीं है। भारत इस बात को स्वीकार करने के लिए तैयार था और आज भी है कि शायद पाकिस्तानी अधिकारी आतंकवादी और धार्मिक चरमपंथी गुटों की गतिविधियों को पूरी तरह से नियंत्रित नहीं कर सकते हैं, लेकिन निश्चित तौर पर पाकिस्तान उनकी गतिविधियों को कम करने के लिए उनपर दबाव बना सकता है। मुशर्रफ सरकार इस काम को करने में इच्छुक नहीं दिखती है, क्योंकि उसकी प्रवृति द्विमार्गी नीति का अनुसरण करने की है; एक तरफ भारत के साथ वार्ता को पुनर्बहाल करने की आवश्यकता की बात करते रहना है और दूसरी तरफ इस अपेक्षा के साथ दबाव बनाए रखना है कि इससे बाध्य होकर भारत समझौता-वार्ता की मेज तक पहुंचेगा। यह एक अविवेकपूर्ण अपेक्षा है, खासतौर पर कारगिल में भारत को मिले अनुभव के बाद।

हुर्रियत के साथ संभावित संवाद की तरफ राजनीतिज्ञों और मीडिया की नजर जमी हुई है। यह सवाल सामने खड़ा है कि क्या यह सही होगा कि हुर्रियत को जम्मू-कश्मीर के लोगों का प्रतिनिधित्व करने वाले एकमात्र या प्रमुख गुट के रूप में देखा जाए। इस सवाल का वस्तुनिष्ठ जवाब नकारात्मक ही होगा। हुर्रियत में जम्मू व लद्दाख से कोई प्रतिनिधि शामिल नहीं है। यहां तक कि इसमें उन उग्रवादी गुटों का प्रतिनिधित्व भी नहीं है जो इसका हिस्सा नहीं हैं। हिजबुल और पाक स्थित उग्रवादी गुट अपनी अलग पहचान बनाए रखने पर अड़े हैं। समान रूप से महत्वपूर्ण बात यह भी है कि भारत मुख्यमंत्री फारूक अब्दुल्ला और नेशनल कान्फ्रेंस को नजरअंदाज या किनारे नहीं कर सकता है, क्योंकि वह चुनाव के रास्ते सत्ता में आए हैं और उन्होंने भारत की क्षेत्रीय अखंडता के प्रति अपनी प्रतिबद्धता दर्शाई है। हिज्बुल और हिंसा पर चलने वाले अन्य गुट अनधिकार रूप से खुद को जम्मू-कश्मीर के नागरिकों के एकमात्र प्रतिनिधि

होने का दावा कर रहे हैं, जो वास्तव में सही नहीं है और राजनैतिक रूप से स्वीकार नहीं किया जाना चाहिए। दूसरा सवाल यह उठता है कि कश्मीरी या अन्य गुटों के बीच कश्मीर समस्या को लेकर क्या कोई स्पष्ट मत मौजूद है कि समाधान क्या होना चाहिए? यहां पर भी जबाव नकारात्मक ही है। कुछ कश्मीरी गुट और उनसे जुड़े भाड़े के कुछ विदेशी आतंकवादी यह चाहते हैं कि जम्मू-कश्मीर पाकिस्तान का एकीकृत भाग बन जाए। कुछ चाहते हैं कि जम्मू-कश्मीर एक स्वतंत्र राज्य बने। जम्मू व लद्दाख के लोग स्पष्टतया इस पक्ष में हैं कि यह राज्य भारत का ही अखंड हिस्सा बना रहे । फारूक अब्दुल्ला की अगुआई में नेशनल कान्फ्रेंस इस राज्य को भारत का अखंड हिस्सा बनाए रखने के लिए प्रतिबद्ध है, परन्तु उन्हें इस राज्य में गुणात्मक रूप से विकसित राजनैतिक, प्रशासनिक और वित्तीय स्वायत्तता चाहिए। फारूक अब्दुल्ला यह भी चाहते हैं कि जम्मू-कश्मीर मुद्दे के क्षेत्रीय आयामों को नियंत्रण रेखा के आधार पर सुलझाया जाए। कुछ ऐसे भी हैं जो लद्दाख व जम्मू को तो भारत का हिस्सा बने रहने देना चाहते हैं पर कश्मीर घाटी को पाकिस्तान को सौंप दिए जाने के पक्ष में हैं या अंतर्राष्ट्रीय गारंटी और पर्यवेक्षण के अंतर्गत इसे एक स्वायत्त प्रांत के रूप में देखते हैं।

कश्मीर मुद्दे का दूसरा आयाम जुड़ा है लगभग दो सौ हजार-ढाई सौ हजार कश्मीर हिन्दुओं की विकट स्थिति से जिन्हें आतंकवादी हिंसा की वजह से कश्मीर छोड़ कर भागने के लिए विवश होना पड़ा। उनका वापस अपने घर आना और अपनी घर-संपत्ति को फिर से संवारना किसी भी समाधान को तलाश करते समय हमारी बातचीत का अहम पहलू है और होना भी चाहिए। इस मुद्दे को थोड़ा विस्तारित रूप देने की जरूरत है। पिछले दशक से पाकिस्तान द्वारा प्रशिक्षित आतंकवादी गुटों द्वारा जो कुछ भी किया जा रहा है वह उनके द्वारा जम्मू-कश्मीर में जातीय और धार्मिक 'सफाए' के लिए चलाया जा रहा योजनाबद्ध अभियान है। इसके पीछे उनका उद्देश्य जम्मू-कश्मीर से जितना संभव हो उतने हिन्दुओं को बाहर निकालना है। सिखों के खिलाफ की गई हिंसा के पीछे भी यही ध्येय है: सिख समुदाय को भी जम्मू-कश्मीर से बाहर कर दिया जाए। लद्दाख और करगिल जिले में बौद्ध समुदाय पर की गई हाल की हिंसा भी इसी प्रक्रिया का एक भाग है। सबसे हाल की यह सूचना कि वे जम्मू की जनसांख्यिकी बदल रहे हैं, एक चिंता का सबब है। जम्मू की आबादी पिछले पांच सालों के दौरान तिगुनी हो गई है और जो लोग वहां आए और बस गए उनमें सबसे बड़ी तादाद मुस्लिमों की है। अतएव यह स्पष्ट है कि किसी वार्ता की वकालत, शांतिपूर्ण

समाधान इत्यादि बिन्दुओं पर पाकिस्तान और इसके द्वारा समर्थित उग्रवादी गुट योजनाबद्ध तरीके से जम्मू व कश्मीर के सांप्रदायिक और धार्मिक जनसांख्यिकी को बदलने में जुटे हुए हैं ताकि राज्य में एक वृहत्तर मुस्लिम बहुलता सुनिश्चित हो। कश्मीरी गुटों के साथ और तत्पश्चात पाकिस्तान के साथ समझौता वार्ता में यह एक संवेदनशील मसले के तौर पर शामिल किया जाना चाहिए। गैर-मुस्लिम समुदायों को जम्मू व कश्मीर से हटाए जाने की प्रक्रिया को रोकना ही है और बाहर भगाए गए लोगों को वापस बुलाना अत्यावश्यक है। जम्मू में हिन्दुओं और लद्दाख में बौद्ध समुदाय के हितों और मौलिक अधिकारों के विरूद्ध मोर्चा तैयार कर रहा यह सूक्ष्म पर योजनाबद्ध जातीय-धार्मिक 'शुद्धिकरण' अभियान जम्मू कश्मीर के पारंपरिक बहुलतावादी सम्य समाज की गरिमा को नष्ट कर रहा है।

चलिए थोड़ी देर के लिए हम यह कल्पना करें कि जम्मू-कश्मीर का क्या होगा यदि इसे भारत से अलग कर किसी अंतरिम अंतर्राष्ट्रीय जिम्मेवारी के अंतर्गत ही सही एक स्वतंत्र सत्ता का रूप दिया जाए और भारत और पाकिस्तान यह जिम्मा लें कि वे वहां किसी तरह का हस्तक्षेप नहीं करेंगे। लद्दाख और जम्मू की आबादी के लिए इस्लामी उग्रवादी गुटों के वर्चस्व तले यह नई व्यवस्था प्रतिकूल साबित होगी। कश्मीर एक भू-आवृत अस्तित्व या देश होगा जिस तक पहुंचने के लिए पूरी तरह से समुद्र मार्ग पर निर्भर रहना होगा या पाकिस्तान या भारत के रास्ते। इस नए अस्तित्व को लेकर भारत में कड़वाहट होगी। हो सकता है भारत इस अस्तित्व को मदद देने या सहयोग करने में दिलचस्पी न रखे। ऐसी स्थिति में जम्मू-कश्मीर का पाकिस्तान के ऊपर निर्भर होना निश्चित है। यह निर्भरता पहले आर्थिक और राजनैतिक प्रभाव की शक्ल अख्तियार करेगी और उग्रवादी गुटों की मदद के जरिये एक छोटे अंतराल के बाद जम्मू-कश्मीर पाकिस्तान का हिस्सा बन जाएगा। भारतीय गणतंत्र से जम्मू-कश्मीर के अलग होने के कारण उभरी स्थितियां भारतीय जनमानस और सांप्रदायिक सौहार्द पर नकारात्मक प्रभाव डालेंगी जो न सिर्फ भारत की क्षेत्रीय अखंडता के प्रतिकूल होगा बल्कि इसकी वैचारिक और राजनैतिक एकता को भी छिन्न-भिन्न कर देगा। यदि कश्मीर एक अलग अस्तित्व या देश बन जाता है, तो पाकिस्तान के दो उद्देश्य पूरे हो जाएंगे: पहला, जम्मू-कश्मीर को हासिल करने की प्रक्रिया शुरू हो जाएगी; और दूसरा, पाकिस्तानी शक्ति संरचना पाकिस्तान से बांग्लादेश के अलग होने से जुड़ा अपना बदला, जिस इच्छा को इसने अक्सर व्यक्त किया है, ले पाएगी।

अब यह सवाल उठाया जा सकता है कि भारत से जम्मू-कश्मीर के अलग होने से क्या भारत व पाकिस्तान के बीच सामान्य रिश्तों का शुभारंभ हो पाएगा। इस बिन्दु पर भी पाकिस्तानी रणनैतिक विचारकों के बौद्धिक और वैचारिक रूझान विभिन्न रंगत लिए हैं। उनमें से एक अच्छा खासा वर्ग है, जिसके साथ व्यक्तिगत तौर पर बातचीत की गई है, जो यह मानता है कि दक्षिण एशिया में जब तक भारत सबसे बड़े संघटित समाज के रूप में बरकरार है, तब तक तनाव अवश्यंभावी है और जारी रहेगा। उनका मानना है कि भारतीय गणतंत्र क्षेत्रीय रूप से बहुत विस्तृत है और पूर्णतया भिन्न जातियों और भाषाओं से भरा है अतएव भारत को छोटे-छोटे राज्यों में बंट जाना चाहिए ताकि भारत के लघुत्तर पड़ोसियों के विचारानुसार दक्षिण एशिया में एक भू-रणनैतिक संतुलन कायम हो पाए। यह पाकिस्तान की शक्ति संरचना के समूहों द्वारा भारतीय गणतंत्र के अन्दर अपेक्षित केन्द्रविमुखी आवेगों को पैदा करने के लिए उठाए गए पहले कदम के तौर पर माना गया है।

यहां जिन कारकों और लक्षणें का विश्लेषण किया गया है, वे अलगाववादी गुटों और पाकिस्तान की ओर से समझौता वार्ता के लिए घोषित रुखों से परे हैं। वे भारत की क्षेत्रीय अखंडता, स्थिरता और एकता के लिए दीर्घकालिक व संवेदनशील संकेत दर्शाते हैं। कश्मीर पर भारत की बातचीत का रुख इन कारकों पर गहरे विचार मंथन पर आधारित होना चाहिए। यह सिर्फ संघर्षविराम को जारी रखना या वार्ता को पुनर्बहाल करना मात्र नहीं है। भारत के इस अभ्यास में शामिल होने से पहले हमें वार्ता के परम और अंतरिम उद्देश्यों को लेकर एक स्पष्ट सोच रखनी होगी।

कश्मीर पर हालिया भारतीय पहल–समस्याएं और संभावनाएं

एक पाकिस्तानी टीकाकार, अनवर अहमद ने 'न्यूज' नामक अखबार में अपने एक लेख में कहा है "पाकिस्तान द्वारा कश्मीरियों को फिर से मझधार में डाल देना एक काली छाया बन कर उसकी अंतरात्मा को जरूर काचोटता होगा। यह आखिरी मौका है कि उसे अत्यावश्यक रूप से कश्मीर में अपने अंतिम उद्देश्यों को फिर से परिभाषित करना चाहिए, उसके बाद कश्मीरियों के आत्मनिर्णय के हक से हटे बगैर व्यावहारिकता के तकाजे को पूरा करना चाहिए यह मामला उनके और उनके भारतीय दमनकारियों के बीच का है। कश्मीरी प्रतिरोध की हालिया विफलता का कारण इसका हिंसापूर्ण होना नहीं, बल्कि इसका इस्लामी स्वरूप है, पश्चिम एक और तालिबान का निर्माण बर्दाश्त नहीं कर सकता है।"

भारत सरकार ने कुछ ठोस प्रयास किए है, रणनीतियों और युक्तियों को विस्तार दिया है, ताकि कश्मीर मसले का राजनैतिक समाधान प्राप्त हो। जम्मू-कश्मीर में अलगाववादी अभियानों से जुड़े कई कश्मीरी नेताओं को जेलों से रिहा किया गया है, जिसमें सर्वदलीय हुर्रियत कान्फ्रेंस के सईद अली शाह गिलानी और यासिन मलिक जैसे नाम शामिल हैं। गृहमंत्री आडवाणी और अन्य सरकारी अधिकारियों ने जम्मू-कश्मीर के विरोधी / अलगाववादी गुटों के साथ सीधी बातचीत करने की इच्छा व्यक्त की है। ऐसी खबरें भी हैं कि भारत सरकार की नवनिर्मित राष्ट्रीय सुरक्षा सलाहकार समिति के कुछ सदस्यों को राजनीतिक समाधान तलाशने की दिशा में बढ़ने के लिए विभिन्न कश्मीरी विरोधी गुटों के साथ अनौपचारिक संपर्क स्थापित करने के लिए अधिकृत किया गया है। समांतर रूप से, 19 तारीख सोमवार को जम्मू-कश्मीर विधान सभा की विशेष तौर पर बुलाई गई बैठक संपन्न हुई। इस बैठक का उद्देश्य था स्वायत्तता पर गठित समिति के सुझाए उन प्रस्तावों पर चर्चा कराना और संभव हो तो स्वायत्तता पर सिफारिशों को अंतिम रूप देना जिन्हें 1999 में सदन के पटल पर रखा गया था। राजनैतिक समाधान का प्रयास करने की दिशा में ये कदम सिर्फ नाममात्र की सकारात्मक अहमियत रखते हैं। पहला, भारत सरकार एक उभरती हुई सोच का संकेत दे रही है कि कश्मीर मसले पर सैन्य समाधान संभव नहीं है। दूसरा, सरकार उग्रवादी अलगाववादियों तक से बात करने के लिए तैयार है, ताकि एक राजनैतिक समाधान की संभावनाएं तलाशी जा सकें। तीसरा, ये सारे कदम इस परिप्रेक्ष्य में उठाए जा रहे हैं कि कश्मीर पर अपने दावों को हासिल करने के ध्येय से हिंसा भरे हस्तक्षेपपूर्ण आतंकवादी साधनों का इस्तेमाल करने की वजह से पाकिस्तान के लिए अंतर्राष्ट्रीय समर्थन कम होता जा रहा है। सिर्फ अमेरिका ही नहीं, बल्कि तुर्की, मध्य एशियाई गणतंत्र और ईरान जैसे कई देशों को पाकिस्तान के सहयोग से कश्मीर के तालिबानीकरण पर आपत्ति है।

यह कहने के बाद कश्मीर से संबद्ध जटिल मुद्दों पर सार्थक राजनैतिक विचार-विमर्श की रचना एक बहुत ही मुश्किल और अनियंत्रणीय अभ्यास हो जाएगा। फारूक अब्दुल्ला की सरकार कश्मीर के अलगाववादी गुटों के प्रतिनिधियों से समझौते के लिए बात करने की भारत सरकार की इच्छा को लेकर खुश नहीं है। सर्वदलीय हुर्रियत कान्फ्रेंस के घटक गुटों में संभावित समाधान पर अंदरुनी मतभेद हैं। यासिन मलिक के नेतृत्व वाला जे के एल एफ कश्मीर को एक स्वतंत्र संप्रभु राज्य के रूप में देखना चाहता है। दूसरे गुट कश्मीर को पाकिस्तान का हिस्सा बनाना चाहते हैं। हुर्रियत के सारे गुट भारत

सरकार के साथ समझौता वार्ता के दौरान पाकिस्तान को भी एक पक्ष के रूप में शामिल करना चाहते हैं और भारतीय संविधान के ढांचे के अंतर्गत किसी भी समाधान या वृहत्तर स्वायत्तता की बात को खारिज करते हैं। हुर्रियत के प्रमुख नेता फिलहाल किसी भी नई व्यवस्था के अंतर्गत भारतीय गणतंत्र के साथ जम्मू-कश्मीर की समग्रता के मजबूत होने के पूर्णतया खिलाफ हैं। फारूक अब्दुल्ला के नेतृत्व में नेशनल कान्फ्रेंस सिर्फ संचार, विदेश मामलों और वित्त से जुड़े विषयों पर भारत के संप्रभुत्व को स्वीकार करने की बात करते हुए कश्मीर के 1952 दर्जे की पुनर्बहाली चाहती है। भारत के दोनों महत्वपूर्ण राजनैतिक दल, कांग्रेस और भाजपा, जम्मू-कश्मीर के 1952 दर्जे की पुनर्बहाली के विरूद्ध हैं, क्योंकि उनका मानना है कि यह इस राज्य को भारत से अलग करने के पहले कदम जैसा होगा। वे कश्मीर समस्या को सुलझाने के लिए उस त्रिपक्षीय वार्ता के भी खिलाफ हैं जिसमें पाकिस्तान एक पक्ष के रूप में शामिल हो।

इन मतभेदपूर्ण प्रवृत्तियों को और भी तीव्र कर रही हैं कश्मीर घाटी में चरमपंथी इस्लामी अलगाववादी गुटों की मांग पर आधारित किसी भी नई व्यवस्था को लेकर जम्मू और लद्दाख के लोगों में व्याप्त गहरी आपत्तियां। इस बात का भी अंदेशा है कि पाकिस्तान भारतीय गणतंत्र से जम्मू-कश्मीर को अलग करने के ध्येय से आतंकवादी गतिविधियों में अपनी सक्रिय भूमिका और समर्थन बरकरार रखेगा। यह बात भी जरूर याद रखनी होगी कि राजनैतिक समाधान निकालते वक्त इसका सरोकार कश्मीर की आबादी में शामिल विभिन्न जातिय, धार्मिक और भाषई समूहों के साथ तो होना ही चाहिए, साथ ही इसके लिए भारतीय संविधान में संशोधन भी करना होगा जिसे सिर्फ भारतीय जनमानस की व्यापक आम सहमति द्वारा ही तय किया जा सकता है। भारतीय सामूहिक जनमत राष्ट्र की भाषा, धर्म या गुटीय परिभाषा के आधार पर जिसने बंटवारे को जन्म दिया था—भारत के किसी भी हिस्से के पूर्ण या आंशिक अलगाव की कतई अनदेखी नहीं कर सकता है। कारगिल पर पाकिस्तानी आक्रमण और 1999 दिसम्बर में उसके द्वारा प्रायोजित भारतीय विमान की अपहरण की घटना के बाद कश्मीर समस्या के अंदरूनी आयामों को सुलझाने के लिए किसी भी बातचीत में पाकिस्तान को एक पक्ष के रूप में रखने की बात को लेकर भारत में गहरा विरोध है। लोगों का यह भी मानना है कि कश्मीर अब घाटी की सांप्रदायिक जनसांख्यिकी से जुड़ा कोई क्षेत्रीय विवाद नहीं रहा। भारत से जम्मू-कश्मीर का कोई भी राजनैतिक, सामाजिक या क्षेत्रीय अलगााव इसकी राजनीतिक और क्षेत्रीय एकता पर नकारात्मक प्रभाव डालेगा। इस सिलसिले में अंतर्राष्ट्रीय प्रतिक्रियाएं भी महत्वपूर्ण हैं।

अलगाववाद में पाकिस्तान की भागीदारी और उसकी ओर से दिए जा रहे समर्थन के प्रति विश्व ने सामान्य तौर पर विरोध प्रकट किया है। अंतर्राष्ट्रीय समुदाय का मानना है कि कश्मीर भारत और पाकिस्तान के बीच का विवाद है, जिसका क्षेत्रीय स्थिरता और सुरक्षा पर गहरा असर है। उनका यह भी मानना है कि समस्या के निराकरण के लिए जो भी राजनैतिक समाधान निकल कर आता है उससे जम्मू-कश्मीर के लोगों की आकांक्षाओं की पूर्ति होनी चाहिए। भिन्न-भिन्न घरेलू और विदेशी हलकों से राजनैतिक समाधान के मद्देनजर अनेक मशविरे पेश किए गए हैं; नियंत्रण रेखा को भारत व पाकिस्तान के बीच की स्थायी सीमा रेखा बनाते हुए कश्मीर को वृहत्तर स्वायत्तता; संयुक्त राष्ट्र संघ के पर्यवेक्षण में जम्मू-कश्मीर के एक अलग अस्तित्व का निर्माण; लद्दाख, घाटी और जम्मू के रुप में कश्मीर का विभाजन जिसमें घाटी को स्वायत्त दर्जा दिया जाए तथा इसमें भारत-पाकिस्तान को समान पहुंच और राजनीतिक संपर्क प्राप्त हो। फिलहाल इस मसले पर हो रही बातचीत को प्रभावित कर रहे अनियंत्रणीय मतभेदों के मद्देनजर उपरोक्त मशविरों में पहले को छोड़ कर इनमें से कोई भी समाधान व्यावहारिक रूप से संभव नहीं है।

भारत का ध्येय उपरोक्त पहली सलाह के ढांचे में एक समाधान तैयार करने का होना चाहिए, अर्थात् जम्मू व कश्मीर के लिए सार्थक स्वायत्तता, नियंत्रण रेखा के धीरे-धीरे भारत व पाकिस्तान के बीच स्थायी सीमा रेखा में तबदील होने के साथ जम्मू-कश्मीर के लोगों को भारतीय लोकतांत्रिक प्रक्रिया की मुख्य धारा में लाना। रास्ता कितना ही लंबा क्यों न हो

राजनैतिक बातचीत के जरिये इस उद्देश्य को हासिल करने के प्रयासों को जिंदा रखने के लिए शुरुआत होनी ही चाहिए।

4
तालिबान की अफगानिस्तान में सैन्य सफलता: निहितार्थ

अफगानिस्तान में उथल-पुथल–हमारी उत्तर-पूर्वी सीमाओं पर अस्थिरता

सितम्बर के चौथे सप्ताह में तालिबान बलों के द्वारा काबुल पर कब्जा और रब्बानी हिकमतयार की नाजुक वैध सरकार के निकासन से अफगान संकट की ओर अंतर्राष्ट्रीय समुदाय का ध्यान गया। इसकी वजह यह नहीं कि तालिबान की अस्थायी विजय से अफगानिस्तान में सामान्य और स्थिर माहौल के बहाल होने का कोई संकेत मिला है, बल्कि इससे उत्पन्न हुए और होने वाले अनगिनत रणनैतिक और राजनैतिक मतभेदों को लेकर उपजी दुश्चिंता है।

पिछले आठ महीनों के दौरान तालिबान द्वारा की गई सैन्य कार्रवाई के ब्योरे का जबसे ताजिक नेता अहमद शाह मसूद की सेना ने उन्हें पहली बार पीछे धकेला था–मीडिया में पिछले तीन सप्ताह से सविस्तार वर्णन किया जाता रहा है। इसका प्रयोजन तालिबान की सफलताओं के निहितार्थों का अफगानिस्तान, मध्य एशियाई व दक्षिण एशियाई और खास तौर पर भारत के लिहाज से आकलन करना है। काबुल पर कब्जा करने के बाद तालिबानी सैनिक उत्तर-पूर्व की ओर हजारा, उजबेक और अफगानिस्तान के ताजिक क्षेत्रों को अपने नियंत्रण में करने के ध्येय से बढ़ चुके हैं। उनका अफगानिस्तान के दक्षिणी और पूर्वी भागों पर नियंत्रण करना यहां के पख्तूनों के तालिबान के अधिसंख्य सैनिकों के साथ जातीय सहबंधन होने से सुगम हो गया था। अफगानिस्तान पर वर्चस्व बनाए रखने और एक स्थिर सरकार के निर्माण की राह में तालिबान के उद्यम के सामने वास्तविक चुनौती अन्य जातीय गुटों से संबद्धित अफगानिस्तान के गैर-पख्तून निवासियों के रूप में खड़ी है। यदि तालिबान अहमद शाह मसूद और जनरल दोस्तम की सेनाओं पर विजयी होता है या फिर मसूद को पराजित कर दोस्तम के साथ समझौता करता है, तब भी यह चुनौती सामने खड़ी रहेगी।

तालिबान की सैन्य सफलता की वजहें थीं: एक, उनकी टुकड़ी में अच्छी-खासी संख्या में सेवानिवृत्त पाकिस्तानी सैन्य अधिकारी शामिल थे; दो, पाकिस्तान की ओर से ही उन्हें राकेट, गोला-बारूद बख्तरबंद गाड़ियों के रूप में भारी सैन्य उपकरणों सहित वृहत् परिमाण में हथियारों की आपूर्ति होती रही और कुछ सीमित मात्रा में युद्धक हेलिकाप्टर भी दिए गए; तीन, अपने अभियान को चलाते रहने के लिए उनका एक सुरक्षित वित्तीय कोष था जिसमें मादक पदार्थों की बिक्री के जरिये और सऊदी अरब से धन प्राप्त होता था; चार, उनके अंदर वैचारिक आवेग अैर राजनीतिक-सैन्य प्रतिबद्धता का गहरा रंग चढ़ा हुआ था, इनमें से पहली भावना कट्टर धार्मिक अतिवादिता से भरी थी और दूसरी अफगानिस्तान के पख्तून सैनिकों के प्रमुख के अलग होने से उत्पन्न हुई थी, जो मोजदादी, सयैफ और हिकमतयार जैसे पूर्व मुजाहिदीन नेताओं के साथ उनके विगत संबंधों के कारण अब तालिबान का है; पांच, उनकी सफलता का एक और कारण बना रब्बानी सरकार, ईरान और दोस्तम इत्यादि का 1995 के उत्तरार्द्ध और 1996 के आरंभ में तालिबान के शुरुआती आक्रमणों को निरस्त करने के बाद अपनी आत्मसंतुष्टि की भावना में बेखबर हो जाना और पाकिस्तान व अमेरिका द्वारा रब्बानी सरकार और गैर-पख्तून गुट के नेताओं को यह आम संकेत देना कि वे अफगानिस्तान की स्थिति को सामान्य बनाने के ध्येय से एक समझौते पर पहुंचने के लिए तालिबान को मना रहे हैं। इस साल के शुरू में सीनेटर हैंक ब्राउन और रॉबिन रैफेल की अफगानिस्तान और पाकिस्तान की यात्रा ने इस अभ्यास को और स्पष्ट कर दिया है; छठा कारण पांचवें का परिणाम है। शायद रब्बानी सरकार को शस्त्र की आपूर्ति और महत्वपूर्ण सहयोग दिए जाने से दोस्तम और मसूद ने इस पूर्वानुमान के साथ अपने कदम धीरे कर लिए कि समाधानों की तलाश राजनैतिक वार्ता के माध्यम से ही की जाएगी (राजनैतिक वार्ता को एक तरफ जारी रखते हुए पाकिस्तान और अमेरिका तालिबान की सैन्य क्षमताओं को बढ़ाते भी रहे, तभी वह मौजूदा सैन्य सफलताओं को प्राप्त कर सका। अफगानिस्तान का परिदृश्य राजनैतिक अनिश्चितताओं और उथल पुथल से भरा है। इस्लामाबाद में तालिबान के प्रभारी-राजदूत मौलवी अब्दुल वहाब, उप-विदेशमंत्री शेर मुहम्मद इस्तानिकजाई और विदेश मंत्री मुल्ला मुहम्मद गाउस द्वारा संप्रेषित आश्वसनों कि तालिबान अंततः एक उदार इस्लामी सरकार की स्थापना करेगा और वे अन्य जातीय समुदायों के साथ उचित व्यवहार करेंगे, से बेपरवाह उनकी गतिविधियां और रूझान स्पष्ट तौर पर एक उग्र जातीय उन्माद दर्शाते हैं जो सुन्नी हनाफी सिद्धांतों में मजबूती से जड़ें जमाए पख्तून-प्रभावी

अफगानिस्तान का निर्माण करने को व्यग्र है। पिछले तीन-चार सप्ताह के दौरान उनके विभिन्न कार्यकलापों से यह आशंका गहरी होती है कि वे अफगानियों को, कुछ संदर्भों में, 17वीं-18वीं सदी तक पीछे ले जाएंगे। यह बात याद रखनी होगी कि पिछले 40 साल के दौरान जहीर शाह, दाउद और पीडीपीढ के शासन काल के अंतर्गत औसत अफगानी अपने आस-पास की दुनिया और इसके लक्षणों को लेकर सजग है और इससे जुड़ी उसकी राजनैतिक आकांक्षाएं काबुल के तालिबानी गवर्नर मुल्ला मुहम्मद तारिक या इसके प्रमुख मुल्ला मुहम्मद उमर के मौजूदा नेतृत्व की शासन प्रणाली और नागरिक समाज प्रबंधन के प्रति पुराने नजरिये में नहीं फंसने वाली हैं। तालिबान द्वारा पूरे अफगानिस्तान पर नियंत्रण स्थापित करने के बाद भी नागरिक संघर्ष के आवेग के बने रहने की संभावना से इनकार नहीं किया जा सकता है। यदि अफगानिस्तान में चल रहा मतभेद पख्तूनों और गैर-पख्तूनों के बीच का खुला जातीय टकराव बनता है और यदि इसके परिणाम स्वरूप दोनों के बीच एक गतिरोध पैदा होता है तो अफगानिस्तान पख्तून और गैर-पख्तून क्षेत्रों के रूप में दो देशों में बंट जाएगा। यह पाकिस्तान के लिए एक महंगा परिणाम साबित होगा। अफगानिस्तान के द्विविभाजन से उत्पन्न हुआ एक पख्तून राजनैतिक अस्तित्व पाकिस्तान के उत्तर-पश्चिम सीमांत प्रांतों और उत्तरी बलूचिस्तान को अपनी ओर आकृष्ट करने के कारण उसके लिए एक अलग चुनौती खड़ी करेगा। अफगानिस्तान के मामले में लगातार हस्तक्षेप करने और अपनी अदूरदर्शिता के परिणामों के संबंध में पाकिस्तान को अवश्य विचार करना होगा। ताजिक हितों का प्रतिनिधित्व कर रहे अहमद शाह मसूद तालिबान का प्रतिरोध कर रहे हैं। उजबेक और कुछ हद तक हजारा हितों का प्रतिनिधित्व कर दोस्तम ने तालिबान को विवाद बरकरार रखने के खिलाफ सावधान किया है। ऐसा अनुमान है कि तालिबान यदि दोस्तम के नियंत्रण वाले क्षेत्रों में हस्तक्षेप न करने का जिम्मा ले और उसके हिस्से का अधिकार उसे प्रदान करे तो वह समझौते के लिए तैयार हो सकता है। उसका तात्कालिक सरोकार अपने राजनैतिक और क्षेत्रीय आधार की रक्षा करना और यह देखना है कि वह किसी तरीके के समझौते के जरिये कुछ आर्थिक लाभ उठा सके जैसे मध्य एशियाई गणतांत्रिक देशों से अफगानिस्तान और पाकिस्तान में ग्वादोर या कराची तक जानेवाली तेल पाइप लाइनें उसके क्षेत्र से होकर गुजरें। जो भी हो, यह एक जोखिम भरी प्रस्तावना है, क्योंकि यह दो बातों पर निर्भर करेगी: एक, मध्य एशियाई गणतांत्रिक के वर्चस्व तले अफगानिस्तान में हासिल की गई स्थिरता की अवधि पर।

अफगानिस्तान की इन घटनाओं को लेकर रूसी परिसंघ और मध्य एशियाई गणतांत्रिक देशों में आशंकाएं उभर आई हैं। 4 और 5 अक्टूबर को कजाकिस्तान के अल्माही में आयोजित मध्य एशियाई शिखर वार्ता में अफगानिस्तान में किए जा रहे बाहरी हस्तक्षेप के प्रति विरोध प्रकट किया गया और तालिबान को सावधान किया गया कि वह अफगानिस्तान के सीमावर्ती मध्य एशियाई गणतांत्रिक देशों में अस्थिरता पैदा न करे। रूसी सरकार की प्रतिक्रिया मूल रूप से आलोचनात्मक थी तो सही, पर उसने तालिबान के प्रतिरोध में खाड़ी शक्तियों को प्रत्यक्ष सहयोग देने का कोई संकेत अभी तक नहीं दिया है। हालांकि, येल्तसिन के राष्ट्रीय सुरक्षा सलाहकार लेबेद ने तालिबान के खिलाफ सैन्य कार्रवाई की पेशकश की है। उजबेकिस्तान और ताजिकिस्तान की प्रतिक्रियाएं खास तौर पर प्रासंगिक होंगी। राष्ट्रपति इस्लाम करीमोव अमेरिका और पश्चिम के साथ आर्थिक और विकासोन्मुखी प्रयोजनों के ध्येय से निकट संबंध बनाने के उजबेकिस्तान के विरुद्ध आरंभिक क्षेत्रीय दावों (बुखारा और समरकंद को शामिल करते हुए) को लेकर दुश्चिंता भी भरी हुई हैं। अतः, यदि वह अहमद शाह मसूद का अनुसरण करते हैं तो अफगानी ताजिकों या दोस्तम को समर्थन देने के लिए वह बहुत उत्साहित नहीं होंगे। फिर भी, वह इस दुविधा से उबर नहीं पा रहे कि अपने उद्देश्यों के लिए काम करते समय दोस्तम के अधीन उजबेकों को समर्थन न देना उनके लिए घरेलू मुश्किलें खड़ी कर सकता है। लंबे समय बाद, अफगानिस्तान में एक अतिवादी इस्लामी शासन को लेकर वह बहुत उत्साही नहीं होंगे, क्योंकि वह अपने ही देश में ऐसी धार्मिक शक्तियों की ओर से खड़ी की गई चुनौती का सामना कर रहे हैं। अन्य मध्य एशियाई गणतंत्र तालिबान के भीषण आक्रमण की सफलता को खतरे की घंटी मान रहे हैं। ईरान, जिसने अफगानी संगठन, हिजबुल वहादत, को सहयोग दिया है, इन सारी गतिविधियों को स्वीकार नहीं कर पा रहा है। ईरान खुद को ठगा हुआ महसूस कर रहा है क्योंकि अफगानिस्तान में स्थिति को स्थिर बनाने की खातिर उसने लगाातार पाकिस्तान के साथ संपर्क बनाए रखा था। दरअसल, ईरान ने 1996 अक्टूबर में अफगानिस्तान के विषय पर एक क्षेत्रीय सम्मेलन की योजना बनाई थी, जो विफल हो गई। तालिबान के क्रियाकलापों को निरस्त करने के लिए वे रूस साथ ही साथ अन्य मध्य एशियाई गणतंत्रों के साथ लगातार संपर्क में थे। अफगानिस्तान में किसी भी तालिबानी शासन को मध्य एशिया, ईरान और रूस की आशंकाओं व संदेहों का सामना करना पड़ता। हालांकि चीनियों ने इन घटनाओं पर कोई ब्योरेवार घोषणाएं नहीं की हैं, परन्तु चीन के विभिन्न भागों में,

खासतौर पर शिन्जियांग में, वहां के मुसलमानों द्वारा यदा-कदा दिखाई गई जातीय-धार्मिक विघटनकारी प्रवृत्तियों के मद्देनजर अफगानिस्तान में कट्टर इस्लामी शक्ति संरचना के दृढ़ीकरण को देखकर वे खुश नहीं हो सकते हैं।

अमेरिका की प्रतिक्रिया आश्चर्यजनक रूप से दिलचस्प है। इस्लामी अतिवाद के संबध में रणनैतिक और राजनैतिक आशंकाओं के बावजूद वह "तालिबान से एक रचनात्मक संबंध" रखने का इच्छुक नजर आता है। अमेरिकी दूतावास के वरिष्ठ अधिकारी इस्लामाबाद में तालिबान के प्रभारी-राजदूत अब्दुल वहाब के साथ लगाातार संपर्क में हैं। अमेरिका औरतों के खिलाफ मानवाधिकार उल्लंघन और नजीबुल्ला की क्रूर हत्या की निन्दा करता रहा है। यह आलोचना तालिबान के साथ बातचीत करने के आधारभूत नजरिये के बीच में नहीं आई है। इसके पीछे तीन उद्देश्य हैं: ईरान पर नियंत्रण, मध्य एशिया के दक्षिणी हिस्से पर अपने राजनैतिक प्रभाव को विस्तार देना और उन आर्थिक गतिविधियों में भाग लेना, जो अमेरिका और इसके मित्र राष्ट्रों, पाकिस्तान और सऊदी अरब से मैत्री रखने वाली सरकार के अधीन अफगानिस्तान के स्थिरीकरण के परिणाम स्वरूप उभर सकती है। यदि तालिबान अफगानिस्तान में खुद को स्थापित करने में सफल होता और यदि यह अपनी मौजूदा अतिवादी नीतियों को नरम बनाता है तो ऐसे तालिबानी शासन को अमेरिका का समर्थन मिलने की संभावना नजर आती है।

यू एन एस जी प्रतिनिधि, नौर्बट हौल, के जरिये संयुक्त राष्ट्र संघ ने खुद को पुन: सक्रिय किया है। संयुक्त राष्ट्र के प्रयासों को जहां तक अमेरिका समर्थन देता है उसी सीमा तक यू एन क्यू यू ए की अफगानिस्तन के संकट प्रबंधन में अपनी भूमिका निभा पाएगा। विभिन्न अफगानी गुटों के बीच फेरा लगाती हौल की कूटनीति का कोई परिणाम नहीं निकल पाया।

जहां तक भारत का सवाल है, इसका सर्वोपरि संदर्भ सूत्र यह है और होना चाहिए कि अफगानिस्तान के ऊपर प्रभावी नियंत्रण बनाते हुए जो भी सरकार उभर कर आए, उसी के साथ व्यवहार करना। यही एकमात्र रास्ता है जिसके जरिये हम अफगानिस्तान के लोगों के साथ अपने संबंधों को जीवित रख सकते हैं। यह कहने के साथ यह स्वीकार करना होगा कि अफगानिस्तान में होने वाली गतिविधियों से इसके और भारत के बीच दूरी पैदा हो गई है। ये मध्य एशिया के साथ हमारे भविष्य के संपर्कों के रास्ते में भी अल्पकालिक बाधा बनकर खड़ी हैं। 7 अक्टूबर, 1996 को लंदन में विदेशमंत्री गुजराल द्वारा अपने वक्तव्य के जरिये हस्तक्षेप न करने की वकालत और यह बताना कि भारत अफगानिस्तान

की स्थिति को बहुत बारीकी से देख रहा है, इस बात का संकेत देता है कि इस देश के साथ भारत के संबंध फिलहाल स्थगित रहेंगे। उनका वक्तव्य भारत के आधारभूत रुख पर भी प्रकाश डालना है कि वह अफगानिस्तान के लोगों के प्रति अपना सरोकार और दिलचस्पी बनाए रखेगा। भारत के सामने बड़े सीमित विकल्प हैं पर उनका अभाव नहीं है। अफगानिस्तान में स्थिति को स्थिर बनाने के मद्देनजर राजनैतिक दबाव बनाने के लिहाज से हमें मध्य एशियाई गणतंत्रों, ईरान, रूसी परिसंघ और चीन के साथ सहयोग कर काम करना चाहिए। यह संयुक्त राष्ट्र के जरिये अन्य इस्लामी देशों के सहयोग से द्विपक्षीय संपर्कों के माध्यम से, हो सके तो गुटनिरपेक्ष आंदोलन के माध्यम से भी–हालांकि इस अवस्था में यह विकल्प शायद सीमित रूप से प्रभावी हो पाएगा–किया जा सकता है। तालिबान विजयी होता है या सफलतापूर्वक इसका प्रतिरोध होता है, दोनों में से जो भी हो, आने वाले समय में अफगानिस्तान का माहौल उबाल लेता रहेगा।

अफगानिस्तान की गतिविधियों पर पाकिस्तान-रूस संवाद-एक रूसी मध्य एशियाई दृष्टिकोण

मई में मजार-ए-शरीफ के आसपास तालिबान के अस्थायी विजय के बाद अफगानिस्तान के गृहयुद्ध के भीषण उतार-चढ़ाव में एक ठहराव आ गया है। वहादत, अहमद शाह समूद और जनरल अब्दुल मलिक पहलवान की शक्तियों से बने उत्तरी गठबंधन और तालिबान के बीच लड़ाई जारी है, इसमें तालिबान अभी वित्तीय रूप से और सैन्य उपकरणों के संदर्भ में बेहतर स्थिति में है। मजार-ए-शरीफ पर तालिबान के विमानों द्वारा बम गिराए जाने की आश्चर्यजनक घटना पर गौर करना जरूरी है; यह आश्चर्यजनक इसलिए है कि पाकिस्तान द्वारा सिर्फ सामान्य सहयोग दिए जाने का दावा होने के बावजूद ये नौजवान जिन्होंने सिर्फ रूढ़िवादी शिक्षा प्राप्त की है, अचानक सैन्य विमानों को प्राप्त करने में और उनका संचालन करने में भी सक्षम ले गए दिखते है। यह स्पष्ट है कि इस स्थिति में सीधे तौर पर पाकिस्तान सैन्य सुविधाएं दे रहा हैं। यही वह संदर्भ है जिसमें 7 से 10 जुलाई तक 1997 में पाकिस्तान के विदेश मंत्री गौहर अयूब खान की रूस यात्रा का आकलन करना होगा। ऐसा महसूस होता है कि इस यात्रा के दौरान गौहर अयूब खान के तीन उद्देश्य थे। रूस को इस बात के लिए मनाना कि वह भारत पर कश्मीर समझौता करने के लिए प्रभाव डाले; रूस से 300-400 टैंक खरीदना, क्योंकि पाकिस्तान का यूक्रेन के साथ इस मद के लिए किया गया

सौदा आगे नहीं बढ़ सका क्योंकि यूक्रेन आवश्यक कलपुर्जों की आपूर्ति नहीं कर सका और तीसरा अफगानिस्तान संकट के ताजा दौर और इससे मध्य एशिया में उपजे तनावों को सुलझाने के लिए पाक-रूस सहयोग की कोई रूप रेखा तैयार करना।

कश्मीर के सिलसिले में रूस ने ऐसी कोई प्रतिक्रिया जाहिर नहीं की जिसकी गौहर ने अपेक्षा कर रखी थी। अलबत्ता बख्तरबंद गाड़ियों को बेचने में रूस ने कुछ दिलचस्पी दिखाई क्योंकि उन्हें विदेशी मुद्रा की जरूरत है। पर सबसे महत्वपूर्ण बात यह है कि अफगानिस्तान संकट को सुलझाने के सिलसिले में रूस ने एक सक्रिय दिलचस्पी दिखलाई। यह आखरी बात भारत के लिए दिलचस्प है। अतएव, अफगानिस्तान के संदर्भ में रूसी दिशा-निर्देशों और दृष्टिकोणों की समीक्षा करना प्रासंगिक होगा।

27 जून से अब तक चार महत्वपूर्ण घटनाएं हो चुकी हैं जो इस लक्षण को दर्शा रही हैं, हालांकि मीडिया ने उनपर ज्यादा ध्यान नहीं दिया। पहला, 27 जून को रूसी विदेश मंत्रालय के तत्वाधान में ''ताजिकिस्तान में शांति की पुनर्बहाली के लिए अंतर-ताजिक समझौते'' पर मास्को में हस्ताक्षर हुए। दूसरा, उपरोक्त अवसर पर 26 से 28 जून के बीच रूसी विदेश मंत्री येवगेनी प्रिमाकोव द्वारा मध्य एशिया और अफगानिस्तान की स्थिति पर चर्चा करने के लिए मध्य एशियाई गणतांत्रिक देशों के विदेशमंत्रियों की बैठक आयोजित की गई, जिसमें ईरान के विदेशमंत्री विलायती ने भी भाग लिया। तीसरा अफगानिस्तान की ताजा गतिविधियों पर बातचीत करने और वहां की स्थिति को स्थिर बनाने के लिहाज से भारत-रूस सहयोग की संभावनाएं तलाशने के मद्देनजर रूस और भारत के बीच एक महत्वपूर्ण गैर सरकारी द्विपक्षीय सम्मेलन आयोजित हुआ जिसमें रूस का प्रतिनिधित्व किया इंस्टिट्यूट ऑफ ओरिएंटल स्टडीज ऑफ एशियन एकेडमी ऑफ साइंसेज ने और भारत की ओर से नई दिल्ली स्थित प्रबुद्ध संस्थान सेंटर फॉर पॉलिसी रिसर्च ने भाग लिया। चौथी घटना थी, अरब और इस्लामी देशों के सामने खड़ी मौजूदा समस्याओं पर बातचीत करने और ईरान व सऊदी अरब के बीच के संबंधों को बेहतर करने के लिए अब्दुल अजीज अल-अब्दाला अल-ख्वेतर का दौरा, जो तेहरान में सऊदी अरब के राजा फहद के विशेष दूत हैं। उनके एजेंडे में अफगानिस्तान शामिल था।

ऊपर उल्लिखित भारत-रूस गोष्ठी में भाग लेने वाले को अफगानिस्तान की स्थिति को लेकर रूसी विचारों और रुखों को जानने का अवसर मिला। अन्य समकालीन घटना, जो अफगानिस्तान की समस्या के साथ व्यवहार करने के हालिया नजरिये को इंगित करने से संबंधित है, भारत के सरोकार की होगी।

पहला है रूसी भागीदारी। जहां एक ओर रूस स्वीकार करता है कि तालिबान और इसके गठबंधन आने वाले समय में अफगानिस्तान की राजनीति में एक प्रभावकारी कारक होंगे, वहीं यह सुनिश्चित करने के तहत कि तालिबान को संपूर्ण सैन्य विजय न हासिल हो, सारे संभव प्रयास किए जाने चाहिए। दूसरा, अफगान समझौते का जो भी रूप निकल कर आए, उस शक्ति संरचना में गैर-पख्तून गुटों की हिस्सेदारी भी होनी चाहिए। रूसी दृष्टिकोण के अनुसार अफगानिस्तान की रणनीतिक महत्ता बढ़ गई है, क्योंकि मध्य एशिया के समृद्ध देशों और अरब सागर और हिंद महासागर के तटवर्ती देशों के लिए यह एक जमीनी मार्ग और यातायात जंक्शन बना हुआ है। अफगानिस्तान की यह महत्वपूर्ण स्थिति का आधार है सी आई एस देशों (पूर्व सोवियत गणराज्यों के समृद्ध हाइड्रो-कार्बन और खनिज संसाधन। ये देश अपने आर्थिक विकास को गति देने के लिए इन चीजों का निर्यात करने के इच्छुक हैं। रूस यह मानता है कि ईरान, भारत और संभव हो तो रूस को वर्जित करते हुए अमेरिका सऊदी अरब और पाकिस्तान इन देशों के संसाधनों और बाजारों पर अनन्य पकड़ हासिल करना चाहते हैं। रूस, ईरान और भारत के लिए इस तरह उभरती हुई स्थिति उनके रणनैतिक और आर्थिक हितों के लिए अहितकर है।

मास्को में हुए विचार-विमर्शों के दौरान व्यक्त किया गया दूसरा आकलन यह था कि तालिबान के उद्देश्य और प्रभाव को कम नहीं आंका जाना चाहिए। हाल के सप्ताह में तालिबान ने एक मोनोग्राफ बंटवाया जिसका शीर्षक था: 'अज मदरसा ता हुकूमत' (धार्मिक विद्यालय से सरकारी अधिकार तक) जिसमें यह बताया गया है कि तालिबान का सर्वोपरि उद्देश्य है सुन्नी मदरसों में प्रशिक्षित विद्वानों और सैनिकों को लेकर अफगानिस्तान में एक उपयुक्त रूढ़िवादी इस्लामी सरकार की स्थापना करना। उस मोनोग्राफ में इस बात पर जोर दिया गया है कि अफगानी राष्ट्रीय पहचान और इसके इस्लामी संस्कारों का सुदृढ़ीकरण सिर्फ ऐसी ही सरकार की स्थापना के माध्यम से पूरा हो सकता है। यह मोनोग्राफ और इससे संबद्धित टिप्पणियां, जो विश्व के विभिन्न हिस्सों में पूर्व-निर्वासित अफगानी लोगों के बीच बांटी गई, इस बात को इंगित करती है कि तालिबान पूर्व शाही सरकार राजा जहीर शाह के शासन काल के तत्वों के साथ सहयोग करने के विरुद्ध नहीं है। रूसी शिक्षाविद् इस बात का भी जिक्र करते हैं कि निर्वासित अफगान हलकों में एक समर्थ अफगान सरकार के लिए नामों की जो फेहरिस्त बांटी गई है उसमें पूर्व राजा जहीर शाह के कैबिनेट के कई महत्वपूर्ण व्यक्तियों के नाम शामिल हैं। हां, इस फेहरिस्त में तालिबान प्रतिनिधियों की संख्या ज्यादा है।

रूस यह सोचता है कि अफगान गृह युद्ध के मौजूदा दौर में ज्यादा सक्रिय प्रतिस्पर्धी कारक इस्लाम नहीं बल्कि जातिवादिता है। उन्हें इस बात की आशंका है कि एक पख्तून प्रभावी अफगान सरकार यदि अफगानिस्तान के जातीय अल्पसंख्यकों के बड़े समूह के खिलाफ भेद-भाव बरतती है, तो इससे उजबेकिस्तान और ताजिकिस्तान में अस्थिरता पैदा होगी, जिसकी वजह से इस क्षेत्र का आर्थिक प्रगति अवरूद्ध हो जाएगी। सबसे महत्वपूर्ण बात यह कही गई कि रूस अफगानिस्तान के ऊपर सऊदी अरब समर्थित तालिबान के वर्चस्व का जहां राजनैतिक और कूटनीतिक साधनों से प्रतिरोध करेगा, वहीं उसके यहां सैन्य साधनों द्वारा डाले गए ऐसे बलप्रयोग के दबाव का विरोध करने के लिए कोई राजनैतिक रूझान या संसाधन नहीं है। इस बात को भी अनिच्छापूर्वक स्वीकार गया कि उजबेकिस्तान और तुर्कमेनिस्तान जैसे महत्वपूर्ण मध्य एशियाई देशों का अब रूसी परिसंघ पर पूरी तरह निर्भर न करते हुए अपने एशियाई क्षेत्रीय सरोकारों का हल निकालने के लिए पश्चिम के साथ समीकरणों के विकल्प पर विचार करने की ओर झुकाव हो गया है। यही वह परिप्रेक्ष्य है जिसमें ताजिकिस्तान के स्थायित्व के लिए अंतर-ताजिकिस्तान समझौते को आगे बढ़ाने और ईरान के विलायती के साथ बातचीत करने के लिए प्रिमकोव ने प्रयास किए यह जिक्र करना प्रासंगिक होगा कि मास्को-सम्मेलन में पाकिस्तान के विदेश मंत्रालय की ओर से भी प्रतिनिधि मौजूद थे।

तेहरान में सऊदी के विशेष दूत की यात्रा, विभिन्न अफगान गुटों के साथ और पाकिस्तान के साथ ईरानी संपर्कों का पुनः आरंभ उस व्यापक अभ्यास का हिस्सा हैं जिसका ध्येय उत्तरी अफगानिस्तान पर कब्जा करने के तालिबान के प्रयासों को निरस्त करते हुए अफगानिस्तान में स्थिति को स्थिर करना है। यह बड़ी दिलचस्प बात है कि रूस, ईरान और अन्य मध्य एशियाई गणतांत्रिक देश सरकारी स्तर पर साथ ही साथ गैर-सरकारी स्तर पर एक एकीकृत अफगानिस्तान को बनाए रखने के प्रति प्रतिबद्ध थे। इस प्रयोजन के लिए रूस, पाकिस्तान, सऊदी अरब और तालिबान के साथ बातचीत करने के लिए इच्छुक दिखा। ईरान भी ऐसा ही सोचता है, इसके बावजूद दोनों देशों ने उत्तरी गठबंधन को अफगान के मतभेदपूर्ण माहौल के मौजूदा दौर में गतिरोध सुनिश्चित करने के मद्देनजर समर्थन देने के लिहाज से नाममात्र का आवश्यक सहयोग मुहैया किया। अफगानिस्तान में प्रत्यक्ष रूप से जुड़े देशों के सर्वोपरि उद्देश्यों के संदर्भ में यही मांग तर्कसंगत और युक्तिपूर्ण है।

इन उभरती हुई परिस्थितियों के परिप्रेक्ष्य में अफगानिस्तान के प्रति भारतीय सरोकार को अधोलिखित तरीके से परिभाषित किया जा सकता है:

जहां तक हो सके, अफगानिस्तान की एकता और क्षेत्रीय अखंडता को बनाए रखना चाहिए। भारत को समान विचारधारा वाले सारे देशों के सहयोग से अफगानिस्तान के एशियाई पड़ोसियों को गंभीर रूप से अस्थिर करने वाले किसी भी तरह के धार्मिक, सामाजिक या जातीय अतिवादिता के हठी विस्तार का प्रतिरोध करना चाहिए। हमारा प्रयास यह होना चाहिए कि अफगानिस्तान में ऐसी सरकार का निर्माण हो जिसमें वहां के लोगों के सभी वर्गों के प्रतिनिधि हों और जो वहां के अल्पसंख्यकों के बड़े हिस्से की आकांक्षाओं और सरोकारों के प्रति जवाबदेह है। यूरेशियाई क्षेत्र में ऊर्जा और आर्थिक सहयोग के लिए अफगानिस्तान समस्या जल्दी में किया गया समाधान अनुचित होगा। अफगानिस्तान में स्थिति को समान्य बनाने के लिए और गृह विवाद को खत्म करने के मद्देनजर भारत को सक्रिय रूप से बहुपक्षीय मंचों के जरिये और अंतर-शासकीय स्तरों पर अंतर्राष्ट्रीय शक्तियों के विस्तृत गठबंधनों के निर्माण में भागीदार बन काम करना चाहिए। मास्को में प्राप्त संदेश यह था कि रूस इस उद्देश्य की पूर्ति के लिए भारत, ईरान, चीन, अमेरिका, यहां तक कि पाकिस्तान के साथ भी सहयोग करने के लिए तैयार है। मध्य एशिया और अफगानिस्तान की उभरती हुई आर्थिक और रणनीतिक महत्ता के मद्देनजर यह क्षेत्र आने वाले महीनों में हमारी विदेश नीति के लिए खास अहमियत का केन्द्र होना चाहिए।

बामियान पर बर्बरता–बामियान बुद्ध की प्रतिमाओं का विध्वंस

9 फरवरी, 2001 शुक्रवार के आसपास अफगानिस्तान के तालिबानी शासन ने यह निर्णय लिया कि बामियान में तीसरी-पांचवीं सदीके भगवान बुद्ध की गुफा प्रतिमाओं को नष्ट कर दिया जाए। इसी के साथ तालिबान के नेताओं ने यह भी निर्णय लिया कि बामियान के अलावा अफगानिस्तान के अन्य भागों में जहां कहीं भी बुद्ध प्रतिमाएं या स्मृतिचिन्ह हैं, उन सबको भी मटियामेट कर देना है। मुल्ला मुहम्मद उमर, अफगानिस्तान के स्वघोषित "अमीर-उल-मोमिनीन" (विश्वासी के प्रमुख) ने यह फतवा जारी किया कि इस्लाम की अस्मिता और अफगानिस्तान के तालिबानी शासन के इस्लामी चरित्र को अपनाए रखने के लिए इन बौद्ध स्मृतिचिन्ह को नष्ट करना अनिवार्य है। इन बुद्ध प्रतिमाओं, जो खड़ी मुद्रा में हैं, में से हर एक की ऊंचाई 200 फीट है। कुशाण और शक साम्राज्य के दौरान बौद्ध संन्यासियों और शिल्पकारों ने बमियान के पहाड़ों की चट्टनों पर इन प्रतिमाओं को उकेरा था। ये मूर्तियां गांधार कला की उत्कृष्टता का नमूना थीं। 25 फरवरी, 2001 के आसपास तोड़-फोड़ की कार्रवाई शुरू

कर दी गई। बर्बर तोड़फोड़ के इस कार्य की तुलना मध्ययुग में लड़ाकू ईसाइयों की संत-प्रतिमाओं को जलाने और नष्ट करने या अलेक्जांड्रिया के पुस्तकालय को जला डालने और बेजांटाइन कांसटैंटिनोपोल की बर्बादी से की जा सकती है। फ्रांसिस वेन्ड्रौल, अफगानिस्तान में संयुक्त राष्ट्र महासचिव के प्रतिनिधि, ने कहा, ''यह भारतीयों के लिए ताजमहल को बर्बाद करने जैसा है''। मध्य फरवरी के इस तालिबानी फतवे पर तत्काल विश्व की आलोचनात्मक दृष्टि गई। 2 मार्च को पेरिस में यूनेस्को प्रायोजित सम्मेलन में मैंने भारत का प्रतिनिधित्व किया था। इस सम्मेलन में यूनेस्को के सदस्य देशों ने भाग लिया था और सबने मिल कर तालिबान से यह अनुरोध किया था कि वह अपना निर्णय वापस ले ले।

यूनेस्को के महानिदेशक मत्सूर ने पाकिस्तान में पूर्व में तैनात फ्रांसिसी राजदूत पियरे लाफ्रांस को पाकिस्तान जाने के लिए विशेष दूत के रूप में नियुक्त किया और यह भी निर्देश दिया कि संभव हो तो वह अफगानिस्तान जाकर तालिबानी नेताओं को अपने अविवेकपूर्ण तोड़फोड़ को बंद करने के लिए तैयार करें। पेरिस में हुए यूनेस्को सम्मेलन में सर्वसम्मति से इस बात की घोषणा की गई कि बामियान की बुद्ध प्रतिमाएं मानव सभ्यता की धरोहर हैं और उन्हें नष्ट होने से बचाने के लिए समन्वित अंतर्राष्ट्रीय प्रयास होना चाहिए। जर्मनी के विदेश मंत्री ने औपचारिक रूप से यह सलाह दी कि संयुक्त राष्ट्र सुरक्षा परिषद को इस गतिविधि पर गौर करना चाहिए और निरोधक कदम उठाना चाहिए। पाकिस्तान को छोड़ कर विश्व की सारी सरकारें तालिबान अधिकारियों द्वारा लिए गए निर्णय की वास्तव में आलोचना कर रही थीं। प्रधानमंत्री वाजपेयी ने इस निर्णय की कड़ी निंदा की, भारतीय संसद ने इसी विषय पर एक प्रस्ताव पारित किया, विदेश मंत्री जसवंत सिंह ने तालिबानी निर्णय को बर्बरतापूर्ण बताते हुए यह पेशकश की कि सारी मूर्तियां और कलाकृतियों को भारत ले आया जाए और उनका संरक्षण किया जाए और जब अफगानिस्तान में एक स्थायी और सभ्य सरकार बन जाए तो उन्हें वापस भेज दिया जाए। न्यूयार्क में मेट्रोपोलिटन म्यूजियम ऑफ आर्ट ने तलिबान से उन प्रतिमाओं और कलाकृतियों को खरीदने की पेशकश की। भारत के प्रतिष्ठित मुस्लिम बुद्धिजीवियों ने मूर्तियों के तोड़-फोड़ की आलोचना करते हुए और तालिबान को अपने निर्णय पर कार्रवाई करने से रोकने के लिए एक संयुक्त निवेदन पर हस्ताक्षर किए। ईरान, तुर्की और मध्य एशियाई देश भी (ये सारे मुस्लिम देश हैं) इस कार्रवाई की आलोचना करते रहे।

कड़े अंतर्राष्ट्रीय विरोध और व्यग्र निवेदनों का तालिबान पर कोई असर नहीं पड़ा। मुल्ला उमर और उसके सूचना मंत्री जमील स्पष्ट रूप से जोर देते

हुए यह बात कहते रहे कि उनका निर्णय सिर्फ बामियान बुद्ध मूर्तियों पर ही नहीं बल्कि अफगानिस्तान के इतिहास के पूर्व-इस्लाम काल की सारी प्रतिमाओं और कलाकृतियों पर लागू होता है। 5 मार्च तक बामियान बुद्ध प्रतिमाएं नष्ट कर दी गईं। जब तालिबान के टैंक मूर्तियों को नष्ट नहीं कर पा रहे थे तब उन्होंने गोला-बारूद और राकेटों का भी इस्तेमाल किया।

बामियान में तालिबान द्वारा किए गए बर्बर की वास्तविक पृष्ठभूमि और अभिप्रेरणों की समीक्षा प्रासंगिक है। गांधार काल की कलाकृतियां, शिल्प और नक्काशियां हजार सालों से भी ज्यादा समय से अफगानिस्तान के लंबे मुस्लिम शासन के दौरान जीवित रहीं। बामियान काबुल और जलालाबाद के निकट हद्दा में मुसलमानों ने गांधार परंपरा के जो चंद्रगुपत मौर्य, सेल्यूकस और अलेक्जेन्डर के समय की भारतीय और यूनानी सभ्यताओं के सृजनात्मक, कलात्मक और सौंदर्यपूर्ण समन्वय का परिणाम थी—अभूतपूर्व शिल्पों और नक्काशियों के विशालतम संग्रह को सहेज कर रखा था। 1996 के बाद से जैसे-जैसे तालिबान का प्रमुख अफगानिस्तान पर छाया गया, वैसे-वैसे योजनाबद्ध तरीके से उन्हें नष्ट किया जाने लगा। जलालाबाद के निकट हाद्दा में गांधार शिल्प कला का खुला संग्रहालय तालिबान की गोलीबारी और सोवियत सेना की वापसी के उपरांत क्षेत्र में डेरा जमाए कुछ जेहादी गुटों द्वारा नष्ट कर दिया गया था। बामियान बुद्ध मूर्तियों की बर्बादी इस सुनियोजित और जानबूझ कर किए गए कला विध्वंस का अंतिम दौर था। आखिर तालिबान ने ऐसा रवैया क्यों अपनाया और उससे भी बढ़ कर अपने निर्णय को वृहत रूप से और साभिप्राय प्रचारित क्यों किया? जो कारण समझ में आ रहे हैं, वे इस प्रकार हैं; पहला और सबसे अहम कारण है तालिबान द्वारा इस्लाम की निकाली गई संकीर्ण, अविवेकपूर्ण व गलत व्याख्या और मुस्लिम मान्यताओं की अपनी व्याख्या को लेकर उनका कट्टरपंथी और फासीवादी आवेग। उनके निर्णय में यह संकेत नजर आता है कि उनके निर्णय में यह संकेत नजर आता है कि उनके अधीन अफगानिस्तान एक निरंकुश और धर्मांध रूढ़िवादी मुस्लिम देश रहेगा और इस द्वेषी सामूहिक पहचान को स्थापित करते समय अपने सामने आए किसी भी प्रतिपक्ष को वे बर्दाश्त नहीं करेंगे। दूसरा, तालिबान की यह कार्रवाई सुरक्षा परिषद के उस प्रस्ताव के प्रति दिखाई गई प्रतिक्रिया है, जिसमें तालिबान को अंतर्राष्ट्रीय आतंकवाद को बढ़ावा देने का जिम्मेवार ठहराते हुए उस पर प्रतिबंध लगाने की बात कही गई (रूस, अमेरिका और भारत द्वारा प्रायोजित यह प्रस्ताव पूर्ण सहमति से मान लिया गया था) बमियान बुद्ध प्रतिमाओं का विध्वंस अंतर्राष्ट्रीय समुदाय के प्रति सोच-समझ कर

दिखाई गई अवज्ञापूर्ण हरकत थी। तीसरा, इसके पीछे एक हानिकारक आर्थिक उद्देश्य है। प्रतिमाओं के टूटे हिस्से अभी भी मूल्यवान ऐतिहासिक कलाकृतियां हैं। इनकी तस्करी हो सकती है और इन्हें विकसित देशों के उन खरीदारों को बेचा जा सकता है जिनकी इसमें दिलचस्पी है, इससे तालिबान की आय में इजाफा होगा जो पहले से ही अपनी आमदनी के लिए अफीम की उपज और इससे बनाए गए नशीले पदार्थ पर निर्भर है। तालिबानी नेताओं द्वारा इन शिल्पों और कलाकृतियों को खरीदने की पेशकश करने वालों को दृढ़ता से इंकार करना तो बस एक दिखावा है। विध्वंसात्मक कार्रवाई के बाद की ऊहापोह की स्थिति में मूर्तियों और अपेक्षाकृत छोटे शिल्पों के टूटे हुए टुकड़े विदेशों में इन कलाकृतियों और मूर्तियों की भारी तस्करी का सबब बन जाएंगे।

मुल्ला उमर का यह आकलन सही नजर आता है कि अंतर्राष्ट्रीय समुदाय दंडात्मक कार्रवाई करने का सिर्फ दिखावा या घोषणामात्र ही कर सकता है। यूनेस्को ने प्रस्तावों को पारित किया और इसके महानिदेशक ने तालिबान को एक आलोचनात्मक संदेश भेजा। विभिन्न सरकारों ने बामियान में हुए विध्वंस की आलोचना और भर्त्सना की पर किसी ने अब तक तालिबान के खिलाफ कोई ठोस दंडात्मक काईवाई नहीं की। यहां तक कि मुस्लिम देशों के संगठन ने मूर्तियों की तबाही के विरुद्ध एक सामूहिक वक्तव्य तक नहीं दिया। जबकि यूनेस्को के महानिदेशक ने 2 मार्च को पेरिस में ओ. आई. सी. के राजदूतों की बैठक बुलाई थी और उनसे यह प्रार्थना की थी कि वे तालिबान के ऊपर दबाब डालें। तालिबान द्वारा बामियान बुद्ध प्रतिमाओं को तबाह करना वैसा ही है मानो मिस्र की सरकार लक्सर के ऐतिहासिक स्मारकों को तबाह करे या इजरायल सरकार अल अक्सा मस्जिद को बर्बाद करने का प्रयास करे। यह बड़े आश्चर्य की बात है कि 14 से 28 फरवरी के बीच संयुक्त राष्ट्र सुरक्षा परिषद की आपातकालीन बैठक क्यों नहीं बुलाई गई और इस पर निर्णय क्यों नहीं लिया जा सका कि बामियान क्षेत्र में तालिबान के खिलाफ रोकथाम परक सैन्य कार्रवाई की जाए। यदि इराक को उड़ान-वर्जित क्षेत्र घोषित किया जा सकता है और यदि अमेरिकी दूतावासों पर बम गिराए जाने के बाद सूडान और दक्षिणी अफगानिस्तान पर मिसाइल छोड़ने का मशविरा दिया जा सकता था और यदि लीबिया पर इससे कहीं पहले बम गिराया जा सकता था तो खुद पहल करते हुए सुरक्षा परिषद के पांच स्थायी सदस्यों की अगुआई में संयुक्त राष्ट्र इस विषय पर कोई भी प्रयास क्यों नहीं कर पाया? क्या इसलिए कि जो कुछ भी तबाह कर दिया गया है वह अफगानिस्तान की ऐतिहासिक और कलात्मक धरोहर नहीं

है, बल्कि विश्व के एक ऐसे विशाल धर्म का हिस्सा है जो राष्ट्रीय धरोहर के बजाए एक सम्यता का प्रतीक है?

जबाव बहुत सरल है। विश्व की महत्वपूर्ण शक्तियों के किसी भी ठोस रणनीतिक या आर्थिक हित पर बामियान बुद्ध प्रतिमाओं की तबाही से कोई खतरा नहीं था। यूनेस्को के विचार-विमर्श के दौरान एक मतिहीन अंतः धारा स्पष्ट नजर आई थी। सम्मेलन में ऐसे भी वक्ता थे जिन्होंने यह कहा कि तालिबान आखिरकार अपनी घोषित नीति और धार्मिक विश्वास के अनुसार ही काम कर रहा है। वे अफगानिस्तान पर शासन करने जा रहे हैं। अतः व्यावहारिक विवेक की मांग यह है कि उनसे रचनात्मक संपर्क बनाया जाए और उन्हें इस बात के लिए तैयार किया जाए कि वे मूर्तियों और कलाकृतियों को पश्चिमी देशों के संग्रहालयों और व्यक्तिगत संग्रहकर्ताओं के पास भेज दें, जो उन्हें खरीदने और संरक्षण करने में समर्थ हैं। वहां पर बहुत ज्यादा व्यग्रता नहीं दिखाई पड़ी, बल्कि ऐसा लग रहा था कि सब इन कलाकृतियों को पश्चिम में ले जाने के ही-इच्छुक हैं। निष्कर्ष यही निकाला जा सकता है कि औपनिवेशिक शक्तियां जिस तरह बंदूक का आंतक दिखा एशियाई और अफ्रीकी देशों की धन-संपदा लूट कर ले गईं और 18वीं और 19वीं सदी में जिस तरह युद्ध के बाद लूट-खसोट मचाई गई, वही बात अंतर्राष्ट्रीय मानवतावादी बचाव कार्य के तहत इन शिल्पों और कलाकृतियों को पुनः प्राप्त करने और संरक्षण करने का भेष धारण किए पुनः नजर आती है। उन्हें खरीदने और संरक्षित करने की पेशकश में यह कहीं भी इंगित नहीं किया गया कि उन्हें अफगानिस्तान के सामान्य माहौल, विवेकपूर्ण सरकार और सत्ता में वापस आने पर लौटा दिया जाएगा। यह जिक्र करना जरूरी है कि अफगानिस्तान के उपलब्ध शिल्पों और कलाकृतियों का लगभग नब्बे प्रतिशत विदेशी शक्तियों द्वारा अभियोजित 22 साल लंबे हिंसक गृहयुद्ध के दौरान, जिसने अफगानियों को बुरी तरह प्रभावित किया, तस्करी के जरिए देश से बाहर भेजा जा चुका था। तालिबान को इस बात का अहसास होना चाहिए था कि इन बहुमूल्य और प्राचीन संपदाओं को नष्ट कर अफगानिस्तान के एक खुबसूरत और मनोरम स्थल के रूप में निहित पर्यटन संभावनाओं को भी उन्होंने नष्ट कर डाला था। कुछ भारतीय टीकाकारों के बीच में यह बहस छिड़ी थी कि भारत इस मुद्दे पर कोई मजबूत कदम नहीं उठा सका क्योंकि वह खुद बाबरी मस्जिद के गिराए जाने का अपराधी था। इसके जबाव में दो तर्क दिए जा सकते हैं: पहला, दो गलत काम मिल कर एक सही कार्य नहीं बन सकते हैं, दूसरा, उस आवेगपूर्ण धार्मिक हिंसा को लेकर पूरे विश्व में भारतीयों का

सार्वजनिक दृष्टिकोण आत्म-आलोचना पूर्ण था। परन्तु तालिबान के साथ यह बात नहीं थी। अफगानिस्तान के लोग मानवता और अफगानिस्तान की ऐतिहासिक धरोहर के साथ हो रही बर्बादी के मूक दर्शक रहे हैं। पेरिस में मेरी मुलाकात एक बुजुर्ग बौद्ध संन्यासी से हुई थी जिन्होंने यह भविष्यवाणी की कि बामियान बुद्ध मूर्तियों को नष्ट करने वालों को ईश्वरीय कोप का सामना करना पड़ेगा। उन्हें यह आगाह किया जा सकता है कि अफगानिस्तान में उनकी अंतिम पराजय निश्चित है। आशा है कि वह भविष्यवाणी सच हो। तालिबान के लिए यह एक उचित सजा होगी, साथ ही अफगानियों के हित में भी अच्छा होगा।

5

आतंकवाद विरोधी अभियानः भारत पर इसका उत्तर-प्रभाव

अंतर्राष्ट्रीय आतंकविरोधी अभियानः गठबंधन की विशेषताएं

इस स्तंभ के लिखने के दौरान ही अफगानिस्तान में तालिबान सरकार के विरूद्ध सैन्य कार्रवाई संपन्न हो चुकी है। कार्रवाई की योजना और उन पर वास्तविक अमल होने के साथ-साथ राजनैतिक नाटक भी चल रहा था, जिसका ध्येय अभियान को एक प्रतीकात्मक और भावनात्मक सार देना था। कार्रवाई की योजना के पहले चरण का नाम था ''आपरेशन नोबल ईगल''। जैसे ही सैन्य टुकड़ियों की तैनाती होने लगी कार्रवाई का नाम ''इनफाइनाइट जस्टिस'' हो गया और अब कार्रवाई की वास्तविक शुरूआत के साथ इसे ''ऑपरेशन एन्ड्योरिंग फ्रीडम'' कहा जा रहा है। इन नामकरणों के प्रतीक चिन्हों में ''नोबल ईगल'' उस दौर को इंगित करता है जब वाशिंगटन और न्यूयार्क के खिलाफ आतंकवादी आक्रमणों के स्त्रोतों के बारे में विशाल चहुंमुखी सर्वेक्षण किया गया और व्यवहार्य उद्देश्यों और लक्ष्यों को पहचानने का कार्य किया गया। दूसरा नामकरण ''इनफाइनाइट जस्टिस'' का अर्थ यह था कि अमेरिका द्वारा संचालित आतंकवाद विरोधी अभियान सिर्फ एक ही प्रहार कर सफल नहीं होने वाला था, बल्कि यह तब तक जारी रहेगा जब तक अंतर्राष्ट्रीय आतंकवाद की घटना, जिसने खासतौर पर पश्चिमी लोकतांत्रिक देशों को अपना लक्ष्य बना रखा है, संपूर्णतः खत्म न कर ली जाए। यह नामकरण यह भी इंगित करता है कि जिस अभियान को आरंभ किया गया है वह सिर्फ सजा देने के लिए या प्रतिशोधपूर्ण कार्रवाई नहीं है, बल्कि न्याय के लिए उठाया जा रहा साध्य कदम और भविष्य की आतंकवादी घटनाओं की रोकथाम के लिए किया जा रहा कार्य है।

कार्रवाई की वास्तविक शुरूआत के नाम ''एन्ड्योरिंग फ्रीडम'' का अर्थ यह कि अभियान लंबा चलेगा और अंतर्राष्ट्रीय समुदाय में लोकतंत्रों की सुरक्षा सुनिश्चित करने के लिए किसी न किसी रूप में बना रहेगा।

इस गठबंधन के नेता के रूप में राष्ट्रपति बुश ने इस बात पर जोर दिया है कि इस अभियान की कार्रवाइयों को तीन वर्गों में चलाया जाएगा–आर्थिक, राजनैतिक-कूटनीतिक और सैन्य। उन्होंने 7 अक्तूबर को दिए अपने वक्तव्य में इस बात को स्पष्ट किया कि यह अभियान इस्लाम के विरूद्ध नहीं है, बल्कि उन लोगों के विरूद्ध है जो इस्लाम के नाम पर अस्वीकार्य आतंकवादी अपराध में लिप्त हैं। उन्होंने आगे कहा कि इस अभियान का एक दूसरा आयाम है इसका मानवतावादी दृष्टिकोण, जो अफगानिस्तान के लोगों के लिए मानवीय सहयोग और सुविधाएं बराबर उपलब्ध कराता रहेगा। अभियान का राजनैतिक उद्देश्य अंतर्राष्ट्रीय सहमति पर आधारित है और यह अंतर्राष्ट्रीय गठबंधन के माध्यम से काम करेगा। अतएव इस बात की जांच प्रासंगिक होगी कि जिस अभियान को आरंभ किया गया है, उसे लेकर सही मायने में अंतर्राष्ट्रीय जनमत विद्यमान है भी या नहीं, और हमारे क्षेत्र की शांति और स्थिरता के ऊपर इस अभियान के क्या संभावित परिणाम होंगे, जो जाहिर तौर पर हमारे लिए प्राथमिक अहमियत का मुद्दा है और होना भी चाहिए। जहां तक 7 अक्तूबर को आरंभ की गई सैन्य कार्रवाई की सवाल है, जिन बातों पर ध्यान देना चाहिए वे इस प्रकार हैं: संयुक्त राष्ट्र सैन्य बल द्वारा किसी भी तरह की प्रत्यक्ष भागीदारी नहीं हुई है। हालांकि संयुक्त राष्ट्र सुरक्षा परिषद ने अंतर्राष्ट्रीय आतंकवाद के खिलाफ उठाए जा रहे कदमों को समर्थन देते हुए प्रस्तावों को पारित तो किया है पर सैन्य सहायता आवश्यक रूप से अमेरिका के नेतृत्व में हुए गठबंधन की ओर से ही मुहैया की गई। दूसरा, अमेरिका और अन्य महत्वपूर्ण शक्तियों ने हालांकि एक दूसरे के साथ और अन्य देशों के साथ विस्तृत द्विपक्षीय विचार-विमर्श किए, परन्तु सैन्य कार्रवाइयों में वास्तविक रूप से अमेरिका और ब्रिटेन, ही शामिल थे, साथ में थोड़ा सहयोग नाटों के सदस्य देशों की ओर से भी था। रूस, अफगानिस्तान के उत्तरी गठबंधन को साजो-सामान देने और सैन्य व्यवस्था में मदद करने के लिए तो तैयार हो गया है, पर वह अभियान में भाग नहीं ले रहा है। चीन आतंकवाद के खिलाफ एक अभियान की आवश्यकता को समर्थन करता है, लेकिन उसका मानना है कि अभियान तभी जायज ठहराया जाएगा जब इसे संयुक्त राष्ट्र के संरक्षण में सुरक्षा परिषद के निर्णय के ढांचे के तहत आरंभ किया जाए। इस अभियान की खातिर उजबेकिस्तान, तजाकिस्तान, सऊदी अरब, पाकिस्तान और ओमान ने सैन्य संचालन के लिए सुविधाएं अपने-अपने भू-भाग समुद्री सीमाओं से आवागमन जैसी सुविधाएं उपलब्ध कराई हैं।

एकमात्र सारभूत बहुपक्षीय राजनैतिक समर्थन नाटो से आया है जिसने वाशिंगटन समझौते की धारा 5 का सहारा लिया है जिसमें यह प्रावधान है कि

नाटो के किसी भी एक सदस्य के विरूद्ध किया गया कोई भी आक्रमण नाटो के सारे सदस्यों पर किए गए आक्रमण के मानिंद माना जाएगा। और इसके जबाव में सैन्य रूप से, व्यक्तिगत रूप से या सामूहिक रूप से प्रतिक्रिया करने का विवेकाधिकार उनके पास है। भारत इस अभियान के प्रति अपना पूरा समर्थन व्यक्त करता रहा है, जबकि अमेरिका और इस अभियान से जुड़े अन्य सक्रिय भागीदारों ने अब तक भारत से कोई विशेष सहयोग या व्यवहार्य सुविधाएं नहीं मांगी हैं।

अमेरिका सैद्धान्तिक रूप से इस बात का दावा करता है कि 48 देशों ने आतंकवाद विरोधी सैन्य कार्रवाई के प्रति अपने समर्थन की घोषणा की है। हालांकि वे सारे इस अभ्यास में हिस्सा नहीं ले रहे हैं। सांख्यिकीय संदर्भ में यह ध्यान देने योग्य बात है कि संयुक्त राष्ट्र के कुल सदस्यों में से एक तिहाई से भी कम ने इस गठबंधन के प्रति अपने समर्थन की घोषणा की है। इस तथ्य से इनकार नहीं है कि विश्व की सारी अहम शक्तियों ने आतंकवाद के खिलाफ निर्मित इस गठबंधन का समर्थन किया है। यहां महत्वपूर्ण मुस्लिम देशों की प्रतिक्रिया पर गौर करना समान रूप से प्रासंगिक है। जहां एक तरफ सऊदी अरब, खाड़ी के अन्य देश और पाकिस्तान ने अपना समर्थन व्यक्त किया, वहीं जमीनी कार्रवाई के लिए प्रारंभिक ठिकाने के रूप में अपने क्षेत्रों का उपयोग किए जाने के संबंध में उन्होंने अपनी आपत्तियां व्यक्त की हैं। इन सबने यह भी कहा है कि उनकी अपनी सशस्त्र सेनाएं इस सैन्य अभियान में हिस्सा नहीं लेगी।

तुर्की को छोड़कर अन्य महत्वपूर्ण मुस्लिम देश जैसे मिस्त्र, इंडोनेशिया ईरान और मलेशिया ने अत्यंत कम प्रतिक्रिया व्यक्त की है। वे अफगानिस्तान के खिलाफ तीव्र सैन्य अभियान का समर्थन नहीं करते हैं। इन मुस्लिम देशों का जिक्र इसलिए होता है क्योंकि इनका अमेरिका के प्रति मित्रवत संबंध है। यहां पर सूडान, सीरिया, इराक और लीबिया जैसे देशों की अपेक्षित नकारात्मक प्रतिक्रियाओं का हवाला नहीं दिया जा रहा है।

जहां एक ओर उदार मुस्लिम देशों ने 11 सितम्बर 2001 को अमेरिका के खिलाफ किए गए आतंकवादी आक्रमण की भर्त्सना की है, वहीं दूसरी तरफ अपनी घरेलू राजनैतिक और सामाजिक बाध्यताओं के कारण वे इस स्थिति में नहीं हैं कि अमेरिका द्वारा की जा रही व्यापक दंडात्मक कार्रवाई को समर्थन दे पाएं।

पाकिस्तान की प्रतिक्रिया कुछ हद तक बड़ी अजीबोगरीब और अलग तरह की है। एक तरफ राष्ट्रपति परवेज मुशर्रफ अमेरिका को सामान्य व्यवहार्य

सुविधाओं के संदर्भ में सामारिक सहायता देने के लिए तैयार है, दूसरी तरफ अफगानिस्तान के खिलाफ अमेरिका के अभियान का एक हिस्सा बनने के अपने निर्णय के कारण उन्हें बड़े पैमाने पर घरेलू विरोध का सामना करना पड़ रहा है और लगातार करना पड़ेगा। उन्हें अफगानिस्तान के ऊपर अमेरिका के हवाई आक्रमणों के शुरू होने से पहले 7 अक्तूबर 2001 को जे. यू. आई के मौलाना फजल-उर-रहमान को नजरबंद करना पड़ा पाकिस्तानी सशस्त्र बलों की शक्ति संरचना के उच्चतम स्तरों पर उन्हें वृहत् फेरबदल भी करना पड़ा।

8 अक्तूबर को इन सब की घोषणा की गई थी। कोर कमांडर लेफ्टिनेन्ट जररल उस्मानी, लेफ्टिनेन्ट जनरल अजीज और आई. एस. आई. के प्रमुख लेफ्टिनेन्ट जनरल महमूद अहमद को हटा दिया गया। ये वही जनरल थे, जिन्होंने नवाज शरीफ के खिलाफ तख्ता पलट को अंजाम देकर मुशर्रफ को सत्ता पर बिठाया था। उन्हें हटाने की वजह यह थी कि वे तालिबान के पक्षधर थे और अमेरिका के आतंकवाद विरोधी अभियानों में मुशर्रफ के सहयोग करने से खुश नहीं थे। पाकिस्तानी जनमत का अच्छा खासा हिस्सा 7 अक्तूबर को सैन्य कार्रवाइयों की शुरूआत के बाद मुशर्रफ सरकार के खिलाफ आंदोलन करने के लिए खुले तौर पर बाहर निकल आया। इस आंदोलन में न सिर्फ धार्मिक रोष व्याप्त है, बल्कि इसकी जड़े बलूचिस्तान और उत्तर-पश्चिम सीमांतों के दो प्रांतों में बसने वाले पठान कबायली आबादी के जातीय रोष में भी पैठी हुई हैं।

भारत को मिला कर 48 देशों का समर्थन अमेरिका को हासिल तो है, पर उनके गठबंधन में इन उद्देश्यों को लेकर कोई भी स्पष्ट रुख नजर नहीं आता कि अफगानिस्तान में दंडात्मक कार्रवाई के दौर की समाप्ति के बाद क्या करना है। उद्देश्य स्पष्ट न होने के अलावा सैन्य कार्रवाई के बाद की स्थिति के प्रति उनके रुखों में परस्पर विरोध है। अमेरिका, ब्रिटेन और उनके महत्वपूर्ण मित्र राष्ट्र साथ ही साथ भारत यह चाहता है कि तालिबानी शासन को हटा कर एक नरम सरकार बहाल की जाए। पाकिस्तान को तालिबान सरकार के पूर्णरूपेण दर किनार कर दिए जाने पर आपत्ति है। मुशर्रफ ने कहा भी है कि रब्बानी की अगुआई में उत्तरी गठबंधन को तालिबान और ओसामा बिन लादेन के खिलाफ अंतर्राष्ट्रीय सैन्य अभियान का फायदा उठा कर अफगानिस्तान की प्रस्तावित नई सरकार में केन्द्रीय कारक बनने की अनुमति नहीं दी जानी चाहिए। अफगानिस्तान की नई सरकार का निर्माण करने में किस तरीके का प्रतिनिधित्व हो इसे लेकर ईरान और उजबेकिस्तान के अपने ही विचार हैं। वे दोनों ही अमेरिका के नेतृत्व तले गठबंधन द्वारा अफगानिस्तान की नई सरकार के लिए बनाई जा रही योजना

में पख्तूनों के लिए अत्यधिक रूप से वर्चस्वपूर्ण किसी भी भूमिका के खिलाफ हैं। न ही-पूर्व राजा जहीर शाह के नई सरकार के नाममात्र का सिरमौर होने की बाबत कोई सारभूत जनमत है। पाकिस्तान ने पहले ही 'प्रतिदान' की बात सामने रख दी है कि वह अमेरिका को दिए गए अपने सहयोग के बदले यह चाहेगा कि भारत में पाकिस्तान-प्रायोजित आतंकवाद के खिलाफ अमेरिका कोई भी प्रभावी कदम नहीं उठाए। पाकिस्तान यह भी अपेक्षा रखता है कि जम्मू-कश्मीर में हो रही आतंकवादी हिंसा के खिलाफ भारत द्वारा किसी भी कड़े कदम पर अमेरिका की ओर से रोक लगे।

सारे संदर्भों के मद्देनजर यह संदेह भी उभरता है कि क्या इस अभियान का परिणाम ओसाभा बिन लादेन की गिरफ्तारी या उसका खात्मा होगा? अगर तालिबान को सत्ता से हटा भी दिया जाए और किसी तरह एक नई सरकार की स्थापना कर दी जाए, फिर भी आने वाले समय में अफगानिस्तान में वे गृहयुद्ध की स्थिति को उकसाते रहेंगे।

अतएव भारत का पाकिस्तान और अफगानिस्तान के मद्देनजर अपनी नीतियों की रूपरेखा तैयार करते समय अधोलिखित बिंदुओं के संदर्भ में अपने विचारों को लेकर बिल्कुल स्पष्ट होना जरूरी है: 1. अमेरिका के नेतृत्व में हुआ गठबंधन दरअसल एक सच्चा अंतर्राष्ट्रीय गठबंधन नहीं है, बल्कि विश्व के शक्तिशाली देशों का ऐसा गठबंधन है जिनकी सोच समान है; 2. वस्तुतः सारे मुस्लिम देशों के लोग (इसमें वे भी शामिल हैं जो अमेरिका का समर्थन करते रहे हैं जैसे पाकिस्तान, सऊदी अरब) अफगानिस्तान के खिलाफ किए जा रहे सैन्य अभियान को लेकर परेशान और अप्रसन्न है; 3. मलेशिया, चीन और इंडोनेशिया जैसी महत्वपूर्ण एशियाई शक्तियों को अमेरिका के राजनैतिक सैन्य प्रयासों को लेकर आपत्तियां तो हैं पर उन्होंने मौन धारण कर रखा है; 4. ऐसी अवस्था में अमेरिका और उसके नाटों मित्र राष्ट्रों द्वारा भारत को कोई भी स्पष्ट आश्वासन नहीं दिया गया है कि भारत के खिलाफ हो रही पाकिस्तान प्रायोजित आतंकवादी विध्वंसात्मक गतिविधियों के जवाब में इसके द्वारा कड़े उपाय किए जाने का वे समर्थन करेंगे। हमारी नीतियां उभरती हुई परिस्थितियों की इन तर्कगत वास्तविकताओं के परिप्रेक्ष्य में ही रची जानी चाहिए।

भारत कोई भी कीमत चुकाए बिना अमेरिका के साथ अपने संबंध बेहतर बना सकता है जरूरत सावधानी की

अमेरिका पर आतंकवादी हमले के छब्बीस दिन बाद अमेरिका और इसके मित्र राष्ट्रों ने मिल कर अफगानिस्तान के तालिबान शासन के विरूद्ध सैन्य

कार्रवाई प्रारंभ कर दी थी। इस सैनिक कार्रवाई की शुरूआत की घोषणा करते हुए अपने भाषण में राष्ट्रपति बुश ने यह संकेत दिया कि आतंकवाद के खिलाफ हो रहा यह अभियान आतंकवादी संगठनों, व्यक्तियों और उन्हें समर्थन और संरक्षण दे रहे देशों और संस्थानों के विरूद्ध लंबे समय तक चलने वाला अभ्यास होगा।

ऐसे दो पहलू हैं जिनमें इस उभरती हुई आतंकवाद विरोधी रणनीति के प्रति भारत की प्रतिक्रिया प्रासंगिक है: एक तरफ विदेश नीति और विदेश सुरक्षा आयाम और दूसरी तरफ दूसरों के प्रति दिखाई गई प्रतिक्रियाओं के आंतरिक सामाजिक और राजनैतिक निहितार्थ।

अमेरिका पर हुए आक्रमणों के प्रति आम प्रतिक्रिया भर्त्सना से भरी थी और इसमें यह स्वीकार किया गया था कि सभी तरह के आतंकवाद के खिलाफ निर्णयात्मक कदम उठाए जाने चाहिए। इस बात पर आम सहमति थी कि भारत की ओर से ऐसा कदम एक भुक्तभोगी की हैसियत से हमारे अपने अनुभव पर आधारित होना चाहिए। जहां तक इसका सवाल है; यह नजरिया तर्कसंगत हो सकता है। पर घरेलू राजनैतिक संदर्भ में हमारी दुष्चिंताओं का सबब जुड़ा है हमारी प्रतिक्रिया के भावनात्मक स्वरूप से।

न सिर्फ सार्वजनिक परिदृश्य में बल्कि सरकारी हलकों में भी एक उद्धत राष्ट्रवादिता नजर आती है। लोगों के बीच एक बेतुकी सोच पैठ गई है कि इस्लाम और आतंकवादी हिंसा का अर्थ एक ही है और मुसलमानों का झुकाव आमतौर पर आतंकवाद की तरफ ही होता है। यह एक अस्वीकार्य विचार है, फिर भी सरकार की नीतियों में इसकी अभिव्यक्ति झलकने लगी है। हमारी व्यवस्था मुस्लिम शैक्षणिक संस्थानों को संदेह की नजर से देखती है जो गलत प्रवृतियों का पोषण करती हैं।

पिछले महीनों स्टुडेन्ट इस्लामिक मूवमेन्ट ऑफ इंडिया (सिमी) पर सरकार की ओर से प्रतिबंध लगा दिया गया था। यदि चरमपंथी गुटों के धार्मिक वैचारिक दृष्टिकोणों और इनसे संबंधित गतिविधियों की वजह से यह कदम उठाना जरूरी था, तो यह सवाल उठाना भी उचित होगा कि सरकार ने बजरंग दल और विहिप पर प्रतिबंध क्यों नहीं लगाया है? आखिर क्यों लिट्टे के समर्थकों, बोडो और उल्फा जैसे संगठनों के विरूद्ध सरकार ने कोई भी संरचित, दीर्घकालिक अभियान नहीं छेड़ा?

मुंबई बम विस्फोट और उसके बाद हुए सांप्रदायिक दंगों के जिम्मेवार दाउद इब्राहिम के खिलाफ भारत कोई भी प्रभावी कदम क्यों नहीं उठा पाया?

जिन लोगों ने बाबरी मस्जिद को नष्ट किया उनके खिलाफ उचित कार्रवाई नहीं कर पाने पर हमारी सरकार के पास अपनी सफाई देने के लिए कोई दलील है?

यह आवश्यक है कि हमारी राजनैतिक और सामाजिक प्रतिक्रियाओं को व्यक्त करते वक्त सभी प्रकार की सांप्रदायिक हिंसा और आतंक फैलाने वाले लोगों और भारतीय गणतंत्र के नागरिक-वृंद में शामिल महत्वपूर्ण समुदायों की धार्मिक और सांस्कृतिक पहचान के बीच हमें अंतर निकालना आए। हमें इस बात का अवश्य ध्यान रखना चाहिए कि मुसलमानों के प्रति दिखाया गया पूर्वाग्रहपूर्ण रवैया भारत की क्षेत्रीय अखंडता के लिए किसी भी आतंकवादी हिंसा से कहीं ज्यादा गंभीर खतरा है।

अब समय आ गया है कि हमारे सभी राजनीतिक दलों के नेता जनमानस को शिक्षित करने का एक जागरूक प्रयास करें कि भारत इस आतंकवाद आतंकवादी घटना और ऐसे संगठनों का एक समुदाय या किसी अन्य समुदाय से संबद्धित होने की 'दुर्घटना' में अंतर करना जानता है।

हमारी प्रतिक्रियाओं के विदेशी पहलू के मद्देनजर सबसे महत्वपूर्ण बिन्दु यह है कि जहां एक तरफ प्रधानमंत्री अटल बिहारी वाजपेयी, विदेशी मंत्री जसवंत सिंह और राष्ट्रीय सुरक्षा सलाहकार ब्रजेश मिश्रा और रूस, इंग्लैंड, फ्रांस और अमेरिका में उनके समकक्षों के बीच उच्च स्तरीय राजनैतिक मशाविरे हुए, वहीं इन सारे देशों से कोई भी ऐसा स्थायी संकेत नहीं मिला कि भारत को एकता और क्षेत्रीय अखंडता के खिलाफ पाकिस्तान द्वारा की जा रही उत्पातपूर्ण गतिविधियों के संबंध में भारत की दुश्चिंताओं का वे खासतौर पर ध्यान रखेंगे।

भारत को यह सलाह दी गई है कि कैसी भी भड़काऊ स्थिति क्यों न हो, भारत को पाकिस्तान-प्रायोजित आतंकवादी क्रिया-कलापों के खिलाफ कोई भी सख्त कदम नहीं उठाना है, ताकि अफगानिस्तान के विरूद्ध आतंकवाद विरोधी अमेरिकी अभियान को सहयोग करने के विषय पर राष्ट्रपति मुशर्रफ अपना मन नहीं बदलें। सामान्य तौर पर यह भी भारत को कहा गया है कि एक बार तालिबान और ओसामा बिन लादेन से निबटने का सर्वोपरि ध्येय पूरा हो जाए, उसके बाद दीर्घकालिक रूप से आतंकवाद की अन्य घटनाओं पर उचित रूप से ध्यान दिया जाएगा।

इस बात का क्या अर्थ निकाला जाए, समझ में नहीं आता। इस बात का पूर्वानुमान भी परम आवश्यक है कि पाकिस्तान अमेरिका को दिए जा रहे अपने सहयोग के बदले में जम्मू-कश्मीर पर अपनी मांग को लेकर उससे समर्थन की उम्मीद रखेगा। मेरा अनुमान यह है कि अमेरिका और अन्य प्रमुख शक्तियां भारत को शायद यह कहेंगी कि वह पाकिस्तान के खिलाफ किसी भी प्रभावी कार्रवाई

से परहेज करे और जहां तक संभव हो, कश्मीर मसले पर पाकिस्तानी नजरिए के अनुसार समझौते की रूपरेखा तय करे। आशा करें कि इस तरह का अनुमान गलत साबित हो।

टोनी ब्लेयर के नई दिल्ली के दौरे के अंत में वाजपेयी ने कहा कि भारत अफगानिस्तान में एक नरमपंथी सरकार की उम्मीद करता है जिसमें अफगानिस्तान के राष्ट्रीय स्वरूप को बनाने वाले सभी जातीय और धार्मिक गुटों के प्रतिनिधि शामिल हों। जब इस वक्तव्य की तुलना आप अमेरिका और इसके मित्र राष्ट्रों द्वारा इस विषय पर व्यक्त नीतिगत उद्देश्यों के साथ करते है, तब पुनः आपको बाद वाली अभिव्यक्ति संदिग्ध नजर आती है। ऐसा लगता है कि अमेरिका और इसके मित्र-राष्ट्रों का यह लक्ष्य है कि उत्तरी गठबंधन की सहायता से तालिबान को सत्ता से हटा कर पूर्व राजा जहीर शाह के नाम तले एक सरकार की स्थापना हो।

पश्चिमी शक्तियों में इस बात पर कोई स्पष्ट नजरिया मौजूद नहीं है कि तालिबान के विकल्प के रूप में कौन सा पख्तून गुट उभर कर आएगा, क्योंकि तालिबान खुद एक पख्तून प्रबल और उनके द्वारा समर्थित संगठन है। अफगानिस्तान के नागरिक समाज का बहुसंख्य हिस्सा होने की वजह से कोई भी सरकार पख्तूनों की महत्वपूर्ण भूमिका के बगैर स्थायी नहीं हो सकती है।

पश्चिमी लोकतांत्रिक देशों की मदद से अफगानिस्तान में एक सरकार की स्थापना होने के बाद भी गृहयुद्ध के एक दौर की आशंका दिख पड़ती है। भारतीय होने के नाते हमारी सबसे बड़ी चिंता इस बात से जुड़ी है कि हमारी सरकार इस विस्फोटक स्थिति से किस तरीके से निबट रही है। जसवंत सिंह का ज्ञान और कूटनीति अमताएं प्रशंसनीय हैं। लेकिन इस बात से इंकार नहीं किया जा सकता है कि दक्षिण एशियाई गतिविधियों के इस अहम मोड़ पर अमेरिका के साथ अपने अंतर्व्यवहार में हमने बातें तो बहुत की पर कुछ सारपूर्ण नहीं कह पाए।

इसमें कोई शक नहीं कि अमेरिका के साथ एक नजदीकी व्यावहारिक संबंध बरकरार रखना हमारी विदेश नीति की बहुत बड़ी प्राथमिकता है। पर यह इसके बहु-पक्षीय रणनीतिक और व्यावहारिक आवश्यकताओं को नजरअंदाज करने की कीमत पर नहीं होना चाहिए। यह बात भी जरूरी है कि हमारी विदेश नीति के सर्वाधिक महत्वपूर्ण घटकों में अटूट क्रम बना रहे जैसे कि अपने राष्ट्रीय हितों की पूर्ति करने के लिए भारत का बहुमुखी रास्तों के अभ्यास करने के विकल्पों की अपनी स्वतंत्रता बनाए रखना। हो सकता है निर्गुट आंदोलन अप्रासंगिक हो गया हो, पर ऊपर लिखी बातों के लिहाज से गुट निरपेक्ष बने रहना

पूरी तरह से प्रासंगिक है।

यही वह परिप्रेक्ष्य है जिसमें अधोलिखित सवाल उठ खड़े होते है: आखिर क्यों अंतर्राष्ट्रीय आतंकवाद की गतिविधियों पर हमारी ओर से ब्योरेवार सूचनाओं और हमारी प्रतिक्रियाओं का संदेश हमारे दक्षिण एशियाई, दक्षिण-पूर्व एशियाई और चीन जैसे पड़ोसी देशों तक नहीं पहुंचा? क्या मलेशिया और इंडोनेशिया जैसे महत्वपूर्ण देशों और हमारे पड़ोसी दक्षिण-एशियाई देशों में एक उच्च स्तरीय राजदूत नहीं भेजा जाना चाहिए था? क्या चीनी प्रधानमंत्री जूहू रौंग्जी के लिए वाजपेयी को एक संदेश नहीं भेजना चाहिए था?

हां, अगर ऐसे कदम उठाए गए थे तो उन्हें सार्वजनिक क्यों नहीं किया गया? पुनः, हमारे हाल के नीति निर्णयों पर अरब और मुस्लिम देशों के राजदूतों को हमारे विदेश मंत्री अथवा विदेश राज्य मंत्री ने जानकारी क्यों नहीं दी?

क्या हमने अफ्रीकी देशों और दक्षिण-पूर्व एशियाई देशों में नियुक्त अपने राजनयिकों को निर्देश दिए थे? या हमारी सरकार का यह मानना है कि जैसे ही आप अमेरिका और अन्य महत्वपूर्ण पश्चिमी शक्तियों के बगल में खड़े हो जाएंगे, विश्व के बाकी देश खुद-ब-खुद भारत की स्थिति को समझ जाएंगे और उसे समर्थन देने लगेंगे।

हमारे विदेश मंत्री को इस बात की जानकारी होनी चाहिए कि उनके बारे में भारतीय जनमत के विभिन्न समूहों में यह भावना व्याप्त है कि वह अमेरिका को बहुत ज्यादा समर्थन देते है; जबकि इसके बदले मिली अमेरिकी प्रतिक्रिया बस शिष्टतामात्र और दिखावा भर है। इसे भी याद रखना होगा कि वह पाकिस्तान स्थित आतंकवादियों, खास तौर पर मौलाना मसूद अजहर को खुद कंधार लेकर गए थे, जिसका ईनाम यह मिला कि आतंकवादियों ने श्रीनगर के विधानसभा भवन पर बम से हमला किया।

भारत की छवि ऐसी न बन जाए कि एक बड़े अंतर्राष्ट्रीय संकट से निपटने में यह एक गौण भूमिका निभा रहा है, साथ ही ऐसा भी न हो कि इसे एक ऐसे समर्थक के रूप में देखा जाए जिसके हाव-भाव अब तक बेमानी रहे हैं। यही वह समय है जब हम अपनी पहचान को फिर से सुदृढ़ करें। इसका मतलब यह कतई नहीं है कि भारत-अमेरिका संबंधों की बेहतरी का मार्ग अवरूद्ध हो जाए।

अफगान लोगों के जख्मों पर भारतीय मदद के मलहम की आवश्यकता

अफगानिस्तान में आनेवाली राजनीतिक व्यवस्था में पाकिस्तान ने एक अच्छा प्रभाव बनाने की योजना बनाई थी। इस पाकिस्तानी आकांक्षा को अमेरिका

की ओर से दिया जा रहा सांकेतिक समर्थन पिछले दस दिनों के दौरान अफगानिस्तान की अंदरूनी गतिविधियों के कारण उलझ कर रह गया है। अमेरिका की नीतियों की विशिष्टता दर्शाती युक्तिपूर्ण राजनीतिक और सैन्य द्वयर्थकता उत्तरी गठबंधन की सेनाओं द्वारा काबुल पर कब्जा करने से स्पष्टतः छिन्न-भिन्न हो गई है। ऐसे में इन विरोधाभासी सामेरिक विचारों पर चिंतन काफी अहमियत रखता है।

वैसे तो तालिबान के विरूद्ध जबरदस्त वायु शक्ति का इस्तेमाल हो रहा है, परन्तु अमेरिका और पाकिस्तान की सरकारें शुरूआती तौर पर इस बात पर सहमत हो गई थीं कि काबुल-गजनी-कांधार मार्ग और काबुल-हेरात के उत्तर में तैनात उत्तरी गठबंधन की सेनाओं की आगे बढ़ने की गति धीरे होनी चाहिए। यह मुशर्रफ की संवेदनशीलता के प्रति अमेरिका का जवाब था, जो यह नहीं चाहते थे कि अफगानिस्तान की आगामी राजनीतिक व्यवस्थाओं में उत्तरी गठबंधन एक विजयी या प्रभावशाली कारक के रूप में उभरे, जो उत्तरी गठबंधन के बलों द्वारा काबुल पर कब्जा कर लिए जाने के कारण उसके लिए तो सुगम हो गया होगा।

लगभग दस दिन पहले रणनीति उत्तरी गठबंधन की सेनाओं के आगे बढ़ने की गति को धीमा करने की दिखती थी, जबकि अंतरिम तौर पर अमेरिका और पाकिस्तान द्वारा समर्थित किसी वैकल्पिक पख्तून राजनीतिक-सामेरिक गुट को काबुल में स्थापित किया जाता। इस प्रस्तावित व्यवस्था को पूर्व राजा जहीर शाह और उनका साथ दे रहे पख्तून गुटों का समर्थन भी प्राप्त था।

फिर भी, जो सचमुच में घटा, वह यह है कि उत्तरी गठबंधन ने पिछले सप्ताह न सिर्फ काबुल पर कब्जा किया, बल्कि गजनी, हेरात बादाकशान और मज़ार-ए-शरीफ को भी अपने अधिकार में ले लिया। इस लेख के लिखने के समय कांधार उत्तरी गठबंधन की सेनाओं से घिरा हुआ है। आने वाले दिनों में इस शहर पर भी उनका अधिकार हो जाएगा।

आकार लेता परिदृश्य यह है कि उत्तरी-गठबंधन अफगानिस्तान के सभी प्रमुख नगरीय केन्द्रों और उन्हें जोड़ने वाले महत्वपूर्ण मुख्य मार्गों पर व्यावहारिक रूप से नियन्त्रण कर लेगा। उत्तरी गठबंधन के राष्ट्रपति बुर्हानुद्दीन रब्बानी और दोस्तम एवं खलील जैसे उनके मुख्य सैन्य नेताओं ने दावा किया है कि अब वे अफगानिस्तान के लगभग 29 प्रदेशों में से 20 पर काबिज़ हो चुके हैं। अफगानिस्तान के पश्चिम-मध्य क्षेत्रों के चार या पांच प्रदेश नाममात्र ही सही, पर अभी भी तालिबान के अधीन हैं। बाकी बचे चार-पांच प्रदेशों पर स्थानीय सैन्य अधिकारियों, खासतौर पर हिकमतयार और यूनिस खालिस जैसे पूर्व मुजाहिद्दीन गुटों से संबद्धित पख्तून नेताओं द्वारा कब्जा कर लिया गया है।

नवम्बर 15, से ऐसी खबरें मिलती रहीं हैं कि लगभग 1,500 हाजारा सैनिक, जो मुख्य रूप से शिया मुस्लिम हैं, उत्तरी गठबंधन की स्थिति को सुदृढ़ करने और इससे भी अहम, उत्तरी गठबंधन की स्थिति को सुदृढ़ करने और इससे भी अहम, उत्तरी गठबंधन के हाजारों को एक मजबूत स्थिति के रूप में स्थापित करने के लिए काबुल और कंधार की ओर बढ़ रही हैं, ताकि वे एक तरफ हाजारों और दूसरी तरफ उत्तरी गठबंधन के बीच के संबंधों को दर्शा रहे इस प्रतिस्पर्धी वातावरण में आगामी राजनैतिक विधान पर प्रभाव डाल सकें। उत्तरी गठबंधन की अचानक दिख रही इस अग्रगामी गतिशील आक्रामकता की तुलना अगर मौजूदा अभियान के शुरूआती चरणों में अमेरिका की सलाह का अनुपालन करने की उनकी इच्छा के साथ करें तो बड़ा कौतुकपूर्ण दृश्य उभरता है।

इस उभरती स्थिति के दो कारण हो सकते हैं। पहला उत्तरी गठबंधन के नेताओं को शायद यह महसूस हुआ हो कि यदि वे अमेरिका द्वारा तालिबानी सेना के विनाश का पूरा फायदा नहीं उठाते और काबुल और अन्य शहरों पर जल्दी से जल्दी कब्जा नहीं कर लेते, तो अफगानिस्तान की आगामी सरकार में उनकी भूमिका गौण हो जाएगी और इस पर अमेरिका समर्थित पाकिस्तानी प्रभाव हावी हो जाएगा। दूसरा कारण रहा होगा अमेरिका द्वारा खुद इस निष्कर्ष पर पहुंचना कि मुशर्रफ की तरफ से सहयोग दिए जाने के बावजूद उनका मूल उद्देश्य जहां तक हो सके तालिबान के शेष हिस्से की रक्षा करना और अफगानिस्तान की नई प्रस्तावित शक्ति सरंचना में उसे शामिल करना है।

हो सकता है अमेरिकी खुफिया विभाग का यह आकलन हो कि ऐसी संभावना अभियान के उद्देश्य–अफगानिस्तान से आतंकवाद को समूल उखाड़ फेंकना और इस्लामी अतिवाद का विरोध करने वाली और अमेरिका के हितों की रक्षा करने वाली सरकार की स्थापना के लिए अहितकर हो सकती है। अमेरिका ने उत्तरी गठबंधन की सेनाओं को शायद यह गुप्त संकेत दिया हो कि वे आगे बढ़ें और इस अभ्यास के लिए किसी सार्वजनिक समर्थन की घोषणा से वह परहेज कर गया हो।

यही बात विश्वसनीय प्रतीत होती है, क्योंकि अमेरिका ने उत्तरी गठबंधन के आगे बढ़ने पर उसकी आलोचना नहीं की है और हेरात व कांधार जलालाबाद से मजार-ए-शरीफ तक फैली सभी संघर्ष वाली जगहों पर तैनात सेनाओं के लिए वह लगातार वायु मार्गीय सहयोग दे रहा है। यह जहीर शाह और मुशर्रफ, दोनों की ओर से अमेरिका द्वारा उत्तरी गठबंधन के काबुल पर काबिज हो जाने पर दिखाई गई स्वीकृति के प्रति व्यक्त की गई नागवारी के बिल्कुल विपरीत

है। शाह सोचते हैं कि आगामी राजनैतिक व्यवस्था के लिए श्री जा रही बातचीत के दौरान काबुल पर उत्तरी गठ बंधन का वर्चस्व उनके पख्तून/पठान क्षेत्रों के लिए चुनौती खड़ी कर देगा। मुशर्रफ की दलील यह है कि आगामी समीकरण में तालिबानी तत्वों को सामने लाने का उनका उद्देश्य गुणात्मक रूप से धूमिल पड़ जाएगा।

अमेरिका की दूसरी मंशा उत्तरी गठबंधन को इतना समर्थ बनाने की हो सकती है कि यह एक नरम पश्चिम-समर्थक तटस्थ सरकार सुनिश्चित करे और रमजान के महीने के दौरान कुछ क्षेत्रों पर सैन्य कार्रवाइयों को स्थगित रखे। अमेरिका उसके बाद यह घोषणा कर सकता है कि अभियान का पहला दौर पूरा हो चुका है और ओसामा बिन लादेन को पकड़ने का लक्ष्य लेकर दूसरे दौर को शुरू करने के मद्देनजर कुछ तैयारियां करने की जरूरत है, अतः अभियान थोड़े समय के लिए स्थगित है। यह निर्णय मुस्लिम देशों में पसंद किया जाएगा और खासकर मुशर्रफ के लिए मददगार साबित होगा।

उत्तरी गठबंधन की सफलताओं को लेकर जहां भारत का संतोष महसूस करना उचित लगता है, वहीं यह स्पष्ट है कि अफगानिस्तान में युद्ध अभी समाप्त नहीं हुआ है। यह एक ऐसे नाजुक दौर में प्रवेश कर रहा है जहां मतभेद के रंगमंच अपरिभाषित रहेंगे और हिंसा और आश्चर्य से भरे होंगे। तालिबानी नेतृत्व अभी भी जीवित और सुरक्षित दिखता है। ओसामा पकड़ा नहीं गया है। मुल्ला उमर और ओसामा ने लड़ाई जारी रखने के अपने संकल्प को सार्वजनिक रूप से व्यक्त कर दिया है, जिसमें अमेरिका के विरूद्ध और इसके मित्र राष्ट्रों की जमीन पर बड़े पैमाने पर हिंसा करने की प्रत्यक्ष धमकियां शामिल हैं। यह धमकी सिर्फ कहने भर को नहीं है, बल्कि इसमें कुछ तथ्य भी है, जो रासायनिक, जैविक और यहां तक कि नाभिकीय हथियारों के प्रयोग और आतंकवादी अभियान को चलाने की दस-खंडीय निर्देश तालिका के पाए जाने पर मालूम हुई।

परिदृश्य अभी भी समस्या से भरा हुआ नजर आता है। अफगानिस्तान के ग्रामीण इलाके में एक सुलगते हुए गृहयुद्ध के आसार अभी भी-दिख रहे हैं। संयुक्त राष्ट्र सुरक्षा परिषद ने एक प्रतिनिधि गठबंधन वाली अंतरिम सरकार का निर्माण करने के प्रयासों को आरभ किया है, जो एक बहुत ही कठिन प्रक्रिया होने जा रही है, क्योंकि उत्तरी गठबंधन के नेता नई व्यवस्था में महत्वपूर्ण भूमिका का दावा करेंगे। उदार जहीर शाह को शामिल करते हुए पख्तून उत्तरी गठबंधन को एक प्रभावपूर्ण भूमिका देने के लिए तैयार नहीं होंगे क्योंकि इसमें

ताजिक उज्बेक और हाजारा शामिल हैं जो अफगानिस्तान की पूरी पख्तून आबादी की तुलना में अल्पसंख्यक हैं। ईरान, तजाकिस्तान और उजबेकिस्तान नई सरकार में किसी भी बृहत्तर पख्तून प्रतिनिधित्व का विरोध करेंगे।

जहां तक शांति-स्थापना की कार्रवाई का सवाल है, यह एक तात्कालिक आवश्यकता है। संयुक्त राष्ट्र सुरक्षा परिषद ने मुस्लिम देशों की ओर से एक बहुराष्ट्रीय सेना का प्रस्ताव रखा है, परन्तु उत्तरी गठबंधन, साथ ही साथ अमेरिका ने अपने नीतिगत वक्तव्यों में यह कहा कि ऐसी सेना उथल-पुथल भरी स्थितियों में रचनात्मक भूमिका नहीं निभा सकती है। अफगानिस्तान में आसन्न व्यवस्था के लिए अमेरिका एक वर्चस्वपूर्ण राजनीतिक-सामेरिक उत्प्रेरक के रूप में सक्रिय रहना चाहता है।

संयुक्त राष्ट्र महासचिव ने एक 20 राष्ट्रों के सलाहकार समूह का गठन किया है, जो 6+2 राष्ट्र-समूह से अलग है (हालांकि 6+2 राष्ट्र इस समूह में शामिल किए जा रहे हैं) इस समूह को एक अंतरिम सरकार का निर्माण करने का जिम्मा दिया गया है इसका कार्यकाल लगभग दो साल का होगा जबकि लोया जिरगा (अफगानिस्तान के सारे जातीय समुदायों से लिए गए प्रतिनिधियों की राष्ट्रीय सभा) अफगानिस्तान की भावी सरकार के लिए संवैधानिक ढांचे को तय करेगा। इस समूह में भारत भी शामिल है जिससे पाकिस्तान खासा नाखुश है।

1989 में रूसी सेना के वापस लौटने के बाद जो कुछ भी घटा, अफगानिस्तान की स्थिति उसी की पुनरावृत्ति लगती है। अफगानिस्तान को स्थिर करना और उसकी विकासमूलक और पुनर्निर्माण प्रक्रिया को शुरू करना एक मुश्किल अभ्यास होगा। यह तनाव भरा होगा क्योंकि अफगान शरणार्थियों की एक बड़ी संख्या पाकिस्तान से यहां आ जाएगी। भारत का दीर्घकालिक उद्देश्य उस एक-एक प्रयास में भाग लेने का होना चाहिए जो अफगानिस्तान में उदारता स्थिरता और सामान्य स्थिति बहाल करने पर केन्द्रित है। भारत को अफगानिस्तान के लोगों की कुशलता और सुरक्षा के पुनर्स्थापन में मदद करनी चाहिए, जो 22 सालों से विदेशी सत्ता और संगठनों की रणनीतिपूर्ण शक्ति राजनीति और गुमराह आंतरिक वैचारिक मतभेदों से उपजे युद्ध और हिंसा के शिकार बने रहे हैं।

आतंकवाद विरोधी युद्ध-अफगानिस्तान की विकट स्थितियां

मीडिया का मौजूदा प्रकरण से जुड़ा ध्यान और राजनैतिक विश्लेषण प्रधानमंत्री वाजपेयी की इंग्लैंड, अमेरिका और रूस के दौरों पर केंद्रित है। इन देशों की सरकारों को भारतीय सरोकारों और दुश्चिंताओं से अवगत कराने और

उनकी प्रतिक्रियाओं का आकलन करने के मद्देनजर यह स्वाभाविक है। हालांकि इससे भी महत्वपूर्ण बात है अमेरिका के नेतृत्व में अफगानिस्तान में चलाए जा रहे सैन्य अभियान के संदर्भ में उस देश के लोगों के भविष्य की संभावनाओं और यहां हो रही गतिविधियों पर चिंतन करना। ओसामा बिन लादेन के नेतृत्व में अलकायदा लड़ाकों और तालिबान के खिलाफ सैन्य अभियान को शुरू हुए अब लगभग आठ सप्ताह से ज्यादा का समय हो गया है।

एक तरफ अमेरिका और इसके मित्र राष्ट्रों द्वारा और दूसरी तरफ तालिबान द्वारा इस सैन्य कार्रवाई के प्रभाव को लेकर किए जा रहे दावों और प्रतिदावों को अलग रखते हुए एक सजग प्रयास शुरू करने की जरूरत है, ताकि अफगानिस्तान के आकार लेते राजनीतिक ढांचे को अच्छी तरह से समझते हुए इस बात को जाना जाए कि धरातल पर न सिर्फ भौतिक बल्कि राजनीतिक वास्तविकताएं तालिबान या ओसामा बिन लादेन और उसके समर्थकों के साथ जो कुछ भी ले रहा है, उसी तक सीमित नहीं होनी चाहिए। हमारे विश्लेषणों और आकलनों की प्रक्रियाओं को अफगान नागरिक समाज और इसके सामाजिक और आर्थिक आधारों पर सैन्य अभियान द्वारा डाले गए प्रभाव पर भी नजर डालनी होगी।

पहला, सैन्य विरोधाभासी स्थितियों पर जरा नजर डालें। तालिबान के खिलाफ एक विशाल वायु शक्ति का लगातार और व्यापक पैमाने पर इस्तेमाल हुआ है। इसने तालिबान के अस्त्र-शस्त्र और सैन्य संचालन व्यवस्था को अच्छा खासा नुकसान पहुंचाया, फिर भी इस लड़ाई को जारी रखने की तालिबान की राजनैतिक आकांक्षा धूमिल नहीं दिखती है। वे इस बात को लेकर भी दृढ़ हैं कि अफगानिस्तान के अंदर किसी जगह पर रह रहे ओसामा बिन लादेन और उसके लड़ाकों को सुपुर्द नहीं करेंगे। हालांकि अमेरिका ने अफगानिस्तान के उत्तरी, दक्षिण-पश्चिम और दक्षिणी भागों में अपनी थल सेनाएं तैनात कर रखी हैं फिर भी वह ओसामा बिन लादेन का पता लगाने में असमर्थ रहा है। एक तो वह पकड़ में नहीं आ रहा दूसरी तरफ अपने बचे रहने के संयोग और अपने राजनैतिक उद्देश्यों को लेकर उसमें पूरा आत्मविश्वास भी भरा है जिसकी झलक अमेरिकी सैन्य अभियान के शुरू होने के बाद भी अरब टी. वी. नेटवर्क अल जजीरा पर उसकी ओर से समय-समय पर दिए गए साक्षात्कारों में मिलती है। इसके अतिरिक्त अमेरिकी राजनैतिक उद्देश्यों में आंतरिक विरोधाभास दिख रहे हैं। एक तरफ बुश और रम्सफिल्ड ने यह घोषणा की है कि उनका उद्देश्य तालिबान को अफगानिस्तान की शक्ति सरंचना से बाहर करना और जहां तक हो सके उन्हें पूर्ण रूप से नष्ट करना है क्योंकि वे अंतर्राष्ट्रीय आतंकवाद के भागीदार हैं, वहीं दूसरी तरफ अमेरिका उत्तरी गठबंधन की सेना को अफगानिस्तान

के प्रमुख नगरीय केन्द्रों, खासकर काबुल, पर कब्जा करने के लिए पर्याप्त व्यवहार्य और सैन्य संचालन संबद्धित सैन्य सहयोग नहीं दे रहा है।

पहला, काबुल के उत्तर और काबुल-हेरात क्षेत्र में तैनात तालिबानी बलों पर आक्रमण करने में की गई देरी और फिर इसे क्रमवार तरीके से किए जाने के बारे में अमेरिका का स्पष्टीकरण यह है कि वह इस विषय पर पाकिस्तानी संवेदनाओं का लिहाज कर रहा है क्योंकि जनरल परवेज मुशर्रफ नहीं चाहते हैं कि अफगानिस्तान की भावी राजनैतिक व्यवस्थाओं में उत्तरी गठबंधन स्पष्ट रूप से विजयी या वर्चस्वपूर्ण कारक के रूप में खड़ा हो। दरअसल अमेरिका और इसके पश्चिमी मित्रराष्ट्र अभी भी इस बात को लेकर ऊहापोह से घिरे हैं कि अफगानिस्तान में कैसे एक प्रभावी पख्तून और पठान राजनैतिक मोर्चे का निर्माण हो जो उत्तरी गठबंधन के साथ मिल कर एक आवश्यक बहु-जातीय प्रतिनिधि गठबंधन को अफगानिस्तान में शासन करने के लिए अंततः तैयार कर सके।

पूर्व राजा जहीर शाह के प्रतिनिधियों, जिनके साथ अमेरिका और संयुक्त राष्ट्र के अधिकारियों का संपर्क बना हुआ है, तालिबानी लड़ाकों को अलग-अलग करने में प्रभावी माध्यम साबित नहीं हो रहे हैं। जिन लोगों ने ऐसे प्रयास किए, वे तालिबानी सैनिकों द्वारा पकड़े गए या मार डाले गए या बंदी बना लिए गए। इससे कुछ हद तक यह अर्थ निकलता है कि पख्तून आबादी अभी भी पर्याप्त रूप से तालिबान से अलग नहीं हुई है। तालिबानी सेना से कुछ पलायन की खबरें तो मिली हैं, पर इससे तालिबान की एकता और उसके प्रयोजन पर कोई ठोस और प्रकट असर नहीं पड़ा है। इस बात पर भी ध्यान देने की जरूरत है कि अफगानिस्तान-पाकिस्तान सीमा के औपचारिक रूप से बंद होने के बावजूद पाकिस्तान के उत्तर-पश्चिम सीमांत प्रदेशों और उत्तरी बलुचिस्तान से बड़ी संख्या में पठान तालिबान को सहयोग देने के लिए अफगानिस्तान में चुपके से प्रवेश कर रहे हैं। यह एक कटु सत्य है कि किसी भी हालत में यह सीमा भौगोलिक और जातीय, दोनों ही कारणों से, सील नहीं की जा सकती है। इस सिलसिले में करीब हजार साल की अवधि के दौरान किए गए सारे पूर्व प्रयास असफल रहे हैं। यह बात भी बड़ी अजीब लगती है कि तालिबान के खिलाफ किए जा रहे अभियान में रूसी परिसंघ की ओर से पूर्ण समर्थन की घोषणा के बावजूद पुतिन सरकार इसमें सिर्फ नाममात्र के लिए संचालन भूमिका निभा रही है।

ईरान जो इस अभ्यास में ज्यादा सक्रिय भागीदार बनने का आकांक्षी रहा होगा, इंग्लैंड के विदेश सचिव जैक स्ट्रॉ के तेहरान दौरे और राष्ट्रपति खातिमी

के साथ उनके विचार-विमर्श के बावजूद बुश सरकार की ओर से स्वीकार नहीं किया गया है। ईरान को इस अभियान से अलग रखना रणनैतिक और राजनैतिक अकुशलता का एकमात्र उदाहरण दिखता है। (बेशक इस तरह की दलील सुनने में आती है कि ईरान मध्यपूर्व और पश्चिम एशिया में कुछ आतंकवादी संगठनों को सहयोग दे रहा है)। ध्यान देने वाली बात तो यह है कि अफगानिस्तान में बिना ईरान और उजबेकिस्तान के सहयोग के कोई स्थायी राजनैतिक निपटारा हो ही नहीं सकता। सैन्य अभियान का सबसे महत्वपूर्ण असर तालिबानी बलों या अल-कायदा पर नहीं पड़ा है बल्कि इसका मुख्य विनाशकारी नकारात्मक प्रभाव अफगानिस्तान के निर्दोष लोगों, जो लड़ाई में शामिल हीं नहीं, पर पड़ा है। पिछले 22 सालों से लगातार चल रहे सैन्य विवादों का हर तरह से अफगानिस्तान पर ही बुरा असर पड़ा है। आज यहां बर्बादी और निराशा का मंजर छाया हुआ है। अफगानिस्तान में छाई हिंसा के जिम्मेवार देशों में पूर्व सोवियत संघ, अमेरिका, पाकिस्तान, सऊदी अरब और उनके मित्र राष्ट्र शामिल हैं।

अफगानिस्तान से बाहर गए 30 से 40 लाख शरणार्थियों के अलावा अन्य आठ सौ हजार शरणार्थी पड़ोसी देशों की ओर पलायन कर रहे हैं। अफगान अर्थ व्यवस्था का पूरा आधार-तंत्र तबाह हो चुका है। पड़ोसी देशों में शरण लेने आए अफगान लोगों की बड़ी संख्या के अलावा उस देश में ऐसे लोग भी बड़ी संख्या में मौजूद हैं जो भोजन, पीने का पानी और आवश्यक स्वास्थ्य सुविधाओं के संदर्भ में जीने के लिए नितांत आवश्यक साधन के बगैर अंदरूनी तौर पर विस्थापितों की जिदंगी जी रहे हैं। भोजन-पानी और स्वास्थ्य सुविधाओं की आवश्यकता अफगानिस्तान को प्रभावित करती इस मतभेद पूर्ण स्थिति में खासतौर पर अहम है। आधारभूत मानवीय और सामाजिक स्तरों पर, तालिबान, अल-कायदा आंदोलन, अमेरिका, पाकिस्तान और सऊदी अरब को इस जिम्मेदारी में साझा करना है और इस तथ्य को स्वीकार करना है कि पिछले दशक के दौरान उनकी नीतियों ने अफगानिस्तान के राष्ट्रीय स्वरूप की रचना करने वाले विभिन्न जातीय गुटों के बीच परस्पर विरोधी प्रवृत्तियों को सिर्फ बढ़ावा ही दिया है। वैर और संदेह का यह भाव मौजूदा सैन्य अभिमान से और भी विराट हो गया है। अफगानिस्तान में सारे जातीय गुटों का प्रतिनिधित्व करने वाली नई सरकार की स्थापना, जो उनके अलग-अलग सरोकारों और हितों की रक्षा कर सके, के उद्देश्य और वांछनीयता के बारे में अवधारणामूलक नीति संबंधी वक्तव्य यहां पैठी अंतर-जातीय आशंकाओं की नकारात्मक हवा को परे धकेलने के लिए काफी नहीं हैं। इन सबसे अलग इस बात की संभावना है कि

अंदर ही अंदर सुलगती आतंकवादी गतिविधियां और सुसुप्तावस्था में पड़ा गृह-युद्ध निकट भविष्य में अफगानिस्तान में आकार लेने वाला है। शायद यही वजह है कि इंग्लैंड की सशस्त्र सेना के चीफ ऑफ जनरल स्टाफ ने अक्तूबर के आखिर में यह आकलन जाहिर किया कि अफगानिस्तान में अभियान सिर्फ दो सालों के लिए नहीं बल्कि चार सालों तक चलाया जाएगा।

यह सब कुछ वृहत-स्तरीय आंतरिक भू-राजनीतिक स्थिति के संदर्भ में हो रहा है जहां न तो उत्तरी गठबंधन न हीं तालिबान का ग्रामीण इलाके के अफगान क्षेत्रों पर कोई नियंत्रण है। न ही अमेरिकी बलों ने हेरात, कांधार, गजनी, जलालाबाद, काबुल, मज़ार-ए-शरीफ जैसे देश के प्रमुख नगरीय केन्द्रों पर नियंत्रण करने के लिए कोई प्रयास किया है।

इस परिदृश्य में समाधान के लिए कोई-भी नुस्खा सुझाना यथार्थपरक नहीं होगा। अफगानिस्तान में आने वाला समय अस्थिरता और अनिश्चितता से भरा होगा। आतंकवाद और इसको बढ़ावा देने वालों का खात्मा करने पर ध्यान केन्द्रित करना जहां इस उद्देश्य को लेकर अंतर्राष्ट्रीय आम सहमति के संदर्भ में एक वैध अल्प-कालिक लक्ष्य है, वहीं इस बात पर अवश्य ध्यान देना चाहिए कि बड़ी संख्या में मुस्लिम देशों और अन्य विकासशील देशों में अफगानिस्तान के खिलाफ इस लंबे सैन्य अभियान की उपयोगिता को लेकर दिन पर दिन संदेह घर करता जा रहा है।

यह अभियान, चाहे-अनचाहे पूरे विश्व के मुसलमानों द्वारा मुस्लिम विरोधी अभ्यास के रूप में देखा जाने लगा है। दीर्घकालिक राजनैतिक सजगता ऐसी होनी चाहिए जो अफगानिस्तान के लोगों को सुरक्षा, स्थिरता और आर्थिक राहत पहुंचाने के गंभीर प्रयास करे ऐसे प्रयास तभी विश्वसनीय होंगे जब इन्हें संयुक्त राष्ट्र के जरिए और अफगानिस्तान के पड़ोसियों, जिनका अफगान लोगों के कल्याण के साथ ऐतिहासिक रूप से ठोस और दीर्घकालिक सरोकार जुड़ा है, की सक्रिय भागीदारी द्वारा उत्प्रेरित किया जाए। इन प्रयासों के आर्थिक पहलुओं पर अमेरिका और विश्व की प्रमुख शक्तियों को वैसी ही जिम्मेदारी के साथ ध्यान देना होगा, जैसी जिम्मेदारी के साथ इन शक्तियों ने आतंकवाद को मिटाने की आवश्यकता को एक अनिवार्यता माना है।

भारत को प्रभावित कर रहे आतंकवाद से निपटनाः हमारी दुविधाएं

अमेरिका द्वारा अफगानिस्तान के खिलाफ चलाए जा रहे आतंकवाद-विरोधी अभियान पर हमारा ध्यान इस कदर केन्द्रित है कि हम आतंकवादियों

और आतंकवाद के विरूद्ध अपने संघर्ष–करीब 11 सालों से, खासतौर पर 1989 से भारत इसका शिकार है–के संदर्भ में इस अभियान के परिणामों के प्रति सजग नहीं दिखते हैं। हमारी सरकार ने अमेरिका पर हुए आतंकवादी आक्रमण को लेकर अपनी आरंभिक प्रतिक्रियाओं में अमेरिकी आतंकवाद-विरोधी अभियान के प्रति पूर्ण और बेबाक समर्थन दिखाया है। तथ्यपरक विचारों के अनुसार ऐसा लगता है मानों हमने अपनी नीति इस धारणा के आधार पर निर्धारित की है कि अमेरिका का अंतर्राष्ट्रीय आतंकवाद के खिलाफ अभियान अपनी परिधि में खुद ब खुद पाकिस्तान प्रायोजित अतिवादी इस्लामी भाड़े के आतंकवादियों द्वारा फैलाए जा रहे आतंकवाद को भी शामिल कर लेगा। पर यह एक आशावादी और अवास्तविक अनुमान था। न्यूयार्क और वाशिंगटन में हुई विनाशकारी हिंसा के बाद एक सप्ताह के भीतर ही तेजी के साथ यह संकेत मिलने लगे थे कि अमेरिका के आतंकवाद-विरोधी अभियान में पाकिस्तान संचालन और सैन्य व्यवस्था में मुख्य माध्यम बन कर सामने आएगा। अमेरिका को सहयोग करने के मद्देनजर मुशर्रफ द्वारा भेजे गए पहले संदेश में स्पष्ट रुप से ऐसी दो शर्तों को सामने रखा गया था जिसके पूरा होने पर ही पाकिस्तान आतंकवाद-विरोधी गठबंधन में शामिल होता। पहली शर्त, भारत और इजरायल को गठबंधन से बाहर रखा जाए, इसी के साथ यह भी जोड़ा गया कि अफगानिस्तान में तालिबान के बाद भावी राजनैतिक व्यवस्था में भारत को निर्णय लेने का हक नहीं होना चाहिए। दूसरी शर्त यह थी कि अमेरिका अपने आतंकविरोधी अभियान में जम्मू-कश्मीर में हो रही हिंसा का मुद्दा नहीं शामिल करेगा। इस बिन्दु पर पाकिस्तान की दलील यह थी कि जम्मू-कश्मीर में जारी हिंसा एक स्थानीय स्वतंत्रता संघर्ष है, जिसमें पाकिस्तान सिर्फ राजनैतिक, नैतिक और कूटनीतिक सहयोग दे रहा है और कुछ भी नहीं। (यह एक सफेद झूठ है जिससे अमेरिकी लोग भली भांति परिचित हैं)।

हालांकि अमेरिका ने इन दो पाकिस्तानी शर्तों के मद्देनजर कोई भी नीतिगत घोषणाएं नहीं की हैं, पर ऐसा लगता है कि फिलहाल उन्हें अमेरिकी सरकार द्वारा वास्तविक तौर पर स्वीकार कर लिया गया है। इस संबंध में भारतीय दुश्चिंताओं के जवाब में अमेरिका ने वाशिंगटन और नई दिल्ली, दोनों ही जगहों पर, पिछले तीन सप्ताह के सरकारी विचार-विमर्श के दौरान सामान्य आश्वासनों की घुट्टी पिला दी है। ऐसे में सितम्बर 11, 2001 से जिन जमीनी वास्तविकताओं का भारत को सामना करना पड़ा है, उनके साथ नीतिगत घोषणाओं का तारतम्य बिठाना जरूरी लगता है। ये वास्तविकताएं भारत में

आतंकवाद के खिलाफ किसी सामान्य सुरक्षा, भाव को इंगित करने के बजाय सिर्फ उन गंभीर दुविधाओं की तरफ इशारा करती हैं जिसका भारत को सामना करना पड़ सकता हैं।

सारपूर्ण नीतिगत वक्तव्यों, जो सामान्य प्रयोजनों के मद्देनजर दिए वक्तव्यों से सर्वथा अलग हैं, को याद करने और फिर उभरती जमीनी वास्तविकताओं पर ध्यान देने की जरूरत है। सितम्बर में हुए आतंकवादी हमले के उपरांत दस दिन के भीतर ही अमेरिका ने खास तौर पर भारत को यह हिदायत दी कि वह जम्मू-कश्मीर में हो रही हिंसा के प्रत्युचर में पाकिस्तान के खिलाफ कोई कार्रवाई न करे।

जहां अमेरिका ने जम्मू-कश्मीर में राज्य विधान सभा की इमारत पर जैश-ए-मुहम्मद द्वारा किए गए आक्रमण, जिसमें लगभग 40 लोग मारे गए, की निंदा की, वहीं उसने जैश-ए-मुहम्मद के पाकिस्तान में स्थित होने और पाकिस्तान द्वारा प्रायोजित संगठन होने की बात को स्वीकार नहीं किया है।

इस घटना से जुड़े वाजपेयी के संदेश, जिसमें उन्होंने यह कहा था कि भारत का धैर्य समाप्त हो रहा है, के जवाब में राष्ट्रपति बुश ने कड़े शब्दों में भारत और पाकिस्तान, दोनों को ही, संयम और सावधानी बरतने की सलाह देते हुए 'शांत रहने' के लिए कहा है। शायद दीर्घकालिक रणनैतिक और राजनैतिक हितों को ध्यान में रखते हुए भारत अभी तक बुश की सलाह पर अमल करता आया है। पर पाकिस्तान ने ऐसा नहीं किया। राष्ट्रपति बुश और अमेरिकी विदेश मंत्री कोलिन पावेल की सलाह को नजरअंदाज करते हुए पाकिस्तान ने भारत के खिलाफ अपना आतंकवादी अभियान जारी रखा है: जम्मू-कश्मीर विधान सभा पर आतंकवादी हमले से पहले राज्य में आम लोगों और सुरक्षा बलों के खिलाफ लगातार आतंकवादी हमले होते रहे थे। पिछला सबसे अहम आतंकवादी हमला भारत में श्रीनगर के नजदीक अवन्तीपुर वायुसेना अड्डे पर हुआ था।

पहले, जब भारतीय सशस्त्र बलों ने भाड़े के आतंकवादियों की बड़े पैमाने पर घुसपैठ के प्रयास को विफल करने के लिए कुछ कार्रवाइयां की थी; तब भारत को पुनः आगाह किया गया था कि अफगानिस्तान के विरुद्ध अमेरिकी सैन्य अभियान में मुशर्रफ के सहयोग के रास्ते में अड़ंगा न बने। इस तरह, जनरल मुशर्रफ इस बात को लेकर आत्मविश्वास से भरे दिखते हैं कि जब तक अमेरिका की सैन्य कार्रवाई में वह उपयोगी सहयोग देते रहेंगे, भारत के खिलाफ किसी भी तरह का संयम बरतने के लिए उनपर अमेरिका द्वारा कोई भी दबाव नहीं पड़ने वाला है।

22 अक्तूबर, सोमवार को पाकिस्तान टी.वी. को दिए अपने साक्षात्कार में उन्होंने अधोलिखित टिप्पणियां की थी: ''पाकिस्तान की सेना न सिर्फ अपना बचाव करने के लिहाज से बल्कि नई दिल्ली की ओर से हुए किसी भी दुस्साहसपूर्ण कदम पर उसे सबक सिखाने की दृष्टि से भी पूरी तरह तैयार है। नियत्रंण रेखा पर के खतरों का खात्मा होना ही चाहिए। पाकिस्तान कोई 'छोटा-मोटा' देश नहीं है। हमने चूड़ियां नहीं पहन रखीं हैं। उन्हें (भारत) उन्हीं के शब्दों में जबाव दिया जाएगा। आडवाणी और जार्ज फर्नांडिस पाकिस्तान विरोधी बातें उछाल रहे हैं। जम्मू-कश्मीर की घटनाएं स्वतंत्रता संघर्ष का हिस्सा हैं। भारतीय सेना राज्य में आतंकवाद फैला रही है। पाकिस्तान अपनी रक्षा करने में पूरी तरह से समर्थ है। भारत को इस बात की खुशफहमी नहीं पालनी चाहिए कि अफगानिस्तान के उथल-पुथल भरे माहौल का वे फायदा उठा सकते हैं। हम भारत के सामने कमजोर नहीं पड़ेंगे। अपनी रक्षा करने के लिए हमारे पास अपने साधन मौजूद हैं। कश्मीर का मुद्दा दूसरी ही कहानी कह रहा होता यदि पाकिस्तान अंतर्राष्ट्रीय गठबंधन में शामिल न हुआ होता तो। पाकिस्तान को ऐसे परिदृश्य की संभावना पर विचार कर लेना चाहिए जब अंतर्राष्ट्रीय गठबंधन हमारे खिलाफ हो और भारत उनके साथ खड़ा हो। पर अभी हमारी सामेरिक संपदा को कोई खतरा नहीं है और वे पूरी तरह सुरक्षित हैं।''

जहां वह इस तरह के उन्मादपूर्ण वक्तव्य देते हैं, वहीं प्रधानमंत्री वाजपेयी से वार्ता पुनः शुरू करने की इच्छा जतलाने की तिकड़मी चाल भी चलते है; ताकि अमेरिका और अन्य शक्तियों को बतला सकें कि पाकिस्तान अभी भी वार्ता के लिए इच्छुक है। 11 सितम्बर के बाद के काल-खंड में मुशर्रफ की भारत से जुड़ी-नीति को विकसित करने के पीछे तथ्यात्मक निहितार्थ इस प्रकार हैं:

- पाकिस्तान जम्मू-कश्मीर में आतंकवादी हिंसा को लगातार प्रश्रय देता रहेगा। मुशर्रफ इस बात को लेकर आशावादी दिखते हैं कि अमेरिका इस संदर्भ में पाकिस्तान के खिलाफ कोई कदम नहीं उठाएगा।
- जहां एक ओर वह अपने सामेरिक संसाधन की सुरक्षा का संदर्भ बार-बार उठा रहे हैं, जैसे उनकी नाभिकीय हथियार और प्रक्षेपास्त्र क्षमताएं और फिर भारत को आगाह करने की हरकत कि वह इसे सबक सिखाएंगे, वहीं वह इस बात का संकेत भी दे रहे हैं कि उनकी सरकार द्वारा भारतीय लक्ष्यों के विरुद्ध चलाई जा रही आतंकवादी हिंसा के खिलाफ यदि भारत

ने कोई भी प्रभावी कार्रवाई की तो उन्हें इसके जवाब में व्यापक विनाश के हथियारों को भारत के खिलाफ इस्तेमाल करने में कोई हिचकिचाहट नहीं होगी। इसी के समांतर उनका अभिप्राय अमेरिका और अन्य प्रमुख शक्तियों को यह अहसास दिलाना भी है कि यदि भारत पर बंधन नहीं डाला गया तो पाकिस्तान और भारत के बीच नाभिकीय टकराव की संभावना खड़ी हो सकती है, अतः इन शक्तियों को कश्मीर मुद्दे का समाधान पाकिस्तानी मांग के ढांचे के अंतर्गत सुलझाने के तहत सक्रिय रूप से हस्तक्षेप करना चाहिए। मुशर्रफ के वक्तव्य में छिपी चेतावनी के मद्देनजर भारत के संबंध में अमेरिका कितना वस्तुनिष्ठ और निष्पक्ष हो पाएगा, इसका पता हमें अफगानिस्तानी के खिलाफ चल रहे अमेरिकी अभियान के मौजूदा चरण के बाद ही चल सकेगा। लिहाजा इस बात का अनुमान लगाना तर्कसंगत है कि अमेरिका भारत की सुरक्षा और क्षेत्रीय अखंडता के खिलाफ किए जा रहे पाकिस्तानी क्रिया कलापों पर कोई भी कठोर रुख अख्तियार नहीं करेगा। अमेरिका की प्रवृत्ति भारत और पाकिस्तान, दोनों पर, वार्ता को पुनः शुरू करने के लिए दबाव डालने की होगी, इसके अलावा वह भारत पर ज्यादा दबाव डालेगा कि पाकिस्तान प्रायोजित आतंकवाद के विरूद्ध वह कोई कार्रवाईपूर्ण कदम न उठाए। मुशर्रफ अपनी तरफ से अमेरिका से निश्चित तौर पर यह मांग करेंगे कि वह अंतर्राष्ट्रीय आतंकवाद के खिलाफ अपने सामान्य अभियान के घेरे में पाकिस्तानी आतंकवादी गतिविधियों को न शामिल करे। यह घटनाक्रम भारत द्वारा अमेरिका के साथ अल्प या मध्यम-कालिक संबंधों की संरचना करते समय पेश आने वाली सबसे महत्वपूर्ण वृहत-स्तरीय रणनैतिक और राजनैतिक समस्या है।

भारत को इस बात के लिए तैयार रहना चाहिए कि जम्मू-कश्मीर में आतंकवादी हिंसा जारी रहने वाली है, खासतौर पर उस अवधि के दौरान जब अमेरिका अफगानिस्तान और कुछ अन्य देशों के खिलाफ कार्रवाई में व्यस्त होगा और पाकिस्तान इस बात को लेकर आत्मविश्वास से भरा है कि जैसे-जैसे अमेरिका का अभियान गति पकड़ेगा यह भारत के ऊपर पाकिस्तान के खिलाफ कदम न उठाने के लिए प्रभावी दबाव डाल पाएगा।

भारत सरकार के सामने खड़ी दूसरी दुविधा है—जो आगे भी बनी रहेगी देश के अन्दर तेजी से जोर पकड़ता सार्वजनिक रुख जो भारत द्वारा पाकिस्तानी आतंकवाद के खिलाफ, खासतौर पर पाकिस्तान स्थित भाड़े के आतंकवादी गुटों

द्वारा प्रायोजित बड़े पैमाने पर और निर्लज्जतापूर्ण तरीके से की जा रही आतंकवादी हिंसा के विरुद्ध निर्णयात्मक दंडात्मक कार्रवाई करने के समर्थन में खड़ा है। भारत के राजनैतिक और सुरक्षा प्रतिष्ठानों के समूहों के विचार भी कुछ ऐसे ही हैं। रक्षामंत्री जार्ज फर्नांडिस और गृहमंत्री लालकृष्ण आडवाणी के वक्तव्यों को इसी संदर्भ में समझने की जरूरत है। भारत के लोगों और यहां की सरकार को स्पष्ट तौर पर इस बात को मान लेना चाहिए कि भारत द्वारा पाकिस्तान के खिलाफ उठाए गए किसी भी आतंकवाद विरोधी अभियान को अमेरिका द्वारा राजनैतिक तौर पर और व्यवहार्य रूप से कोई भी समर्थन दिए जाने की संभावना न के बराबर है। यह एक ऐसा अभियान है जो हमें खुद व खुद शुरू करना होगा जब भी जरूरत हो: जहां भी जरूरत हो।

अब तक हम अपनी भू-भागीय सीमा के अन्दर ही आतंकवाद के साथ मुकाबला कर रहे थे। सवाल यह है कि क्या हम इस लड़ाई को नियंत्रण रेखा के पार पाकिस्तान प्रायोजित आतंकवाद की जड़ों को नष्ट करने के लिए ले जा सकते हैं या हमें ले जाना चाहिए? यदि हम ऐसी लड़ाई आरंभ करते भी हैं तो पुनः यह एक ऐसा अभ्यास होगा जो हमें अकेले ही करना होगा। सबसे अच्छा परिदृश्य तो यही हो सकता है कि अंतर्राष्ट्रीय समुदाय हमारे खिलाफ कोई कदम न उठाए, जब तक कि इन कार्रवाइयों से पाकिस्तान के साथ नाभिकीय टकराव का खतरा न उत्पन्न होता हो।

इस संदर्भ में निर्णय लेने के समय हमें चार बातों का ध्यान रखना होगा, जो इस प्रकार हैं: पहला, हमें इस बात के लिए तैयार रहना होगा कि भारत द्वारा अपने भू-भाग में पाकिस्तान के लिए दंडात्मक कार्रवाई करने के लिए उठाए जाने वाले कदम के खिलाफ पाकिस्तान नाभिकीय अस्त्रों और प्रक्षेपास्त्रों के जरिए प्रतिकार करने के लिए उद्यत हो उठेगा। दूसरा, भारत द्वारा कोई भी प्रभावी कदम, प्रत्यक्ष रूप से, उसके खिलाफ हुए किसी गंभीर आतंकवादी घटना के जवाब में ही उठाया जाए ताकि अंतर्राष्ट्रीय समुदाय के समक्ष हमारी कार्रवाई औचित्यपूर्ण साबित हो। तीसरा, हमें सावधानीपूर्वक इस बात की जांच अवश्य करनी चाहिए कि क्या हमारे पांस इतनी संचालन क्षमता है कि हम कम से कम सही अनुपात में प्रतिकार कर सकें। (इस बात का कोई भरोसा नहीं कि पकिस्तान खुद को समानुपाती प्रतिकार तक ही सीमित रखने की कोशिश करेगा; या उसकी इच्छा संघर्ष को और बढ़ाने की होगी। चौथा, क्या ऐसी दंडात्मक कार्रवाई करने के लिए और इससे भी महत्वपूर्ण कि हमारे द्वारा ऐसे प्रयास किए

जाने से उत्पन्न सैन्य परिणामों का सामना करने के लिए हमारे अन्दर राजनैतिक इच्छा मौजूद है?

यह स्पष्ट है कि इन विषयों पर हम जो कोई भी निर्णय लें उसके लिए गहरे चिंतन की और सावधानी के साथ की गईं राजनैतिक और रणनैतिक गणनाओं की जरूरत होगी। सबसे महत्वपूर्ण बात यह है कि संयम और निग्रह एक निश्चित सीमा के बाद स्थितप्रज्ञता के भाव में ढल जाता है, जो भारत की सुरक्षा और क्षेत्रीय अखंडता के लिए खतरा बन सकता है।

6

अफगानिस्तान में उभरता परिदृश्यः राजनैतिक और सुरक्षा व्यवस्थाएं

अफगानिस्तान में राजनैतिक व्यवस्था–बॉन प्रक्रिया की संभावनाएं

क्षेत्रीय आयामों के संदर्भ में तालिबान और अल कायदा की गतिविधियों के खिलाफ आतंकवाद-विरोधी अभियान अपने आखिरी दौर में है। अफगानिस्तान के ज्यादातर क्षेत्र अब अमेरिका के नेतृत्व वाले गठबंधन बलों द्वारा समर्थित उत्तरी गठबंधन के नियंत्रण में हैं। कुंदूज और कांधार के कुछ हिस्से उत्तरी गठबंधन के समक्ष आत्मसमर्पण करने की अंतिम प्रक्रिया में हैं। एक राजनैतिक सत्ता और एक सैन्य शक्ति के रूप में तालिबान निर्णयात्मक रूप से विघटित हो गया है और एक व्यवस्थित बल के रूप में बहुत हद तक नष्ट हो चुका है। अफगानिस्तान में स्थापित की जा रही भावी राजनैतिक और सुरक्षा व्यवस्थाओं पर मतान्तरों और सत्ता के लिए स्पर्धा की अंतः धाराओं के बावजूद अफगानिस्तान के प्रमुख जातीय-भाषाई, राजनैतिक और धार्मिक घटकों का प्रतिनिधित्व करने वाले महत्वपूर्ण गुटों ने नवम्बर के अंतिम सप्ताह में बॉन में बैठक बुलाई। उत्तरी गठबंधन, जो अफगानिस्तान के अंदर एक वर्चस्वपूर्ण राजनैतिक और सैन्य सत्ता है; पख्तूनों का प्रतिनिधित्व करता पेशावरी गुट, जिसने सोवियत संघ के खिलाफ लड़ाई तो की थी, पर तालिबान में शामिल नहीं हुआ था; शिया और हाजरा हितों का प्रतिनिधित्व करता साइप्रस गुट तथा जहीर शाह के नेतृत्व में पख्तूनों के शाही गुट का प्रतिनिधित्व करता रोम गुट इन सभी ने संयुक्त राष्ट्र द्वारा प्रायोजित बॉन सम्मेलन में अपने-अपने प्रतिनिधियों को भेजा था। अमेरिका के विशिष्ट राजदूतों द्वारा समर्थित संयुक्त राष्ट्र महासचिव के विशिष्ट प्रतिनिधि लख्दर ब्राहिमी और उनके सहायक फ्रांसिसी वेंड्रिल, नाटों देश और मित्र देशों में परामर्शदायी गुट मिल कर बॉन बैठक से पहले तीन सप्ताह की अवधि में की गई मुश्किल और जटिल बातचीत की प्रक्रिया के जरिए इन अफगानियों को एक साथ करने का कार्य पूरा कर पाए।

इससे पहले कि बॉन सम्मेलन में लिए गए निर्णयों, जिनकी घोषणा 2001 में 4 से 7 दिसम्बर के बीच की गई थी, को लागू करने की संभावनाओं की जांच हो, इनके बारे में एक सामान्य विवरण देना प्रसंगिक होगा। बॉन सम्मेलन में 29 सदस्यों की एक अंतरिम सरकार का गठन किया गया है (सदस्यों की संख्या 31 तक भी बढ़ सकती है)। इस अंतरिम सरकार के मनोनीत सदस्य अफगानिस्तान के प्रमुख जातीय गुटों का प्रतिनिधित्व करते हैं। अब्दुल हामिद करजाई इस सरकार के राष्ट्रपति चुने गए हैं। इसमें हर जातीय राजनैतिक गुट का प्रतिनिधित्व करते हुए पांच उपराष्ट्रपति होंगे। मंत्रिमंडल के विभागों के वितरण में उत्तरी गठबंधन के प्रतिनिधियों को प्रधानता दी गई है। विदेश रक्षा और आंतरिक मामलों से जुड़े मंत्रालय उत्तरी गठबंधन के प्रतिनिधियों को दिए गए हैं। इस 29 सदस्यीय परिषद में दो महिलाएं भी शामिल हैं। इसमें से एक स्वास्थ्य और महिलाओं से जुड़े मामले को संभालेंगी और दूसरी शिक्षा विभाग। यह अंतरिम सरकार 22 दिसम्बर 2001 से अपना पदभार ग्रहण करेगी। यह समय अफगानिस्तान में दीर्घकालिक राजनैतिक व्यवस्था के लिए नया संविधान गढ़ने के तहत कबायली नेताओं की एक वृहत्तर सभा 'लोया जिरगा' का आह्वान करने का है। ऐसे संकेत मिल हैं कि यह संवधान सुधारवादी संविधान पर आधारित हो सकता है, जिसकी घोषणा पूर्ण राजा जहीर शाह ने 1964 में की थी और उसी समय इसे लागू भी किया था।

हालांकि नई सरकार ने अभी अपना पदभार ग्रहण भी नहीं किया है, पर इसके निर्माण की घोषणा के दो दिनों के भीतर ही विवाद उठ खड़े हुए हैं। उत्तरी गठबंधन सरकार के निर्वासित राष्ट्रपति बुर्हानुद्दीन रब्बानी और उजबेक सैन्य नेता जनरल दोस्तम ने यह घोषणा की है कि वे इस सरकार और अफगानिस्तान को स्थिर बनाने के इसके प्रयासों का बहिष्कार करेंगे, क्योंकि उन्हें और उनके प्रतिनिधियों को अंतरिम सरकार की शक्ति संरचना से बाहर रखा गया है। पीर सैयद अहमद गैलानी और सिरगातुल्लाह मुजदादी नई सरकार में महत्वपूर्ण भमिका निभाने के इच्छुक थे, लिहाजा इस संदर्भ में दरकिनार कर दिए जाने पर वे खुश नहीं हैं।

यह अंतरिम सरकार जो भी नई व्यवस्था बनाए और जो भी नए प्रयास करे, यह स्पष्ट है कि अंतर्राष्ट्रीय सैन्य बल तब तक अफगानिस्तान में तैनात रहेंगे, जब तक बॉन में लिए गए निर्णयों में संजोयी गई राजनैतिक प्रक्रियाएं पूरी तरह से व्यवहार्य नहीं हो जाती। इसका अर्थ है कि यह स्थिति कम से कम उस समय तक ऐसी ही बनी रहेगी जब तक 'लोय जिरगा' नए संविधान को अंतिम स्वरूप

नहीं दे देता और एक नया संघटनात्मक अफगान सैन्य बल और सुरक्षा व्यवस्था साकार नहीं हो जाती।

शुरुआत में उत्तरी गठबंधन किसी भी अंतर्राष्ट्रीय शांति-सेना की तैनाती के विरोध में था, पर अब संयुक्त राष्ट्र तले ऐसे बल की नियुक्ति पर उन्हें कोई आपत्ति नहीं, जब तक कि अफगानिस्तान नागरिक समाज में शामिल सभी जातीय समूहों के प्रतिनिधियों को लेकर नई अफगान सरकार एक संयोजित अफगानी सेना और अर्ध-सैनिक सुरक्षा बल का गठन नहीं कर लेती। समानांतर रूप से, जिनेवा और अन्य पश्चिम यूरोपीय देशों की राजधानियों में, साथ ही साथ, वाशिंग्टन और न्यूयार्क में बैठकें होने वाली हैं, जिसमें अफगानिस्तान के विकास और पुनर्निर्माण के कार्यक्रमों और परियोजनाओं को अंतिम रूप दिया जाना है। ऐसा लगता है कि इसके लिए निधि, जो पश्चिमी सरकार के एक डॉलर की है, जुटाने के संदर्भ में राजनैतिक निर्णय लिया जा चुका है।

संयुक्त राष्ट्र के अधिकारियों और पश्चिमी शक्तियों की ओर से यह बात साफ तौर पर कही गयी है कि अर्थव्यवस्था और विकास में दी जाने वाली मदद का क्रम स्पष्ट तौर पर अफगान नेताओं की अफगानिस्तान में स्थायी सरकार और शासन व्यवस्था के निर्माण को गति देने की योग्यता पर निर्भर करेगा। ये वृहत् स्तरीय राजनैतिक प्रयास अफगानिस्तान की उन जमीनी वास्तविकताओं पर निर्भर हैं जो आने वाले समय में उभर सकती हैं।

पहला प्रश्न यह है कि क्या तालिबानी बल सचमुच पूरी तरह नष्ट हो गया है? जहां यह सच है कि औपचारिक लड़ाई में सैन्य रूप से उन्हें भारी तबाही का सामना करना पड़ा है, वहीं इस बात पर ध्यान दिया जाना चाहिए कि कुंदूज और कांधार को छोड़ कर अन्यत्र कहीं भी उत्तरी गठबंधन के साथ उनकी लड़ाई नहीं हुई थी। उनकी वायुसेना और अस्त्र-शस्त्र नष्ट कर दिए गए थे, फिर भी उनके बहुत सारे सैनिक अन्य सारे अस्त्र-शस्त्रों और उपकरणों को पूरी तरह से बचाते हुए ग्रामीण इलाके में छुप गए थे। इस बात का अंदेशा है कि अफगानिस्तान की नई सरकार को अंदर ही अंदर सुलगते गृह युद्ध की स्थिति का सामना करना पड़े। दूसरा, बॉन सम्मेलन में भाग लेने वाले अफगान प्रतिनिधि अपने-अपने गुटों के सर्वोच्च नेता नहीं हैं। इस स्थिति में यदि उन्होंने अतीत से सबक नहीं लिया और निजी सामर्थ्य या जातीय-कबायली संदेहों का संदर्भ में अभी भी संकीर्ण हितों और महत्वकांक्षाओं के अधीन हैं तो उनके द्वारा लिए गए निर्णय बेमानी हो सकते हैं या उन्हें खारिज भी किया जा सकता है। अफगानिस्तान के स्थायित्व या यहां की नई व्यवस्था पर कुठाराघात कर रहा

अन्य कारक यह है कि उत्तरी गठबंधन के नेताओं और कुछ हद तक ईरान समर्थित साइप्रस गुट के अतिरिक्त बॉन सम्मेलन में भाग लेने वाले अन्य गुटों का यहां के ग्रामीण या कबायली नेतृत्व के साथ कोई गहरा संपर्क नहीं जुड़ा है। बॉन में उपस्थित अफगान प्रतिनिधियों द्वारा लिए गए निर्णय शुरुआती तौर पर शायद लागू कर लिए जाएं, पर उनका दीर्घकालिक व्यवस्था का आधार बनने का योग निर्भर करेगा–पहला, वरिष्ठ कबायली नेताओं की सलाहकार परिषद और दूसरा प्रस्तावित 'लोया जिरगा' द्वारा दिए गए समर्थन पर। लोया जिरगा की सभा और वहां पर हुए विचार-विमर्श अफगानिस्तान के स्थिरीकरण को प्रभावित करने वाले सबसे अहम कारण होंगे।

यह स्पष्ट है कि बॉन बैठक में लिए निर्णयों का लागू होना बहुत हद तक अंतर्राष्ट्रीय बल और इसके घटक तत्वों की उपस्थिति पर निर्भर करेगा, जो निपक्ष हो और अफगानिस्तान के किसी भी जातीय गुट या पक्ष के साथ किसी भी तरह के संपर्कों से प्रत्यक्ष रूप से परे हो। अमेरिका के नेतृत्व वाले गठबंधन से ऐसे संकेत मिले हैं कि इसकी सेना एक संयुक्त राष्ट्र शांति-सेना नहीं होगी। यह संयुक्त राष्ट्र सुरक्षा परिषद प्रस्तावों पर आधारित संयुक्त राष्ट्र के नाम तले अंतर्राष्ट्रीय आतंकवाद विरोधी गठबंधन का सैन्य बल होगा। इस बात की अपेक्षा है कि इन टुकड़ियों में नाटो के देशों और कुछ इस्लामी देशों की सशस्त्र सेनाओं के सैनिक भी शामिल होंगे। प्रमुख मुस्लिम देश अफगानिस्तान में अपनी सेनाओं को भेजने के लिए तैयार नहीं है; अतएव अंतर्राष्ट्रीय बल में अधिकांशतः नाटो गठबंधन की सेनाएं ही शामिल होंगी। हालांकि रूस ने अफगानिस्तान में सैनिकों की एक छोटी टुकड़ी भेजी है, पर ऐसी खबरे मिली हैं कि उनके विरुद्ध अफगानों का रोष पुनः जागृत हो उठा है। अतः सुरक्षा व्यवस्थाओं में किसी भी तरह से बड़े पैमाने पर शामिल होने में रूसी परिसंघ को कोई दिलचस्पी नहीं हैं।

फिलहाल अमेरिका, इंग्लैंड, फ्रांस और जार्डन की सैन्य टुकड़ियां और जापान से सैन्य चिकित्सा अधिकारी इसमें शामिल हुए हैं। इस बात की संभावना है कि तुर्की और बांग्लादेशी बल भी इस अंतर्राष्ट्रीय सेना की टुकड़ी में शामिल होंगे। अफगानिस्तान के लोगों के मनोविज्ञान और उनकी ऐतिहासिक प्रवृत्तियों के मद्देनजर ऐसे अंतर्राष्ट्रीय बल की उपस्थिति और इसका अंगीकार किया जाना बस थोड़े ही समय के लिए होगा। पर कम से कम एक या दो सालों तक वहां ऐसे अंतर्राष्ट्रीय बल का बने रहना आवश्यक होगा ताकि प्रस्तावित शक्ति संरचना के अंतर्गत किसी गुटीय मतभेदों के खड़े होने या तालिबान की ओर से उत्पन्न विरोध को विफल किया जा सके।

अमेरिका खुद ही नहीं चाहता कि अफगानिस्तान में लंबे समय तक सेनाएं उपस्थित रहें। अमेरिका की नीति के दोहरे उद्देश्यों में से एक है अल-कायदा और तालिबान का खात्मा, ताकि विश्व में कहीं भी वे आतंकवाद को और न फैला पाएं और दूसरा, ऐसे आतंकवाद को वित्त मुहैया कराने वाले नशीले पदार्थों के व्यापार को रोकना जो अफगानिस्तान में ही पनप रहा है। अमेरिका अफगानिस्तान में एक ऐसी शासकीय सत्ता को स्थापित करना चाहता है जो इस उद्देश्य को लगातार पूरा करने का भरोसा दिलाए। इसके बदले अमेरिका की ओर से अफगानिस्तान को आर्थिक और विकास संबंधी मदद देना सुनिश्चित होगा।

इस गठबंधन में शामिल विश्व की शक्तियों द्वारा लिया गया यह निर्णय बुद्धिमतापूर्ण है कि अंतर्राष्ट्रीय शांति सेना में अफगानिस्तान के निकटस्थ पड़ोसियों को भाग नहीं लेना चाहिए। इस संदर्भ में इस बात पर खासतौर पर विचार किया गया कि पाकिस्तान की ओर से आने वाले समय में कोई गड़बड़ी की जा सकती है। प्रस्तावित अंतर्राष्ट्रीय सेना से अफगानिस्तान के निकट पड़ोसियों का हटाया जाना अच्छा तो है, पर इस बात को ध्यान में रखना जरूरी है कि इस देश की स्थिरता और इसका विकास इसके चार पड़ोसियों पाकिस्तान, ईरान, उजबेकिस्तान और ताजिकिस्तान द्वारा किए गए इस समझौते पर निर्भर करेगा कि वे वहां के आंतरिक मामलों में हस्तक्षेप नहीं करेंगे और मौजूदा परिप्रेक्ष्य में हो रहे प्रयासों में सहयोग करेंगे। इन चारों में ईरान शायद सबसे ज्यादा परिपक्व व व्यावहारिक नजर आता है, जबकि पाकिस्तान की प्रवृत्ति परस्पर विरोधी राजनैतिक और भावनात्मक दबाव के अधीन होगी।

अफगानिस्तान में छाए लक्षण चेतावनी तथा अनिश्चितता भरे भाव का सूचक है, क्योंकि कोई नहीं जानता कि तालिबान और अल-कायदा के बचे हुए हिस्से अफगानिस्तान की राजनैतिक प्रक्रियाओं और इसके सुरक्षा माहौल को किस तरह प्रभावित करेंगे और फिर सत्ता में आने वाला अफगान राजनैतिक नेतृत्व जातीय-धार्मिक गुटवाद को बदल डालने के बाद भी किस हद तक संघटित रह पाएगा।

आतंकवाद विरोधी युद्ध-चौराहे पर खड़ा अफगानिस्तान

पाकिस्तान ने अफगानिस्तान में आने वाले राजनैतिक व्यवस्था में एक अच्छा प्रभाव बनाए रखने के लिए अपनी खास योजना बना रखी थी। पिछले दस दिनों के दौरान अफगानिस्तान के अंदर होने वाली गतिविधियों से अमेरिका द्वारा पाकिस्तान की इस आकांक्षा को दिया जा रहा सांकेतिक समर्थन उलझ कर रह गया है। अमेरिका की नीतियों को दर्शाती इसकी नपी-तुली राजनैतिक और

सैन्य अस्पष्टता प्रकटतः उत्तरी गठबंधन द्वारा काबुल पर कब्जा कर लिए जाने से बाधित हो गई है। ऐसी स्थिति से उत्पन्न हुए सैन्य विरोधाभास पर गौर करना प्रासंगिक होगा। जहां एक ओर तालिबान के खिलाफ भारी वायु आक्रमण जारी था, वहीं पाकिस्तानी और अमेरिकी सरकारें शुरु से इस बात पर सहमत थीं कि काबुल-हेरात के उत्तर और काबुल-गजनी कांधार केन्द्र पर तैनात उत्तरी गठबंधन की सेनाओं को धीरे-धीरे आगे बढ़ाया जाए। यह अमेरिका की राष्ट्रपति मुशर्रफ की संवेदनाओं के प्रति दिखायी गई प्रतिक्रिया थी, जो नहीं चाहते थे कि अफगानिस्तान की भावी राजनैतिक व्यवस्था में उत्तरी गठबंधन स्पष्टतः एक विजयी और वर्चस्वपूर्ण कारक के रूप में उभरे, जबकि उत्तरी गठबंधन के लिए यह काबुल पर कब्जा कर लेने के बाद सुगम हो उठा था।

करीब दस दिन पहले की रणनीति उत्तरी गठबंधन की नागरिक सेना को आगे बढ़ने से रोकने की दिखती थी, जबकि अंतरिम रूप से अमेरिका और पाकिस्तान के समर्थन से एक वैकल्पिक पख्तून राजनीतिक-सैन्य गुट को काबुल पर स्थापित किया जाना था। इस प्रस्तावित व्यवस्था को जहीर शाह और उनके समर्थक पख्तून गुटों का समर्थन प्राप्त था। पिछले सप्ताह जो घटा, वह यह था कि उत्तरी गठबंधन ने न सिर्फ काबुल पर कब्ज़ा किया बल्कि मजार-ए-शरीफ, हेरात बदक्शां और गजनी पर भी नियंत्रण कर लिया।

मौजूदा परिदृश्य यह है कि उत्तरी गठबंधन ने वस्तुतः अफगानिस्तान के सारे प्रमुख नगरीय केन्द्रों और उन्हें जोड़ने वाले मुख्य मार्गों पर नियंत्रण कर लिया है। उत्तरी गठबंधन के राष्ट्रपति बुर्हानुद्दीन रब्बानी और उनके प्रमुख सैन्य नेता, जैसे दोस्तम और खलील ने इस बात का दावा किया है कि अफगानिस्तान के लगभग 29 प्रदेशों में से 20 पर उन्होंने अधिकार कर लिया है। पश्चिम और मध्य अफगानिस्तान के चार या पांच प्रदेश, नाममात्र को ही-सही, पर अभी भी तालिबान के अधीन हैं। बचे हुए चार या पांच प्रांतों पर स्थानीय योद्धाओं, खासतौर पर यूनूस खालिस और हिकमतयार जैसे पूर्व मुजाहिद गुटों से संबद्धित पख्तून नेताओं का अधिकार है। 15 नवम्बर से ऐसी खबरें मिलती रही हैं कि 1000-1500 अतिरिक्त हाजार टुकड़ियां, जो उत्तरी गठबंधन से संबद्धित हैं और जिसमें मुख्य रूप से शिया मुस्लिम मौजदू हैं, काबुल और कांधार की तरफ बढ़ रही हैं। इनका ध्येय उत्तरी गठबंधन की स्थिति को नगरों में सुदृढ़ करना और इससे भी महत्वपूर्ण रूप से इस गठबंधन के हाजारों को एक मजबूत स्थिति में स्थापति करना है, ताकि एक तरफ इसमें उपस्थित ताजिकों और उजबेकों तथा दूसरी तरफ हाजारों के बीच के संबंधों को दर्शाते प्रतिस्पर्धी वातावरण में

अफगानिस्तान के भावी राजनैतिक विधान पर प्रभाव बनाया जा सके। अफगानिस्तान में मौजूदा अभियान के आरंभिक चरणों में अमेरिका की सलाह का अनुपालन करने की उत्तरी गठबंधन की इच्छा के साथ जब उनके अचानक आगे बढ़ने की आक्रामकता की तुलना करें तो बड़ा अचरज होता है।

इस गातिविधि के दो कारण हो सकते हैं। पहला, उत्तरी गठबंधन के नेताओं को यह अहसास हो गया हो कि यदि उन्होंने अमेरिका द्वारा तालिबानी बलों के संहार का पूरा फायदा नहीं उठाया और काबुल व अन्य नगरों पर जल्द नियंत्रण नहीं किया तो अफगानिस्तान की भावी सरकार में उनकी भूमिका नगण्य हो जाएगी और वे सामान्यतः अमेरिका के समर्थन तले पाकिस्तानी प्रभाव के अधीन हो जाएंगे। दूसरा कारण है अमेरिका द्वारा खुद निकाला गया निष्कर्ष कि जनरल मुशर्रफ की ओर से उसे सहयोग देने के बावजूद उनका मूल उद्देश्य था जहां तक हो सके, बचे-खुचे तालिबान की रक्षा करना और इन्हें बेहतर बनाना और अफगानिस्तान की नई प्रस्तावित शक्ति संरचना में पदासीन करना। अमेरिकी खुफिया विभाग का शायद यह आकलन रहा होगा कि ऐसे लक्षण अमेरिकी अभियान के सारपूर्ण उद्देश्य अफगानिस्तान से आतंकवाद को पूर्णतः उखाड़ फेंकना, तथा वहां एक ऐसी सरकार की स्थापना करना जो इस्लामी अतिवाद के विरूद्ध हो और अमेरिका के हितों की रक्षा करे के लिए हानिकारक हो सकती है। इस अभ्यास के लिए किसी सार्वजनिक सहयोग की घोषणा किए बगैर अमेरिका ने उत्तरी गठबंधन के बढ़ने पर अमेरिका द्वारा आलोचना न किए जाने तथा काबुल से कांधार और हेरात, जलालाबाद से काबुल तथा मजार-ए-शरीफ से जलालाबाद तक फैले सारे संघर्ष के क्षेत्रों में अमेरिका द्वारा उत्तरी गठबंधन को दी जा रही वायु सेना मदद के मद्देनजर यह नजरिया ही सही प्रतीत होता है। यह राजा जहीर शाह और जनरल मुशर्रफ, दोनों की ओर से, अमेरिका द्वारा उत्तरी गठबंधन को काबुल पर कब्जा कर लेने के लिए दी गई अनुमति पर व्यक्त की गई अप्रसन्नता के विपरीत है। जहीर शाह की दलील यह थी कि भावी राजनैतिक व्यवस्था के लिए बातचीत के दौरान उत्तरी गठबंधन का काबुल पर हावी होना उनके पख्तून पठान निर्वाचन क्षेत्र के लिए चुनौती खढ़ी करेगा। उधर, मुशर्रफ का तर्क यह था कि भावी व्यवस्था में तालिबानी तत्वों को शामिल करने का उनका उद्देश्य गुणात्मक रूप से धूमिल पड़ जाएगा।

अमेरिका की दूसरी मंशा उत्तरी गठबंधन को इस योग्य बनाने की हो सकती है कि वह अफगानिस्तान में एक उदार पश्चिम समर्थन तटस्थ सरकार सुनिश्चित कर सके और शायद रमजान के दौरान किसी वक्त अफगानिस्तान में

हो रही अमेरिकी सैन्य कार्रवाईयों को थोड़े समय के लिए निलंबित कर सके और यह घोषणा करे कि अभियान का पहला दौर खत्म हो गया और दूसरे दौर, जिसका लक्ष्य ओसामा बिन लादेन को पकड़ना है, के लिए कुछ तैयारी की जरूरत है, अतएव इसे थोड़े समय के लिए रोक दिया गया है। यह निर्णय ऐसा है जो मुस्लिम देशों में पसंद किया जाएगा और परवेज मुशर्रफ के लिए खासतौर पर मददगार साबित होगा।

भारत के लिए उत्तरी गठबंधन की सफलताएं संतोष दिलाने वाली हैं, पर यह स्पष्ट है कि अफगानिस्तान में युद्ध अभी, खत्म नहीं हुआ है। दरअसल यह एक नए, संवेदनशील दौर में प्रवेश कर रहा है, जिसमें युद्ध का मैदान स्पष्ट नहीं, विवादों के क्षेत्र परिभाषित नहीं हैं और जो भारी हिंसा और आश्चर्य भरी घटनाओं से भरा हुआ है। तालिबान का सर्वोच्च नेतृत्व अभी भी जीवित व सुरक्षित है। ओसामा बिन लादेन अभी पकड़ा नहीं गया है। तालिबान के प्रशिक्षित सैनिक अपने दल का त्याग कर बाहर निकल रहे हैं, उनमें से कुछ उत्तरी गठबंधन में शामिल हो गए हैं, परन्तु उनके अभिप्रेरण और अभिप्राय आतंकवाद के खिलाफ अंतर्राष्ट्रीय गठबंधन के वृहत्तर उद्देश्यों के सबंध में संदिग्ध और अनिश्चित ही बने हुए हैं। मुल्ला उमर और ओसामा बिन लादेन, दोनों ने ही सार्वजनिक रूप से लड़ाई जारी रखने के अपने दृढ़ निश्चय को व्यक्त किया है, जिसमें अमेरिका, इंग्लैंड और इसके मित्र राष्ट्रों की जमीन पर बड़े पैमाने पर हिंसा करने की प्रत्यक्ष धमकी भी शामिल है। यह एक कोरी धमकी मात्र नहीं थी, बल्कि इसमें कुछ वजन भी था: ऐसा तब स्पष्ट हुआ जब जैविक, रासायनिक यहां तक कि नाभिकीय अस्त्र के उपयोग से जुड़ी और आतंकवादी अभियान चलाने से संबद्धित दस-खंडीय निर्देश-तालिका प्राप्त हुई, जिसे 15 नवम्बर को सी एन एन के जरिए अमेरिकी खुफिया विभाग ने सार्वजनिक किया। यह भी काबिले गौर है कि उत्तरी गठबंधन द्वारा अफगानिस्तान के प्रमुख नगरों पर कब्जा करने के लिए की गई कार्रवाई में तालिबान ने इसकी सेना के साथ कोई गंभीर लड़ाई नहीं लड़ी थी। तालिबानी सैनिक अपने शस्त्रों और साज़-सामान के साथ ग्रामीण इलाकों में जा छुपे थे। उनमें कुछ तो उत्तरी बलुचिस्तान और पाकिस्तान के उत्तर-पश्चिम सीमांत प्रांतों की ओर निकल भागे थे।

मुल्ला उमर, तालिबान के सर्वोच्च नेता, ने तालिबान के पीछे हटने का "लड़ाई जारी रखने के लिए युक्तिपूर्ण युद्धाभ्यास" के रूप में वर्णन किया है।

अत: परिदृश्य अभी भी समस्या से भरा है। अफगानिस्तान के ग्रामीण इलाके में एक सुलगते हुए गृह युद्ध की स्थिति का अंदेशा हो रहा है। संयुक्त

राष्ट्र सुरक्षा परिषद ने अफगानिस्तान में व्यापक गठजोड़ की प्रतिनिधि अंतरिम सरकार का निर्माण करने के प्रयास किए हैं, जो एक मुश्किल अभ्यास होने जा रहा है क्योंकि उत्तरी गठबंधन के नेता नई सरकार में प्रमुख भूमिका का दावा रख सकते हैं। नरम जहीर शाह और उनके समर्थकों के अलावा पख्तून भी उत्तरी गठबंधन, जिसमें मूल रूप से ताजिक, उजबेक और हाजारा शामिल हैं–अफगानिस्तान की पूरी पख्तून आबादी की तुलना में ये अल्पसंख्यक हैं– को दिए जा रहे वर्चस्वपूर्ण भूमिका का विरोध करेंगे। ईरान, ताजिकिस्तान और उजबेकिस्तान नई सरकार में पख्तूनों के जरूरत से ज्यादा प्रतिनिधित्व का प्रतिरोध करेंगे। रूस और भारत ने पहले से हीं इस बात की घोषणा कर दी है कि नई व्यवस्था में वे तालिबान की भागीदारी नहीं चाहते हैं।

शांति की स्थापना और शांति बनाए रखने की कार्रवाइयों का जहां तक सवाल है, ये सबसे तात्कालिक जरूरतों में से हैं। सुरक्षा परिषद ने मुस्लिम देशों से एक बहु–राष्ट्रीय सेना का प्रस्ताव रखा है पर उत्तरी गठबंधन साथ ही साथ अमेरिका ने अपने-अपने नीतिगत वक्तव्यों में यह कहा है कि ऐसी सेना अफगानिस्तान के तनावपूर्ण माहौल में रचनात्मक भूमिका नहीं निभा सकती है और वह अप्रभावी सिद्ध होगी। अलबत्ता अमेरिका वहां की आगामी राजनैतिक व्यवस्था के लिए एक वर्चस्वपूर्ण राजनैतिक-सैन्य उत्प्रेरक के रूप में लगातार सक्रिय रहना चाहता है। संयुक्त राष्ट्र ने 20 राष्ट्र सलाहकार गुट का निर्माण किया है जो 6+2 राष्ट्र समूह से अलग है (पर 6+2 राष्ट्र इस 20 राष्ट्र समूह में शामिल किए जा रहे हैं) इस समूह को अफगानिस्तान में अंतरिम सरकार के निर्माण का कार्यभार सौंपा गया है जिनका कार्यकाल दो साल का होगा। इस दौरान 'लोया जिरगा' के लिए व्यवस्था करनी होगी ('लोया जिरगा' सारे अफगान जातीय समूहों के प्रतिनिधियों की विशिष्ट राष्ट्रीय सभा है) जो अफगानिस्तान की भावी सरकार के लिए संवैधानिक ढांचे को तय करेगी। इस समूह में भारत को शामिल किया गया है जिससे पाकिस्तान खुश नहीं होगा। मूलतः अफगानिस्तान की स्थिति 12 साल पहले 1989 में सोवियत सेना की टुकड़ियों की वापसी के बाद के माहौल की पुनरावृत्ति सी लगती है। अफगानिस्तान का स्थिरीकरण और इसके विकास और पुनर्निर्माण की प्रक्रिया का आरंभ एक मुश्किल और बेलगाम अभ्यास होगा। यह अभ्यास तनाव से भरा भी होगा, क्योंकि इसे बड़ी संख्या में वापस लौट रहे उन अफगान शरणार्थियों से भी जूझना होगा जो अफगानिस्तान से पाकिस्तान पलायन कर गए थे। भारत का वृहत स्तरीय और दीर्घकालिक उद्‌देश्य उन सारे प्रयासों में भाग लेने का होना चाहिए जो अफगानिस्तान में

सामान्य माहौल, स्थिरता और मर्यादा को वापस स्थापित और अफगान के आम लोगों, जो विदेशी शक्तियों और सत्ताओं के गुमराह आंतरिक वैचारिक मतभेदों और सामेरिक शक्ति राजनीति के परिणामस्वरूप पिछले 22 सालों से युद्ध और हिंसा का शिकार रहे हैं, की कुशलता और सुरक्षा की पुनर्बहाली पर केन्द्रित है।

7
कश्मीर मसले का बहुपक्षीकरण: पाकिस्तानी प्रयास

पहला आघात
वृहत्तर कूटनीतिक युद्ध में जिनेवा एक झड़प मात्र

जिस दिन भारत-पाकिस्तान के बीच विदेश सचिव स्तर की वार्ता का आखिरी चरण पूरा हुआ, उसी शाम पाकिस्तान के विदेश विभाग ने यह घोषणा की कि उसकी सरकार अंतर्राष्ट्रीय मंचों पर कश्मीर मुद्दे को मानवाधिकार उल्लंघन और अन्य मसलों के संदर्भ में उठाती रहेगी। वह तारीख थी 3 जनवरी, 1994।

पाकिस्तानी प्रधानमंत्री बेनजीर भुट्टो ने कुछ दिनों बाद यह घोषणा की कि फरवरी में जिनेवा में हो रहे संयुक्त राष्ट्र मानवधिकार आयोग की बैठक में उनका देश भारत के खिलाफ एक प्रस्ताव पेश करेगा। वह आयोग की बैठक में निजी तौर पर उपस्थित हो कर पाकिस्तान के पक्ष में दलील प्रस्तुत करेंगी। इस घटनाक्रम में वह जिनेवा गईं और पाकिस्तान ने प्रस्ताव पेश किया।

यह बैठक का सबसे विवादास्पद मुद्दा था। इसमें भाग ले रहे शिष्टमंडलों ने पूरे सत्र के दौरान इस पर चिंतन-मनन किया था। अपने प्रस्ताव को पारित कराने के लिए पाकिस्तान ने ज्यादा अतिक्रमणकारी और हठी धाराओं को थोड़ा नरम बनाते हुए एक के बाद एक प्रारूपों को पेश किया। अंत में उन्होंने ईरान और चीन की सलाह पर, जैसा उनका कहना है, प्रस्ताव वापस ले लिया।

संक्षेप में, पाकिस्तानी कूटनीतिक प्रयास जिनेवा में किए गए प्रचार और विश्व स्तर पर अपने लिए प्रभावी समर्थन जुटाने की कोशिशों के बावजूद असफल हो गया।

एक तरह से भारत के लिए ''यह एक प्रसिद्ध विजय थी''

भारत के शिष्टमंडल का नेतृत्व यहां के दलील क्रम के विरोधी सिरों का प्रतिनिधित्व करते राजनीतिज्ञों द्वारा किया गया था। यह बहुजातीय और बहुधर्मीय शिष्टमंडल था। इसमें दो कश्मीरी, एक लब्धप्रतिष्ठ मुस्लिम डा. फारुख अब्दुल्ला और एक लब्धप्रतिष्ठ हिंदू टी. एन. कौल शामिल थे। इस शिष्टमंडल के राजनीतिक घटक को वरिष्ठ राजनयिकों के विस्तृत समूह का समर्थन प्राप्त था जिनके जिनेवा व न्यूयार्क में संपर्क मौजूद थे।

भारत ने सम्मेलन से बाहर रहते हुए, गैर-सरकारी संगठनों और विदेशी प्रचार विशेषज्ञों के द्वारा इस प्रयास में अपनी भागीदारी सुनिश्चित की थी। इस पर और बल देने के लिए विदेश मंत्री ईरान गए थे ताकि वहां भारत के सरोकारों के बारे में बता कर ईरान को इस बात के लिए तैयार करें कि वह पाकिस्तान पर नरम पड़ने के लिए प्रभाव डाले। ईरान ने सकारात्मक रवैया दिखाते हुए यह काम किया। दिनेश सिंह के चीनी विदेश मंत्री कुइयान कुइचेन के साथ तेहरान में बने संपर्कों ने भी जिनेवा में योगदान दिया।

जो परिणाम निकल कर आया उससे संतुष्ट होना वाजिब है। खुद को शाबासी देना, चैन का भाव और उपलब्धि का अहसास स्वाभाविक है। उस सत्र के बाद मीडिया में उस पर बढ़-चढ़ कर हुई चर्चा भी सर्वथा अपेक्षित थी।

पर जिस तरह का आह्लाद और भविष्य को लेकर आत्मविश्वास प्रेस संबोधनों, वक्तव्यों और मीडिया टिप्पणियों में प्रतिबिंबित हुआ, वह क्या उचित है? इससे ज्यादा जरूरी और प्रासंगिक तो यह है कि आने वाले समय में क्या होने वाला है और जिनेवा के बाद भारत किस तरफ आगे बढ़ेगा, इस बात पर बात की जाए; हमारे खिलाफ कैसी चुनौतियां या संकट पाकिस्तान खड़ा कर सकता है, इस पर नजर डाली जाए।

झड़प खत्म हो चुकी है और बेशक स्थिति हमारे लिए संतोषप्रद ही है। फिर भी आने वाले समय में विवाद सिर जरूर उठाएंगे। जिनेवा के बाद दिए गए बेनजीर मुद्दों के वक्तव्य के बाद इस में कतई कोई शक नहीं है।

पाकिस्तान द्वारा लगातार किए जा रहे कूटनीतिक और मीडिया आक्रमण पर द्विपक्षीय और बहुपक्षीय, दोनों ही तरह से प्रतिक्रिया जरूरी है। जिनेवा में हुई उपलब्धि और इससे निकले परिणामों को अपने कोष में रखना हमारी प्रतिक्रिया की संरचना और स्वरूप को तय करने के लिए जरूरी है।

पहले उपलब्धियों की बात करें। भारत ने एक संघटित, संरचित और रणनैतिक रूप से अंतर्दर्शी विदेश नीति संबद्धित प्रतिक्रिया की सामर्थ्य विश्व के सामने प्रस्तुत की है। शिष्टमंडल का संयोजन, इसका नेतृत्व और इसकी दलीलों

ने कश्मीर के ऊपर एक दृढ़ और स्पष्ट राष्ट्रीय जनमत के वजूद को अंतर्राष्ट्रीय समुदाय और संयुक्त राष्ट्र अभिकरणों तक संप्रेषित किया है। इस्लामाबाद के महत्वपूर्ण मित्रों को इस बात के लिए तैयार किया जा सकता है कि वे पाकिस्तान को भारत के खिलाफ बहुपक्षीय मंच पर टक्कर लेने से अस्थायी तौर पर पीछे हटने के लिए समझाएं।

भारत की दलील संयुक्त राष्ट्र मानवाधिकार आयोग के 53 सदस्यों में से ज्यादातर को इतनी उचित तो लगी ही कि वे पाकिस्तान को अपने प्रस्ताव को वापस लेने के लिए जोर डाल पाए। हमने मानवाधिकार मानकों, जो तेजी के साथ अंतर्राष्ट्रीय दुश्चिंता का सबब बन रहे थे, के अभिप्रेरित राजनैतिकरण को सफलतापूर्वक रोका। कश्मीर मुद्दे की आयोग के जरिए कार्यविधिक अंतरराष्ट्रीयकरण, पर रोक लगा दी गई। देशवासियों ने भी ऐसे संवेदनशील राष्ट्रीय मसले से निपटने के संबंध में कूटनीतिक दक्षता के लिए सरकार को श्रेय दिया।

दूसरा इन प्रक्रियाओं का ठीक विपरीत पक्ष है। इस बात को स्वीकार करना होगा कि पाकिस्तान कश्मीर के ऊपर अंतर्राष्ट्रीय ध्यान खींचने और इस मसले पर कुछ अंतर्राष्ट्रीय दबाव और कार्रवाई करने की जरूरत पैदा करने में सफल रहा है। यह भी लगभग तीन दशकों बाद जिनेवा में किसी भी शिष्टमंडल ने यह विचार नहीं व्यक्त किया कि पाकिस्तानी को भविष्य में मानवाधिकार आयोग या संयुक्त राष्ट्र में ऐसे कदम नहीं उठाना चाहिए।

संयुक्त राष्ट्र मंच पर पाकिस्तानी कार्यकलापों का प्रतिरोध करने के लिए भारत इतना ज्यादा सचेत और प्रयासरत था कि इसने अपने रवैये से अप्रत्यक्ष रूप से यह दर्शा दिया था कि एक ऐसा मसला, जो हर तरह से भारत का आंतरिक मामला है, से निपटने के लिए संयुक्त राष्ट्र को दी जाने वाली वैधता के प्रति वह आशंकित है। घरेलू सार्वजनिक रुख पर ऐसे प्रस्ताव की सफलता से पड़ने वाले ऊपरी प्रभाव के बारे में उपजी दुश्चिंता ही जिनेवा में भारत की अतिसक्रियता का सबब बन गई थी।

प्रधानमंत्री पी. वी. नरसिम्हा राव की धारणा से यह नजरिया कुछ भिन्न है, क्योंकि उनके अनुसार कि पाकिस्तान के साथ विपरीत रिश्ता एक ऐसी अवस्था है जो भारत के साथ तब तक बनी रहेगी जब तक पाकिस्तान द्विपक्षीय रिश्तों में अपनी वर्तमान प्रवृत्ति और रवैया बनाए रखता है। उनका मानना है कि विभिन्न बहुपक्षीय मंचों पर पाकिस्तान की तिकड़मी चालों के बारे में घबराने या चिंता करने की जरूरत नहीं है। उन्हें इस बात का भरोसा है कि भारत में इतना

आत्मविश्वास और सामर्थ्य है कि यदि किसी ने यहां के आंतरिक मामले में हस्तक्षेप करने के लिए किसी भी तरह की अनावश्यक द्विपक्षीय या बहुपक्षीय चालें चलीं तो उसे विफलता ही हाथ लगेगी। हालांकि भारत इस बात को मानने के लिए तैयार नहीं, पर पाकिस्तानी प्रस्ताव पर हुई बातचीत के समापन के दौरान ईरानी प्रतिनिधियों द्वारा किया गया किया गया हस्तक्षेप इस बात को इंगित करता है कि भारत-पाक और बहुपक्षीय संदर्भो, दोनों ही स्थितियों में, कश्मीर पर होने वाले भावी विचार-विमर्श में ईरान कोई भूमिका निभाना चाहता है। अंतरदेशीय संबंधों में अपेक्षित गोपनीयता का ध्यान रखते हुए यह जानना प्रासंगिक होगा कि, ईरानी विदेश मंत्री, अली अकबर विलायती और दिनेश मंत्री, अली अकबर विलायती और दिनेश सिंह के बीच हुई बातचीत से कौन से निर्णयात्मक विचार सामने आए।

ईरान की धार्मिक व वैचारिक अभिरुचियों और कश्मीर मुद्दे पर इसकी नीतियों, हालांकि ये बखूबी क्षेत्रीय अखंडता के संबंध में भारतीय दुश्चिंताओं का शमन करती हैं, के मद्देनजर इस बात पर विश्वास करना मुश्किल लगता है कि ईरान अपने लिए किसी भूमिका का पूर्वानुमान नहीं करता होगा। भारत ने पिछले उच्च स्तरीय राजनैतिक संपर्क में ऐसी किसी भूमिका की कोई भी विशिष्ट मौन स्वीकृति नहीं दी थी।

यह सच है कि अमेरिकी शिष्टमंडल ने जिनेवा में कश्मीर या इससे संबंधित अन्य मुद्दों का उल्लेख नहीं किया था। पर अमेरिकी सरकार कश्मीर में पाकिस्तान के हस्तक्षेप और आतंकवादियों द्वारा मानवाधिकारों के उल्लंघन के बारे में भारतीय दुश्चिंताओं के प्रति उदासीन रही और उसने दूरी बरती। लोकतंत्र के प्रति भारत की प्रतिबद्धता और सभी दृष्टि से मानवाधिकार संबद्धित इसके संतोषजनक रिकार्ड के बावजूद अमेरिका मानवधिकारों के मामले में एक संरक्षक जैसा व्यवहार करता है।

जिनेवा में नजर आए चीन और ईरान के अभिप्रेरणों का एक विश्लेषण प्रासंगिक है। ऐसा सोचना गलत होगा कि उन्होंने भारत का समर्थन सिर्फ इसलिए किया क्योंकि बैठक के तीन से चार सप्ताह पहले उनके साथ भारत का कूटनीति और राजनैतिक संवाद हुआ था।

चीन संयुक्त राष्ट्र के विभिन्न मंचों पर देश विशिष्ट मानवाधिकार प्रस्तावों का निशाना बना रहा है, खासतौर पर 1988-89 से। ईरान ने भी ईरानी आंदोलन के बाद से ऐसी ही विकट स्थिति का सामना किया है। भारत ने 1993 की शुरुआत में सोच समझ कर यह निर्णय लिया था कि वह किसी बहुपक्षीय मंच

पर मानवधिकार मसले पर किसी भी देश विशिष्ट प्रस्ताव का समर्थन नहीं करेगा। इससे निश्चित तौर पर चीन और ईरान को फायदा हुआ था।

दोनों ही देशों द्वारा अपने हितों का ध्यान रखने का परिणाम यह निकला कि उन्होंने देश विशिष्ट प्रस्तावों का विरोध किया। वे किसी भी संयुक्त राष्ट्र अभिकरण में इस संदर्भ में कोई मिसाल नहीं बनाना चाहते हैं। ईरान खुद की स्थिरता व सुरक्षा की खातिर और अपनी क्षेत्रीय आकांक्षाओं के कारण भारत-पाक विवादों में एक मध्यस्थ की भूमिका निभाने का अतिरिक्त अभिप्रेरण रखता है।

सितम्बर 1993 में हमारे प्रधानमंत्री की चीन और ईरान के दौरों में, जो संयुक्त राष्ट्र की आम सभा के सत्र के शुरू होने के ठीक पहले हुए थे, उच्च राजनैतिक स्तरों पर भारत को अपने विचारों और सरोकारों को संप्रेषित करने का मौका मिला था। राव का ली पेंग और अली अकबर रफसनजानी के साथ निजी तालमेल जिनेवा में एक अतिरिक्त सकारात्मक घटनाक्रम का सबब बना।

जिनेवा में चीनी और ईरानी समर्थन के प्रति कोई भ्रम नहीं रहना चाहिए। न ही किसी त्रिपक्षीय ''ईरान-चीन-भारत केन्द्र या रणनैतिक समीकरण'' जो तेहरान में सिंह-कुइयान विचार-विमर्श के आधार पर चित्रित हुआ-से ज्यादा अपेक्षा रखनी चाहिए। चीन की ऐसी कोई मंशा नहीं थी।

यह विचार न तो व्यावहारिक है न ही आवश्यक। उनके निर्णय व दृष्टिकोण मानवाधिकारों के तहत उनके अपने सरोकारों और संबद्ध राष्ट्रीय हितों पर अनिवार्य रूप से आधारित थे। जिनेवा-परिणामों पर भारतीय संतुष्टि को उन तथ्यों के साथ समंजित किया जाना चाहिए जिनका इस ग्रीष्मकाल में संयुक्त राष्ट्र की आर्थिक व सामाजिक परिषद की अगली बैठक और 1995 फरवरी में यहां होने वाली मानवाधिकार आयोग की अगली बैठक में भारत को सामना करना पड़ सकता है। मानवाधिकारों पर संयुक्त राष्ट्र उच्चायुक्त की भावी भूमिका के बारे में 1993 जून में विएना में और पिछले साल आम सभा में जो सुझाया गया, उस पर ध्यान दिया जाना चाहिए।

अंतर्राष्ट्रीय सरोकार के मामले में संयुक्त राष्ट्र को वृहत्तर हस्तक्षेप की भूमिका दिए जाने पर महाशक्तियों में आम सहमति है चाहे मुद्दा अ-प्रसार का हो, शांति बहाली, वातावरण प्रबंधन या फिर मानवाधिकारों का। अतएव, भारत को आने वाले कुछेक सालों में नहीं, बल्कि कुछेक महीनों में ही पाकिस्तान द्वारा दुश्प्रेरित संयुक्त राष्ट्र की एक सक्रियतावादी भूमिका को लेकर पहले से सचेत रहना चाहिए। भारत को इस बात के लिए भी तैयार रहना चाहिए कि कश्मीर

विवाद को मानवाधिकारों, आत्म-निर्णय, अ-प्रसार, अंतरिम निःशस्त्रीकरण उपायों इत्यादि जैसे मुद्दों के जरिए चित्रित किया जा सकता है।

यहां अतिरेकपूर्ण उदगारों और आत्मतुष्टि के लिए कोई आधार मौजूद नहीं है। जिनेवा में पराजय का परिणाम यही होगा कि पाकिस्तान अंतर्राष्ट्रीय समुदाय में भारत के खिलाफ अपने अभियान को दोगुना कर देगा। यह घरेलू राजनैतिक बाध्यता का निर्विवाद तर्क बन अगामी भविष्य में किसी भी पाकिस्तानी सरकार को क्रियाशील बना देगा।

पाकिस्तानी नेताओं ने जिनेवा में अपनी हार के बाद पिछले चार सप्ताह के दौरान समस्त राजनीतिक हलकों में की गई अपनी घोषणाओं में इस बात की पुष्टि की है। अतः हमारा काम है यथार्थपरक राजनीतिक आसारों पर अभिव्यक्ति देना, नपी-तुली नीतियों को आकार देना और जवाहरलाल नेहरू की विदेश संबंधों पर दी गई सीख को हमेशा अपने दिमाग में रखना कि प्रचार कभी भी नीतियों की जगह अख्तियार नहीं कर सकता है। पाकिस्तान के साथ वार्ता के उद्देश्य को पूरा करने में अपने हितों की रक्षा के संकल्प को लेकर भारत का दृढ़ होना अनिवार्य है। इन सबके ऊपर, हमें तथ्यों को लेकर बहुत ज्यादा उत्साहित या हतोत्साहित नहीं होना चाहिए।

पाक की नाभिकीय मंशा और भारत का जवाब

सत्यकथनों के लिए लोगों को घोर प्रयास क्यों करना पड़ता है और वह भी अनावश्यक रूप से? इस संपादकीय पृष्ठ पर मेरे परिचित प्रख्यात कुलदीप नैयर ने 5 सितम्बर, 1994 को हम सबको आगाह करते हुए कहा था, "नई दिल्ली को इस तथ्य को स्वीकार कर लेना चाहिए कि इस्लामाबाद के पास परमाणु बम है।" मैं नैयर जी को यह बताना चाहता हूं और आश्वस्त भी करना चाहता हूं कि भारत की सरकार और सर्वसाधारण, दोनों ही, इस सोच को लेकर बिल्कुल स्पष्ट हैं कि पाकिस्तान के पास परमाणु बम है। 28 जनवरी, 1987 को कुलदीप नैयर द्वारा ए. के. खान से लिए गए साक्षात्कार के कहीं पहले पाकिस्तान की नाभिकीय नीतियों पर हमारी सरकार द्वारा की गई सार्वजनिक और संसदीय घोषणाओं से यह स्पष्ट संकेत मिलता है कि हम सावधानी के साथ पाकिस्तान द्वारा शुरू किए गए नाभिकीय अस्त्र कार्यक्रम पर लगातार नजर रखे हुए हैं। नैयर द्वारा उकसाए गए अब्दुल कादिर खान ने जवाब में जब यह कहा कि सभी को (सारे भारतीय) बता दो कि पाकिस्तान के पास परमाणु बम है, तो हम बात को पहले से ही जान रहे थे। जुल्फिकार अली भुट्टो ने स्पस्टतः

यह संकेत दे दिया था कि पाकिस्तान की मंशा परमाणु बम हासिल करने की है, भले ही इसके लिए पाकिस्तान को सामूहिक रूप से पोषक तत्वों को अपने भोजन से हटा कर घास ही क्यों न खानी पड़े। अतः इसमें नया क्या है? वस्तुनिष्ठ वास्तविकताओं के संदर्भ में कुछ भी नहीं। जो स्पष्ट है उस पर चिंतन करने–मानो कोई खतरनाक रहस्योद्घाटन हो गया हो–के बजाय जरूरत इस बात की है कि पाकिस्तान द्वारा नाभिकीय हथियारों को प्राप्त करने के अभिप्रेरणों और इस गतिविधि से भारत के ऊपर पड़ने वाले निहितार्थों की परख और इसका आकलन किया जाए। क्या हम पाकिस्तान की ओर से खड़े किए गए नाभिकीय खतरों के परिणामस्वरूप हमारे सुरक्षा वातावरण पर पड़ने वाले नकारात्मक प्रभाव को निष्फल करने में समर्थ हैं? खतरा मंडरा तो रहा है। सिर्फ व्याख्यात्मक या आनुमानिक अटकलों के संदर्भ में ही नहीं, बल्कि उतने ही स्पष्ट रूप से पाकिस्तानी प्रधानमंत्री, चाहे वह बेनजीर भुट्टों हों या नवाज शरीफ द्वारा कही हुई बातों के आधार पर भी।

23 अगस्त, 1994 को नवाज शरीफ ने अपने वक्तव्य में पाकिस्तान के नाभिकीय हथियार दर्जे की पुष्टि करते हुए बताया कि अपनी नाभिकीय मंशा के बारे में अपने मंत्रणा गृह से बाहर आने के लिए पाकिस्तानी प्रतिष्ठान द्वारा पिछले दो दशकों के दौरान आरंभ किए गए लंबे और सतत जारी अभ्यास का यह हिस्सा है। भुट्टो इस बात की इच्छा जतलाते हैं कि बम प्राप्त करने के लिए पाकिस्तानी घास तक खाने के लिए तैयार हैं; किसिंजर ने उन्हें आगाह किया कि यदि वह इस राह पर आगे बढ़े तो परिणाम भयंकर होंगे। वह नहीं माने और उन्हें इसका खमियाजा भुगतना पड़ा। पाकिस्तान ने 70 के दशक में नाभिकीय हथियारों की महत्वाकांक्षा लिए इस्लामी देशों से वित्तीय सहायता मांगी और उसे मदद मिली; उनके संसाधनों को प्राप्त कर अब्दुल कादिर खान ने काम में आने वाले अन्य जरूरी नाभिकीय पदार्थों को उत्तरी अमेरिका और पश्चिमी यूरोप से चोरी-छिपे मंगवाया। इसी बीच, जिया-उल-हक ने 1979-83 के बीच अपनी सत्ता सुदृढ़ की और यही वह समय था जब नाभिकीय हथियारों को प्राप्त करने के नजरिए से नाभिकीय अभियांत्रिकी, यूरेनियम उत्पादन और संवर्धन और प्लूटोनियम अर्जन योजनाएं आरंभ हो चुकी थीं।

अफगानिस्तान में सोवियत अतिक्रमण का मुकाबला करने के तहत अमेरिका-पाक अंतर्संबंध से इस प्रक्रिया को गुप्त बढ़ावा मिला। 1986 के अंत तक पाकिस्तान ने आधारभूत नाभिकीय अस्त्र क्षमता प्राप्त कर ली थी। 1987 और 1989 के बीच पाकिस्तान अस्त्र क्षमता के उस स्तर तक पहुंच गया था

जहां पर जनरल असलम बेग ''जरबेमोमिन'' सैन्य अभ्यास से जुड़ी युद्ध क्रीड़ाओं में सैद्धान्तिक रूप से भारत के खिलाफ नाभिकीय हथियारों का इस्तेमाल करने लगे थे–जैसा कि पाकिस्तान में बतौर राजदूत मेरे कार्यकाल के दौरान मेरे कुछ गैर सरकारी परिचितों, जिनके साथ मेरी यदा-कदा बातचीत होती रहती थी, ने जिक्र किया था। 1993 और 1994 में पाकिस्तान की नाभिकीय क्षमताओं के बारे में जनरल बेग द्वारा की गई सार्वजनिक घोषणाएं उन बातों को विश्वसनीय बनाती हैं, जो मुझे पांच साल पहले बताई गई थी। जर्मनी और रूस से मिली हाल की खबरें यह संकेत देती हैं कि पाकिस्तान लगातार अपनी नाभिकीय हथियारों और प्रक्षेपास्त्र और इन्हें ढोने की क्षमताओं को कहीं खुले आम तो कहीं गुप्त रूप से बढ़ा रहा है।

अपनी नाभिकीय हथियार क्षमता को सार्वजनिक करने के बारे में पाकिस्तान के अभिप्रेरण भिन्न-भिन्न हैं। उनका विश्लेषण करने की जरूरत है। यह काबिले गौर है कि बेनजीर ने कभी भी नवाज शरीफ के दावों को स्पष्ट रूप खारिज नहीं किया है। जहां तक उनका (नवाज शरीफ) संबंध है यह सब घरेलू राजनीति की बाध्यताएं हैं–बेनजीर के लिए उलझनें पैदा करना; बेनजीर के मुकाबले खुद को ज्यादा निर्णयात्मक नेता के रूप में दर्शाना, जो पाकिस्तानी शक्ति को उपमहाद्वीपीय संदर्भ में स्थापित करने की अबाध क्षमता रखता है; पाक सशस्त्र सैन्य प्रतिष्ठान को यह संकेत देना कि वह उनकी नाभिकीय महत्वाकांक्षा और योजनाओं को ज्यादा समर्थन देंगे; और उनका भरोसा जीतना। 23 अगस्त की उनकी ओर से दिया गया वक्तव्य ही नहीं बल्कि अगस्त के अंतिम सप्ताह में इंग्लैंड में उनकी ओर से की गई घोषणाओं से भी इसकी पुष्टि होती है।

भारत और अंतर्राष्ट्रीय समुदाय के संबंध में नाभिकीय मामलों पर अपने गुप्त मंत्रणा गृह से बाहर आने के उद्देश्यों में पाकिस्तानी प्रशासन के सभी वर्गों की साझेदारी है, जो इस प्रकार हैं: पाकिस्तान की नाभिकीय प्रतिरोधक क्षमता के बारे में भारत को सूचित करना, इस आशा के साथ कि यह भारत को पाकिस्तान के छद्मयुद्ध और जम्मू कश्मीर में चलाए जा रहे आतंकवाद के खिलाफ कोई निर्णयात्मक कदम उठाने से रोकेगा; भारत पर एन पी टी (अ-प्रसार सन्धि) पर हस्ताक्षर करने के लिए फिर से दबाव पैदा करना; भारत को नाभिकीय अप्रसार की सीमित उप-क्षेत्रीय उपमहाद्वीपीय व्यवस्थाओं के लिए तैयार करना; भारत की अंतरिक्ष और प्रक्षेपास्त्र तकनीक पर नियंत्रण करना; अन्य दक्षिण एशियाई देशों की नजर में उपमहाद्वीपीय शक्ति समीकरणों में भारत

के खिलाफ एक सतुंलनकारी कारक के रूप में उभरना। पाकिस्तान का नाभिकीय अस्त्रीकरण और प्रक्षेपास्त्र प्राप्ति कार्यक्रम उसकी ओर से कश्मीर मुद्दे को इस नजरिए से दिखा भारत-पाक के बीच एक नाभिकीय युद्ध की ठोस संभावना के अंतरराष्ट्रीयकरण की गहरी चाल का हिस्सा है, जिसका मकसद न सिर्फ सैन्य संदर्भों में, बल्कि अंतर्राष्ट्रीय रणनैतिक और सुरक्षा दृष्टिकोणों से भी भारत के साथ बराबरी हासिल करना है; राजनीतिक और सुरक्षा मामलों में पिछले तीन सालों के दौरान संयुक्त राष्ट्र की सक्रियतावादी रूझानों का फायदा उठा कर भारत की रक्षा नीतियों और द्विपक्षीय मुद्दों पर संयुक्त राष्ट्र का हस्तक्षेप सुनिश्चित करना है; और सबसे ऊपर भारत की रक्षा योजना और तैयारियों पर प्रतिकूल दबाव उत्पन्न करना है।

हाल ही में 5 सितम्बर के 'पायोनियर' अखबार में निकले एक लेख में राजनीतिक स्तंभकार और पाक सैन्य प्रतिष्ठान विभिन्न राजनैतिक दलों की आवाज माने जाने वाले (अपनी प्रवृति और अवसर पर निर्भर करते हुए। मुशाहिद हुसैन कहते है:

''एक ऐसा भारत जो अपने ही साथ युद्ध में व्यस्त हो, पाकिस्तान और दक्षिण एशिया के कुछ छोटे देशों के लिए ज्यादा सुविधाजनक है बनिस्पत उस भारत के जहां आंतरिक शांति विद्यमान हो।''

आगे वह इस बात को स्वीकार करते हैं कि खालिस्तान, कश्मीर इत्यादि को पाकिस्तान की तरफ से दिए जा रहे समर्थन के पीछे यही सोच काम कर रही है। सबसे अहम है पाक नाभिकीय अस्त्रीकरण द्वारा हमारे निर्णय लेने और निर्णय पर प्रभाव डालने वाले महत्वपूर्ण वर्ग के बीच उत्पन्न किया गया विभाजनकारी चिंतन-मनन। क्या हमें नाभिकीय हथियार हासिल करना चाहिए या नहीं करना चाहिए? क्या हमें अपने अंतरिक्ष और प्रक्षेपास्त्र प्रौद्योगिकी कार्यक्रमों को छोड़ देना चाहिए या ऐसा नहीं करना चाहिए। क्या हमें अ-प्रसार सन्धि की भेदपूर्ण व्यवस्थाओं का हिस्सा होना चाहिए या नहीं होना चाहिए? इस तरीके का चिंतन मनन अपने आप ही एक सामंजस्यपूर्ण और संरचित रक्षा नीति का स्वरूप गढ़ने में बाधा खड़ी कर देता है। यह पाकिस्तान के लिए अनुकूल स्थिति होगी। मुझे यहां पर यह कहना है कि मुशाहिद हुसैन की भारत को अपने आप से युद्ध करते देखने की आशा और उससे संबंधित दलीलें, जो उन्होंने प्रस्तुत की, बतौर पत्रकार दी गई सलाह मात्र नहीं हैं, बल्कि ये जिया-उल-हक, बेनजीर और नवाज शरीफ की पिछले दशक के दौरान हमारे पड़ोसी देशों के राष्ट्राध्यक्षों व शासनाध्यक्षों से की गई वकालत का हिस्सा हैं। हमने इन सबके प्रति किस तरह

से प्रतिक्रिया की है? मौजूदा सूरतेहाल में हमारी नीति क्या है? एक हमारी नाभिकीय और आम रक्षा नीतियां पाकिस्तान की सारी चालों से पूरी तरह से अवगत रहते हुए गढ़ी गई हैं। दो, किसी भी हालत में हम अपने नाभिकीय विडल्प्य को नहीं छोड़ सकते हैं, जिसका यह भी मतलब है कि हमें अपनी प्रक्षेपास्त्र और नाभिकीय प्रौद्योगिकी को पाकिस्तान और अन्य क्षेत्रों से होने वाले खतरों का सामना करने के लिए अपेक्षित स्तरों तक उठाना होगा। तीन, अ-प्रसार और विनाशकारी हथियारों की प्रौद्योगिकी और शस्त्र नियंत्रण के प्रति हमारी स्पष्ट प्रतिबद्धता के साथ सामंजस्य करते हुए हमने महत्वपूर्ण शक्तियों के साथ टकराव की स्थिति से परहेज किया और हर लिहाज से भेदभावरहित निशस्त्रीकरण के लक्ष्य की ओर आगे बढ़ने के लिए महत्वपूर्ण देशों के साथ सारपूर्ण वार्ताओं की श्रृंखला में प्रवेश किया है। चार, हमने पाकिस्तान के साथ एक ठोस पेशकश की है कि हम अपनी-अपनी नाभिकीय क्षमताओं को एक-दूसरे के खिलाफ इस्तेमाल नहीं करेंगे। जहां हाल में ही अमेरिकी कांग्रेस की अनुसंधान सेवा रपट यह भारत को नाभिकीय हथियार संपन्न देश घोषित करती है वहीं वे पाकिस्तान को नाभिकीय हथियार दर्जे के नजदीक बताते है। पाकिस्तान द्वारा अपने नाभिकीय हथियार दर्जे की घोषणा ने नाभिकीय विकल्पों और नाभिकीय मुद्दों पर हमारी ओर से रखी गई सारी दलीलों को मजबूत ही किया है। इस बदले हुए हालात में नाभिकीय शक्ति संपन्न देशों की ओर से डाले जा रहे भेदभावपूर्ण दबावों का प्रतिरोध करने की हमारी क्षमता में वृद्धि होनी चाहिए। अपने विकल्पों को चुनने, जिसका अर्थ अस्त्रीकरण ही हो जरूरी नहीं है, के बारे में एक ज्यादा व्यवहार्य नजरिया अपनाते समय हमें उचित ठहराया जाय। हमें अपने अंतरिक्ष और प्रक्षेपास्त्र प्रौद्योगिकी का विकास करने की दिशा में मजबूत रहना चाहिए।

जहां तक 'पहले प्रयोग नहीं' के बारे में दी गई सलाहों का सवाल है, चीन ने एकपक्षीय रूप से इस दायित्व को उठा लिया है। हमने पहले से ही इसके लिए पाकिस्तान के सामने प्रस्ताव रखा था, जिसे उन्होंने ठुकरा दिया। कोई भी समझदार समाज या सरकार दूसरों के खिलाफ कभी भी विनाशकारी हथियारों का इस्तेमाल नहीं करेगा। पाकिस्तान से इस समझदारी को बनाए रखने के संबंध में बात करना एक अतिसाधारण वस्तुस्थिति है। भारत ने इस बारे में अपनी इच्छा का इजहार किया है। किसी आक्रामक प्रवृति का सामना करने के लिए अपने बारूदी पलीते को तैयार रखना विनाशकारी नहीं, बल्कि आवश्यक है। हां, बर्बादी तब है जब ऐसी विकट स्थिति बन जाए कि किसी को एक पड़ोसी की अहमंन्यता के कारण इन भयंकर हथियारों का इस्तेमाल करना पड़ जाए। नई

दिल्ली ने पिछले दशक के आसपास इस तथ्य का पता चला कि पाकिस्तान के पास नाभिकीय बम है। अब बारी वाशिंगटन की है कि इस तथ्य का सामना करे और बजाय नाभिकीय युद्ध की धमकियाँ उछालने के पाकिस्तान को एक विवेकपूर्ण विचार के दायरे में वापस लाया जाए।

कश्मीर मसले के बहुपक्षीकरण में पाकिस्तान पुनः विफल–एक टिप्पणी

10 नवम्बर से भारत के अखबारों की सुर्खियों में यह बात लगातार छाई रही कि पाकिस्तान संयुक्त राष्ट्र में कश्मीर संबंधित अपने प्रस्ताव को ओ आई सी के अपने संपर्क समूह के जरिए आगे बढ़ाने में, जो मूलतः इसी प्रयोजन के लिए रची गई थी, विफल हुआ है। इस संपर्क समूह के महत्वपूर्ण सदस्य-सऊदी अरब, तुर्की और नाइजर, लगभग दो महीनों से किए जा रहे अपने प्रयासों के बावजूद पाकिस्तान के इस दुष्प्रेरित प्रस्ताव के लिए 8-10 निश्चित सह-प्रायोजक नहीं जुटा पाए। इस प्रस्ताव का मसौदा जान-बुझ कर ऐसी भाषा का इस्तेमाल करते हुए तैयार किया गया था कि यह कहीं से भी हानिकारक न लगे और संयुक्त राष्ट्र के सदस्यों के बीच कम से कम विवाद और आशंकाएं पैदा करे। पर इसी के साथ यदि इस प्रस्ताव को प्रस्तुत किया जाता और पारित कर दिया जाता तो इससे कश्मीर से संबंधित मसलों पर संयुक्त राष्ट्र का क्षेत्राधिकार बतौर परिकल्पना पुनर्जीवित हो उठता। यह एक अहम बात है कि पाकिस्तान ओ आई सी समूह से अपने प्रस्ताव के लिए पर्याप्त बड़ी संख्या में सह-प्रायोजक तक नहीं प्राप्त कर सका। पाकिस्तान द्वारा प्रस्ताव पेश न करने का निर्णय लेने के बाद मेरी बातचीत जब अपने एक पाकिस्तानी मित्र के साथ हुई तो उन्होंने बताया कि सह-प्रायोजक प्राप्त करने में आई मुश्किल की वजह यह नहीं थी कि अन्य देश कश्मीर मुद्दे की गंभीरता को लेकर निस्पृह थे, बल्कि वस्तुस्थिति यह थी कि वे किसी विवादास्पद स्थिति में उलझना नहीं चाहते थे। सामान्य गणना के अनुसार प्रथम समिति में पाक प्रस्ताव के लिए समर्थकों की निश्चित अधिकतम संख्या सिर्फ 32 के आसपास ही हो पाई थी। अतः प्रस्ताव न पेश कर पाना पाकिस्तान के लिए निश्चित तौर पर एक कूटनीतिक आघात है, खासतौर पर ऐसे में जबकि पाकिस्तान बार-बार इस बात का दावा करता रहा है कि वह तब तक चैन से नहीं बैठेगा जब तक संयुक्त राष्ट्र और अंतर्राष्ट्रीय समुदाय को कश्मीर मसले में शामिल होने के लिए मना नहीं लेता। भारतीय मीडिया सिर्फ इसी बात का जिक्र करता रहा है कि 1991 से पाकिस्तान तीन-चार अवसरों पर अपने

प्रस्ताव को पारित कराने में असफल रहा है। हमारे विश्लेषण और भविष्यवाणियों में हमें दीर्घकालिक परिप्रेक्ष्य अपनाना जरूरी है। हमें यह बात याद रखनी चाहिए कि शिमला समझौते पर हस्ताक्षर होने के तीन महीनों के भीतर ही जुल्फिकार अली भुट्टो की सरकार ने उस समझौते में जिक्र किए गए मसलों को द्विपक्षीय स्तर पर निपटाने की प्रतिबद्धता के बावजूद कश्मीर मसले को बहुपक्षीय मंचों पर उठाना शुरू कर दिया था। पिछले 22 सालों से यही ढर्रा चला आ रहा है। यह और तीव्र हो जाता था जब कभी जम्मू-कश्मीर में कोई गड़बड़ी पैदा होती और पाकिस्तान अपनी कार्यसिद्धि के लिए इसका फायदा उठा लेता।

प्रस्ताव पेश करने में पाकिस्तान की विफलता के कारण इस प्रकार हैं: एक, ज्यादातर मुस्लिम देशों ने खुद ही अपने सरोकारों-आर्थिक और राजनीतिक के ढांचे में भारत को उलझन में डालना या उसका प्रतिरोध करना उचित नहीं समझा। वे भारतीय राजनीतिक पद्धति की धर्मनिरपेक्ष विचारधारा, जो भारत के बड़ी संख्या में मुस्लिम नागरिकों की सुरक्षा और खुशहाली सुनिश्चित करती है, के ह्रास के प्रति भी चिंतित थे। दो हमारे संपर्कों और अपने लिए समर्थन जुटाने की हमारी कोशिशों से पश्चिमी शक्तियां निश्चित तौर पर इतनी प्रभावित तो हुई ही होंगी कि पाकिस्तानी कदम पर रोक लगा सकें। यह उनका आकलन हो सकता था, और सही ही है कि यदि ऐसा प्रस्ताव प्रस्तुत होता और पारित हो जाता तो यह भारत के समझौता वार्ता के प्रति रुख को मजबूत ही करता और इस मसले पर भारत और पाकिस्तान के बीच द्विपक्षीय बातचीत की सम्भावना को अवरूद्ध कर देता। विकसित देशों का अनुमान यह रहा होगा कि कश्मीर जैसा मुद्दा, जो दरअसल एक नगण्य क्षेत्रीय मसला है, पर भारत का प्रतिरोध करना इस देश से जुड़े उनके अपने वृहत्तर आर्थिक और रणनैतिक सरोकारों के लिए हितकर नहीं है। 1992 के अंत से भारत द्वारा किए गए प्रयास और नीतिगत घोषणाएं कश्मीर मसले के समाधान के प्रति भारत की निष्ठा और विश्वसनीयता को दर्शाती हैं। कश्मीर की स्थिति के बारे में ज्यादा पारदर्शी होने की हमारी इच्छा; वहां के माहौल को खुद आकर देखने के लिए बाहरी निष्पक्ष संगठनात्मक पर्यवेक्षकों को अनुमति देना; मानवाधिकार आयोग का गठन करना; विदेशी कूटनीतिक प्रतिनिधियों को जम्मू-कश्मीर जाने की अनुमति देना; और हमारे प्रधानमंत्री का संयुक्त राष्ट्र के कुछ महत्वपूर्ण सदस्य देशों के नेताओं के साथ किया गया संवाद, जिसके परिणामस्वरूप पाकिस्तान के राजनैतिक और दुष्प्रचार मुहिम के खिलाफ संयुक्त राष्ट्र में अपेक्षित प्रतिक्रिया दिखाई पड़ी। यह भारत सरकार द्वारा की गई उन नीतिगत घोषणाओं के अतिरिक्त है, जिसमें कहा गया

है कि हम राजनैतिक वार्ता और चुनावों के लिए आगे बढ़ेंगे। इससे भी काफी मदद मिली।

प्रस्ताव पेश न हो पाने से प्रधानमंत्री बेनजीर मुद्दो के लिए निश्चित तौर पर जटिलताएं और घरेलू तनाव उत्पन्न होंगे। इसका परिणाम यह भी होगा कि पाकिस्तान के धार्मिक और विरोधी राजनैतिक तत्व कश्मीर मुद्दे पर भारत का सामना करने के लिए खतरनाक कदम उठाने की वकालत करने में और भी मुखर और स्पष्टवादी हो जाएंगे। मैं खुश हूं कि जैसे-जैसे प्रस्ताव अपनी गति खो रहा था, हमने पाकिस्तान के साथ द्विपक्षीय वार्ता की पेशकश रखने में उतनी ही तेजी दिखाई। विदेश सचिव श्रीनिवासन राष्ट्रकुल के वरिष्ठ नेताओं की बैठक के लिए इस महीने के अंत तक शायद इस्लामाबाद जाएं। इस दौर के दौरान वार्ता पुन: आरंभ करने के तहत कुछ शुरुआती कदम उठाए जा सकते हैं।

मैं इस मूल बिन्दु को उठाना चाहूंगा कि प्रस्ताव वापस लिए जाने की स्थिति में विजयोल्लासपूर्ण मीडिया ब्योरा और उद्दात राष्ट्रवाद में रंगे माहौल से परहेज करना चाहिए। पाकिस्तान के प्रति भारत की नीतियों के उद्देश्य में उस देश के साथ कूटनीतिक टकराव या प्रचार युद्ध जैसी बात शामिल नहीं है और होनी भी नहीं चाहिए। इस साल प्रस्ताव वापस ले लिए जाने का यह कतई मतलब नहीं होता कि अंतर्राष्ट्रीय मंच पर पाकिस्तान द्वारा ऐसे प्रस्ताव फिर नहीं पेश किए जाएंगे। ऐसी घटना के लिए हमें तैयार रहना होगा। इसी के साथ इस विषय में हमारे आधारभूत हितों के प्रति मजबूत रहते हुए पाकिस्तान के साथ द्विपक्षीयवाद और वार्ता के जरिए कश्मीर के लिए समाधान निकालने का हमें प्रयास करना चाहिए।

कराची में भारतीय दूतावास को बंद करना: एक बौखलाई हरकत

पाकिस्तान ने 26 जनवरी 1994 को भारतीय वाणिज्य दूतावास को बंद करने की घोषणा की। वाणिज्य दूत, उनके कर्मी और उनका परिवार 4 जनवरी को दिल्ली लौट आए। इसने भारत-पाकिस्तान के बीच के चिरस्थायी विवाद में एक और आयाम जोड़ दिया।

यह विडंबनापूर्ण है कि जिस बेनजीर भुट्टो ने वाणिज्यदूतावास को बंद करवाया था, उन्होंने ही 70-80 के दशकों में इसे बाहरी दुनिया की ओर खुलने वाली खिड़की बताया जब जिया-उल-हक के शासन में उनके साथ बुरा व्यवहार हो रहा था। कम से कम तीन भारतीय वाणिज्य-दूतों मणि शंकर अय्यर

आफताब सेठ और जी. पार्थसारथी–के साथ मनोयोगपूर्वक उन्होंने मित्रता की थी। फिर, अगस्त 1990–1991 के बीच जब गुलाम इशाक खान ने उन्हें बर्खास्त किया, तब उन्होंने भारतीय वाणिज्य दूत एम. एल. त्रिपाठी के साथ दोस्ती बढ़ाई। उनके निर्णय के पीछे छुपा अभिप्रेरण और विवेक भारतीय सार्वजनिक रुख को स्पष्ट रूप से समझ लेना चाहिए।

चलिए, पहले इतिहास पर थोड़ी नजर डालें। जब पाकिस्तान की राजधानी इस्लामाबाद स्थान्तरित हुई थी तो भारत ने सहायक उच्चायुक्त का एक कार्यालय कराची में बनाए रखा था, जबकि पाकिस्तान के दो थे– दिल्ली में उच्चायुक्त और कलकत्ता में उप उच्चायुक्त। कराची और कलकत्ता के कार्यालय जिस व्यवहार्य प्रयोजनों के लिए काम कर रहे थे उनके बीच एक समानता थी। कराची में भारतीय कार्यालय उत्तर मध्य भारत व सिंध और दक्षिणी पंजाब से अपने रिश्तेदारों से मिलने बड़ी संख्या में आने वाले लोगों की जरूरत और बिहार, उत्तर प्रदेश, मध्य प्रदेश और राजस्थान मूल के पाकिस्तान यात्रियों को वहां जाने के सिलसिले मे अपेक्षित यात्रा सुविधाओं का बंदोबस्त करता था। कलकत्ता में पाकिस्तानी मिशन भी पश्चिमी बंगाल और पूर्वी पकिस्तान के बीच यात्रा करने वालों के लिए ऐसी ही सुविधाएं मुहैया कराता था। इन मिशनों ने जहाजरानी सरोकारों और व्यापार संबधों का भी ध्यान रखा था। 1971 व 1972 की घटनाओं के परिणामस्वरूप कलकत्ता में पाक मिशन बंद कर दिया गया। पर कराची में भारतीय कार्यालय की प्रासंगिकता बनी रही: वजह थी, बड़ी संख्या में पाकिस्तानी और भारतीय नागरिकों के बीच पारिवारिक जुड़ाव, सांस्कृतिक व भाषाई सहबंधन। 1979 में वाणिज्य दूतावास के रूप में कराची ऑफिस फिर खोला गया। 1972 से लेकर 1990 की शुरुआत तक भारत-पाक रिश्तों में तुलनात्मक रूप से जो सामान्य स्थिति बनी हुई थी उसी के साथ दूतावासों ने भारत-पाक रिश्तों के सकारात्मक पहलुओं का विकास करने में एक महत्वपूर्ण उत्प्रेरक के रूप में काम किया था। इस वाणिज्य-दूतावास में लगभग 60–65 भारत स्थित अधिकारी और कर्मी थे। 80 के उत्तरार्द्ध और 90 के पूर्वार्द्ध में अपने अन्य सांस्कृतिक और वाणिज्यिक कार्यों को छोड़ कर यह एक दिन में 650–700 वीजा जारी कर रहा था और उस संख्या के एक तिहाई परिमाण में पाकिस्तान आए हुए भारतीय नागरिकों के पासपोर्ट संबंधित आवश्यक कार्यवाही पूरी कर रहा था। भारत ने पाकिस्तान को बम्बई में अपना वाणिज्य-दूतावास खोलने की अनुमति दे दी थी, पर पाकिस्तान सरकार ने अपने कार्यालय खोलने की बात को किसी तरह इस शर्त के साथ जोड़ दिया कि भारत सरकार मोहम्मद

अली जिन्ना के बम्बई के विशाल आवास को, जो बंटवारे के बाद से ही निष्क्रांत संपत्ति घोषित कर दिया गया था, पाकिस्तान को लौटा दे। यह सही है कि इन्दिरा गांधी 80 के दशक के पूर्वार्द्ध में इस संपत्ति को पाकिस्तान सरकार द्वारा अपना कार्यालय खोलने के मद्देनजर देने के लिए तैयार हो गई थीं। परंतु 1985 और 1991 में दोनों के बीच स्थितियां जटिल हो गई थीं। कश्मीर में पाकिस्तान की उत्पातपूर्ण गतिविधियां बढ़ गईं थीं। इसी के साथ भारत के पश्चिमी तट पर इंटर सर्विसेज इंटेलिजेंस (आई एस आई) की कार्रवाइयां भी बढ़ गईं थीं। ऐसी परिस्थितियों में बम्बई का जिन्ना हाउस पाकिस्तानी सरकार को हस्तान्तरित किए जाने पर उठने वाली आंतरिक राजनैतिक आलोचना को लेकर भारत सरकार की अपनी बाध्यताएं थीं। इसलिए, भारत सरकार ने पाकिस्तान सरकार को सूचित किया कि जिन्ना हाउस देना मुश्किल है पर भारत ने पाकिस्तान को बम्बई में कार्यालय और आवास की सुविधा मुहैया कराने में मदद करने की इच्छा जतलाई। ये दोनों पेशकश 1990 और 1992 के बीच में की गईं जिन्हें पाकिस्तान ने वित्तीय और तकनीकी आधार पर अस्वीकार कर दिया।

पाकिस्तान द्वारा आवास-सुविधा की पेशकश ठुकराने का उद्देश्य प्रकट रूप से कराची में भारतीय वाणिज्य-दूतावास को बंद करने के लिए कुछ ठोस आधार तलाशना था। इस सिलसिले में पहला कदम था पाकिस्तान को दिए जाने के अपने वादे से मुकर रहा है। दूसरा अपेक्षाकृत ज्यादा गंभीर कदम उठाते हुए 29 दिसम्बर 1992 को पाक विदेश मंत्रालय ने भारत सरकार से सलाह किए बगैर एकपक्षीय रूप से यह निर्णय लिया कि भारत को अपने वाणिज्य-दूतावास के कर्मियों की संख्या 64 से घटा कर 24 करने के लिए कहा जाए। बाबरी मस्जिद का नष्ट होना और बम्बई में पाक वाणिज्य-दूतावास के लिए पाकिस्तानी मांगों के अनुसार आवास-सुविधा मुहैया कराने में भारत की ओर से मंजूरी न होना बतौर बहाना पेश किया गया।

इस्लामाबाद के राजधानी बनने के बाद से ही वहां के केन्द्रीय अधिकारी हमेशा ही कराची में उपस्थित भारतीय राजनयिकों और वाणिज्यदूतों को लेकर घबराते रहे हैं। इसका कारण कराची की महानगरीय आबादही और पाकिस्तानी पंजाब की अपेक्षाकृत अलगावपूर्ण और भ्रांत राजनीतिक संस्कृति के बीच प्रवृत्तियों ओर राजनैतिक रूझानों में गुणात्मक अन्तर में छुपा है। पाकिस्तानी राजनीति में सिंधी और पंजाबी का एक-दूसरे के लिए विरोधी रुख बराबर से बना हुआ है। उभरती सामाजिक-आर्थिक स्थिति के साथ सिंध के राजनैतिक समीकरणों को काफी परिवर्त्तनों से गुजरना पड़ा। सशस्त्र बल प्रतिष्ठान ने जब

भी राजनैतिक शक्ति की कमान प्रत्यक्ष रूप से संभाली, तब-तब उन्होंने सिंध में जमीन के बड़े-बड़े पट्टे पंजाबी सैन्य अधिकारियों के नाम किए थे। 1979 से शुरू हुए अफगान युद्ध का परिणाम यह हुआ कि पख्तून और बलूची राजनैतिक और आर्थिक संचालकों को सिंध में पैर जमाने का मौका मिल गया। सिंध की ग्रामीण जनसांख्यिकी बदल गई थी। इसका कारण यह था कि बड़ी संख्या में मुजाहिर जो खासकर उत्तर-प्रदेश, मध्य-प्रदेश, और बिहार से पलायन कर सिंध की ओर बढ़ आए थे, नवाबशाह, हैदराबाद (सिंध) जैसे प्रांतों के महानगरीय केन्द्रों और खासतौर पर कराची में बसने लगे थे। बड़ी तेजी के साथ कराची की आबादी का बहुसंख्या हिस्सा मुजाहिरों का हो चला था। उसी तेजी के साथ पाकिस्तान की केन्द्रीय सरकार के बारे में उनका मोह भंग भी होता जा रहा था। यही कारण था कि इस्लामाबाद में जो भी सत्ता में आता, उसके मन में सिंध में हो रही गतिविधियों को लेकर आशंकाए और संदेह घुमड़ते रहते। पाकिस्तानी अधिकारियों ने लगातार भारत पर संदेह किया कि वह सामान्य तौर पर सिंध और खासकर कराची के महानगरीय संशयवादी राजनीतिक संस्कृति का दोहन कर रहा है जो पाकिस्तानी हितों के लिए हानिकारक है। कराची में रहते हुए वाणिज्यदूत सिंध में सभी तरह के राजनेताओं के साथ संपर्कों को नजरअंदाज नहीं कर सकते थे। इसी तरह, जिया के खिलाफ लोकतंत्र बहाली के लिए हुए आंदोलन का केन्द्र जब कराची बना तो उस समय बेनजीर द्वारा वाणिज्यदूत से किया गया संपर्क पाकिस्तान सरकार को नागवार गुजरा। इसमें एक बात और यह जुड़ गई थी कि कराची के वाणिज्यदूत भारत व पाकिस्तान, दोनों देशों की जनता के बीच कुशलता-पूर्वक संपर्क स्थापित करने के कारण बधाई के पात्र बन गए थे। यह पाकिस्तानी शक्ति संरचना को हजम नहीं हो रहा था, क्योंकि प्रत्यक्ष संपर्कों का अर्थ था एक दूसरे की प्रवृत्तियों और विचारों के बारे में प्रत्यक्ष और वर्जनारहित सोच जो जहां तक भारत और पाकिस्तान की जनता का संबंध है—परस्पर विरोधी नहीं है। ऐसे अंतर्व्यवहार ने भारत के बारे में बनी नकारात्मक छवि और बनावटी दलीलों, जिस पर पाकिस्तान में सत्तासीन हुई, बाद की सरकारों ने अपनी भारत-विरोधी नीतियों की संरचना की थी, को पहले तो चुनौती दी और बाद में इसे खारिज कर दिया।

पिदले 14-15 सालों से भारतीय वाणिज्यदूतावास के कर्मी पारंपरिक रूप से पाकिस्तानी खुफिया विभाग द्वारा उत्पीड़न और अत्यधिक रूप से की गई निगरानी झेल रहे हैं। इन सब की परिणति 8 दिसम्बर, 1992 को कराची में भारतीय वाणिज्यदूत के आवास में की गई तोड़-फोड़ और फिर उसे जला डालने

के रूप में नजर आई। पाकिस्तान सरकार द्वारा भारतीय वाणिज्य-दूतावास को बंद करने का निर्णय अनापेक्षित नहीं था। फिर भी, यह घटना पाकिस्तान सरकार की हताश आतंरिक राजनीतिक विकट स्थिति को इंगित करती है जिसे दो उद्देश्यों की पूर्ति करनी है; पहला, सिंध की अनियंत्रित आंतरिक स्थिति से लोगों का ध्यान हटाना और दूसरा कश्मीर मसले पर पाक कूटनीति की असफलता को छुपाने के लिए किसी भी तरह के कठोर रुख अपनाने का दिखावा करना। इससे यह संकेत भी मिलते हैं कि हो सकता है पाकिस्तान पंजाब और कश्मीर में अपनी उत्पातपूर्ण गतिविधियों को तेज कर दे और भारत के खिलाफ अपने कूटनीतिक और मीडिया क्रियाकलापों में इजाफा करे। इस कदम ने विश्वास बढ़ाने के उपाय को सार्थक करने के प्रयासों को भी विफल कर दिया है जो जुलाई 1990 से धीमी गति से ही चल रही सतत प्रक्रिया थी। इस बात की भी संभावना है कि भारत व पाकिस्तान के बीच विभिन्न विचाराधीन मुद्दों जैसे विदेश सचिव स्तर की वार्ता या सियाचिन और सर क्रीक के मुद्दे पर वार्ता के लिए अधिकारी स्तर के संपर्क स्थगित कर दिए जाएं। हमारी प्रतिक्रिया यांत्रिक नहीं होनी चाहिए। पाकिस्तान के कूटनीतिक और वाणिज्य दूत के कार्यालयों को बंद करने का कोई औचित्य नहीं है। हमारा उद्देश्य पाकिस्तानी अभिप्रेरणों और उनके परिणामों को पहले तो भारत और पाकिस्तान के लोगों के सामने आनवृत करना है, फिर विश्व में इस बात का खुलासा करना है कि निकट भविष्य में दक्षिण एशियाई शांति और स्थिरता के मुद्दों पर पाकिस्तान से किसी भी व्यावहारिक या यर्थाथपरक रुख की अपेक्षा नहीं की जा सकती है।

8

विदेश नीतियों में संकल्पनागत प्रवृत्तिः भारत बनाम पाकिस्तान

शिमला समझौते के बारे में पी. एन. धर का खुलासाः पाकिस्तान की बौखलाहट

प्रधानमंत्री इंदिरा गांधी के पूर्व सचिव पी. एन. धर ने जुल्फिकार अली भुट्टो द्वारा कश्मीर के संबंध में 2 जुलाई 1972 को शिमला में इंदिरा गांधी को दिए गए कुछ आश्वासनों और प्रावधानों के ब्योरे का रहस्योद्घाटन किया था जिसके प्रतिदान स्वरूप इंदिरा गांधी भारतीय सशस्त्र सेना के अधिकार में आए हुए पाकिस्तानी क्षेत्र को खाली करने और 93,000 पाकिस्तानी युद्ध-बन्दियों को मुक्त करने की दिशा में काम करने के लिए तैयार हो गई थी। इस प्रकटीकरण ने खलबली मचा दी थी। जहां एक ओर भारतीय मीडिया ने धर के लेख पर विशेष रूप से टिप्पणी की, वहीं इस प्रकटीकरण पर हुई पाकिस्तानी प्रतिक्रियाओं पर उन्होंने कोई खास ध्यान नहीं दिया।

धर के प्रकटीकरण के लगभग छह सप्ताह बाद पाकिस्तान की सरकार, पाकिस्तानी राजनेता और वहां के मीडिया ने धर द्वारा जिक्र किए गए तथ्यों की सत्यता भारत की मंशा और धर के अभिप्रेरणों पर सवाल उठाते हुए उस रहस्योद्घाटन पर गंभीर चिंतन जारी रखा। ऐसा अंदेशा हो चला था कि पाकिस्तान का राजनैतिक और सरकारी अमला भुट्टो व इंदिरा गांधी के बीच के अनौपचारिक समझौते को नकार देगा। पर जिस तरीके से यह हुआ और धर के लेख ने जिन चीजों पर प्रकाश डाला है उसके संदर्भ में संभावित पाकिस्तानी नीति के व्याख्यात्मक प्रक्षेपण सह हो सकते हैं कि पाकिस्तान कश्मीर मसले पर हठी रवैया अपनाएगा और किसी भी सौहार्दपूर्ण समाधान के विचारों को स्वीकार करने में अनिच्छा जाहिर करेगा।

धर के लेख के प्रकाशित होने के 24 घंटे के भीतर पाकिस्तान विदेश विभाग ने आधिकारिक रूप से अपनी प्रतिक्रिया व्यक्त कर दी थी। धर के लेख के विषय-सार को उद्धृत करने के बाद पाकिस्तानी विदेश विभाग द्वारा दिए गए वक्तव्य में अधोलिखित बातों पर जोर दिया गया:

"यह दावा आधारहीन और बेसिर-पैर का है। इस संदर्भ में यह हवाला दिया जा सकता है कि इंदिरा गांधी ने 23 अप्रैल, 1978 को खुद अपने वक्तव्य में शिमला में अपने और राष्ट्रपति भुट्टो के बीच किसी गुप्त सहमति की बातचीत को सर्वथा हास्यास्पद बताते हुए खारिज कर दिया था।" इंदिरा गांधी के वक्तव्य को 24 अप्रैल, 1978, के 'इंडियन एक्सप्रेस' में फिर से छापा गया था।

धर के विश्लेषण को उद्धृत करते हुए इस प्रश्न पर कि शिमला समझौते में उपधारा 4 (ii) क्यों शामिल की गई, 5 अप्रैल, 1995 को पाकिस्तानी वक्तव्य में यह बताया गया "पाकिस्तान का स्थापित रुख जो है वही संयुक्त राष्ट्र का भी स्थापित रुख है यानि जम्मू-कश्मीर का भविष्य लोकतांत्रिक प्रक्रिया के निष्पक्ष और स्वतंत्र जनमत संग्रह के माध्यम से ही निर्धारित किया जाना चाहिए। यही भारत का भी स्थापित रुख होना चाहिए क्योंकि वह ही संयुक्त राष्ट्र के प्रस्तावों का आकांक्षी था।

इस वक्तव्य के बाद पाकिस्तान विदेश मंत्री सरदार आसिफ अली ने अपने वक्तव्यों में स्पष्ट रूप से ऐसी खबरों को बेबुनियाद बताया जिसके अनुसार इंदिरा गांधी ओर भुट्टो के बीच इस तरह की कोई सहमति हुई थी जिसमें मौजूदा नियंत्रण रेखा को अंतर्राष्ट्रीय सीमा में तबदील करने की बात हुई हो। सरदार आसिफ अली ने धर द्वारा दी गई सूचना को "विशफुल थिंकिंग" (कोरी आशा) बताया। पाकिस्तानी अधिकारियों को महसूस हुआ कि यह पर्याप्त नहीं। पाकिस्तान के राष्ट्रपति ने हमारी पत्रिका 'इंडिया टुडे' से बातचीत में खुद कहा: धर ने इंदिरा गांधी और जुल्फिकार भुट्टो के बीच शिमला में बनी परस्पर समझबूझ के बारे में हाल में जो कुछ भी लिखा है हम उससे सहमत नहीं हैं।

विपक्ष के नेता और पूर्व प्रधानमंत्री नवाज शरीफ ने भुट्टो द्वारा किए गए कथित समझौते को देशद्रोहात्मक समझा और धर द्वारा दी गई सूचना का फायदा उठाने में बड़ी तत्परता दिखाई। उन्होंने यह मांग रखी: "राष्ट्र को कश्मीर के ऊपर किए जा रहे सारे षड़यंत्रों के विवरणों और खासकर 1972 में जुल्फिकार अली भुट्टो और इंदिरा गांधी के बीच हुए गुप्त शिमला समझौते के बारे में पूरी जानकारी मिलनी चाहिए।" नवाज शरीफ के दल, दि पाकिस्तान मुस्लिम लीग

(एन), के सूचना सचिव ने बेनजीर भुट्टो की पी पी पी नेतृत्व वाली सरकार को राष्ट्रीय सुरक्षा के विषय पर पाकिस्तान के नागरिकों को भरोसे में लिए बगैर मौन और गोपनीयता की नीति का पालन करने का आरोप लगाया।

हुमायूं गौहर जैसे प्रख्यात पाकिस्तानी राजनीतिक टीकाकार और जावेद जब्बार जैसे भुट्टो सरकार के पूर्व मंत्री एक ही विषय के पहलुओं पर केन्द्रित लेख लिखने लगे थे, जिसमें उनकी कोशिश रहती धर के लेख की विषय-वस्तु का खंडन करना। तुलनात्मक रूप से एकमात्र संतुलित लेख लिखा था अकरम जाकी ने, जो पाकिस्तान विदेश विभाग के पूर्व महासचिव थे। जाकी धर के लेख में दी हुई दलीलों से असहमत हुए बगैर इसे उद्धृत करते है। उद्धरण इस प्रकार है:

"समझौते को गुप्त रखना भुट्टो व इंदिरा गांधी दोनों के लिए सुविधाजनक था। दोनों ही सार्वजनिक रूप से कश्मीर के ऊपर अपने पारंपरिक रुख का त्याग नहीं कर सकते थे। पाक-अधिकृत कश्मीर पर भारतीय दावे को औपचारिक रूप से वापस लेना इंदिरा गांधी के लिए राजनैतिक परेशानियां खड़ी कर देता। भुट्टो एक पराजित और हताश राष्ट्र के नेता के रूप में और भी ज्यादा नाजुक स्थिति में थे। यह बड़ा उपयोगी होगा यदि हम ताशकंद समझौते और शिमला समझौते से जुड़े रहस्यों को उनके ऐतिहासिक परिप्रेक्ष्य में तलाशें और खासतौर पर जानने का प्रयास करें कि आखिर क्यों धर को इस समय शिमला के बारे में इस तरीके के प्रकटीकरण की आवश्यकता महसूस हुई?" जाकी आगे पूछते हैं: जमीनी वास्तविकताओं, कश्मीर के लोगों की आकांक्षाओं, भारत व पाकिस्तान किसी अंतर्राष्ट्रीय प्रतिबद्धताओं और विश्व समुदाय को पूरी तरह नकारते हुए तथाकथित गोपनीय समझौते को लागू करने और वास्तविक नियंत्रण रेखा को विधिसम्मत बनाने के लिए क्या कोई मुहिम सक्रिय है? वास्तविक नियंत्रण रेखा को स्थायी अंतर्राष्ट्रीय सीमा बनाने का भारत का सपना, यदि इंदिरा गांधी ने भुट्टो से ऐसे किसी प्रस्ताव पर सहमति हासिल कर भी ली हो तो, पूरा नहीं हो सकता क्योंकि जमीनी राजनैतिक वास्तविकताएं पूरी तरह से बदल गई हैं और दूसरी ही दिशा में पनपने लगी हैं।

पाकिस्तान के उर्दू समाचार पत्र और पत्रिकाओं ने धर के प्रकटीकरण के प्रति एकमत होकर आलोचनात्मक और रोषपूर्ण रुख बनाए रखा है। पहले, मैं इस बात की पुनः पुष्टि कर दूं कि धर ने जो कुछ भी प्रकट किया है वह वस्तुतः अविवादास्पद और सही है। 1971 की पूरी अवधि में मैं पूर्वी पाकिस्तान के संकट से जुड़े विशेष विभाग के निदेशक के पद पर नियुक्त रहा जब तक कि

बांग्लादेश मुक्त नहीं हो गया। 1972 के पूर्वार्द्ध के दौरान, जब शिमला समझौते पर हस्ताक्षर होने की स्थितियां पैदा हुईं, बांग्लादेश में भारतीय उच्चायोग का पहला कार्यकारी प्रमुख भी मैं ही था। बांग्लादेश के तत्कालीन प्रधानमंत्री को दी गई जानकारी में भारतीय विदेश विभाग और हमारे प्रधानमंत्री कार्यालय से मेरे वरिष्ठ सहकर्मियों ने मुजीब को इंदिरा गांधी और भुट्टो के बीच हुई सहमति के बारे में सूचित किया था जिसका वर्णन धर ने अपने लेख में किया है। दरअसल मुजीब के मंत्रिमंडल के वरिष्ठ मंत्रियों ने मुझे बताया था कि युद्ध बंदियों को मुक्त कराने और पाकिस्तानी सैन्य अधिकारियों के खिलाफ युद्ध अपराध मुकदमा चलाने से रोकने के लिए भारत के साथ किसी मध्यस्थ को नियुक्त करने के लिए स्वीकृति देने के अलावा भुट्टो ने परोक्ष रूप से शेख मुजीबुर्रहमान को यह संदेश भेजा था कि यदि वह युद्ध बन्दियों को मुक्त करने और पाक सैन्य अधिकारियों पर युद्ध अपराध मुकदमा न चलाने के लिए भारत के साथ सहमत हो जाते हैं तो वह (भुट्टो) बांग्लादेश को मान्यता प्रदान करेंगे और इस्लामी देशों के संगठन में उसके प्रवेश की अनुमति भी देंगे। बाद में होने वाले घटनाक्रम इस बात को इंगित करते हैं कि संबंध बढ़ाने वाले इन इशारों के प्रति मुजीब ने सकारात्मक रवैया अपनाया था। अतः हमारे पाकिस्तानी मित्रों को 23 साल पहले शिमला में क्या हुआ था उसे लेकर बौखलाने का कोई औचित्य ही नहीं है। इसी के साथ मुझे उनसे कोई शिकायत नहीं जब वे यह कहते हैं कि जमीनी वास्तविकताएं बदल गई हैं न सिर्फ उनके नजरिए से बल्कि हमारे नजरिए से भी। शिमला समझौते को अनुपयोगी करार देने की उनकी आकांक्षा स्पष्ट दिख रही है। लेकिन उसके बाद उन्हें इस बात के लिए तैयार रहना होगा कि यदि वे उस रास्ते पर आगे जाते हैं तो भारत द्वारा अपनी नीतियों में तदनरूप फेरबदल और उपयुक्त प्रतिक्रियाओं का उन्हें सामना करना होगा।

जहां एक तरफ अनेक सरकारी पदाधिकारियों और राजनीतिक टीकाकारों ने धर के लेख पर अपनी प्रतिक्रिया जाहिर की, वहीं यह बात बड़ी अहम और अचरज भरी है कि बेनजीर भुट्टो ने मई के अंत तक धर के लेख पर आपत्ति जताते हुए या उसकी आलोचना करते हुए कोई भी औपचारिक वक्तव्य नहीं जारी किया। बेनजीर शिमला में थीं। क्या विषय से जुड़े सत्य के प्रति अवचेतन में बैठी आदर की भावना ने उन्हें मौन कर दिया था, जबकि शेष पाकिस्तानी शक्ति संरचना ने इस विषय पर हंगामा खड़ा कर दिया था। धर के लेख से स्पष्ट तौर पर मिलने वाले संकेत इस प्रकार हैं:

(क) पाकिस्तान जुल्फिकार अली भुट्टो द्वारा दिए गए किसी भी मौखिक आश्वासन को कश्मीर मुद्दे को सुलझाने के मद्देनजर प्रासंगिक मानने के लिए कतई तैयार नहीं;

(ख) शिमला समझौते में द्विपक्षीयवाद के संबंध में निर्धारित शर्तों को पाकिस्तान अब स्वीकार नहीं करता। पाकिस्तान स्पष्ट रूप से इस बात का आकांक्षी है कि उपमहाद्वीप में संयुक्त राष्ट्र और अन्य प्रमुख शक्तियों के रूप में बाहरी हस्तक्षेप हो, जिसके परिणामस्वरूप कश्मीर मसले का समाधान उसके हक में हो–ऐसी वह आशा करता है;

(ग) पाकिस्तान में एक विचारधारा ऐसी भी है जिसका यह मानना है कि यदि भुट्टो इंदिरा गांधी के साथ किसी ख्रास सहमति पर पहुंचे भी थे, जो शिमला समझौते में शामिल नहीं किया गया था, तो यह भुट्टो द्वारा बुद्धिमत्तापूर्ण तरीके से तय की गई रणनीति थी और एक युक्तिपूर्ण कदम था, जो पाकिस्तान को मिली सैन्य पराजय के गर्भ से राजनैतिक विजय बाहर निकालने के लिए थी। एक टीकाकार, हुमायूं गौहर ने इटली के पत्रकार ओरियाना फलासी को भुट्टो की टिप्पणियों का उद्धरण देते समय इस बात की पुष्टि की है। भुट्टो ने कहा था: राजनीति में कभी-कभी तुम्हें अपनी उंगलियों को हल्का और लचीला बनाना पड़ता है, क्या तुमने कभी किसी चिड़िया को घोंसले में अपने अंडों पर बैठे देखा है? एक राजनीतिज्ञ की उंगलियां इतनी हल्की, इतनी लचीली अवश्य होनी चाहिए कि वह चालाकी के साथ चिड़िया के नीचे से अंडों को बाहर निकाल ले और उसे पता भी न चले।'' गौहर इसके बाद आत्मतुष्ट आत्म-प्रशंशा में लीन होकर कहते हैं कि भुट्टो ने इंदिरा गांधी से सारे अंडे ले लिए और उन्हें पता भी नहीं चला।''

इस विवादपूर्ण अभ्यास में गौहर के अल्पबुद्धिपूर्ण आनन्द से मेरा कोई लेना देना नहीं है। सच तो यह है कि इंदिरा गांधी ने जो निर्णय लिया था उसके निहितार्थों से वह भली-भांति अवगत थीं। जुल्फिकार अली भुट्टो की राजनैतिक स्तर पर पीछे हट जाने की संभावना से भी वह परिचित थीं। पर उन्होंने जो कुछ भी किया वह स्थायी शांति के हित में था।

(घ) पाकिस्तान की मंशा भारत के विभिन्न भागों में खासतौर पर जम्मू-कश्मीर में हिंसापूर्ण आतंकवादी हस्तक्षेप जारी रखने की है।

(ङ.) पाकिस्तान के साथ कोई भी विवेकपूर्ण समझौता तभी संभव है जब भारत के प्रति पाकिस्तानी नीतियों के सैन्य हस्तक्षेपपूर्ण विषय-सार को भारत निष्प्रभावी नहीं कर देता।

इंदिरा गांधी द्वारा जुल्फिकार अली भुट्टो के साथ 23 अप्रैल 1978, को हुई किसी भी अनौपचारिक सहमति से इंकार करने के बारे में कुछ शब्द कहना प्रासंगिक होगा। यह काबिले गौर है कि इंदिरा गांधी उस समय विपक्ष और राजनैतिक निर्वासन में थीं। भुट्टो उस समय जेल में थे और जिया-उल-हक सरकार के उत्पीड़न का शिकार थे। अतः इंदिरा गांधी का भुट्टो के साथ हुए किसी भी अनौपचारिक समझौते को मानने से इंकार करना बड़ा ही स्वभाविक था क्योंकि इससे भुट्टो के ऊपर हत्या के आरोप के अलावा देशद्रोह का बड़ा आरोप भी थोप दिया जाता। इंदिरा गांधी भुट्टो की जिंदगी में और जटिलताएं पैदा करना नहीं चाहती थीं।

बेशक पाकिस्तान की शक्ति संरचना अनौपचारिक सहमति की बात से हजार बार इंकार करे, शिमला समझौते के तुरंत बाद पाकिस्तान अधिकृत कश्मीर से अलग करने से संबंधित भुट्टो के नीतिगत निर्णय उनके द्वारा इंदिरा गांधी को दिए गए आश्वासनों के सिलसिले में तर्कपूर्ण अनुवर्ती कार्रवाई थी।

भारत के बारे में पाकिस्तान द्वारा आगे किए गए चिंतन-मनन पर एक टिप्पणी

इस लेख को लिखने के लिए दो स्थितियों ने उकसाया। पहला है प्रधानमंत्री बेनजीर भुट्टो द्वारा हाल ही में करण थापर को दिया गया लंबा साक्षात्कार जिसमें उन्होंने इस बात का दावा किया है कि आतंकवादी गुट 'अल फरान', जिसने यूरोपीय नागरिकों को अगवा कर बंधक बनाया, दरअसल भारतीय खुफिया एजेंसियों की चाल है, साथ ही उन्होंने इस बात पर भी जोर दिया कि स्वर्गीय प्रधानमंत्री राजीव गांधी और वर्तमान प्रधानमंत्री नरसिम्हा राव की पाकिस्तान संबंधित नीतियां परस्पर विरोधी हैं। दूसरा है मेरे ऊपर लगाया गया यह आरोप कि मैंने कश्मीर में जनमत संग्रह की एक अतिसुधारवादी सलाह प्रस्तुत की है जो "भारत के अपरिहार्य सरोकारों के लिए विपत्तिकारक है।"

पहला, सबसे पहले अल फरान के कल्पित भारतीय जुड़ाव के संदर्भ में दिए गए बेनजीर के जटिल स्पष्टीकरण की हम जांच करें। उनकी अपनी

स्वीकारोक्ति के आधार पर अगर हम देखें तो अल फरान ने खुद को हरकत-उल-अंसार से संबंधित गुट घोषित किया था। हरकत-उल-अंसार और इसके आतंकवादी अपराधियों के विभिन्न उप-दल अब, निर्विवाद रूप से, पाकिस्तान द्वारा प्रशिक्षित भाड़े के आतंकवादियों से बने हैं। इनमें से ज्यादातर वे हैं जो पहले अफगान मुजाहिदीन कहे जाते थे, जिन्हें अफगानिस्तान में सोवियत सेना के वापस लौटने के बाद भी भयानक तबाही मचाने के बाद पाकिस्तानी अधिकारियों ने भारत में आपराधिक हिंसा और अभित्रास के जरिए तख्ता-पलट के ध्येय से नियुक्त कर लिया है। हरकत-उल-अंसार और इसके सभी गुटों ने पाकिस्तान के जमात-ए-इस्लामी से अपना संबंध स्वीकारा है। जमात के मौलाना फजलुर रहमान ने सार्वजनिक रूप से अल फरान और हरकत-उल-अंसार के साथ अपने जुड़ाव को स्वीकार किया है। जमात उस गठबंधन सरकार का एक सदस्य गुट है जिसकी अध्यक्षा प्रधानमंत्री बेनजीर भुट्टो हैं। ऐसी खबरें भी बार-बार मिल रही हैं कि पाकिस्तानी खुफिया विभाग और कुछ सउदी संगठन जमात के कार्यकर्ताओं के जरिए वित्तीय सहायता और हथियार मुहैया करा कर हरकत-उल-अंसार को समर्थन दे रहे हैं। उनका यह कहना है कि भारतीय खुफिया विभाग ने ही इस गुट का निर्माण किया, फिर यूरोपीय नागरिकों को अगवा कर बंधक बनाने का उपक्रम किया जिससे पाकिस्तान सरकार को उलझन हो और कश्मीर पर पाकिस्तानी पक्ष कमजोर पड़े- उनकी यह दलील स्पष्टत: निरर्थक और बहाना मात्र है।

जब चरार-ए-शरीफ-दरगाह को बर्बाद करने वाले अपराधी तत्वों के सरकारी टी वी मीडिया द्वारा प्रचार किए जाने के बारे में पूछा गया तो बेनजीर भुट्टो ने तुरन्त भारतीय सेना के ही एक जनरल पर चरार-ए-शरीफ को नष्ट करने का दोष दिया और कहा कि उस जनरल का नाम तो "उन्हें याद नहीं है" पर उनका दावा इस बात पर आधारित है कि यह वही जनरल है जिसने 9 साल पहले स्वर्ण मंदिर पर 'आक्रमण' किया था। यह कल्पना की इंतहा है कि कोई यह सोचे कि "ऑपरेशन ब्लू स्टार" भारतीय सेना के किसी एक ब्रिगेडियर के विचारों का नतीजा धा और उससे भी बढ़ कर अजीबोगरीब कल्पना तो यह है कि स्वर्ण मंदिर की सारी कार्रवाई के पीछे एक ब्रिगेडियर का हाथ था।

ऐसे दावों से झलकती अतार्किकता को परे खिसकाते हुए हमें इस पूर्व ब्रिगेडियर "जो अब एक जनरल है", के बारे में प्रधानमंत्री बेनजीर भुट्टो के आरोपों में निहित झूठ पर गौर करना चाहिए। वह भारतीय सेना के अधिकारी-वर्ग को मुसलमान-विरोधी तथा सिख-विरोधी पर पेश करना चाहती हैं। उन्हें उम्मीद

है कि ''टी वी पर 'आई विटनेस' कार्यक्रम'' के दौरान किए गए उनके इस दावे से भारतीय राजनीति में एक विवाद का जन्म होगा और भारतीय सशस्त्र सेनाओं के प्रति अल्पसंख्यक समुदायों में अविश्वास की भावना घर करेगी। सशस्त्र सेनाओं में राष्ट्रीय एकता, एकजुटता व विश्वास के प्रति देश की भावनाओं को प्रभावित करने का इस तरह का बचकाना प्रयास न तो सफल हो सकता है और न ही इसे सफल होने दिया जा सकता है। इस बात के पर्याप्त साक्ष्य हैं कि चरार-ए-शरीफ दरगाह में घुसे मस्त गुल के नेतृत्व वाले आतंकवादियों की पाकिस्तान अधिकृत कश्मीर स्थित उनके आईएसआई के आकाओं से बातचीत हुई और पाकिस्तानी क्षेत्र से संचालित इस कार्रवाई से वहां के सत्ता प्रतिष्ठान का राजनैतिक झूठ पकड़ा गया।

यह प्रकरण हमें मस्त गुल तक लाता है। जब थापर ने सरकार नियंत्रित दृश्य-श्रव्य माध्यमों में (जमाते इस्लामी व अन्य द्वारा मस्त गुल के सम्मान में जुलूस, आवभगत को छोड़ दिया जाए तो भी) मस्त गुल को दिए गए व्यापक प्रचार के बारे में पूछा तो प्रधानमंत्री भुट्टों की प्रतिक्रिया बचकाना थी। वह कहती है: ''चरार-ए-शरीफ को फूंकने से मस्त गुल का कोई लेना-देना नहीं था.... जहां तक मस्त गुल की बात है, हमें (पाकिस्तान सरकार को) अखबारों से.... जमात-ए-इस्लामी से जानकारी मिली कि वह पाकिस्तान आ चुका है। हम इस मामले में जमात-ए-इस्लामी से बात कर रहे हैं।'' श्रीमती भुट्टो ने यहां तक कहा कि ''अखबारों में यह पढ़कर हैरानी हुई कि जमात-ए-इस्लामी ने मस्त गुल के साथ जुलूस निकाला और वह टीवी पर भी आया।''

यहां यह उल्लेख करना प्रासंगिक होगा कि पकिस्तान टीवी सरकार द्वारा पूर्णरूपेण नियंत्रित ऐसी एजेंसी है कि इसपर सरकार के खिलाफ हल्की से हल्की बात भी प्रसारित नहीं की जाती, लेकिन पाकिस्तान की प्रधानमंत्री कहती हैं कि मस्त गुल के पाक टीवी पर आने से उन्हें हैरानी हुई। यदि ऐसी ही बात है तो उन्हें अपने ही देश की घटनाओं और आंतरिक घटनाक्रमों के बारे में आने वाले समय में कहीं अधिक आश्चर्य चकित होना पड़ेगा। ऐसे ही वह अपने मंत्रिमंडलीय सहयोगी विदेश मंत्री आसिफ अली की भी यह कहकर हैसियत बताती हैं कि उनका तो केवल छोटे-मोटे राजनैतिक उलझाव को दुरूस्त करने का ही काम है। फिर वह अपने ही विरोधाभासों और भ्रम के दलदल में फंस जाती हैं। वह कहती हैं: ''काफी संख्या में पाकिस्तानी उसके (मस्त गुल) बड़े प्रशंसक हैं क्योंकि उन्हें लगता है कि वह भारतीयों के हाथ से निकल आया और कश्मीर के लिए आवाज बुलंद कर रहा है। लेकिन जहां तक सरकार की बात है, हम नहीं मानते कि हमारे अंतर्राष्ट्रीय नजरिये अथवा कश्मीर के स्वतंत्रता

संग्राम के लिए यह उचित है कि जमात-ए-इस्लामी किसी ऐसे व्यक्ति को साथ लेकर चले भले ही उसकी चारों ओर इस तरह की इज्जत हो।''

मुझे इस बात का सम्मान मिला कि अक्टूबर, 1993 में साइप्रस में हुए राष्ट्रकुल शिखर सम्मेलन में मेरे साथ हुई उनकी बातचीत के संदर्भ में श्रीमती भुट्टो ने साक्षात्कार में नाम लेकर मेरा उल्लेख किया। उन्होंने दावा किया कि 1994 के जनवरी में हुई विदेश सचिव स्तरीय बातचीत साइप्रस में मुझसे बातचीत के दौरान उनकी ओर से की गई मौखिक पहल की परिणाम थी, पर यह सही नहीं। प्रधानमंत्री नरसिम्हा राव ने बेनजीर भुट्टो के प्रधानमंत्री बनने पर भेजे अपने शुभकामना संदेश में भारत की इस इच्छा का इजहार किया था कि दोनों देशों के बीच विदेश सचिव स्तरीय बातचीत बहाल हो। हजरत बल संकट साइप्रस सम्मेलन के पहले ही शुरु हो गया था। दरगााह पर गुपचुप तरीके से कब्जा किए आतंकवादियों से निपटने में भारत ने अत्यधिक संयम दिखाया। भुट्टो को भेजे अपने उक्त शुभकामना पत्र में ही प्रधानमंत्री राव ने संकेत दिया था कि भारत जम्मू-कश्मीर से जुड़े मुद्दों पर बातचीत करना चाहता है। बेनजीर भुट्टो ने यह गलत दावा किया है कि जब मैं 1 से 3 जनवरी, 1994 के बीच इस्लामाबाद में था तब मैंने पाकिस्तान के विदेश सचिव से कश्मीर मुद्दे पर बातचीत से इंकार कर दिया था। वस्तु स्थिति यह है कि मैंने न केवल तत्कालीन पाकिस्तानी विदेश सचिव शहरयार खान से कश्मीर से जुड़े विभिन्न मुद्दों पर बातचीत की बल्कि प्रधानमंत्री बेनजीर भुट्टो से भी कश्मीर पर बातचीत की जब उन्होंने कराची में 2 जनवरी 1994 की दोपहर में मेरी अगवानी की। उस बैठक में उन्होंने मुझसे कहा कि विभिन्न घटनाओं और भारत-पाक के नजरिये में उतार-चढ़ाव के बावजूद दोनों देशों के बीच विदेश सचिव स्तरीय बातचीत जारी रहनी चाहिए। लेकिन बाद में जब मैंने नई दिल्ली में अगले दौर की बातचीत के लिए तारीख मुकर्रर करने का सवाल उठाया तो पाकिस्तानी विदेश सचिव ने मुझसे कहा कि हालांकि मोटे तौर पर पाकिस्तान बातचीत को जारी रखने का इच्छुक है, लेकिन उन्हें निर्देश है कि वह किसी खास तारीख पर रजामंदी व्यक्त न करें।

इस्लामाबाद हवाई अड्डे से मेरे विमान के उड़ान भरने के चंद मिनटों के भीतर ही पाकिस्तान का असली दृष्टिकोण सामने आया जब मेरे मित्र शहरयार खान ने इस्लामाबाद हवाई अड्डे के लांज में लौटते ही पाकिस्तानी प्रेस से कहा कि जब तक हमारे सुरक्षा बल हजरत बल दरगाह से लौट नहीं आते और इस बात के ठोस संकेत नहीं मिलते कि कश्मीर पर पाकिस्तानी नजरिये को भारत

स्वीकार करने का इच्छुक है, विदेश सचिव स्तरीय बातचीत बहाल करने का सवाल ही नहीं उठता। 3 जनवरी, 1994 के बाद से विदेश सचिव स्तरीय कोई द्विपक्षीय बातचीत नहीं हुई है। वास्तविकता यह है कि जब मैंने पाकिस्तानी विदेश सचिव से कहा कि सामान्यीकरण प्रक्रिया को आगे बढ़ाने, भले ही वह कितनी भी धीमी और मुश्किल क्यों न हो, के लिए मैं छह विशिष्ट प्रस्ताव लाया हूं तो मुझे कहा गया कि फिलहाल मुझे इन प्रस्तावों को नहीं रखना चाहिए क्योंकि: ''जनवरी, 1994 को हुई विदेश सचिव स्तरीय बातचीत को लेकर बने घरेलू राजनैतिक दबाव के कारण प्रधानमंत्री बेनजीर भुट्टो बचाव की मुद्रा में हैं।''

मुझे कहा गया कि इन प्रस्तावों को भारत दो-तीन सप्ताह के बाद सामने रख सकता है क्योंकि तब तक अगले दौर की विदेश सचिव स्तरीय वार्ता की कोई निश्चित तारीख मुकर्रर हो जाएगी। फिर पाकिस्तान ने 18 जनवरी को गैर-दस्तावेज के रूप में दो बिल्कुल अतार्किक प्रस्ताव हमें भेजकर प्रचारात्मक लाभ उठाने की कोशिश की। हमने 24 जनवरी को उन्हीं प्रस्तावों को भेजा जिनका उल्लेख जनवरी के शुरु में मैंने शहरयार खान से किया था। भारत और पाकिस्तान ने एक-दूसरे के प्रस्तावों को खारिज कर दिया। बाकी एक दुखद इतिहास है। बेनजीर ने भारत-पाकिस्तान के मौजूदा गतिरोध के लिए पाकिस्तान के प्रति राजीव गांधी के अत्यंत सकारात्मक नजरिये की तुलना में प्रधानमंत्री नरसिम्हा राव के नकारात्मक दृष्टिकोण को जिम्मेदार ठहराने की कोशिश की। यह राजनैतिक और बौद्धिक अल्पदृष्टि का एक उदाहरण है क्योंकि जुलाई, 1989 तक–जब बेनजीर भुट्टो और राजीव गांधी के बीच इस्लामाबाद में द्विपक्षीय बैठक हुई– राजीव गांधी दो बिन्दुओं पर बिल्कुल निश्चित हो चुके थे:

(क) कि भारत-पाक रिश्तों को सामान्य बनाने के लिए भारत ने जिन विभिन्न सकारात्मक पहलकदमियों का प्रस्ताव किया, उनके प्रति पाकिस्तान के टालमटोल तथा अड़ियल रवैये के कारण वह बेहद निराश थे, और

(ख) कि भारत के जम्मू-कश्मीर के संदर्भ में अपनी क्षेत्रीय अखंडता से किसी प्रकार के समझौते का सवाल ही नहीं उठता। प्रधानमंत्री बेनजीर भुट्टो और पाकिस्तान सरकार की नीतियों और उनके नजरिये को लेकर राजीव गांधी को कोई भ्रम नहीं था। राजीव गांधी और नरसिम्हा राव की नीतियों व उनके नजरिये में कहीं कोई विरोधाभास नहीं था।

इस लेख के लिए पैदा हुई एक अन्य उत्तेजना, यानी कथित तौर पर मेरे द्वारा दिए गए जनमत संग्रह के सुझाव, के संदर्भ में मेरे प्रेस को दिए गए बयानों के अतिरिक्त कुछ स्पष्टीकरण भी हैं। मैं कश्मीर में जनमत संग्रह की वकालत उन संयुक्त राष्ट्र प्रावधानों के संदर्भ में नहीं करता जो अब पूर्णतः अप्रासंगिक हो चुके हैं। मैंने इसका उल्लेख एक ऐसे जरिये के तौर पर किया था जिससे जम्मू-कश्मीर के हमारे लोगों की राजनीतिक आकांक्षाओं का पता चल सके। यदि यह कभी होता भी है तो यह भारत सरकार तथा जम्मू-कश्मीर में उसके नागरिकों के बीच का एक द्विपक्षीय अभ्यास होना चाहिए। मेरे प्रस्तावों के स्पष्टीकरण हैं:

1. मैंने परंपरागत राजनैतिक संदर्भों में, जैसा कि लोग समझते हैं, कश्मीर में जनमत संग्रह की वकालत नहीं की और बिल्कुल नहीं की। मैंने जो कहा, वह यह कि:

(क) कश्मीर का मसला केवल सैन्य साधनों अथवा बल से हल नहीं किया जा सकता। राजनैतिक प्रक्रिया अथवा बातचीत के जरिये समाधान जरूरी है;

(ख) ऐसा समाधान केवल तभी निकाला जा सकता है जब यह जम्मू-कश्मीर के लोगों– मौजूदा समय में जिनमें से कुछ अलग-थलग हैं जो कि किसी भी लोकतंत्र में हो सकता है– के सरोकारों का ध्यान रखता हो;

(ग) यह राजनैतिक प्रक्रिया विचार-विमर्श, चुनाव, मतदान अथवा "एक तरह के जनमत संग्रह" के जरिये हो सकती है बशर्ते तमाम बाहरी दबावों व अन्य देशों, खास तौर पर पाकिस्तान की नकारात्मक मौजूदगी एवं इनके प्रभावों को पूरी तरह हटा दिया जाए और जम्मू-कश्मीर के लोगों को उनके अपने ही देश भारत के साथ अपने भविष्य पर बिना किसी बाहरी दबाव के चर्चा की अनुमति दी जाए। इस प्रक्रिया में न तो पाकिस्तान की कोई भूमिका है और न कभी होगी।

यदि हम ऐसा कोई राजनैतिक अभ्यास करते हैं तो जम्मू-कश्मीर के लोगों से बस दो सवाल पूछे जा सकते हैं:

1. क्या वे तनाव और बाहर से प्रेरित आतंकवाद द्वारा उत्पन्न हिंसा के माहौल में ही आगे भी रहना चाहते हैं या फिर वे भारत के अंग के रूप में अपना कल्याण व समृद्धि सूनिश्चित करना चाहते हैं, जिसके लिए भारत प्रतिबद्ध है।

2. यदि जम्मू-कश्मीर के लोग ऐसा मत संग्रह अथवा रायशुमारी चाहते हैं तो यह जम्मू-कश्मीर की पूरी प्राचीन रियासत के लिए होनी चाहिए।

कश्मीर में पाकिस्तानी चालबाजियों को पूर्णतः अलग खाने में रखते हुए भारत को इससे अलग तरीके से निपटना होगा। हमें उनके छद्म युद्ध को निर्णायक व कारगर तरीके से हमेशा ही रोकना होगा न कि केवल तब जब कोई एक घटना हो गई हो। हमें या तो पाकिस्तान को शिमला समझौते के आधार पर हमसे व्यवहार करने के लिए बाध्य करना चाहिए या फिर जब तक उनमें विवेक पैदा नहीं होता, हमें उनसे किसी तरह का कोई व्यवहार नहीं करना चाहिए।

अमेरिका द्वारा पाक की नाभिकीय महत्वाकांक्षा को रोके जाने की संभावना नहीं

अमेरिकी सेंट्रल इंटेलिजेस एजेंसी ने इस सूचना का खुलासा कर कि अपनी नाभिकीय अस्त्र क्षमता बढ़ाने के ताजा उपक्रम के तहत पाकिस्तान ने यूरेनियम संवर्द्धन के लिए अपने कास्ट सेंट्रीफ्यूज प्लांट में इस्तेमाल होने वाले 5000 रिंग मैगनेट का आयात किया है, भेदभावपूर्ण अप्रसार व्यवस्था को उजागर करते हुए भूचाल सा ला दिया है। इन रिंग मैगनेट का निर्यात करने वाले चीन से किस तरह निपटा जाए और ब्राउन संशोधन के आधार पर इस्लामाबाद को बहाल की गई हथियारों की आपूर्ति के बावजूद पाकिस्तान को किस तरह अनुशासित किया जाए, इन सवालों को लेकर अमेरिका में अंदर ही अंदर काफी मनन-चिंतन चल रहा है और सार्वजनिक तौर पर परस्पर विरोधाभासी रुख देखने को मिल रहे हैं।

अपनी नाभिकीय नीतियों को लेकर बेनजीर सरकार अजीबोगरीब स्थिति में फंस गई है। एक ओर तो पाकिस्तान को अपनी नाभिकीय अस्त्र क्षमता की घोषणा बार-बार करते रहने के साथ इस क्षमता को बनाए रखने की इच्छा का इजहार भी करते रहना होगा ताकि घरेलू राजनैतिक दबाव का सामना किया जा सके- ऐसा दबाव जिसका निर्माण एक के बाद एक पाकिस्तान सरकारों ने भारत-विरोधवाद के तर्क और भारत की वास्तविक अथवा काल्पनिक नाभिकीय क्षमता की बराबरी की वकालत के आधार पर किया है। दूसरी ओर, बेनजीर को दिखावटी तौर पर ही सही लेकिन अमेरिकी निर्देशों का पालन करना होगा ताकि यह सुनिश्चित हो सके कि क्लिंटन प्रशासन खुद को ऐसी स्थिति में न पाने लगे कि पाकिस्तान की सैन्य क्षमताओं को बढ़ाने के प्रति आम तौर पर उसकी सहयोगात्मक प्रवृत्ति से उसे हटना पड़ जाए। इसी कारण पाकिस्तान के विदेश

मंत्री सरदार आसिफ अली और विभिन्न नेताओं को अक्सर यह कहते सुना गया है कि भारत से किसी भी नाभिकीय खतरे (भले यह हो या नहीं) का सामना करने में पाकिस्तान पूरी तरह सक्षम है। जबकि बेनजीर इस बात से साफ इंकार करती हैं कि पाकिस्तान ने रिंग मैगनेट का आयात किया है, जैसा कि 25 फरवरी को कराची स्थित पाकिस्तान इंस्टीट्यूट ऑफ फॉरेन अफेयर्स में अपने संबोधन में उन्होंने कहा। उन्होंने कहा: ''चीन से नाभिकीय चुंबक की कहानी आधारहीन है।'' उन्होंने यह भी दलील दे दी कि अमेरिका को अनुशासनात्मक कार्रवाई के लिए तो भारत को निशाना बनाना चाहिए। उन्होंने आरोप लगाया कि भारत नाभिकीय परीक्षण करने ही वाला है और वह ऐसे प्रेक्षेपास्त्रों पर प्रयोग कर रहा है जो न केवल पाकिस्तानी शहरों तक पहुंच सकते हैं बल्कि तेहरान, बगदाद, कुवैत, रियाद और यहां तक कि काहिरा को भी अपनी चपेट में ले सकते हैं। यह दिलचस्प है कि बेनजीर भारतीय प्रक्षेपास्त्रों को खाड़ी, पश्चिम एशिया और मध्य पूर्व के केवल मुस्लिम देशों के लिए खतरे के रूप में देखती हैं–भारत के प्रति एक इस्लामी उन्माद पैदा करने का एक परोक्ष अभ्यास। जबकि अपने खिलाफ अमेरिकी आर्थिक अथत्रा राजनैतिक प्रतिबंधों की संभावना व्यक्त करती खबरों के प्रति चीन बिल्कुल बेपरवाह बना हुआ है और पाकिस्तान नुकसान भरपाई के लिए एक तरह के उन्मत्त अभ्यास में जुटा हुआ है, भारतीय हितों को प्रभावित करने वाले वाजिब सवाल हैं:

''पहला यह कि क्या पाकिस्तान को हथियारों की आपूर्ति के अपने फैसले से अमेरिका पीछे हट जाएगा; दूसरा यह कि अपने अप्रसार एजेंडे को आगे बढ़ाने के प्रति दृढ़ता के बारे में अंतर्राष्ट्रीय समुदाय को एक स्पष्ट संदेश देने के लिए अमेरिका क्या चीन पर आर्थिक प्रतिबंध लगाएगा।''

कुछ राजनैतिक टीकाकारों ने अनुमान लगाया कि ब्राउन संशोधन को रद्द करने के लिए सीनेटर प्रेसलर के कदमों के फलस्वरूप पाकिस्तान एक बार फिर अमेरिकी हथियार हासिल करने से चूक जाएगा और इस तरह अमेरिका द्वारा पाकिस्तान को दंडित किए जाने की संभावनाओं पर संतोष व्यक्त किया। यह आशावादिता गलत है। यह सही है कि ब्राउन संशोधन के जरिये पाकिस्तान को अमेरिकी हथियारों की प्रस्तावित आपूर्ति का 1996 के अंत तक रूक जाना संभव है, लेकिन इस बात की आशा करना व्यावहारिकता से परे है कि इस्लामाबाद की नाभिकीय नीतियों के झुकावों के कारण पाकिस्तान के साथ अमेरिका रक्षा आपूर्ति रिश्तों को खत्म कर देगा।

रिंग मैगनेट के आयात पर अमेरिकी अधिकारियों की विशिष्ट प्रतिक्रिया की समीक्षा करने से पहले हमें अमेरिकी सरकार द्वारा विदेश व रक्षा नीतियों के

संदर्भ में की गई बड़ी घोषणाओं पर गौर करना चाहिए। क्लिंटन ने 23 जनवरी को अमेरिकी कांग्रेस के संयुक्त सत्र के अपने संबोधन में इस बात का उल्लेख किया कि ''व्यापक जन संहार के हथियारों के प्रसार'' और ''धृष्ट राष्ट्रों की आक्रमकता उन प्रमुख चुनौतियों में शामिल है जिनका सामना अमेरिका विदेश नीति व सुरक्षा के संदर्भों में कर रहा है। उन्होंने आगे कहा: ''हम हर जगह नहीं हो सकते; हम हर काम नहीं कर सकते; लेकिन जहां हमारे हित और मूल्य दांव पर हों, वहां हम बदलाव ला सकते हैं। अमेरिकियों को अवश्य नेतृत्व करना चाहिए। हमें पृथकतावादी नहीं होना है और न ही दुनिया की पुलिस बनना है, लेकिन अपनी सेना को मजबूत रखकर, जहां कर सकें वहां कूटनीति का इस्तेमाल कर और जहां जरूरत हो वहां बल प्रयोग कर, तथा हमारे प्रयासों में मौजूद जोखिम को दूसरों के साथ बांटकर काम करते हुए हम दुनिया के सबसे उम्दा शांति स्थापक हो सकते हैं। अमेरिका यहां और पूरी दुनिया के लोगों के लिए उदाहरण पेश कर रहा है।''

क्लिंटन की टिप्पणियों में गौर करने लायक बाते हैं: पहली, अमेरिकी हितों तथा राजनैतिक मूल्यों को सर्वोच्च प्राथमिकता दी गई है तथा जरूरत पड़ने पर बलपूर्वक भी इनकी रक्षा की जाएगी। दूसरी अमेरिकी प्रयासों की कीमत और खतरों को बांटने को इच्छुक अन्य देशों के साथ मिलकर काम करना, समान विचारधारा के कारण ऐसे देशों के साथ रिश्तों को आगे बढ़ाते हुए अमेरिका अपने लक्ष्यों को पूरा करेगा। हमें भारत में अमेरिकी राजदूत फ्रैंक विजनर की उन नीतिगत बातों को भी इसमें शामिल करना चाहिए जो उन्होंने अमेरिका के नेशनल डिफेंस यूनिवर्सिटी व भारत के इंस्टीट्यूट फॅार डिफेंस स्टडीज एंड एनालिसिस द्वारा भारत-अमेरिका संबंधों पर संयुक्त रूप से आयोजित एक संगोष्ठी का उद्घाटन करते समय कहीं: ''अमेरिका इस बात को लेकर प्रतिबद्ध है कि भारत और पाकिस्तान के साथ प्रत्येक के संबंद्ध स्वाभाविक महत्व के आधार पर स्वतंत्र रिश्ता बनाए रखा जाए। भारत वैश्विक व महाद्वीपीय पहुंच वाली एक शक्ति है। पाकिस्तान भी अमेरिका का मित्र है और वह एक क्षेत्रीय शक्ति है। हम मानते है कि दोनों ही देशों के साथ सकारात्मक व रचनात्मक रिश्ते रखने से अमेरिकी हित सबसे अच्छे तरीके से पूरे होते हैं।''

पाकिस्तान को हथियारों की आपूर्ति बहाल करने को उचित ठहराते हुए विजनर ने कहा:

''पाकिस्तान के संदर्भ में हमने यह बेहतर समझा कि भविष्य के हित में और पाकिस्तान से ऐसे रिश्तों जिससे हमें आतंकवाद नशीले पदार्थ तथा

नाभिकीय कार्यक्रम से जुड़े अन्य मुद्दों पर वहां की सरकार से सहयोग में सफलता मिले–के मद्देनजर हम इस्लामाबाद से अपने संबंधों की अव्यवस्था को दुरूस्त करें।''

पाकिस्तान द्वारा हाल ही में किए गए नाभिकीय हथियारों से जुड़े आयात के संदर्भ में उक्त नीतिगत रुख को किस तरह अमली जामा पहनाया गया, यह देखने की बात है। अमेरिकी मीडिया से इस बात के संकेत मिलते हैं कि चीन के खिलाफ प्रतिबंध लगाने और पाकिस्तान को हथियारों की आपूर्ति रोकने के लिए क्लिंटन प्रशासन पर कांग्रेस का दबाव बढ़ता जा रहा है। इस आशय की कुछ अपुष्ट खबरें भी तैर रही हैं कि पाकिस्तान को हथियारों की आपूर्ति रोकने के लिए क्लिंटन प्रशासन पर कांग्रेस का दबाव बढ़ता जा रहा है। इस आशय की कुछ अपुष्ट खबरों भी तैर रही हैं कि पाकिस्तान के हथियारों की आपूर्ति कुछ समय के लिए रोक दी जाएगी और चीन के खिलाफ भी कुछ खास तरह के आर्थिक प्रतिबंध लगाए जा सकते हैं। हालांकि अमेरिकी सरकार की कार्यपालिका ने आनन–फानन में स्पष्टीकरण भी दिया कि इस तरह के प्रतिबंधों की खबरें अटकलों पर आधारित हैं और इस संदर्भ में अब तक कोई फैसला नहीं किया गया है। व्हाइट हाउस के प्रवक्ता माइक मैकरी ने कहा: ''राष्ट्रपति ने प्रतिबंध लगाने के संदर्भ में कोई फैसला नहीं किया है।'' उनहोंने स्वीकार किया कि खास प्रतिबंधों का विकल्प तभी हो सकता है जब यह बात साफ हो जाए कि चीन ने वास्तव में पाकिस्तान को नाभिकीय हथियार बनाने से जुड़ी सामग्री की आपूर्ति की। विदेश मंत्री वारेन क्रिस्टोफर ने तो और आगे बढ़ते हुए संकेत दिया कि पाकिस्तान अथवा चीन के खिलाफ किसी दंडात्मक प्रतिबंध की ओर बढ़ने के संदर्भ में अमेरिका सावधान और सर्वथा मौन ही रहेगा। 22 फरवरी को उन्होंने कहा कि पाकिस्तान को उसके नाभिकीय अस्त्रीकरण के लिए चीन द्वारा 5000 मैगनेटिक रिंगों की आपूर्ति किए जाने के मसले पर अमेरिकी प्रशासन अभी अपना जवाब तैयार कर रहा है। उन्होंने इतना जरूर साफ तौर पर कहा कि रिंग के मसले पर '' अभी कोई फैसला नहीं किया गया है।'' फिर उन्होंने इसे विस्तार देते हुए कहा '' यह एक बेहद पेचीदा मसला है। इस विषय पर अच्छा खासा काम किया गया है पर फिलहाल इसपर कोई सुझाव या फैसला नहीं दिया गया है।''

इन मैगनेट रिंगों के आयात से बेनजीर के इंकार के अलावा चीन के विदेश मंत्रालय के प्रवक्ता ने फरवरी के मध्य में कहा कि पाकिस्तान को मैगनेट रिंग निर्यात करने की बात महज अफवाह है और यदि चीन के खिलाफ अमेरिका

ने प्रतिबंध लगाए तो अमेरिकी व्यापारिक हितों को गंभीर नुकसान पहुंचेगा। ''चीन ने नाभिकीय हथियार बनाने की प्रौद्योगिकी का कभी हस्तांतरण नहीं किया है और वह ऐसा करेगा भी नहीं।'' दोनों देशों द्वारा मैगनेट रिंग के लेन-देन से दो टूक इंकार किए जाने का इस्तेमाल क्लिंटन प्रशासन पाकिस्तान अथवा चीन के खिलाफ किसी तरह का प्रतिबंध लगाने से किनारा करने में कर सकता है ताकि उसके व्यापक व दीर्घकालिक आर्थिक व रणनैतिक हितों की सुरक्षा सुनिश्चित हो सके। अमेरिकी नीतियों के रुखों और उक्त आकलन को तर्कसंगत ठहराने के संदर्भ में उन्हें प्रभावित कर रहे विभिन्न कारकों पर विचार करना उचित होगा। अमेरिका को 1970 के दशक के मध्य से ही पाकिस्तान द्वारा अपने नाभिकीय अस्त्रीकरण कार्यक्रम के लिए चोरी-छिपे किए जा रहे आयात की पूरी जानकारी थी, लेकिन अफगानिस्तान में रूसी घुसपैठ का मुकाबला करने के लिए पाकिस्तान को हथियार के तौर पर इस्तेमाल करने की गरज से अमेरिका पाकिस्तान के नाभिकीय कार्यक्रम के संदर्भ में आवश्यक प्रमाणपत्र जारी करता रहा।

पंजाब, कश्मीर और यहां तक कि अफगानिस्तान में विध्वंसकारी आतंकवादी गतिविधियों को मदद पहुंचाने के बावजूद अमेरिका द्वारा पाकिस्तान को एक आतंकवाद को समर्थन देने वाला देश घोषित नहीं किए जाने के पीछे भी उपरोक्त तर्क ही था। अपवाद रहा वर्ष 1990 जब अमेरिका को महसूस हुआ कि वह पाकिस्तानी दुस्साहस को नियंत्रित नहीं कर पाएगा और यदि उसने कोई कठोर कदम नहीं उठाया, पाकिस्तान का रुख भारत-पाकिस्तान युद्ध में परिणत हो जाएगा। इसीलिए प्रेसलर संशोधन के प्रावधानों को लागु कर दिया गया। लेकिन यह करीब साढे चार साल ही रहा और फिर आधारभूत रक्षा आपूर्ति व सुरक्षा संपर्क बहाल कर दिए गए। खाड़ी और मध्य एशिया के संदर्भ में उपमहाद्वीप को लेकर अमेरिका की रणनैतिक व सुरक्षा योजनाओं के सिलसिले में पाकिस्तान अब भी एक महत्वपूर्ण कारक बना हुआ है। चीजों को एक अन्य नजरिये से देखें तो पाकिस्तान को चीन के और करीब जाने से रोकने अथवा इसे अपने खिलाफ एक वृहत-इस्लामी कट्टरपंथी आंदोलन का हिस्सा बनने से रोकने के लिए अमेरिका चाहेगा कि पकिस्तान के साथ उसके निकट संबंध बने रहें। इसी तरह चीन में अमेरिका के आर्थिक हित इतने व्यापक हैं कि चीन के खिलाफ कोई भी बड़ी कार्रवाई से पहले अमेरिका को दो बार सोचना पड़ेगा। ऐसे मामलों में चीन का विरोध करने के संदर्भ में अमेरिका का अब तक का रिकार्ड सारी कहानी बयां कर जाता है। ध्यानमन में लोकतंत्र समर्थक आंदोलन को कुचलने, मानवाधिकारों के कथित उल्लंघन और चीन द्वारा रूसी परिसंघ

से हथियारों के बड़े आयात पर अपेक्षाकृत नरम और समझौतापूर्ण प्रतिक्रियाओं को छोड़कर अमेरिका ने चीन ओर पाकिस्तान के खिलाफ कोई ठोस कार्रवाई नहीं की है। जबकि अमेरिका इस बात से पूर्णतः अवगत रहा है कि चीन ने पाकिस्तान को विभिन्न श्रेणियों के प्रक्षेपास्त्रों का निर्यात किया और वह पाकिस्तान को अपनी नाभिकीय क्षमता बढ़ाने में सहयोग कर रहा है– जिसमें चीन के नाभिकीय परीक्षण स्थलों पर नाभिकीय प्रयोग करने के लिए पाकिस्तान को खास सुविधाएं देना शामिल है– तथा चीन ने 1980 के दशक के उत्तरार्द्ध और 1990 के दशक के पूर्वार्द्ध में पाकिस्तान को कथित तौर पर एक उपकरण के लिए ड्राइंग व डिजाइन उपलब्ध कराई। लगभग 15 लाख अमेरिकी नौकरियां और 20 से 30 अरब डालर तक अमेरिकी निवेश व व्यापार चीन के बाजार पर निर्भर हैं। अमेरिका के जारी मुश्किल आर्थिक हालात को देखते हुए चीन से दूरी बना लेना अमेरिकी हित में नहीं। चीन के प्रति अमेरिका का नजरिया आगे भी रचनात्मक व्यवहार पर आधारित होगा जैसा कि क्लिंटन ने राष्ट्रपति जियांग जमीन के साथ अपनी बैठकों में तथा चीन के विदेश मंत्री किआन किचेन से अपनी चार मुलाकातें के दौरान वारेन क्रिस्टोफर ने कहा। यह भी गौर करने वाली बात है कि जापान जाते हुए क्लिंटन निकट भविष्य में जियांग जमीन से मिलने वाले हैं। क्लिंटन सरकारी यात्रा पर जापान जाने वाले हैं। आने वाले आठ हफ्तों के दौरान अमेरिकी सैन्य प्रमुखों की समिति के अध्यक्ष जनरल जॉन शैलीकाशविली चीन जाने वाले हैं। इसके प्रत्युत्तर में चीन के रक्षा मंत्री शि हाओशियान के अगले साल के पूर्वार्द्ध में अमेरिका जाने की संभावना है। अमेरिका में यह चुनावी साल है और संभव है कि चंद महीनों के लिए चीन व पाकिस्तान के खिलाफ दंडात्मक कार्रवाई के पक्ष में अमेरिका कोई हल्का-फुल्का सार्वजनिक रुख अख्तियार कर ले, लेकिन अमेरिकी चुनाव के खत्म होते ही सभी दृष्टि से सामान्य स्तरों पर राजनैतिक, आर्थिक और रक्षा रिश्ते बहाल हो जाएंगे। अप्रसार और व्यापक परीक्षण प्रतिबंध के मुद्दों पर अमेरिका के उच्चतर कूटनीतिक रुख से इसका कैसे तालमेल हो, यह तो अलग मसला है। हमें जो सीख लेनी चाहिए वह यह ऐसे मुद्दों और घटनाओं को प्रभावित करने वाले निर्णायक कारक हैं परस्पर गुंथे ठोस हित व राष्ट्रीय शक्ति एवं उद्देश्यपरकता। इस वास्तविकता को ध्यान में रखे बगैर हमें अत्यधिक आशावादी भविष्य को नहीं संजोना चाहिए।

भारत व उसके पड़ोसी–गुजराल सिद्धान्त के लागू होने के एक साल बाद

इस बात को एक साल से कुछ ही अधिक समय हुआ है जब कथित गुजराल सिद्धांत ने भारत के बारे में उसके पड़ोसियों के मन से आशंकाओं और

संदेहों को दूर करने तथा उनके साथ स्थायी सहयोगात्मक संबंध बनाने के लिए पड़ोसियों के प्रति भारत की नीतियों को पुनः निर्धारित किया। गुजराल द्वारा लाए गए इस सिद्धांत के अवधारणागत तत्व थे:

(क) क्षेत्र जनसांख्यिकी और संसाधनों के संदर्भ में असमानता को महसूस करते हुए भारत अपने पड़ोसियों के प्रति मेलमिलाप की नीति का पालन करेगा।

(ख) भारत पूरे तौर पर बल प्रयोग को छोड़ते हुए अपने प्रत्येक पड़ोसी के साथ लंबित मसलों को शांतिपूर्ण बातचीत के जरिये हल करेगा।

(ग) जहां कहीं भी संभव होगा, भारत अपने पड़ोसियों के प्रति सदाशयता व सहयोग के एकतरफा कदम उठाएगा तथा इन कदमों के प्रति पड़ोसी की ओर से वैसे ही प्रत्युत्तर की कोई शर्त नहीं होगी।

(घ) अपेक्षाकृत असाध्य मसलों पर भारत दृढ़ वार्ता रुख से अलग कोई रास्ता अख्तियार करने की मंशा रखेगा ताकि इन मसलों का हल निकल सके।

गुजराल ने पिछले 14 महीनों के दौरान इन अवधारणागत दिशा-निर्देशों को भारत की विदेश नीति में समाहित किया है। निश्चित रूप से इससे दक्षिण एशिया क्षेत्र का आम राजनैतिक माहौल बेहतर हुआ है। यह याद करना प्रासंगिक होगा कि प्रधानमंत्री गुजराल की विदेश नीति से क्या कुछ सकारात्मक हासिल हुआ। उन्होंने लगभग साढ़े तीन साल के अंतराल के बाद पाकिस्तान से द्विपक्षीय बातचीत शुरू की। पाकिस्तान के प्रधानमंत्री और विदेश मंत्राी से निजी संपर्क स्थापित करने के अतिरिक्त भारत और पाकिस्तान के विदेश सचिवों के बीच संस्थागत बातचीत शुरू हुई, जारी रही और आगे भी जारी रखने की इच्छा व्यक्त की गई। उन्होंने पाकिस्तानी यात्रियों के लिए वीजा नियमों को एकतरफा तौर पर उदार बना दिया। उन्होंने भारत को होने वाले पाकिस्तानी निर्यातों के मामले में सर्वाधिक अनुकूल राष्ट्र (एमएफएन) के तहत व्यवहार करने का एकतरफा फैसला लिया। उन्होंने पुस्तकों व प्रकाशनों के मुक्त प्रवाह तथा पाकिस्तान के साथ बिना किसी रोकटोक के सांस्कृतिक आदान-प्रदान का आदेश दिया। उनहोंने यह संकेत भी दिया कि भारत बगैर किसी प्रक्रियात्मक शर्त के पाकिस्तान के साथ कश्मीर मुद्दे पर बातचीत का इच्छुक है।

भारत-बांग्लादेश रिश्तों के संदर्भ में एक महत्वपूर्ण व साहसी पहल करते हुए उन्होंने बांग्लादेश की प्रधानमंत्री शेख हसीना वाजेद के साथ 30 साल की अवधि के लिए एक जल बंटवारा संधि पर दस्तखत किया और बांग्लादेश होते

हुए असम व पूर्वोत्तर राज्यों में आवागमन अथवा भारत में अवैध रूप से रह रहे बांग्लादेशियों को वापस बुलाने जैसे भारतीय हित के मुद्दों पर बांग्लादेश से किसी भी जवाबी कार्रवाई की मांग नहीं की। इस नजरिये ने आरंभिक परिणाम दिए। भारत के पूर्वी और उत्तर-पूर्वी भागों के लिए अपनी जमीन से होते हुए भारत को आवागमन सुविधा देने के लिए बांग्लादेश राजी हो गया है। बांग्लादेश ने भारत को आश्वासन दिया है कि वह भारत के अलगाववादी तत्वों को शरण अथवा समर्थन नहीं देगा। बांग्लादेश से निर्यात पर से गुजराल द्वारा प्रतिबंध हटा लेने के कारण भी बांग्लादेश की ओर से सकारात्मक प्रतिक्रिया हुई। इसके साथ ही भारत ने बांग्लादेश को नेपाल व भूटान के साथ व्यापार के लिए अतिरिक्त आवागमन सुविधा देने पर विचार की मंशा का भी संकेत दिया है। भारत-नेपाल रिश्तों के संदर्भ में भी एक हद तक सकारात्मक घटनाएं हुई हैं। महाकाली समझौते की पुष्टि, जिसपर पहले प्रणव मुखर्जी ने काठमांडू में दस्तखत किया था, गुजराल के विदेश मंत्रालय का कार्यभार संभालने के बाद हुई। नेपाल की मुश्किल परिस्थितियों के मद्देनजर भारत की ओर से नेपाल के विदेश व्यापार के हितों को पूरा करने वाले कदम उठाए गए। सबसे महत्वपूर्ण बात यह है कि गुजराल ने नेपाल की इस मांग पर भी सकारात्मक रुख अपनाया कि बदले क्षेत्रीय और अंतर्राष्ट्रीय माहौल में नेपाल की भावनाओं के परिप्रेक्ष्य में 1950 की भारत-नेपाल शांति व मित्रता संधि को फिर से विचार-विमर्श कर संशोधित किया जाए। यह अनुमान है कि नेपाल को इस संधि के अनुच्छेद 2, 6 और 7 पर आपत्ति है। अनुच्छेद 2 में इस बात का प्रावधान है कि भारत और नेपाल की सरकारें किसी भी अन्य पड़ोसी देश के साथ अपने वैसे गंभीर टकराव अथवा गलतफहमी से एक-दूसरे को अवगत कराएंगे जिनसे भारत-नेपाल के दोस्ताना रिश्तों में दरार की आशंका है। नेपाली अब शायद अपनी विदेश नीति संचालित करने की संप्रभुताजन्य स्वतंत्रता के संदर्भ में इस अनुच्छेद को एक बंधन के रूप में देखते हैं। 1950 की संधि के अनुच्छेद 6 व 7 में प्रावधान है कि आर्थिक गतिविधियों, रोजगार, आवास, संपत्ति स्वामित्व इत्यादि के मामले में भारत और नेपाल के नागरिकों को एक दूसरे के क्षेत्र में एकसमान विशेषाधिकार प्राप्त होगा। नेपालियों को शायद यह महसूस होता है कि इन अनुच्छेदों की वजह से नेपाल में सामाजिक-आर्थिक दृष्टि से एक जरूरत से अधिक प्रभावी भारतीय मौजूदगी सुनिश्चित होती है जो नेपाली हितों के लिए हानिकारक है। इस संधि की समीक्षा के लिए नेपाल और भारत के विदेश सचिवों के बीच पहले दौर की बातचीत 18 से 21 अगस्त तक दिल्ली में हुई।

इसके परिणामस्वरूप नेपाल में भारत के प्रति सकारात्मक सोच की झलक तब मिली जब काठमांडू में भारतीय राजदूत द्वारा देश की 50वीं स्वतंत्रता सालगिरह के मौके पर आयोजित समारोह में नेपाल के राजा और रानी शामिल हुए। 1997 के शुरू में अपनी श्रीलंका यात्रा के दौरान गुजराल ने कोलंबो को बड़े ही दृढ़ तरीके से आश्वासन दिया कि श्रीलंका के आंतरिक मामलों में भारत कभी हस्तक्षेप नहीं करेगा। भूटान और मालदीव को अधिक आर्थिक सहायता व बेहतर द्विपक्षीय सहयोग का आश्वासन दिया गया। जहां तक आसियान और चीन जैसे भारत के विस्तारित पड़ोसियों की बात है, गुजराल ने आसियान नेताओं के साथ संपर्क बढ़ाया तथा उनके कार्यकाल के दौरान ही एशियाई क्षेत्रीय सुरक्षा मंच के एक सदस्य के तौर पर एक पूर्ण वार्ताकार सहयोगी के रूप में आसियान में भाग लेना शुरू किया। केवल भारत-चीन रिश्तों में एक साभिप्राय धीमापन देखने को मिला, लेकिन सीमा निर्धारण से जुड़े जटिल मुद्दों और दोनों देशों की सर्वथा भिन्न विदेश नीति प्राथमिकताओं के मद्देनजर ऐसा अपरिहार्य ही था।

जबकि भारत के क्षेत्रीय संबंधों के व्यापक माहौल में सुधार दिखाई पड़ रहा है, यह समय इस बात की पड़ताल करने का है कि गुजराल की पहल से भारतीय नीतियों में हाल में आए सकारात्मक व सुलह सफाई संबंधी झुकावों की परिणति, दिखावे में ही सही, क्या हमारे पड़ोसियों के किसी महत्वपूर्ण सकारात्मक रुख के रूप में हुई है? दूसरा, गुजराल के एकतरफा विवेक की बदौलत भारत से रिश्तों पर असर डाल रहे किसी भी बड़े मुद्दे पर पड़ोसी देशों की प्रवृत्ति व वार्ता संबंधी उनके दृष्टिकोण में कोई सकारात्मक बदलाव आया है? जहां तक पाकिस्तान की बात है, न केवल कश्मीर बल्कि अन्य मुद्दों के संदर्भ में भी इस बात का कोई प्रत्यक्ष उदाहरण नहीं मिलता कि पाकिस्तान अपने दृढ़ रुख को छोड़ने को तैयार है। पाकिस्तान के विदेश मंत्री गौहर अयूब तथा वित्त मंत्री सरताज अजीज ने तो अगस्त के मध्य में यहां तक कह डाला कि भारत-पाकिस्तान आर्थिक, वाणिज्यिक अथवा प्रौद्योगिकीय सहयोग की शर्त है कि जम्मू-कश्मीर पर भारत समझौता करे। यह भी ऐसे समय में जब गुजराल ने पाकिस्तान को इस बात के संकेत दिए हों कि भारत न केवल भारत-पाकिस्तान संयुक्त आयोग की गतिविधियों को पुनः बहाल करना चाहता है बल्कि वह द्विपक्षीय व्यापार को बढ़ावा देना और पाकिस्तान से बिजली खरीदना चाहेगा। सरताज ने यह भी कहा कि दक्षेस के तहत भी आर्थिक सहयोग इस बात पर निर्भर करेगा कि कश्मीर पर पाकिस्तान नजरिये के अनुकूल भारत आगे बढ़े। इसी बीच, 25 अगस्त के बाद से जम्मू-कश्मीर में वास्तविक नियंत्रण रेखा पर

सैन्य झड़पों में भी खतरनाक तरीके से इजाफा हुआ है। जम्मू-कश्मीर के अलगाववादी उग्रवादियों को पाकिस्तान ने व्यावहारिक सहयोग जारी रखा है।

जहां तक बांग्लादेश की बात है, भारत को आवागमन सुविधाएं उपलब्ध कराने के अस्थायी फैसले को छोड़कर ऐसा कोई संकेत नहीं मिला है कि भारत में अवैध बांग्लादेशी घुसपैठ के मसले के समाधान पर ढाका क्या कुछ करेगा। यहां तक कि फरक्का में गंगा के पानी में इस साल के शुरू में हुई कमी के कारण दोनों देशों के बीच 30 साल पुरानी जल बंटवारा संधि के लिए भी मुश्किलें खड़ी हो गईं। पानी की मात्रा में कमी आने की स्थिति में जब बंटवारा संधि में निहित व्यवस्थाओं का सख्ती से पालन करने की जगह बांग्लादेश अपना सामान्य हिस्सा लेने पर अड़ा रहा। समस्या से निजात पाने के लिए इस साल गर्मी के मौसम में भारत को कठिन विचार-विमर्श के दौर से गुजरना पड़ा। कश्मीर जैसे मुद्दों पर, जो भारतीय हित में अत्यधिक महत्वपूर्ण हैं, बांग्लादेश के नीतिगत रुख में कोई बदलाव नहीं दिखता। और तो और, बांग्लादेश सरकार अब भी उल्फा उग्रवादियों को पासपोर्ट जारी कर रही है। जहां तक नेपाल की बात है, महाकाली परियोजना के बारे में अब भी आपत्तियां हैं। इससे भी अधिक महत्वपूर्ण बात यह है कि 19-20 अगस्त को नई दिल्ली में द्विपक्षीय बातचीत के दौरान नेपाल के विदेश सचिव ग्वायली यह कहते हुए कालापानी क्षेत्र पर नेपाल के दावे पर अड़े रहे कि सन् 1815 में ब्रिटिश भारत व नेपाल के बीच हस्ताक्षरित सुगौली संधि-जिसके तहत यह क्षेत्र भारत को दिया गया को रद्द कर कालापानी क्षेत्र वापस नेपाल को दिया जाना चाहिए। यदि भारत यह मान लेता है तो कालापानी के साथ-साथ भारत का अधिकार लिपुलेख दर्रे से भी जाता रहेगा जो तिब्बत व कैलाश मानसरोबर का मार्ग है। भारत-चीन संबंधों के लिहाज से भारत के लिए इस दर्रे का बड़ा ही रणनैतिक महत्व है। इसके अलावा नेपाल ने अपनी जमीन से पाकिस्तानी इंटर सर्विसेज इंटेलिजेंस द्वारा चलाई जा रहीं भारत-विरोधी गतिविधियों पर अंकुश लगाने की भी अब तक कोई ठोस कार्रवाई नहीं की है।

भूटान की जमीन पर उल्फा और बोडो अलगाववादी अब भी सक्रिय हैं। इस संदर्भ में भारत-भूटान सहयोग भी सुस्त पड़ा जान पड़ता है। यद्यपि औपचारिक सरकारी स्तर पर आसियान के साथ संबंध बने हुए हैं, इस समूह की कई निवेश और आर्थिक परियोजनाओं पर भारत के बदलते नीतिगत फैसलों के कारण परस्पर रिश्तों के आयाम और आवेग के संदर्भ में असर पड़ा है। इस बात का कोई संकेत नहीं कि भारतीय विदेश नीति की एकपक्षीय सकारात्मकता

के फलस्वरूप पड़ोसी राष्ट्र अप्रसार व निशस्त्रीकरण के मुद्दों पर भारत के रुख अथवा सुरक्षा परिषद की स्थायी सदस्यता पर भारत की दावेदारी का समर्थन करेंगे। अब समय आ गया है जब इस बात का आकलन किया जाए कि प्रधानमंत्री गुजराल की पहलकदमियों से क्या भारत के ठोस राजनैतिक व सुरक्षा हितों की पूर्ति की संभावना है? यह सही है कि भारत प्रत्युत्तर में किसी कदम पर जोर नहीं डालता, लेकिन तर्कसंगत सी बात है कि वह कुछ सकारात्मक कदमों की उम्मीद करेगा और यह सुनिश्चित करेगा कि उसे यूं ही मानकर न चला जाए।

वास्तविक नियंत्रण रेखा पर भारत-पाक के बीच की झड़पें और अमेरिका का शामिल होना

24 अगस्त, 1997 से भारत-पाक तनाव ने फिर से सिर उठाया और यह काफी उग्र रूप में सामने आया। जम्मू-कश्मीर में पूरी वास्तविक नियंत्रण रेखा पर बड़े पैमाने पर छिटपुट झड़पें और भारतीय व पाकिस्तानी सेना के बीच भारी गोलाबारी देखने को मिली। 25 अगस्त को मीडिया में इस तरह की खबरें रहीं कि इस गोलाबारी में चंद पाकिस्तानी सैन्य अधिकारियों समेत 50 से 70 तक पाक सैनिक मारे गए। भारतीय पक्ष को हुई हानि के बारे में कहा गया कि एक मेजर और दो जवान शाहीद हुए। 26 अगस्त को पाकिस्तानी गोलाबारी में भारतीय सेना के ब्रिगेड कमांडर जसबीर सिंह लिड्डर व एक अन्य अधिकारी कर्नल कटोच बाल-बाल बचे। वास्तविक नियंत्रण रेखा पर तनाव के गंभीर स्तर तक पहुंच जाने से भारतीय जनमानस में काफी चिंता व्याप्त है। यह चिंता 27 अगस्त को संसद में भी पूर्व प्राधानमंत्री चंद्रशेखर के भाषण से अभिव्यक्त हुई जब उन्होंने वाक्पटुता के साथ सवाल किया कि आखिर भारत गुजरात सिद्धांत के ढांचे के तहत बिना जवाबी कार्रवाई पर जोर दिए सदाशयता एवं मित्रता की राग क्यों अलाप रहा है: वास्तविक नियंत्रण रेखा पर हो रही घटनाओं ने पाकिस्तान के प्रति भारतीय नीतियों के नए झुकावों की तार्किकता पर ही सवाल खड़े कर दिए हैं।

इससे भी दिलचस्प है भारत-पाकिस्तान के बीच इस ताजा सैनिक टकराव के बारे में नई दिल्ली और इस्लामाबाद, दोनों जगहों से निकलने वाले विरोधाभासी राजनैतिक बयान। हमारे सेना मुख्यालय ने घटनाक्रम को गंभीर बताया। रक्षा मंत्री मुलायम सिंह यादव ने लखनऊ में कहा कि जो कुछ भी हो रहा है वह असाधारण नहीं, ये सामान्य झड़पें हैं जो होती ही रहती हैं। यद्यपि 27 अगस्त तक गुजराल की ओर से सीधा बयान नहीं आया, पर उनके कार्यालय

ने कहा कि भारत घटनाओं की गंभीरता पर नजर रखे हुए है और वह पाकिस्तान की ओर से उत्पन्न किए गए इस ताजा खतरे से निपटने में सक्षम है। भारतीय विदेश मंत्रालय के प्रवक्ता ने पाकिस्तान की सैनिक गतिविधियों के बारे में अत्यधिक गंभीर बयान दिया जिसका आशय यह था कि पाकिस्तान की ओर से यह कवायद मेल-मिलाप की प्रक्रिया को पटरी से उतारने के इरादे से की जा रही है। पहले दो दिनों के दौरान पाकिस्तान सरकार ने इन घटनाओं की बिल्कुल तूल नहीं दिया। उसने इसे वास्तविक नियंत्रण रेखा पर सुलगते तनाव का एक हिस्सा मात्र कहा। लेकिन बाद में पाकिस्तान कड़े शब्दों में भारत की आलोचना करने लगा, आरोप लगाया कि भारत ने सैनिक टकराव की शुरूआत कर दी है। नई दिल्ली में पाकिस्तान के उप उच्चायुक्त ने भी इस आरोप को दोहराया। इसी बीच, पाकिस्तान ने वास्तविक नियंत्रण रेखा के उस पार संयुक्त राष्ट्र सैन्य पर्यवेक्षक दल के समक्ष भारत के खिलाफ औपचारिक एवं विस्तृत शिकायत कर दी। हमारे प्रधानमंत्री और रक्षा मंत्री ने सार्वजनिक रूप से यह आकलन व्यक्त किया है कि इस गंभीर सैनिक घटनाक्रम से नई दिल्ली में भारत-पाक विदेश सचिव स्तरीय बातचीत के अगले दौर की मध्य सितम्बर के आसपास प्रस्तावित बैठक पर कोई असर नहीं पड़ेगा। यह गौर करने की बात है कि अब तक वार्ता को लेकर पाकिस्तान की ओर से इस तरह का कोई ठोस संकेत नहीं आया है। भारत ने बातचीत जारी रखने की अपनी इच्छा का इजहार कर दिया है और उसने कथित तौर पर विदेश सचिव स्तरीय बातचीत के लिए पाकिस्तान के विदेश विभाग को तारीखें भी सुझाई हैं।

सैनिक टकराव के परिणामों की विभिन्न आयामों में समीक्षा उचित होगी। पहला, पाकिस्तान के इस आरोप की जांच करनी होगी कि इस संघर्ष की शुरूआत भारत की ओर से हुई। दरअसल, भारत ने जम्मू-कश्मीर में पाकिस्तान से तनाव बढ़ाने जैसी कोई पहल नहीं की। समग्र नीतियों के परिप्रेक्ष्य में भारत का रुख है पाकिस्तान के साथ बातचीत जारी रखना और दोनों देशों के बीच कम-से-कम शांतिपूर्ण माहौल के न्यूनतम स्तर का स्थिरीकरण। दूसरा, भारतीय सशस्त्र बलों ने पाकिस्तान प्रायोजित हिंसक अलगाववादी मुहिम को हरसंभव सीमा तक सफलतापूर्वक रोका है। तीसरा, यद्यपि जम्मू-कश्मीर में सामान्य स्थिति बहाल करने की दिशा में फारूक अब्दुल्ला की निर्वाचित सरकार को बेशक अभी लंबा रास्ता तय करना है लेकिन वह ठीक दिशा में जा रही है और इसकी बानगी 15 अगस्त को जम्मू-कश्मीर में स्वतंत्रता दिवस समारोह के निर्विघ्न संपन्न होने के रूप में देखने को मिली।

अभी भारतीय सशस्त्र बलों का संघर्ष शुरू करना मौजूदा समय में पाकिस्तान के प्रति भारत सरकार की नीति के उलट होगा और प्रधानमंत्री गुजराल द्वारा पाकिस्तान के प्रति भारत की घोषित मंशा की विश्वसनीयता को भी प्रभावित करेगा। यह मान लेना कठिन है कि भारत संघर्ष की शुरूआत करेगा। इसके विपरीत पाकिस्तान के अधोलिखित उत्प्रेरणा हो सकते हैं:

पहला, जम्मू-कश्मीर में शांति और स्थिरता की किसी भी संभावना से राज्य को अस्थिर करने की उसकी मंशा को धक्का पहुंचेगा और जम्मू-कश्मीर के लोगों में विभाजन की इच्छा संबंधी पाकिस्तानी दावे पर भी सवाल उठ खड़ा होगा। दूसरा, जम्मू-कश्मीर में उत्तरोत्तर सुनिश्चित होती सामान्य स्थिति से पाकिस्तान के हाथ से कश्मीर मुद्दे को लेकर संयुक्त राष्ट्र तथा अन्य अंतर्राष्ट्रीय मंचों पर हाय-तौबा मचाने का बहाना जाता रहेगा। इसलिए, जम्मू-कश्मीर में तनाव के बने रहने से ही पाकिस्तान को भारत के साथ कश्मीर पर द्विपक्षीय बातचीत के दौरान दृढ़ रुख अख्तियार करने का मौका मिलेगा। तीसरा, जम्मू-कश्मीर में अत्यधिक तनाव पैदा करके पाकिस्तान इस बात की दलीलें दे सकेगा कि विवाद में संयुक्त राष्ट्र और अमेरिका को हस्तक्षेप करना चाहिए। चौथा, संभव है पाकिस्तान सशस्त्र अलगाववादी तत्वों को सीमा पार कर कश्मीर में भेजने की कोशिश कर रहा हो और सीमा पर संघर्ष की घटनाएं या तो भारतीय सशस्त्र बलों का ध्यान बंटाने के लिए हो या फिर घुसपैठियों को बड़े पैमाने पर कवर मुहैया कराने का प्रयास। पांचवां, संभव है पाकिस्तान की मंशा यह हो सर्दी शुरू होने से ठीक पहले वह जम्मू-कश्मीर में तैनात सशस्त्र बलों के लिए गोला-बारूद आदि के भंडारण जैसी स्थिति ही पैदा न होने दे। छठा, पाकिस्तान के खुफिया व सशस्त्र बल प्रतिष्ठानों का एक बड़ा हिस्सा द्विपक्षीय वार्ता को एक मुश्किल अभ्यास बनाना चाहता हो। सातवां, वास्तविक नियंत्रण रेखा पर गोलाबारी के लिए ऐसे समय को चुना गया जब दक्षिण एशिया से संबद्ध नए अमेरिकी सहायक विदेश मंत्री रिक इंडरफर्थ आने वाले थे। इंडरफर्थ ने सितम्बर के पहले सप्ताह में पाकिस्तान और भारत की यात्रा की। जाहिर तौर पर सीमा पर इस तरह की स्थिति पैदा कर पाकिस्तान कश्मीर पर अपने नजरिये के चश्मे से इंडरफर्थ को कश्मीर मुद्दे की गंभीरता दिखाना चाहता था।

हाल के समय में अमेरिका ने जम्मू-कश्मीर मसले के संदर्भ में भारत पाकिस्तान रिश्तों में खासी दिलचस्पी दिखाई है। दरअसल, अमेरिकी प्रतिष्ठान की अंदर-ही-अंदर भारत-पाकिस्तान रिश्तों में प्रत्यक्ष मध्यस्थ भूमिका निभाने की इच्छा है। इस मत को पुस्ट करने के लिए पिछले दो-ढाई माह के दौरान

अमेरिका के नीतिगत बयानों पर गौर करना जरूरी है। जुलाई में राष्ट्रपति क्लिंटन ने दक्षिण एशिया में एक सुदृढ़ अमेरिकी मौजूदगी पर जोर दिया। दक्षिण एशिया में एक सुदृढ़ अमेरिकी मौजूदगी पर जोर दिया। दक्षिण एशिया प्रभाग में विदेश विभाग के वरिष्ठ सलाहकार जॉर्ज पिकार्ट ने अगस्त के शुरू में कहा कि अमेरिका जम्मू-कश्मीर को विवादित क्षेत्र मानता है और दोनों देशों को इस मसले का समाधान कश्मीरियों की आकांक्षाओं को ध्यान में रखकर ही करना चाहिए। इसके बाद अमेरिकी सरकार की ओर से इस आशय का संदेश आया कि राष्ट्रपति क्लिंटन प्रधानमंत्री गुजराल और प्रधानमंत्री नवाज शरीफ के बीच एक त्रिपक्षीय बैठक आयोजित कराने को इच्छुक है– जब ये दोनों दक्षिण एशियाई नेता संयुक्त राष्ट्र महासभा के सत्र में भाग लेने के लिए न्यूयार्क आएंगे। दरअसल, अमेरिकी अधिकारियों ने सुझाव दिया कि गुजराल अपनी यात्रा की तारीख करीब एक सप्ताह पीछे खिसका लें ताकि वह राष्ट्रपति क्लिंटन से मिल सकें। भारत ने जम्मू-कश्मीर मसले पर किसी भी त्रिपक्षीय बैठक अथवा अमेरिकी मध्यस्थता के सुझाव को ठुकरा दिया। अब ताजा खबरें यह हैं कि गुजराल न्यूयार्क के अपने यात्रा कार्यक्रम में फेरबदल कर सकते हैं ताकि वह राष्ट्रपति क्लिंटन से मिल सकें। इस आशय की भी खबरें हैं कि गुजराल और नवाज शरीफ से क्लिंटन अलग-अलग मुलाकात करेंगे। जाहिर सी बात है कि भारत और पाकिस्तान के प्रधानमंत्रियों के साथ विचार-विमर्श के अमेरिकी एजेंडे में कश्मीर और क्षेत्रीय अप्रसार मुख्य मुद्दे होंगे। हाल ही में वास्तविक नियंत्रण रेखा पर भारत-पाकिस्तान के बीच हुए सैनिक टकराव के उपरांत अमेरिका की ओर से एक बार फिर मध्यस्थता का प्रस्ताव आया था। शांति-व्यवस्था के संदर्भ में दक्षिण एशिया में स्थिर राजनैतिक-रणनैतिक माहौल सुनिश्चित करने के उत्प्रेरण के अलावा भी अमेरिका के कुछ विशिष्ट हित हैं जो भारत-पाक संबंधों में उसकी सक्रियता पर टिके हैं। तुर्कमेनिस्तान, ताजिकिस्तान और उजबेकिस्तान में प्राकृतिक गैस, हाइड्रोकार्बन उत्पादों तथा अन्य प्राकृतिक संसाधनों का पता लगाने में अमेरिका का निजी क्षेत्र अत्यधिक इच्छुक है। अमेरिका का लक्ष्य अफगानिस्तान के जरिये ईरान की पूर्वी सीमाओं तथा इस उपमहाद्वीप में स्थिरता भरा शांतिपूर्ण क्षेत्र तैयार करना है ताकि यहां निर्बाध रूप से आर्थिक गतिविधियां चलाने एवं मध्य व दक्षिण एशिया के बाजारों तक बेहतर पहुंच के अमेरिकी हित सधें। अफगानिस्तान, ताजिकिस्तान और अक्षिण एशियाई क्षेत्र में सतत संघर्षपूर्ण माहौल के कारण इन क्षेत्रों में अमेरिकी आर्थिक हितों पर प्रतिकूल असर पड़ेगा।

यद्यपि क्षेत्र में गैर-दखलकारी राजनैतिक-सैनिक मौजूदगी के संदर्भ में अमेरिका ने चुप्पी साध रखी है, लेकिन वह चाहेगा कि दक्षिण एशिया और मध्य एशिया के उन हिस्सों में जहां अमेरिका सक्रियता से जुड़ा है, स्थिर राजनैतिक माहौल बनाने में वह सर्वाधिक अहम और प्रभावी भूमिका निभाए। भारत-पाकिस्तान संबंधों के मौजूदा दौर में अमेरिका की दिलचस्पी इसी व्यापक रणनैतिक उत्प्रेरण का एक हिस्सा है। मध्य एशिया में अमेरिका की प्रौद्योगिकीय व आर्थिक सक्रियता से निश्चित रूप से भारत फायदे में रहेगा। इसलिए उक्त संदर्भ में अमेरिका की चिंताओं और उसके हितों के प्रति अस्वीकारवादी होने की जरूरत नहीं। भारत को इस बात को लेकर जरूर चौकस रहना चाहिए कि इस अमेरिकी उत्प्रेरण का किसी भी रूप में पाकिस्तान फायदा न उठा जाए, क्योंकि ऐसा भारत की क्षेत्रीय अखंडता व सुरक्षा हितों के लिए खतरनाक होगा। यदि अमेरिकी दबाव की परिणति कश्मीर मुद्दे एवं भारत से व्यावहारिक कार्यविधिक रिश्ते बनाने के संदर्भ में पाकिस्तान के कहीं अधिक व्यावहारिक व विवेकपूर्ण रुख में हो सकती है तो हमें अमेरिका व पाकिस्तान के मध्य इस तरह की बातचीत को प्रोत्साहित करना चाहिए। यद्यपि हमें उप-महाद्वीपीय मामलों में अमेरिकी मध्यस्थता अथवा प्रत्यक्ष हस्तक्षेप स्वीकार करने की जरूरत नहीं, लेकिन दक्षिण एशियाई क्षेत्र में शांति और स्थिरता बनाने के संदर्भ में अमेरिकी आकलनों व सुझावों के प्रति मस्तिष्क के दरवाजे खुले रखने चाहिए। इस संदर्भ में इंडरफर्थ ने निश्चित रूप से हमारी सरकार के समक्ष कुछ विचार रखे होंगे, जब वह सितंबर के प्रथम सप्ताह के दौरान यहां थे। हमारी प्रतिक्रिया नपी-तुली व उद्देश्यपरक तथा अमेरिका की दक्षिण एशियाई नीतियों के प्रति हमारी पिछली अवधारणाओं से मुक्त होनी चाहिए।

9

पाकिस्तान के साथ वार्ता की पुनः शुरुआतः आगरा शिखर बैठक से मिली सीख

पाकिस्तान के साथ पुनः बातचीत शुरु करना

अमेरिका के राष्ट्रपति जॉर्ज डब्ल्यू. बुश बनें या अल गोर, यह अनुमान कर लेना चाहिए कि भारत-पाकिस्तान रिश्तों के सन्दर्भ में अमेरिकी अवधारणाओं और नीतियों में निरन्तरता बनी रहेगी। पाकिस्तान से भारत के रिश्तों के सन्दर्भ में अमेरिकी नीतियों के प्रमुख अवयव हैं:

भारत और पाकिस्तान के बीच विवाद-संभावित तनावपूर्ण रिश्तों का दक्षिण एशिया की शांति और स्थिरता पर प्रतिकूल असर पड़ेगा तथा इससे अमेरिका के उस तनाव में इज़ाफा ही होगा जिसका वह मध्य-पूर्व और अफगानिस्तान में सामना कर रहा है। यह अस्थिरता खाड़ी क्षेत्र के साथ-साथ यहां से गुजरने वाले उन व्यापार मार्गों की सुरक्षा को भी प्रभावित करेगी जिनसे अमेरिका के महत्वपूर्ण हित जुड़े हैं। भारत-पाकिस्तान संघर्ष धार्मिक अतिवादिता, आतंकवाद और मादक पदार्थों से जुड़े अपराधों को भी अपने दायरे में ले लेता है। जम्मू-कश्मीर और भारत-पाकिस्तान सम्बन्धों को प्रभावित करने वाले विस्फोटक ऐतिहासिक एवं भावनात्मक आवेगों के दृष्टिगत भारत और पाकिस्तान का नाभिकीय अस्त्रों से लैस हो जाना एक अत्यधिक खतरनाक मसला है। इसलिए अमेरिका अपनी दक्षिण-एशिया नीतियों का अनिवार्य उद्देश्य भारत एवं पाकिस्तान में वार्ता की पुनः बहाली को मानता है। अमेरिका इस निष्कर्ष पर पहुंचा है कि नियन्त्रण रेखा के सन्दर्भ में जम्मू-कश्मीर की मौजूदा अवस्था में कोई भी बदलाव तनाव बढ़ाने वाला और सैनिक टकराव का कारण बनेगा। इसलिए अमेरिका नियन्त्रण रेखा की पवित्रता बनाए रखने के भारतीय रुख का समर्थन करता है। यद्यपि, इसका यह आशय नहीं निकालना चाहिए कि जम्मू-कश्मीर को प्रभावित करने वाले समस्त मुद्दों तथा बुनियादी मुद्दे पर अमेरिका भारत के

रुख का समर्थन करता है। अमेरिका कश्मीर को भारत व पाकिस्तान के मध्य एक विवाद मानता है जिसका हल द्विपक्षीय तौर पर अथवा दोनों देशों को स्वीकार्य अन्य किसी भी तरीके से करना होगा। साथ ही, अमेरिका यह भी मानता है कि कश्मीर समस्या के किसी भी समाधान में नियंत्रण रेखा के दोनों ओर रह रहे जम्मू-कश्मीर के लोगों के हितों और उनकी आकांक्षाओं का ध्यान रखना होगा। इस नीतिगत रुख में निरन्तरता बनी रहेगी। किसी भी समय भारत-पाकिस्तान रिश्तों में अमेरिका की राजनीतिक सक्रियता का स्तर इस बात पर निर्भर करेगा कि उस वक्त भारत-पाक सम्बन्धों के सन्दर्भ में संकट का स्तर क्या है। औपचारिक सरकारी सम्पर्कों के ढांचे के बाहर भारत व पाकिस्तान के बीच परस्पर व्यवहार के चंद पहलुओं तथा भारत के अंदरूनी घटनाक्रमों की समीक्षा करना उतान ही आवश्यक है। जम्मू-कश्मीर राज्य को और अधिक स्वायत्तता पर आधारित राजनैतिक समझौते पर भारत में चर्चा मचखर और सक्रिय हो उठी है। ऐसा प्रतीत होता है कि जम्मू-कश्मीर के दो प्रमुख अलगाववादी राजनीतिक गुट हुर्रियत कान्फ्रेन्स और हिजबुल मुजाहिदीन इस निष्कर्ष पर आ रहे हैं कि उन्हें भारत सरकार के साथ बातचीत में शामिल होना चाहिए। हुर्रियत नेतृत्व के साथ-साथ हिजबुल मुजाहिदीन के अधिसंख्य लोग भारत सरकार से बातचीत के इच्छुक दिखते हैं– इसे वे प्रथम चरण की बातचीत कहते हैं जिसमें पाकिस्तान को शामिल करने पर जोर न दिया जाए। बातचीत में पाकिस्तान को शामिल करने की शर्त सम्बन्धी उनके पूर्व विचारों में बदलाव तीन कारकों का परिणाम जान पड़ता है: राजनैतिक यथार्थ, घाटी में हिंसा और कष्ट के लम्बे दौर से जम्मू-कश्मीर के लोगों का ऊब जाना तथा बातचीत की आवश्यकता उद्घोषित करते अंतर्राष्ट्रीय रुखों व दबावों से जुड़ी अवधारणाएं। साथ ही, इस बात का अनुमान भी लगा लेना चाहिए कि भारत सरकार और कश्मीर के अलगाववादी गुटों के बीच किसी भी पृथक विचार-विमर्श को लेकर पाकिस्तान की हठधर्मिता बनी रहेगी। लेकिन यदि प्रमुख कश्मीरी अलगाववादी गुट आरम्भिक चरणों में पाकिस्तान को शामिल किए बगैर भारत सरकार से बातचीत शुरू करने पर सहमत हो जाते हैं तो पाकिस्तान के लिए अपने नकारात्मक रवैये पर टिके रहने में कठिनाई हो सकती है। ऐसी खबरें हैं कि पाकिस्तान को अमेरिका इस तरह की सलाह दे रहा है कि वह जम्मू-कश्मीर के अलगाववादी गुटों और भारत सरकार के बीच बातचीत शुरू होने के रास्ते में न आए। यह मान लेना तर्कसंगत होगा कि इस सलाह का पाकिस्तान सरकार पर कुछ असर पड़ सकता है, यद्यपि इस बात की कोई गारंटी नहीं कि अफगानिस्तान से आकर

पाकिस्तान में डेरा जमाए भाड़े के आतंकवादी गुटों पर भी इस सलाह का कोई प्रभाव पड़ेगा।

मुशर्रफ सरकार ने यह चतुर सार्वजनिक रुख अख्तियार कर रखा है कि एजेंडे का मुख्य मुद्दा कश्मीर हो तो वह भारत से कभी भी कहीं भी बातचीत फिर शुरू करने की इच्छा रखता है और इसके लिए कोई पूर्व शर्त नहीं। महत्वपूर्ण बात यह है कि वह जम्मू-कश्मीर में आतंकवादी हस्तक्षेप को समर्थन बंद करने का कोई वादा भी नहीं करता। अमेरिकी प्रतिक्रियाओं पर भारत के ध्यान रखने की प्रासंगिकता को लेकर किए जाने वाले सवाल का जवाब यहीं है। इसका सीधा सा जवाब यह है कि भारत के साथ रिश्ते सामान्य बनाने की दिशा में बढ़ने के लिए पाकिस्तान पर दबाव बनाने की क्षमता अमेरिका में अब भी है। दूसरी बात यह है कि विश्व की प्रमुख शक्तियों, दरअसल अधिकांश अन्तर्राष्ट्रीय समुदाय का रुख अमेरिकी आकलनों और नीतिगत झुकावों से प्रभावित होगा। इसलिए भारत-पाकिस्तान विवादों पर अन्तर्राष्ट्रीय समुदाय की व्यापक रणनीतिक और सुरक्षा सम्बन्धी दुविधाओं को ध्यान में रखते हुए भारत को उनकी प्रतिक्रियाओं का अनुमान लगाना चाहिए और फिर ऐसा नीतिगत रुख अपनाना चाहिए जिससे भारतीय चिन्ताओं व भारतीय हितों के प्रति अमेरिकी नेतृत्व में अन्तर्राष्ट्रीय समुदाय का व्यापक समर्थन सुनिश्चित हो सके।

जहां भारत और पाकिस्तान की सरकारों के बीच दूरी है, गैर-सरकारी सम्पर्कों ने दोनों देशों के बीच कुछ हद तक सक्रिय संवेग बना रखा है। महिला संगठनों, मनावाधिकारों से जुड़े गैर-सरकारी संगठनों तथा नीति-निर्धारक समूह के प्रतिनिधिमंडल लगातार आते-जाते रहे हैं। दोनों देशों के इन प्रतिनिधिमंडलों में पत्रकार, भारत-पाकिस्तान रिश्तों से जुड़े पूर्व राजनयिक और यहां तक कि पूर्व सैनिक कमांडर शामिल रहे हैं। इनका उद्देश्य यह पता लगाना रहा है कि क्या कारगिल संघर्ष के कारण उत्पन्न विपथन को दूर किया जा सकता है और क्या किसी तरह की बातचीत फिर शुरू की जा सकती है। यह स्पष्ट है कि इन सम्पर्कों को दोनों ही देशों की सरकारों का समर्थन प्राप्त था और अब भी है, भले ही प्रयोजन अलग-अलग और एक-दूसरे के विरोधाभासी क्यों न हों। इन गतिविधियों से सामान्य सा निष्कर्ष यही निकाला जा सकता है कि दोनों ही देशों और जम्मू-कश्मीर में इस विचार की अंतःधारा विद्यमान है कि बातचीत शुरु की जाए, भले ही यह कितनी भी अस्थायी और मुश्किल क्यों न हो।

इसलिए इस परिप्रेक्ष्य में भारत के लिए आवश्यक है कि वह अपने इस नीतिगत रुख की पुनः समीक्षा करे कि जब तक जम्मू-कश्मीर में पाकिस्तान

समर्थित आतंकवादी हस्तक्षेप पूरी तरह बंद नहीं होता, वह पाकिस्तान से बात नहीं करेगा। पिछले दशक के दौरान पाकिस्तान से बातचीत के अनुभवों और खास तौर पर कारगिल के अनुभव के बाद यथार्थ की कसौटी पर भारतीय रुख मानदंड सम्बन्धी स्तरों पर तार्किक और वैध है। लेकिन यहां लचीलेपन की भी जरूरत है जो उभरती हुई राजनैतिक वास्तविकताओं के अनुकूल हो। बिना किसी राजनैतिक पूर्व शर्त के जम्मू-कश्मीर के अलगाववादी गुटों से बातचीत शुरू करने के प्रति भारत सरकार की इच्छा से ऐसे ही लचीलेपन की ओर भारत का झुकाव प्रदर्शित होता है। हमारी नीतियों पर जिन अन्य वास्तविकताओं का प्रभाव पड़ना चाहिए वे हैं: यदि पाकिस्तान की सरकार अपनी क्षेत्रीय सीमा के अन्दर अड्डा जमाए आतंकवादी गुटों को समर्थन बंद करने का फैसला करती है तो भी ये आतंकवादी गुट जम्मू-कश्मीर में आने वाले कुछ समय तक अपनी गतिविधियां जारी रख सकते हैं, ऐसे में क्या पाकिस्तान के साथ बातचीत को इन भाड़े के आतंकवादी और धार्मिक चरमपंथी गुटों के हाथों बंधक बनने दिया जाए? जम्मू-कश्मीर के अलगाववादी गुटों के साथ किया गया कोई भी राजनैतिक समझौता स्थायी नहीं हो सकता, जब तक इनपर भारत और पाकिस्तान के बीच पृथक विचार-विमर्श और उसके बाद संभावित समझौते पर परस्पर रजामंदी न हो। तीसरा, अनिवार्य तौर पर इस बात की जरूरत है कि भारत और पाकिस्तान की नाभिकीय अस्त्र और प्रक्षेपास्त्र क्षमताओं के सन्दर्भ में दोनों ओर से रणनैतिक संयम सुनिश्चित करने के लिए परस्पर विश्वास बढ़ाने के कदमों पर चर्चा हो–वाजपेयी और नवाज शरीफ के बीच लाहौर शिखर बैठक के दौरान भी इस बात की जरूरत महसूस की गई थी। पाकिस्तान के साथ बातचीत शुरु नहीं करने से पाक में सैनिक तानाशाही मजबूत होने के साथ-साथ लंबी भी खिंचेगी क्योंकि तब वहां का सैन्य प्रतिष्ठान बातचीत से भारत के इनकार के अंतर्निहित राजनैतिक और सैनिक खतरों से निपटने के लिए सत्ता में अपने बने रहने की दलील देगा।

कारगिल संघर्ष के दौरान भारत की विवेकपूर्ण और परिपक्व प्रतिक्रिया के बाद अन्तर्राष्ट्रीय समुदाय समर्थित महत्वपूर्ण विश्व शक्तियां भारत का पक्ष लेने के अपने रुख से पीछे हट जाएंगी। एक खास समय के बाद बातचीत शुरु करने से इनकार के कारण ऐसी अवधारणा बनेगी कि भारत हठी और अविवेकपूर्ण है। हमारी यह दलील कि हम एक सैनिक तानाशाह के साथ, खास तौर पर उस सैनिक कमांडर से जिसने कारगिल संघर्ष का ताना-बाना बुना हो, कोई व्यवहार नहीं करेंगे-केवल कुछ समय के लिए ही स्वीकारी जा सकती है। यथार्थपरक राजनीति का तकाजा है कि पाकिस्तान में जो भी सरकार प्रभावी तौर पर सत्ता

में है, उसी से व्यवहार किया जाए। मौजूदा अवरोधों और मानसिक गतिरोध को दूर करने की जरूरत है। यदि पाकिस्तान सरकार पर इस दो-सूत्री सर्वजनिक घोषणा के लिए दबाव बनाया जा सके कि वह किसी भी परस्पर मान्य स्तर पर दिल्ली अथवा इस्लामाबाद में बातचीत शुरु करने का इच्छुक है तथा वह नीतिगत तौर पर जम्मू-कश्मीर में आतंकवादी हिंसा को समर्थन नहीं करेगा, तब भारत के लिए परस्पर वार्ता की पुन: बहाली का रास्ता खुल सकता है।

यह समय है जब वार्ता की मेज पर दोबारा आने के लिए दोनों ही देशों को संकीर्ण घृणायुक्त वैर से परे जाना चाहिए। कश्मीर को केन्द्रीय मुद्दा बताए जाने पर हमारा रक्तचाप बढ़ना नहीं चाहिए। हमें जोर देकर कहना चाहिए कि हमारी सुरक्षा, एकता और क्षेत्रीय अखंडता के संदर्भ में यह हमारे लिए भी केन्द्रीय मुद्दा ही है। हमें यह भी बता देना चाहिए कि जब बातचीत शुरु हो, हमारी एकता व स्थिरता को छिन्न-भिन्न करने के लिए अप्रत्यक्ष हिंसा के इस्तेमाल का मसला एजेंडे में उच्च प्राथमिकता के साथ शुमार होना चाहिए।

पाकिस्तान के साथ व्यवहार करने के लिए आवश्यक कुछ कदम

1. जहां कूटनीति के लिहाज से पाकिस्तान को वार्ता प्रक्रिया में शामिल करने का प्रयास समझदारी भरा हो सकता है, वहीं वास्तविक चुनौती का सामना एक बहु-आयामी राष्ट्रीय कोशिश के जरिये ही किया जा सकता है और जिसे तत्काल बिना विलम्ब करने की जरूरत है।
2. पाकिस्तान की तिकड़मों को काबू में करना और कश्मीरियों में अपने लिए समर्थन बहाल करना हमारे दो प्रमुख उद्देश्य हैं, लेकिन जैसा अक्सर दिखा है, इनमें से कोई भी तब तक सफल नहीं हो सकता जब तक कि अत्यधिक जोरदार तरीके से जुटाए गए हरसंभव व्यापक राजनैतिक समर्थन के साथ राजकीय प्रशासन के विभिन्न अंगों की कार्यप्रणाली में जबर्दस्त सुधार न हो।
3. वहां 40 से अधिक वर्षों की हमारी विदेश सेवा के सामूहिक अनुभवों से इस मत की अनिवार्यत: पुष्टि हुई है कि भारत के प्रति शत्रुता पाकिस्तान की सत्ता संरचना के अस्तित्व के कारण नमी हो तो उसमें अन्तर्निहित तो है ही। वास्तविकता यह है कि अगली शत्रुता हमें विखंडित करने की महत्वाकांक्षा का रूप ले चुकी है। हमारे राष्ट्रवाद के लिए उत्पन्न खतरे की हद तथा उसकी प्रकृति का शायद ही हमारे राजनीतिक, बुद्धिजीवी अथवा मीडिया वर्ग को अहसास है। पहले से ही काफी कम हो चुकी अपनी क्षमताओं को पुन: हासिल करने की दिशा में पहला कदम कम-से-कम

इन वर्गों को हमारे सामने खड़े खतरों के बारे में शिक्षित करने की व्यवस्था करना है।

4. इस कड़वी सच्चाई से मुंह नहीं मोड़ा जा सकता कि एक लोकतंत्र के रुप में हमारे राजनैतिक उद्‌भव की सबसे बड़ी मजबूती-जिसने सभी को नहीं तो भी हमारे समाज के काफी ऐसे लोगों को शक्ति संपन्न बनाया है जो अब तक अल्प सुविधा प्राप्त अथवा बहिष्कृत रहे– ही हमारी सबसे बड़ी कमजोरी साबित होने लगी है क्योंकि सर्वाधिक संकीर्ण, गैर-जानकार और अत्यंत सीमित तत्व ही हमारे राष्ट्रीय एजेंडे और व्यवहार मानदंडों को अधिकाधिक निर्धारित कर रहे हैं। सरकार अपने कर्मचारियों में आज्ञाकारिता सुनिश्चित नहीं कर पा रही और उनसे गुणवत्तायुक्त बहुत कम काम करवा पा रही, केवल इसलिए नहीं कि हमारी नौकरियों में गरीब और काम नहीं करने वाले लोग घुस आए हैं बल्कि इसलिए कि उन्हें हमारी राजनैतिक प्रणाली से प्रोत्साहन और संरक्षण मिलता है। बिजली चोरी और विफलताओं से लेकर सोते हुए सुरक्षा गार्ड तक, रोजमर्रा की घटनाओं के मामले में हमने नितांत लापरवाह प्रवृत्ति को स्वीकार कर लिया है, लेकिन अनिवार्यतः इसका असर शीर्ष स्तरों पर पड़ता है खास तौर पर हमारे सुरक्षा बलों पर जो सर्वाधिक चिन्ता का विषय है। अब यही आशा की जा सकती है कि हमारे राजनीतिकों को यह बात समझ में आ जाए कि पाकिस्तान से निपटने में हमारी कमजोरियों और इसके परिणामस्वरूप उत्पन्न राष्ट्रीय खतरे का संचार प्रत्यक्ष तौर पर राजकीय कार्यप्रणाली में आई इसी गिरावट से होता है, तभी सुधार शुरु हो सकता है।

5. अंतहीन वाद-विवाद से बाधित अर्थव्यवस्था के कारण जन-कल्याण के साथ-साथ हमारी राष्ट्रीय सुरक्षा को पहुंचते नुकसान का बोध होना भी जरुरी है। इस वजह से उपचार शुरु करने का महत्व घट नहीं जाता कि मसला अथाह और असाध्य राजनैतिक असहमति के दौर में प्रवेश कर रहा है।

6. राष्ट्रव्यापी समर्थन जुटानाः

(क) सभी सांसदों और राज्यस्तरीय पार्टियों के नेताओं में यह समझ पैदा करना कि पाकिस्तान की ओर से उत्पन्न खतरे का मुकाबला निष्पक्ष सहयोग बिना नहीं किया जा सकता तथा जम्मू-कश्मीर की लड़ाई आर्थिक व प्रशासनिक के साथ-साथ सैनिक व राजनैतिक मोर्चों पर भी जीतनी होगी।

(ख) मीडिया का समर्थन।

7. जम्मू-कश्मीर को बेहतर तरीके से संभालना। एक सार्थक राजनैतिक-सह-सैनिक कार्ययोजना बनानी होगी और इसके क्रियान्वयन की जिम्मेदारी से युक्त एक व्यवस्था भी।
8. धर्मनिरपेक्षता ही एक ऐसी अवधारणा है जो कश्मीर को खुशी-खुशी भारत का हिस्सा बनाए रख सकती है परन्तु इसका लगातार क्षरण हुआ है और इस समस्या का समाधान अग्रणी सत्तारूढ़ दल को ही खोजना होगा क्योंकि उसके अनुयायी ही समस्या को सर्वाधिक बिगाड़ रहे हैं। लोकसभा में आगरा चर्चा के दौरान विदेश मंत्री ने जो कुछ भी कहा हो, लेकिन इस सरकार के धर्मनिरपेक्षता के प्रति लगाव का कोई भरोसा नहीं।
9. खुद को और मजबूत बनाते हुए (जम्मू-कश्मीर के लिए विशेष बल का गठन?) पाकिस्तान के लिए असके छद्‌म युद्‌ध को और महंगा बना देना।
10. ऐसे चुनिंदा अंतर्राष्ट्रीय संजाल बनाना जो पाकिस्तान पर दबाव बनाने में हमारी मदद कर सकें। (इसमें अन्य देशों को बेहतर आर्थिक अवसर प्रदान करना भी शामिल होगा, उदाहरण के लिए व्यापक आर्थिक उदारीकरण को अमल में लाए बिना भी अमेरिका के लिए और अवसर उत्पन्न किए जा सकते हैं; यह भी आवश्यक होगा कि हम किसी भी तरह भारत के अंग के रूप में कश्मीर के दर्जे से छेड़छाड़ तथा भारत को अस्थिर करने के पाकिस्तानी कुचक्रों को चलते रहने देने के दुष्परिणामों को समझें और उसके बाद दुनिया को इससे अवगत कराएं।)

राष्ट्रपति परवेज मुशर्रफ के साथ बैठक (आगरा शिखर वार्ता-2001) के एजेंडे के पहलू

1. उनकी भारत यात्रा का स्वागत किया जाए और इस बात पर खुशी व्यक्त की जाए कि प्रधानमंत्री अटल बिहारी वाजपेयी के निमंत्रण का उन्होंने सकारात्मक जवाब दिया। इस बात पर भी खुशी का इजहार किया जाए कि बेगम मुशर्रफ भी भारत आईं।
2. यह आशा जताई जाए कि आगरा शिखर बैठक से भारत-पाकिस्तान रिश्तों को सामान्य बनाने की वह प्रक्रिया फिर से बहाल होगी जो राजीव गांधी के प्रधानमंत्रित्व काल में उनकी जनरल जिया-उल-हक तथा बाद में बेनजीर भुट्टो से बातचीत के साथ शुरु हुई थी। इस बात पर जोर दिया जाए कि कांग्रेस पार्टी की दिलचस्पी किन्हीं खास पाकिस्तानी हस्तियों

अथवा राजनैतिक पार्टियों में नहीं बल्कि व्यापक हितों और दोनों देशों के लोगों की बेहतरी के मद्देनजर वह पाकिस्तान के साथ शांति और सहयोगपूर्ण संबंधों की आवश्यकता को लेकर अत्यधिक चिंतित है।

3. यह बात बताई जाए कि आगरा शिखर बैठक का आयोजन कर प्रधानमंत्री वाजपेयी ने जो पहल की, उसके लिए उन्हें राष्ट्रीय सहमति तथा दलीय राजनीति से ऊपर उठते हुए राष्ट्रीय समर्थन प्राप्त है।

4. विभिन्न मुद्दों पर दोनों सरकारों द्वारा अपनाए गए सार्वजनिक रूखों को दरकिनार करते हुए यह पूछा जाए कि यथार्थ और व्यावहारिक संदर्भों में शिखर वार्ता से राष्ट्रपति मुशर्रफ को क्या उम्मीदें हैं।

5. इस बात पर जोर दिया जाए कि पूरा भारत, खास तौर पर कांग्रेस कश्मीर समस्या के व्यावहारिक और यथार्थवादी हल खोजे जाने के प्रति गंभीर है। न तो कांग्रेस पार्टी और न ही देश किसी भी सूरत में भारतीय भू-भागों के और विभाजन अथवा भारतीय गणतंत्र से किसी भू-भाग को अलग करने पर सहमत हो सकते हैं।

6. इस बात का जिक्र किया जाए कि परस्पर स्वीकार्य हल के लिए कांग्रेस पार्टी जम्मू-कश्मीर के सभी राजनीतिक गुटों के साथ-साथ पाकिस्तान से भी बातचीत का समर्थन करती है।

7. इस बात पर जोर दिया जाए कि नाभिकीय खतरे घटाने के लिए भारत-पाकिस्तान बातचीत तत्काल महत्व का विषय है, शायद कश्मीर मसले से भी अधिक महत्वपूर्ण।

8. इस उम्मीद का इजहार करें कि मुशर्रफ की वाजपेयी से बातचीत के साथ ही भारत-पाकिस्तान रिश्तों को हर लिहाज से सामान्य बनाने की ध्येय युक्त वार्ता प्रक्रिया शुरु होगी।

भारत-पाक सम्बन्धः अगला चरण

20 जुलाई, 2001 से प्रधानमंत्री वाजपेयी और जनरल परवेज मुशर्रफ की सार्वजनिक घोषणाएं और पाकिस्तानी विदेश सचिव इनाम-उल-हक व भारतीय विदेश सचिव चोकिला अय्यर के विचार-विमर्श से इस बात की झलक मिलती है कि निकट भविष्य में भारत-पाक वार्ता किस तरह बढ़ेगी। राष्ट्रपति मुशर्रफ ने दो बिंदुओं पर जोर दिया है: पहला यह कि वह बातचीत जारी रखना चाहते हैं, और दूसरा यह कि जब तक पाकिस्तानी उद्देश्यों के ढांचे के अंतर्गत कश्मीर

मसले पर बातचीत के लिए भारत तैयार नहीं होता, भारत-पाकिस्तान रिश्ते सामान्य नहीं बनाए जा सकते।

14 और 16 अगस्त के दरम्यान लोकसभा और राज्यसभा में दिए गए अपने वक्तव्यों तथा लाल किले के प्राचीर से स्वतंत्रता दिवस सम्बोधन में प्रधानमंत्री वाजपेयी ने अधोलिखित बिन्दुओं के संदर्भ में पाकिस्तान के प्रति भारत की भावी नीतियों की रूपरेखा पेश की : पहला, पाकिस्तान के साथ बातचीत के लिए भारत प्रतिबद्ध है। दूसरा, जबकि जम्मू-कश्मीर से जुड़े मुद्दों पर पाकिस्तान से बातचीत को भारत इच्छुक है, लेकिन न तो वह पाकिस्तान को जम्मू-कश्मीर समर्पण करने जा रहा है और न ही गणतंत्र से जम्मू-कश्मीर को पृथक होने देगा। तीसरा, पाकिस्तान-समर्थित हिंसा और आतंकवाद को भारत निर्णायक तरीके से रोकेगा। चौथा, यदि मुशर्रफ चाहते हैं कि इस तरह की बैठकों का कोई सार्थक परिणाम निकले तो उन्हें आगरा में दिखी एकतरफा सोच के बगैर वाजपेयी के साथ भावी बैठकों में भाग लेना चाहिए। वाजपेयी ने भी यह बात स्वीकार की है कि जहां वह शांतिपूर्ण बातचीत के लिए प्रतिबद्ध हैं, खुद उनकी राजनैतिक पार्टी समेत उनकी सरकार में भी एक ऐसा धड़ा है जिसने मुशर्रफ के साथ बातचीत की प्रासंगिकता और उपयोगिता पर सवाल खड़े किए।

हमारी विदेश सचिव ने कोलंबों में पाकिस्तान के विदेश सचिव इनामुल हक को स्पष्ट किया कि जब तक पाकिस्तान सीमा पार आतंकवाद को एक ऐसे कारक के तौर पर नहीं स्वीकारता जिससे भारत-पाकिस्तान के रिश्ते प्रभावित हो रहे हैं, दोनों देशों के बीच कोई सार्थक बातचीत नहीं हो सकती। वाजपेयी और मुशर्रफ के बीच अगली संभावित बैठक इस साल सितम्बर-अक्टुबर में न्यूयार्क में संयुक्त राष्ट्र आमसभा सत्र और फिर दिसम्बर में काठमांडू में प्रस्तावित दक्षेस सम्मेलन के दौरान हो सकती है। क्या इन बैठकों से कोई सार्थक उद्देश्य पूरा होता है? क्या वाजपेयी के इस्लामाबाद या लाहौर जाने की कोई संभावना है– यद्यपि वाजपेयी पाकिस्तान यात्रा के राष्ट्रपति परवेज मुशर्रफ के निमंत्रण को सिद्धान्त रूप में स्वीकार कर चुके हैं। दूसरे सवाल का जबाब यह है कि वाजपेयी की पाकिस्तान यात्रा पाकिस्तान की भारत संबंधित नीतियों और जम्मू-कश्मीर के जमीनी हालात से प्रभावित होगी। न्यूयार्क और काठमांडू में अन्य बैठकों से कोई हित सधेंगे या नहीं, इसका आकलन आगरा शिखर वार्ता के बाद दोनों देशों में की गई समीक्षाओं व घोषित नीतियों के परिप्रेक्ष्य में करना होगा।

जनरल परवेज मुशर्रफ ने अपनी बहुप्रचारित प्रेस कान्फ्रेंस के दौरान आगरा शिखर वार्ता के विफल होने की जिम्मेदारी बेहिचक तरीके से भारत सरकार पर डाली और इस सूक्ष्म अर्थभेदी नजरिये के साथ प्रधानमंत्री वाजपेयी की

व्यक्तिगत प्रशंसा भी की। उन्होंने निर्लज्जतापूर्ण इस झूठ को जोरदार तरीके से कहा कि पाकिस्तान भाड़े के आतंकवादियों और अलगाववादियों को कोई मदद नहीं दे रहा, यह भी दावा किया कि ये दरअसल स्वदेशी स्वतंत्रता सेनानी हैं। मुशर्रफ ने इनकी गतिविधियों की तुलना फिलस्तीनी तथा चेचन्या, कोसोवो वगैरह के अलगाववादी तत्वों से की। उन्होंने कश्मीर पर पाकिस्तान के नजरिये की तुलना बांग्लादेश के निर्माण में भारत की भूमिका से की। सियाचिन में पाकिस्तानी घुसपैठों के खिलाफ भारत की पूर्व कार्रवाई के परिप्रेक्ष्य में वह कारगिल में पाकिस्तानी आक्रमण को भी तर्कसंगत बता गए। उन्होंने नियंत्रण रेखा की पवित्रता पर भी यह कहते हुए सवाल किया कि जम्मू-कश्मीर में नियंत्रण रेखा ही समस्या है और एक समस्या किसी भी भावी समाधान का आधार नहीं हो सकती।

पाकिस्तान के विदेश मंत्री अब्दुल सत्तार ने भी 17 जुलाई को एक प्रेस कान्फ्रेंस के दौरान सीमा पर आतंकवाद से जुड़े एक सवाल के जवाब में नियंत्रण रेखा की पवित्रता पर प्रश्नचिह्न लगाया। उन्होंने कहा कि जम्मू-कश्मीर में भारत और पाकिस्तान के बीच कोई सीमा नहीं है। उन्होंने खारिज करने के अंदाज में कहा, वहां तो केवल नियंत्रण रेखा है। सत्तार का यह बयान कुतर्क के जरिये उस सोची-समझी रणीनीति का संकेत देता है जिसका उद्देश्य नियंत्रण रेखा पर सवाल खड़े करना और फिर उसकी वैद्यता को निष्प्रभावी कर देना है।

हम भी आश्चर्यजनक रूप से खुशफहमी में रहे। अपनी विदेश नीति घोषणाओं में हमने जोर देकर कहा कि शिखर वार्ता इसलिए विफल हो गई कि पाकिस्तान सीमा पार आतंकवाद की वास्तविकताओं और इस आतंकवाद को पालने-पोसने में अपने भूमिका मानने को तैयार नहीं था। जबकि कश्मीर को एक महत्वपूर्ण मुद्दा मानने पर विचार करने को आरंभिक तौर पर राजी हो जाने के बाद हमने फिर इस बात पर जोर दिया कि पूरा जम्मू-कश्मीर भारत का अभिन्न अंग है और जम्मू-कश्मीर के दर्जे में कोई भी बदलाव राजनैतिक व सैद्धांतिक परिप्रेक्ष्यों में भारत की राष्ट्रीय पहचान के लिए एक चुनौती है।

6 अगस्त, 2001 को संसद में दिए गए जसवंत सिंह के बयान से पाकिस्तान की भारत नीतियों के बारे में हमारी अवधारणाएं सही तरीके से परिभाषित होती हैं जब उन्होंने कहा : "जम्मू-कश्मीर समस्या की जड़ दो-राष्ट्र सिद्धांत के कारण भारत के प्रति पाकिस्तान की बाह्यकारी निरंतर दुश्मनी में है।" यह भी गौर करने की बात है कि कश्मीर पर निष्फल सोच-विचार को हाशिए पर धकेलने के साथ ही पाकिस्तान ने नाभिकीय खतरे को घटाने के

कहीं अधिक महत्वपूर्ण और गंभीर मुद्दे पर भी बातचीत से इनकार कर दिया। पिछले दो माह के दौरान पाकिस्तान की नीति संबंधी उद्घोषणाओं में शिमला समझौते और लाहौर प्रक्रिया की प्रासंगिकता को खारिज किया गया है। शिखर सम्मेलन के बाद जमीनी स्तर पर उभरे और उभर रहे माहौल ही वह पर उभरे और उभर रहे माहौल ही वह सर्वाधिक महत्वपूर्ण कसौटी है जिसके आधार पर एक सकारात्मक और उद्देश्यपूर्ण बातचीत की संभावनाओं का पता लगाया जा सकता है। परस्पर विश्वास बढ़ाने के उपायों के तहत शिखर सम्मेलन के दौरान भारत के सभी एकतरफा प्रयासों को पाकिस्तान ने खारिज कर दिया। शिखर सम्मेलन से पहले हमारे सैन्य संचालन महानिदेशक को इस्लामाबाद भेजने, जम्मू-कश्मीर समेत यात्रा सुविधाओं व वीजा व्यवस्था को उदार बनाने की दिशा में जमीनी स्तर पर कुछ काम करने के सुझावों को सिरे से खारिज कर दिया गया। अमरनाथ जाने वाले श्रद्धालुओं पर पाकिस्तान स्थित आतंकवादियों ने हमला किया। मुशर्रफ के इस्लामाबाद लौटने के बाद आम लोगों, विशेषकर हिन्दू नागरिकों के खिलाफ निरंतर की जाने वाली हिंसा की प्रचंडता और बारंबारता में वृद्धि हुई है। नियंत्रण रेखा पर भारी गोलाबारी फिर शुरू हो गई है। पाकिस्तान की "इस्लाम पसंद" पार्टियां लद्दाख व जम्मू के लोगों की जातीय-धार्मिक सहबद्धता व पहचान पर यह कहते हुए सवाल खड़े कर रही है। कि वे भी जम्मू-कश्मीर की व्यापक इस्लामी पहचान के अधीन हैं।

भारत ने अपनी ओर से यह घोषणा कर दी है कि अब वह मुशर्रफ को बातचीत के लिए कोई नया निमंत्रण नहीं देना जा रहा। एक निमंत्रण पहले से ही है। जम्मू-कश्मीर में संघर्ष विराम से जुड़ी पिछले नवम्बर के बाद की विभिन्न पहलों को अमल में नहीं लाया जा सका क्योंकि पाकिस्तान ने ऐसी विवेकपूर्ण बातचीत से हाथ खींच लिए हैं।

इससे अनिवार्यतः यही निष्कर्ष निकाला जा सकता है कि भारत-पाकिस्तान के बीच बातचीत में राजनैतिक मुद्दों की वास्तविकता के बारे में अस्थायी एकमतता भी नहीं। दूसरा, पाकिस्तान इस तथ्यपरक वास्तविकता को स्वीकार करने को भी तैयार नहीं कि वह भारत के खिलाफ अलगाववादी ताकतों को मदद कर रहा है। इससे भी महत्वपूर्ण बात यह है कि इस मदद को रोकने में उसकी दिलचस्पी नहीं है। तीसरा, पाकिस्तान ने न केवल जम्मू-कश्मीर में बल्कि हमारे देश के अन्य भागों में भी अपने अघोषित युद्ध को बरकरार रखने का फैसला किया है, जिससे और भी गंभीर निष्कर्ष निकलता है कि पाकिस्तान का व्यापक-स्तरीय एजेंडा भारत के विखंडन को लक्ष्य करके देश में सांप्रदायिक आधार पर अलगाववादी आवेगों को पैदा करना है।

आगरा शिखर सम्मेलन की अत्यंत कम उपलब्धि रही। जनरल मुशर्रफ की सोच और उद्देश्यों के परिप्रेक्ष्यों में हमारे नेताओं का उनसे व्यक्तिगत परिचय हुआ। हमने अपने राष्ट्रीय हितों की सुरक्षा के संदर्भ में अपनी दृढ़ता का संदेश दिया और अंततः शांति व स्थिरता के व्यापक हितों के मद्देनजर पाकिस्तान के साथ बातचीत जारी रखने की इच्छा भी जताई। भारत-पाक बातचीत निश्चय ही जारी रहनी चाहिए लेकिन जमीनी वास्तविकताओं तथा जनरल मुशर्रफ की गलत राजनैतिक हठधर्मिता व प्रकल्पित विश्वास के मद्देनजर वाजपेयी एवं जसवंत सिंह को इस्लामाबाद जाने की हड़बड़ी धीमी कर देनी चाहिए।

आगरा शिखर वार्ता : एक अंत या एक शुरुआत

16 जुलाई, 2001 की मध्यरात्रि को परवेज मुशर्रफ तने चेहरे के साथ लौटे। यहां तक कि वह आध्यात्मिक उपहार से भी वंचित रहे दिल्ली व अजमेर स्थित चिश्ती दरगाह नहीं जा सके। भारत की सरकारी प्रवक्ता निरूपमा राव ने संयुक्त घोषणापत्र जारी न हो पाने पर निराशा जताई। 16 जुलाई की मध्यरात्रि को दो बातें स्पष्ट हुईं। पहली यह कि 14 जुलाई से 16 जुलाई के दोपहर तक भारत-पाकिस्तान ने लोगों में उभरी अत्यधिक अपेक्षाएं अचानक चूर-चूर हो गई थीं। दूसरी यह कि वाजपेयी-मुशर्रफ की शीर्ष स्तरीय बातचीत के दौरान सीमा पार आतंकवाद और कश्मीर के केंद्रीय मुद्दों का समाधान तो नहीं हुआ, अलबत्ता दोनों नेताओं ने भारत और पाकिस्तान के मध्य बुनियादी मतभेदों की ही एक बार और पुष्टि की। विदेश मंत्रियों जसवंत सिंह और अब्दुस सत्तार ने 17 जुलाई को संवाददाता सम्मेलनों में जोर देकर कहा कि यद्यपि शिखर वार्ता से ठोस अग्रगामी निष्कर्ष नहीं निकला, लेकिन बैठक विफल नहीं रही। उनके मुताबिक आगरा शिखर बैठक से दोनों देशों के बीच वार्ता और परस्पर व्यवहार की एक प्रक्रिया शुरू हुई है। जन अवधारणा हालांकि यही रही कि शिखर वार्ता निष्फल रही। इसलिए इस सवाल का जवाब खोजने की जरूरत है कि आगरा शिखर बैठक विफल रही अथवा इससे भारत व पाकिस्तान के बीच लगातार बातचीत की शुरुआत हुई। शिखर बैठक के दरम्यान भारत व पाकिस्तान के प्रतिनिधिमंडलों के मध्य हुई जटिल बातचीत से उक्त सवाल का जवाब खोजकर किसी निष्कर्ष पर पहुंचने से पहले पूर्व-प्रभावी घटनाओं की समीक्षा करनी होगी।

सर्वप्रथम मन में यह सवाल उमड़ता है कि क्या परवेज मुशर्रफ को भारत के साथ अलग से द्विपक्षीय आधिकारिक बातचीत के लिए निमंत्रित करना चाहिए था? संतुलन की दृष्टि से यह बेहतर होता कि वाजपेयी और मुशर्रफ के बीच पहले अगली दक्षेस बैठक अथवा संयुक्त राष्ट्र आमसभा सत्र के दौरान

संपर्क होता, जिसमें वे दोनों ही भाग लेने वाले थे। मेरे पास इस बात की विश्वस्त जानकारी है कि वाजपेयी का मूल रूप से इसी रुख की ओर झुकाव था, लेकिन मई में मुशर्रफ को निमंत्रित करने का फैसला श्री एल० के० आडवाणी समेत वरिष्ठ सहयोगियों द्वारा उन्हें दी गई सलाह के आधार पर किया गया, जिनका मानना था कि भारत को पाकिस्तान के साथ बातचीत के लिए अपने विवेक व दिलचस्पी का इजहार "आश्चर्यजनक अंदाज" में करना चाहिए। इस तथ्य की पुष्टि 17 जुलाई को संवाददाता सम्मेलन के दौरान विदेश मंत्री जसंवत सिंह के जोर देकर यह कहने से हुई कि शिखर सम्मेलन को लेकर वाजपेयी मंत्रिमंडल में कोई विभाजन नहीं। उसी प्रकार वाजपेयी के निमंत्रण पर परवेज मुशर्रफ की सकारात्मक प्रतिक्रिया भी उनके और पाकिस्तानी सेना के शीर्ष अधिकारियों व पाकिस्तानी सत्ता के अन्य महत्वपूर्ण घटकों के बीच हुई व्यापक सलाह-मशविरा पर आधारित थी। नई दिल्ली आने के पीछे यह तर्क था कि भारत के साथ शीर्ष स्तर पर बातचीत शुरू करने से पाकिस्तान के प्रभावी शासक एवं एक विवेकशील राजनेता के तौर पर उनकी विश्वसनीयता बढ़ेगी।

यद्यपि इस शिखर वार्ता में शामिल होने को लेकर दोनों नेताओं व दोनों सरकारों के आवेगों व उत्प्रेरणों में गहरा विरोधाभास रहा।

भारत के निम्नलिखित उत्प्रेरण थे : पहला, चूंकि नवम्बर 2000, से भारत द्वारा उठाए गए एकतरफा संघर्ष विराम व अन्य कदम मई के मध्य तक कोई सफल परिणाम नहीं दे सके थे, कश्मीर मुद्दे को सुलझाने के लिए राजनैतिक विचार-विमर्श के एक वैकल्पिक रास्ते की संभावनाओं का पता लगाना। दूसरा, भारत ने महसूस किया कि पाकिस्तान को सीधे शीर्ष स्तर पर बातचीत में शामिल करने से वह हुर्रियत की खुद को जम्मू-कश्मीर के लोगों के एकमात्र प्रतिनिधि के रूप में स्थापित करने तथा पाकिस्तान को साथ लेकर त्रिपक्षीय वार्ता की ओर बढने की मांगों के हठ और इसकी कठोरता को घटा सकेगा। तीसरा, परस्पर बातचीत से विवादों को सुलझाने के लिए भारतीय जनमत व राजनैतिक दलों की इच्छाओं के अनुकूल पाकिस्तान के साथ रिश्तों को सामान्य बनाने की प्रक्रिया शुरू करने के प्रति वाजपेयी की सच्ची और ईमानदार मंशा थी। चौथा, भारत चाहता था कि पाकिस्तान समर्थित सीमा-पार आतंकवाद और कश्मीर समस्या के तर्कसंगत समाधान के बीच संबंधों की ओर ध्यान आकर्षित कराया जाए। पाँचवां, भारत की खास तौर पर इस बात में रूचि थी कि भारत व पाकिस्तान के नाभिकीय सशक्तिकरण से क्षेत्रीय सुरक्षा पर पड़ने वाले गंभीर प्रभावों को नियंत्रित करने के तौर-तरीके एवं इसकी प्रक्रिया शुरू की जाए। छठा, कश्मीर

संघर्ष के दुर्घटनावश भारत-पाकिस्तान के बीच नाभिकीय युद्ध में तब्दील हो जाने की आशंकाओं को लेकर अन्तर्राष्ट्रीय समुदाय के सरोकारों और दुश्चिन्ताओं का प्रतिवाद करना भी भारत का उद्देश्य था।

मोटे तौर पर वाजपेयी भारत को एक ऐसे विवेकशील देश के तौर पर पेश करना चाहते थे जो पाकिस्तान के निरंतर शत्रुतापूर्ण व्यवहार से अपनी एकता व क्षेत्रीय, अखंडता को उत्पन खतरे के बावजूद शांतिपूर्ण ज़रियों को लेकर प्रतिबद्ध है। राष्ट्रपति मुशर्रफ और उनकी सरकार के उद्देश्य उपरोक्त भारतीय उद्देश्यों के बिल्कुल उलट थे।

पहला, भारत से स्वीकार किए जाने तथा उसके साथ बातचीत में शामिल होने से पाकिस्तान सरकार के मुखिया के रूप में मुशर्रफ की राजनैतिक व संस्थागत, वैद्यता की पुष्टि होती।

दूसरा, मुशर्रफ की इच्छा खुद को ऐसा पहला पाकिस्तानी राष्ट्राध्यक्ष व शासनाध्यक्ष साबित करने की थी जिसने भारत को 54 वर्षों में पहली बार एक पृथक एवं उच्च प्राथमिकता वाले मुद्दे के रूप में कश्मीर समस्या पर बातचीत के लिए मजबूर किया।

तीसरा, शिखर बैठक से पूर्व उनके और सरकार में उनके सहयोगियों द्वारा दिए गए बयानों की शृंखला में यह बिल्कुल स्पष्ट कर दिया गया कि अपने संदर्भ तथ्यों के तहत पाकिस्तान कश्मीर समस्या के समाधान को भारत-पाकिस्तान रिश्तों को सामान्य बनाने के क्रम में अपरिवर्तनीय पूर्व शर्त के तौर पर देखता है।

चौथा, मुशर्रफ का उद्देश्य यह सुनिश्चित करना था कि इस शिखर वार्ता के दौरान भारत जम्मू-कश्मीर के राजनैतिक व क्षेत्राधिकार संबंधी दर्जे में बदलाव पर बातचीत को रजामंद हो जाए। इस उद्देश्य का अंतर्निहित प्रयोजन नियंत्रण रेखा की पवित्रता का नष्ट करना भी था।

पाँचवां, कि पाकिस्तान समर्थित छद्म युद्ध और आतंकवाद के खिलाफ लड़ाई में भारतीय सेना व सुरक्षा बल थक गए हैं और मुकाबले की उनकी इच्छाशक्ति भी चुक रही है।

छठा, भारत के नाभिकीय अस्त्रीकरण के परिप्रेक्ष्य में नई दिल्ली पर अमेरिका का प्रत्यक्ष दबाव है कि कश्मीर के मसले पर वह पाकिस्तान से समझौता कर ले।

सातवां, वाजपेयी के नेतृत्व वाली गठबंधन सरकार न केवल आंतरिक गुटबाजी का दबाव झेल रही है, बल्कि किसी भी कड़े फैसले पर उसे विपक्षी राजनैतिक दलों का समर्थन भी नहीं मिलेगा।

आठवां, चूंकि परवेज मुशर्रफ का आमंत्रित करने की वाजपेयी ने एकतरफा पहल की, उनके लिए यह असंभव नहीं तो कम-से-कम मुश्किल तो होगा ही कि आगरा शिखर बैठक के अंत में कुछ भी ठोस परिणाम नहीं दिखा पाएं।

नौवां, जम्मू-कश्मीर व भारत के अन्य हिस्सों में बड़े स्तर पर जेहादी आतंकवादी गतिविधियों को लेकर वाजपेयी आशंकित होंगे और इसलिए वह पाकिस्तान की मांगों पर काफी हद तक अनुक्रिया की चाहत रखेंगे।

शायद यही वह अनुमान था जिसके आधार पर परवेज मुशर्रफ ने दिल्ली व आगरा आने से पहले घोषणा की कि वह एक निश्चित समय-सीमा के अन्दर कश्मीर मसले का हल चाहते हैं। वाजपेयी व मुशर्रफ के बीच हुई बातचीत तथा प्रतिनिधिमंडलस्तरीय बैठकों में इन पूर्वानुमानों में से प्रत्येक गलत साबित हो गया इसके लिए आगरा में दोनों प्रतिनिधिमंडलों के पूर्ण सत्र में प्रधानमंत्री वाजपेयी के संबोधन को देखने भर की जरूरत है, जिससे इन पाकिस्तानी पूर्वानुमानों में से प्रत्येक का स्पष्टतया खंडन हो जाता है। भारतीय और पाकिस्तानी प्रतिनिधिमंडलों की संरचना से भी शिखर बैठक को लेकर दोनों देशों के परस्पर विपरीत नजरियें की झलक मिलती है। भारत का उद्देश्य बहुआयामी सामान्यीकरण की प्रक्रिया को बहाल करना था और इसीलिए वाजपेयी के साथ थे गृह मंत्री आडवाणी, विदेश मंत्री जसवंत सिंह, वाणिज्य मंत्री मारन और वित्त मंत्री यशवंत सिन्हा। जबकि कश्मीर के अपने एकसूत्रीय एजेंडे के अनुकूल ही मुशर्रफ केवल विदेश मंत्री अब्दूस सत्तार, अपने निजी कर्मियों और विदेश मंत्रालय के अधिकारियों को लेकर आए। शिखर बैठक के दौरान श्रव्य-दृश्य एवं प्रिंट मीडिया की असाधारण रूप से हस्तक्षेपपूर्ण भूमिका की कोई जरूरत नहीं थी। भारत और पाकिस्तान, दोनों ने ही मीडिया के दखलपूर्ण उत्साह को नियंत्रित करने की जगह शीर्षस्तरीय नीति के हथियार के तौर पर इसका इस्तेमाल किया जबकि उन्हें अपना ध्यान बातचीत पर केंद्रित करना चाहिए था। हमारी सूचना मंत्री सुषमा स्वराज ने, उनका जो कुछ भी तर्क हो, शिखर बैठक के दौरान चर्चा किए गए विषयों पर इस तरह प्रेस को जानकारी दी मानों यह इस बात पर जोर देने की एक कसरत हो कि भारतीय पक्ष बैठक में एक एजेंडे की संरचना करने में कामयाब रहा। उन्होंने कश्मीर पर बातचीत के पाकिस्तानी पक्ष के हठ का उल्लेख भी नहीं किया। परवेज मुशर्रफ ने 16 जुलाई की सुबह वरिष्ठ संपादकों को संबोधित किया, बगैर उन्हें इस बात की पूर्व सूचना दिए कि उनकी बातचीत पाकिस्तान टीवी द्वारा प्रसारित की जानी है। उनका मुख्य संबोधन और वरिष्ठ मीडिया प्रतिनिधियों से उनकी बातचीत सभी मसलों पर वार्ता के बारे में उनके नजरिये

पर एक विस्तृत बयान था। निश्चित रूप से उनकी बातें बेबाक थी; लेकिन इससे भी महत्वपूर्ण बात यह थी कि उनमें समझौता न करने का हठ था। यह एक आम बात है कि किसी महत्वपूर्ण एवं संवेदनशील बातचीत के बीच में वरिष्ठ मंत्री और राष्ट्राध्यक्ष उन विषयों पर प्रेस कान्फ्रेंस नहीं करते जिन पर बात चल रही हो। नाश्ते के दैरान उनकी प्रेस कान्फ्रेंस ने बातचीत प्रक्रिया में समायोजन की गुंजाइश को पूरी तरह नष्ट कर डाला। इसलिए चर्चा किए गए संवेदनशील मुद्दों पर दोनों प्रतिनिधिमंडलों का कोई संयुक्त मसौदा तैयार न कर पाना निहायत लाजिमी था।

इस बात की पुष्ट जानकारी है कि मुशर्रफ से बातचीत के दौरान महत्वपूर्ण क्षेत्रीय सुरक्षा और भारत के राजनैतिक हितों के मुद्दों पर प्रधानमंत्री वाजपेयी पूरी तरह अटल थे और राष्ट्रपति मुशर्रफ को साफ तौर पर बता दिया गया था कि उनके राजनैतिक व मीडिया हथकंडे भारत की दबाव में नहीं डालने जा रहे, भले शिखर बैठक की परिणति संयुक्त फैसलों अथवा वक्तव्यों में नहीं होने पर उसे आलोचना ही क्यों न झेलनी पड़े।

दोनों नेताओं की यह बुनियादी बाध्यता कायम रही कि शिखर बैठक से आगे की बातचीत नहीं टूटनी चाहिए। 17 जुलाई को जसवंत सिंह और अब्दुल सत्तार की प्रेस कान्फ्रेंस में घोषणा की गई कि न्यूयार्क के संयुक्त राष्ट्र सत्र तथा काठमांडू के दक्षेस सम्मेलन के दौरान वाजपेयी पाक राष्ट्रपति मुशर्रफ से मिलेंगे और अंततः वह इस्लामाबाद भी जाएंगे। उनकी इस बात की पुष्टि कि विभिन्न स्तरों पर बातचीत जारी रहेगी, एक सकारात्मक घटनाक्रम है जो निश्चित रूप से उपरोक्त बाध्यताओं के अनुरूप है। इन संवाददाता सम्मेलनों से अधोलिखित निष्कर्ष निकलते है : पहला यह कि ये अनिवार्य रूप से क्षति नियंत्रण कवायद थे। दूसरा, मतभिन्नताओं की जो कुछ भी व्याख्या की गई हो और इन्हें दूर कर लेने के संदर्भ में विदेश मंत्रियों ने जो कुछ भी आशाएं जताई हों, वास्तविकता यही है कि चर्चा किए गए सभी महत्वपूर्ण मुद्दों पर भारत और पाकिस्तान के बीच जबर्दस्त मतभेद हैं। शिखर बैठक की एक कमजोरी रही नाभिकीय मुद्दे पर ध्यान केंद्रित नहीं करना, जो कि दीर्घकालिक संदर्भों में कश्मीर से कहीं अधिक महत्वपूर्ण मुद्दा है। यद्यपि दोनों पक्षों ने दृढ़ता के साथ कहा है कि बातचीत जारी रहेगी, लेकिन आगे की वार्ताओं के समय और आगरा में गतिरोध पैदा करने वाले विषयों पर भविष्य में किस तरह चर्चा होगी, इस पर स्थिति अस्पष्ट है।

औपचारिक सरकारी और राजनैतिक स्तर पर यह आकलन है कि आगरा शिखर बैठक ने एक महत्वपूर्ण शुरूआत की। लेकिन इस बात को ध्यान में रखना होगा कि शुरूआत अस्थायी है और संभावनाएं अनिश्चित।

न्यूयार्क में मुशर्रफ वाजपेयी बैठक एक दिखावटी कवायद अथवा सार्थक बातचीत

भारत और पाकिस्तान के विदेश मंत्रालयों से ऐसे संकेत मिल रहे हैं कि प्रधानमंत्री वाजपेयी एवं राष्ट्रपति, मुशर्रफ न्यूयार्क में 24 अथवा 25 सितम्बर को मिलेंगे, जब वे संयुक्त राष्ट्र आमसभा के सत्र में शामिल होने के क्रम में वहां होंगे। जुलाई में आगरा शिखर बैठक की विफलता के बाद दोनों सरकारों के बीच बनी इस सहमति कि बातचीत जारी रहेगी, पर आगे बढ़ना है। सवाल यह उठता है कि दोनों शासनाध्यक्ष आगरा शिखर बैठक से प्राप्त अनुभव एवं उससे मिली सीख के आधार पर बातचीत करेंगे अथवा उनकी बातचीत महज एक औपचारिक कवायद होगी।

आगरा बैठक से प्राप्त अनुभव व सीख को सार में ऐसे कहा जा सकता है : पहला, भारत और पाकिस्तान को बातचीत के अपने कड़े रुख से यथासंभव अलग होते हुए परस्पर समझौते की संभावनाओं को गंभीरतपूर्वक तलाशना चाहिए। दूसरा, इस तथ्य को स्वीकार कर लेना चाहिए कि दोनों सरकारों में राष्ट्रपति व प्रधानमंत्री के स्तर से नीचे के स्तरों पर तैयारी सम्बंधी एवं आरंभिक विचार-विमर्श के बिना महत्वपूर्ण मुद्दों पर बातचीत के ठोस परिणाम नहीं निकल सकते। तीसरा, यह उम्मीद करना अव्यावहारिक है कि शासनाध्यक्ष कश्मीर व नाभिकीय खतरे को घटाने जैसे गंभीर मुद्दों पर संयुक्त रूप से फैसला लें और बाद में इनके ब्योरे को विदेश मंत्री व सरकारी अधिकारी तैयार करें। चौथा, भारत को यह स्वीकार करना होगा कि कश्मीर मसले का हल जम्मू-कश्मीर के लोगों की चिन्ताओं व आकांक्षाओं के अनूकूल करना जरूरी है जबकि पकिस्तान को समझना होगा कि कश्मीर मसले के हल के लिए सार्थक बातचीत तब तक नहीं हो सकती है जब तक पाकिस्तान सीमा-पार आतंकवाद एवं अलगाववादी हिंसा को रोकने के लिए ठोस कदम नहीं उठाता। पांचवां, गंभीर चर्चाओं को जरूरत से ज्यादा सार्वजनिक करना अथवा बातीचत के दौरन मीडिया को शामिल करना चर्चा के लिए अच्छा नहीं। और न ही मीडिया का किसी भी पक्ष द्वारा एकतरफा एजेंडे को आगे बढ़ाने के समानान्तर जरिये के तौर पर इस्तेमाल किया जाना चाहिए।

16 जुलाई के बाद उपमहाद्वीप की घटनाओं तथा दोनों पक्षों द्वारा की गई सार्वजनिक घोषणाओं-खास तौर पर वरिष्ठ पाकिस्तानी सरकारी हस्तियों द्वारा की गईं – को देखते हुए स्वाभाविक रूप से यही निष्कर्ष निकलता है कि यद्यपि सीखों को स्पष्ट तौर पर महसूस किया गया है, लेकिन न्यूयार्क में भारत-पाकिस्तान

की अगली बैठक को इनसे कोई प्रेरणा या मदद मिलने की संभावना नहीं। यह स्पष्ट रूप से समझ लेना चाहिए कि न्यूयार्क में वाजपेयी-मुशर्रफ बैठक कोई औपचारिक रूप से व्यवस्थित शिखर बैठक नहीं होने जा रही। यह अधिक से अधिक डेढ़-दो घंटे की एक संक्षिप्त बातचीत होगी जिसके लिए दोनों नेता न्यूयार्क में अपनी तमाम व्यस्तताओं एवं अपने व्यापक राजनैतिक व प्रचार कार्यक्रमों के बीच परस्पर सुविधानुसार समय निकालेंगे। हाल ही में समाप्त हुए संसद के मानसून सत्र के दौरान प्रधानमंत्री वाजपेयी और विदेश मंत्री जसवंत सिंह द्वारा दिए गए बयानों तथा प्रेस के साथ उनकी बातचीत से इस बात के संकेत मिलते हैं कि समझौता-वार्ता पर भारत का दृष्टिकोण सख्त हुआ है, खास तौर पर आगरा शिखर वार्ता के दौरान द्विपक्षीय विचार विमर्श और प्रेस के साथ बातचीत में राष्ट्रपति मुशर्रफ के नीतिगत वक्तव्यों के प्रतिक्रिया स्वरूप। राष्ट्रपति मुशर्रफ और पाकिस्तानी विदेश मंत्री अबदुल सत्तार के बयानों से भी समझौता वार्ता के प्रति समानांतर रूप से अपनाए गए अड़ियल और हठी दृष्टिकोण की झलक मिलती है।

इसके साथ ही न्यूयार्क बैठक जम्मू-कश्मीर की आन्तरिक स्थितियों और नियंत्रण रेखा पर हालात बिगड़ने के परिप्रेक्ष्य में हो रही है। जम्मू-कश्मीर की असैनिक आबादी के खिलाफ पाकिस्तान समिर्थत भाड़े के लड़ाकों एवं आतंकवादियों की हिंसा का स्तर, हिंसा की प्रकृति एवं मध्य जुलाई के बाद हिंसक घटनाओं के मध्य की समयावधि कम हो गई है। हिंसा का सबसे चिंताजनक आयाम यह है कि इसके निशाने पर मुख्य रूप से जम्मू-कश्मीर की गैर-मुस्लिम आबादी है। पाकिस्तानी योजनाओं का एक हिस्सा जम्मू-कश्मीर में मुसलमानों के अतिरिक्त अन्य संप्रदायों के जातीय सफाए पर आगे बढ़ते रहना भी प्रतीत होता है। इस नजरिये की पुष्टि पाकिस्तान के जमात-ए-इस्लामी, लश्कर-ए-तोएबा व ऐसे ही अन्य गुटों के नेताओं के इन वक्तव्यों से होती है कि बौद्ध बहुल लद्दाख और हिन्दू बहुल जम्मू की भी इस्लामी पहचान है जिसके कारण धार्मिक व राजनैतिक वाद-विवाद के परिप्रेश्य में पूरे जम्मू-कश्मीर पर पाकिस्तान का दावा सही है। पाकिस्तान प्रायोजित इस निराशाजनक माहौल को इस तथ्य ने और बढ़ा दिया है कि आगरा शिखर बैठक की विफलता के बाद से भारत सरकार एवं विभिन्न कश्मीरी गुटों के बीच बातचीत खटाई में पड़ी हुई है।

नियंत्रण रेखा पर दोनों ओर से झड़पों व गोलीबारी के बढ़ने के साथ ही वहां सैनिक तनाव पुनर्जीवित हो उठा है जो इस बात का संकेत है कि नियंत्रण रेखा पर संयम बरतने के पिछले नवम्बर में सुरक्षा बलों को दिए अपने निर्देश से पाकिस्तान पीछे हट गया है। 7 व 8 अगस्त को कोलंबो में भारत की विदेश

सचिव चोकिला अय्यर एवं पाकिस्तान के विदेश सचिव इनाम-उल-हक के बीच बैठक के दौरान दोनों पक्षों ने अपने रुखों और परस्पर अभियोगात्मक सरोकारों को दोहराया। इन घटनाक्रमों व रुझानों से अनिवार्य तौर पर यह निष्कर्ष निकलता है कि भारत व पाकिस्तान के बीच बातचीत के सारभूत राजनैतिक मुदों पर अब तक एक अस्थायी वैचारिक एकरूपता भी नहीं। भारत के खिलाफ हिंसक अलगाववादी ताकतों को अपने समर्थन की निष्पक्ष वास्तविकता को पाकिस्तान अब भी स्वीकार नहीं करने पर अड़ा हुआ है। इससे भी महत्वपूर्ण बात यह है कि पाकिस्तान ने भारत के खिलाफ अपने अघोषित युद्ध को जारी रखने के फैसले की यह कहते हुए आधिकारिक घोषणा कर दी है कि भारत के खिलाफ हिंसा एक जायज जेहाद है जो जम्मू-कश्मीर तक ही सीमित न रहकर भारत के अन्य भागों तक भी पहुंचेगा।

इससे कहीं अधिक गंभीर निष्कर्ष निकलता है कि पाकिस्तान का व्यापक-स्तरीय एजेंडा भारत में सांप्रदायिक आधार पर अलगाववादी ताकतों को पैदा करना एवं यहां की अर्थव्यवस्था व स्थिरता को छिन्न-भिन्न करना है जिसका उद्देश्य भारत का विखंडन है। यह कोई सैद्धांतिक निष्कर्ष नहीं। पाकिस्तान ने बड़े स्पष्ट तरीके से कहा है कि भारत सरकार एवं भारत के हिन्दू बहुसंख्यक भेदभाव कर रहे हैं और अल्पसंख्यक मुस्लिमों के प्रति इनका रवैया दमनात्मक है। इस अल्पसंख्यक समुदाय की रक्षा करना पाकिस्तान का वाजिब सरोकार है। फील्ड मार्शल अयुब खान के पुत्र गौहर अयूब, जो पाकिस्तान राष्ट्रीय असेम्बली के पूर्व स्पीकर थे, ने अंतर-संसदीय सम्मेलन में भाग लेने के लिए 1993 में नई दिल्ली आने पर सार्वजनिक रूप से कहा था कि दक्षिण एशियाई उपमहाद्वीप में शांति भारत के छोटी इकाइयों में विभाजन से ही पाई जा सकती है क्योंकि भारत के लोगों ने कभी भी एक संघटित राष्ट्रीय राजनैतिक भौगोलिक इकाई नहीं बनाई। ठीक इसके विपरीत पाकिस्तान के लोगों ने इस्लाम से बंधे एक संघटित राष्ट्र की स्थापना की।

भारत के साथ रिश्तों को सामान्य बनाने के मसले पर पाकिस्तान के रवैये पर ताजा संकेत सितम्बर के प्रथम सप्ताह में डर्बन में आयोजित नस्लवाद के खिलाफ संयुक्त राष्ट्र सम्मेलन के दौरान पाकिस्तान द्वारा उठाई गई बातों से मिलते हैं। पाकिस्तान के विदेश मंत्री अब्दुल सत्तार ने कश्मीर पर पाकिस्तान के सामान्य नजरिये से कहीं आगे बढ़कर यह कहते हुए भारत पर वस्तुतः आक्रमण किया कि वह जम्मू-कश्मीर के लोगों का दमन कर रहा है। उन्होंने भारतीय राज्य को निर्देशित करने वाले धर्मनिरपेक्षता के सिद्धांत की विश्वसनीयता पर भी इस

आरोप के साथ सवाल खड़े किए कि भारत योजनाबद्ध तरीके से वहां के मुसलमानों के साथ भेदभाव बरत रहा है। उनका यही काल्पनिक फितुर पाकिस्तान की अभिप्रेरित और आडंबरपूर्ण कश्मीर नीति के साधन में, तब्दील हो रहा था। राष्ट्रपति परवेज मुशर्रफ के अधिकारिक प्रवक्ता मेजर जनरल रशीद कुरैशी ने 3 सितम्बर, सोमवार, को इस्लामाबाद में इस बात की घोषणा की कि यद्यपि परवेज मुशर्रफ ने न्यूयार्क में प्रधानमंत्री वाजपेयी से मिलने का फैसला किया है, संयुक्त राष्ट्र आमसभा में अपने नीतिगत बयान में वह कश्मीर का मसला जरूर ही उठाएंगे। पाकिस्तान के विदेश मंत्रालय के प्रवक्ता ने घोषणा की है कि आने वाले महीनों में पाकिस्तान हर अंतर्राष्ट्रीय मंच पर कश्मीर का मसला उठाएगा।

हाल के इन घटनाक्रमों पर भारतीय मीडिया की प्रतिक्रिया के दो तत्वों पर विशेष तौर पर ध्यान देने की जरूरत है। हमारे मीडिया में इस बात पर चिन्ता जताई गई है कि न्यूयार्क में वाजपेयी-मुशर्रफ बैठक के अन्त में संभवतः संयुक्त बयान नहीं जारी किया जाए। डर्बन में संयुक्त राष्ट्र सम्मेलन में भाग लेने गए प्रतिनिधिमंडल के सदस्यों ने विशेष तौर पर यह विचार व्यक्त किया है कि सम्मेलन में सत्तार द्वारा कश्मीर का मुद्दा उठाए जाने से वे व्यथित हैं। यह बात साफ होनी चाहिए कि इसमें भारत के लिए दुखी या व्यथित होने जैसी कोई बात नहीं। इस बात का अनुमान तो था ही कि जहां कहीं भी वह उठा सकेगा, कश्मीर मुद्दा उठाएगा क्योंकि उसकी भारत सम्बंधी नीति का एकसूत्री कार्यक्रम है भारत से कश्मीर को छीनना। हमारी प्रतिक्रिया यह होनी चाहिए कि बहुपक्षीय मंचों पर पाकिस्तान के नीति सम्बंधी बयानों और यहां तक कि यदि इन सम्मेलनों में कश्मीर पर कोई प्रस्ताव पारित भी किया जाता है, तो भी कश्मीर की क्षेत्रीय अखंडता व बहु राजनैतिक पहचान के प्रति भारत की दृढ़ प्रतिबद्धता पर कोई असर नहीं पड़ने जा रहा। दूसरा, हमें यह दो टूक संदेश भेज देना चाहिए कि न्यूयार्क बैठक के अन्त में हम पाकिस्तान के साथ कोई संयुक्त बयान नहीं चाहते। हमारा दृष्टिकोण यह होना चाहिए कि न्यूयार्क बैठक आगरा शिखर बैठक के दौरान टूटे तारों को हरसंभव हद तक जोड़ने के लिए और इस बात का पता लगाने के लिए है कि बातचीत कैसे जारी रखी जा सकती है। यही वह सीमित उद्देश्य है जिसे हम लक्ष्य कर सकते हैं।

भारतीय विदेश राज्यमंत्री उमर अब्दुल्ला बिल्कुल सही थे जब उन्होंने एक प्रेस साक्षात्कार में कहा कि उन्हें इस बात की कोई भी उम्मीद नहीं कि न्यूयार्क बैठक से कोई ठोस परिणाम निकलेंगे।

तब भविष्य में क्या किया जा सकता है। हम अधोलिखित कदमों पर विचार कर सकते हैं :

1. अगले उच्चस्तरीय संपर्क से पहले पाकिस्तान से साफ तौर पर पूछना चाहिए कि वह शिमला समझौते तथा लाहौर में तैयार परस्पर सहमति को प्रासंगिक मानता है या नहीं। यदि पाकिस्तान का जवाब नकारात्मक और अस्पष्ट होता है तो हमें इस्लामाबाद के साथ किसी भी ठोस बातचीत में शरीक नहीं होना चाहिए। हम बातचीत की एक बाहरी रूपरेखा को बनाए रख सकते हैं। साथ ही, एक तर्कसंगत बातचीत का आधार उपलब्ध कराने की संभावनाओं वाले ठोस समझौतों को पाकिस्तान द्वारा खारिज किए जाने की जानकारी हम महत्वपूर्ण देशों को दे दें।

2. भारत के खिलाफ जम्मू-कश्मीर में पाकिस्तान समर्थित आतंकवादी हिंसा के जवाब में नियंत्रण रेखा के उस पार पाकिस्तान के विरुद्ध प्रभावी कार्रवाई पर गंभीरतापूर्वक विचार होना चाहिए। इस कार्रवाई का उद्देश्य आतंकवादी प्रशिक्षण शिविरों, जम्मू-कश्मीर में घुसपैठ करने वाले भाड़े के आतंकवादियों के आश्रय-स्थलों और पड़ाव-स्थलों को नष्ट करना होना चाहिए।

3. हमारी नेशनल इंटिग्रेशन कांउसिल में एक स्थायी महत्व के विषय के रूप में जम्मू-कश्मीर पर चर्चा की जानी चाहिए और राजनैतिक, सामाजिक एवं सैद्धांतिक संदर्भों में भारत का एक हिस्सा होने के नाते कश्मीर की प्रासंगिकता को दृढ़तापूर्वक उद्धृत करते हुए काउंसिल को एक प्रस्ताव पारित करना चाहिए।

4. अन्य सरकारों तथा विदेशी अधिकारियों के साथ कश्मीर पर विस्तृत व्याख्यात्मक बातचीत के बजाय, हमारी कूटनीतिक प्रस्तुति संक्षिप्त, सरल और प्रत्यक्ष होनी चाहिए जिसमें एक ही बिंदु पर जोर दिया जाए कि जम्मू-कश्मीर वैध संवैधानिक व विधिसम्मत प्रक्रियाओं से ही भारत का हिस्सा बना। भारत किसी भी परिस्थिति में इसका क्षेत्रीय हस्तांतर मंजूर नहीं करेगा।

आगरा की विफलता–परवेज मुशर्रफ की पूर्वयोजना

आगरा में परवेज मुशर्रफ - वाजपेयी की शिखर वार्ता के अचानक खत्म होने और टूटने पर निराशा तो हो सकती है, पर अचरज बिल्कुल नहीं। 15 तारीख, रविवार की शाम को तकरीबन दो या तीन घंटों का वह संक्षिप्त समय

था जब आशावादी अपेक्षाएं काफी बढ़ गई थीं क्योंकि इस बात के संकेत थे कि शिखर बैठक के बाद एक संयुक्त बयान जारी होने जा रहा है और राष्ट्रपति मुशर्रफ यह कहने वाले है कि बातचीत उपयोगी और 'सही दिशा' में रही।

विभिन्न स्तरों पर हुई बातचीत तथा मसौदा-प्रपत्र के आदान-प्रदान से जुड़ी घटनाओं का विवरण प्रिंट तथा श्रव्य-दृश्य मीडिया में बड़े ही विस्तार से कवर किया गया है। वास्तविकता यह है कि मीडिया विवरण ने उस विषयगत परिप्रेक्ष्य को तोड़-मरोड़ दिया, जिसके तहत शिखर वार्ता हुई। मीडिया प्रस्तुतिकरण का जटिल पहलू राजनैतिक अज्ञानता एवं इसका अतिशयोक्तिपूर्ण होना था। लेकिन इस लेख का उद्देश्य यह बताना नहीं। इसका उद्देश्य संक्षेप में इस तथ्य को हरसंभव विषयगत संदर्भों में सामने लाना है कि आगरा शिखर बैठक इसलिए विफल हुई क्योंकि परवेज मुशर्रफ ने पहले से ही यह फैसला कर रखा था कि यदि भारत उनकी मांगों को पूर्णरूपेण नहीं मानता है तो बेशक शिखर वार्ता विफल हो जाए।

इससे पहले कि उद्धत राष्ट्रवादी दृष्टिकोण अपनाने अथवा परस्पर दोषारोपण का दौर शुरू करने का आरोप लगाया जाए, पाकिस्तान सरकार एवं राष्ट्रपति मुशर्रफ की घोषणाओं तथा उनके झुकावों खास तौर पर 24 मई, 2001 को प्रधानमंत्री वाजपेयी का आमंत्रण मिलने के बाद-पर पुन: विचार किया जाए। वस्तुत: और पीछे जाकर परवेज मुशर्रफ द्वारा बार-बार की गई उन घोषणाओं पर गौर करना उपयुक्त होगा कि भारत-पाक रिश्तों पर बातचीत करने एवं उन्हें वापस पटरी पर लाने के लिए वह वाजपेयी से किसी भी जगह, किसी भी तारीख को और किसी भी समय मिलने को तैयार हैं। 'एशियन एज' में प्रकाशित एम० जे० अकबर को दिया उनका लंबा-चौड़ा साक्षात्कार भारत संबधी उनकी नीतियों का पहला सुस्पष्ट विवरण है। दूसरा उदाहरण, दिल्ली व आगरा आने से महज एक सप्ताह पूर्व 'टाइम्स ऑफ इंडिया' के कार्यकारी सम्पादक दिलीप पदगांवकर को दिया मुर्शरफ का उतना ही लंबा साक्षात्कार है। इन दोनों साक्षात्कारों में मुशर्रफ ने बड़े स्पष्ट तरीके से अधोलिखित बिन्दुओं पर जोर दिया। वाजपेयी से मिलने की उनकी प्राथमिक और सर्वोपरि इच्छा का कारण यह था कि वह अपने दृष्टिकोण के तहत कश्मीर पर चर्चा करना चाहते थे। उन्होंने बड़े साफ शब्दों में कहा भी कि वह भारत-पाकिस्तान रिश्तों को प्रभावित करने वाले अन्य मुद्दों पर भी चर्चा करना चाहते हैं, लेकिन कश्मीर मसले का हल उनकी इच्छानुसार हो जाने के बाद ही अन्य मुद्दों पर ठोस व सार्थक तरीके से बातचीत हो सकती है। आतंकवादी हिंसा और अलगाववाद पर राय पूछने पर

मुशर्रफ ने कहा कि वह हिंसा एवं आतंकवाद के खिलाफ हैं, लेकिन वह जम्मू-कश्मीर में अलगाववादी हिंसा को आतंकवाद नहीं मानते। उनकी नजर में यह आत्म-निर्णय के लिए हिंसक संघर्ष है। इसलिए कश्मीर में जेहाद तर्कसंगत हो। पाकिस्तान राजनैतिक, नैतिक तथा राजनयिक तौर पर जिसे समर्थन देता है वह तो कश्मीर की आजादी की लड़ाई है। इसके साथ ही मुशर्रफ यह विरोधाभाषी बात भी कहते हैं कि जम्मू-कश्मीर की हिंसा में पाकिस्तान की कोई भूमिका नहीं है और यह पूरी तरह एक घरेलू घटना है। वह विभिन्न हिंसक गुटों को शरणस्थल, रसद वगैरह की आपूर्ति तथा प्रशिक्षण के संदर्भ में पाकिस्तान प्रायोजित मदद से साफ इनकार करते हैं। इन साक्षात्कारों में जब यह बताने के लिए जोर दिया गया कि कश्मीर के संभावित समाधान के बारे में उनकी राय क्या है, मुशर्रफ न कहा कि स्वीकार्य समाधान तो संयुक्त राष्ट्र के 1947 व 1948 के प्रस्तावों के अनुकूल जनमत संग्रह पर ही आधारित हो सकता है। लेकिन मुशर्रफ इन प्रस्तावों पर आंशिक रूप से ही अमल चाहते हैं, वह प्रस्तावों के उन अंशों पर अमल नहीं चाहते जिनमें कहा गया है कि पाकिस्तानी घुसपैठिए व पाकिस्तानी सशस्त्र बलों के नियमित सैनिक जम्मू-कश्मीर के कब्जे में लिए भू-भाग को खाली करें। दिल्ली पहुंचने के महज 48 घंटे पूर्व 'गल्फ न्यूज' को दिए एक साक्षात्कार में राष्ट्रपति मुशर्रफ ने कहा कि आगरा शिखर बैठक के लिए न तो शिमला समझौता और न ही लाहौर घोषणापत्र व इससे जुड़े दस्तावेज प्रासंगिक हैं। उनके मुताबिक ये सब ऐसे समझौते हैं जिनसे कोई उद्देश्य पूरा नहीं हुआ। हालांकि उनके विदेश मंत्री और खुद उन्होंने भी बाद में दावा किया कि भारतीय मीडिया ने उन्हें अलग संदर्भों में उद्धृत किया। कहा, मैं तो भारत-पाकिस्तान के भावी रिश्तों के लिए शिमला एवं लाहौर समझौतों का कसौटी के तौर पर संज्ञान लेना चाहता था।

जुलाई के प्रथम सप्ताह के दौरान इस्लामाबाद में एक महिला प्रतिनिधिमंडल को संबोधित करते हुए मुशर्रफ ने कहा कि वह भारत से अलग पूरे जम्मू-कश्मीर के लिए एक नए दर्जे की कामना करते हैं। जब महिला प्रतिनिधिमंडल ने उनसे पूछा कि यदि कश्मीर घाटी पाकिस्तान को दे दी जाए और जम्मू एवं लद्दाख भारत के पास रहने दिया जाए तो आपके विचार क्या होंगे, इस पर कथित तौर पर उनका जवाब था कि इस तरह के अज्ञानतापूर्ण सुझाव तो कतई नहीं आने चाहिए। उन्होंने महिला प्रतिनिधियों को कहा कि लद्दाख, कारगिल व जम्मू में भी मुसलमान हैं। उन्हें अलग नहीं छोड़ा जा सकता। इसलिए किसी भी हल की ओर बढ़ने के लिए पूरे जम्मू-कश्मीर राज्य को ही शायद भारत से अलग करना होगा। दिल्ली आने से एक सप्ताह पहले इन संभावनाओं के बारे में पूछे जाने पर

कि जम्मू-कश्मीर में नियंत्रण रेखा हल का आधार हो सकती है, मुशर्रफ ने कहा –नियंत्रण रेखा ही तो समस्या है। यह समाधान कैसे हो सकती है? मुशर्रफ के इस कथन से यही निष्कर्ष निकलता है कि वह नियंत्रण रेखा की प्रासंगिकता अथवा पवित्रता को स्वीकार नहीं करते। इसके साथ ही मुशर्रफ इस बात को जोर देकर कहते रहे कि वह पाकिस्तान के पहले ऐसे शासनाध्यक्ष और राष्ट्राध्यक्ष हैं जिसने भारत को मजबूर किया कि वह केवल कश्मीर मसले पर बातचीत के लिए उन्हें निमंत्रण भेजे। मुशर्रफ के निर्देश पर ही उनके वित्त मंत्री अजीज और उनके वाणिज्य मंत्री ने जुलाई के दूसरे सप्ताह में इस आशय की सार्वजनिक घोषणाएं कीं कि कश्मीर समस्या के समाधान के बाद ही अन्य मुद्दों पर भारत पाकिस्तान सहयोग संभव है। भारत और पाकिस्तान के नाभिकीय हथियारों से लैस हो जाने की पृष्ठभूमि में नाभिकीय खतरे को कम करने के सुझाव पर मुशर्रफ ने कोई प्रतिक्रिया व्यक्त नहीं की। दरअसल मुशर्रफ ने पाकिस्तान के नाभिकीय हथियारों व प्रक्षेपास्त्रों की भारत के खिलाफ प्रतिरोधक के रूप में वैधता पर फिर जोर दिया और इसे कश्मीर मुद्दे से भी जोड़ दिया। कश्मीर मसले के हल के लिए वह पाकिस्तान, हुर्रियत और भारत के बीच त्रिपक्षीय बातचीत पर भी अड़े रहे। हालांकि वह इन पृथक सुझावों पर सहमत हो गए कि हुर्रियत से भारत-पाकिस्तान अलग-अलग संपर्क बनाए रखे, लेकिन वह इस बात पर अड़े रहे कि भारत हुर्रियत को जम्मू-कश्मीर के एकमात्र प्रतिनिधि के तौर पर स्वीकार करे जो कि राजनैतिक वास्तविकता के आधार पर गैरवाजिब है। फिर शिखर बैठक से महज तीन दिन पहले उन्होंने ऐलान किया कि वह अपने साथ वित्त मंत्री और वाणिज्य मंत्री को नहीं बल्कि केवल विदेश मंत्री अब्दुल सत्तार को ला रहे हैं। उनके शिष्टमंडल में विदेश मंत्री व विदेश सचिव के अतिरिक्त उनके निजी कर्मचारी तथा विदेश मंत्रालय के अधिकारी थे।

ये संकेत हमें यह अहसास करने के लिए काफी होने चाहिए थे कि वह एक संकीर्ण कार्यसूची और एकमात्र लक्ष्य के साथ शिखर बैठक में आ रहे हैं। उनका लक्ष्य यही था कि शिखर बैठक के बाद दुनिया को बता दिया जाए कि भारत ने जम्मू-कश्मीर मुद्दे को न केवल बातचीत का एक अत्यधिक महत्वपूर्ण मसला बल्कि एकमात्र व सर्वाधिक महत्वपूर्ण विषय मान लिया है। और यदि वह सफल नहीं हो पाते हो दुनिया को यह बताना कि भारत यात्रा के रूप में उनके विशेष प्रयासों के बावजूद भारत हठी और अतार्किक ही बना रहा। दिल्ली और आगरा में अपने कार्यक्रमों को मिले सनसनीखेज प्रचार को नजरअंदाज करते हुए मुशर्रफ ने बगैर संयम बरते और बिना इसके परिणामों की परवाह किए अपने एकतरफा एजेंडे को आगे कर दिया। शुरू में इस बात की ओर इशारा करने के

बाबजूद कि हुर्रियत से उनकी बैठक भारत सरकार के विचारों पर निर्भर करेगी, न केवल हुर्रियत नेताओं को पाकिस्तानी उच्चायुक्त अशरफ जहांगीर काजी की चाय पार्टी पर बुलाया गया बल्कि उनकी मुशर्रफ के साथ 25 मिनट की बैठक भी हुई और पाकिस्तानी राष्ट्रपति ने शिखर बैठक से ठीक पहले हुर्रियत को लिखे अपने पत्र का मजमून दोहरा डाला जिसमें उन्होंने हुर्रियत को जम्मू-कश्मीर राज्य के एकमात्र प्रतिनिधि के तौर पर स्वीकार करते हुए पूरी मदद का आश्वासन दिया था। 14 जुलाई की शाम राष्ट्रपति द्वारा दिए गए भोज के अवसर पर उन्होंने चेतावनी भरा और आक्रामक लहजा अख्तियार करते हुए भारत से कश्मीर मसले को हल करने को कहा। इस संदर्भ में यह बात भी उल्लेखनीय है कि वह न केवल कश्मीर को बातचीत के एजेंडे के एकमात्र मुद्दे के रूप में देखना चाहते थे। बल्कि एक निश्चित समय-सीमा के भीतर ही उसका हल भी चाहते थे (एक अल्टीमेटम की तरह)।

उसके बाद हुआ शिखर बैठक को निष्फल कर देने के योजनाबद्ध नाटक का मंचन। 16 जुलाई, सोमवार की सुबह मुशर्रफ ने नाश्ते के दौरान हुई बैठक में भारत और विदेश के वरिष्ठ संपादकों को संबोधित किया, उन्हें इस बात की पूर्व सूचना दिए बगैर कि बातचीत के दरम्यान उनका संबोधन फिल्माया जाएगा और पाकिस्तान टीवी पर इसका प्रसारण होगा। यह उनका अत्यधिक आक्रामक संबोधन था जिसमें उन्होंने जोर देकर कहा कि भारत के साथ बातचीत की कार्यसूची में कश्मीर की प्राथमिकता को पाकिस्तान नहीं छोड़ सकता। उन्होंने कहा कि वह परस्पर विश्वास बढ़ाने के उपायों को अप्रासंगिक मानते हैं जब तक कि कश्मीर समस्या के पाकिस्तान को स्वीकार्य हल के रूप में विश्वास बढ़ाने का बुनियादी उपाय नहीं किया जाता। उन्होंने यहां तक कहा कि यदि भारत को उनपर भरोसा नहीं तो बुलाया ही क्यों? उन्होंने कारगिल पर अपने आक्रमण को यह कहते हुए वाजिब ठहराया कि यह बांग्लादेश के स्वतंत्रता संग्राम को भारत की मदद और 1984 में भारत द्वारा सियाचिन पर कब्जे का जबाब था। (उन्होंने इस तथ्य को नजरअंदाज कर दिया कि सियाचिन में भारतीय कार्रवाई क्षेत्र में आसन्न पाकिस्तानी पहलकदमी के मद्देनजर उठाया गया एक पूर्व कदम ही था) कोई भी राष्ट्राध्यक्ष या एक वरिष्ठ सरकारी प्रतिनिधि अपने बातचीत के रुख को वाजिब ठहराने के लिए तब प्रतिकूल टिप्पणियों के साथ संवाददाता सम्मेलन से मुखातिब नहीं होता जबकि बातचीत चल ही रही हो। यदि यह मान भी लिया जाए कि 15 जुलाई को सुषमा स्वराज की प्रेस ब्रीफिंग कुछ हद तक एकतरफा थी, तो भी मुशर्रफ को इस मसले पर प्रेस को संबोधित करने की कोई जरूरत

नहीं थी। जबकि पाकिस्तानी प्रतिनिधिमंडल ने सुषमा स्वराज के वक्तव्य पर प्रतिक्रिया व्यक्त कर दी थी। इस अभ्यास के समानान्तर पाकिस्तानी प्रचार और भारत के खिलाफ राजनयिक आक्रमण की जमीन तैयार करने की योजनापूर्ण तरकीबें भी की जी रही थी। विदेश मंत्री अब्दुल सत्तार ने मीडिया को बताया कि एक संयुक्त वक्तव्य जारी किए जाने की संभावनाएं हैं जबकि रविवार की रात ही यह बात साफ हो चुकी थी कि गतिरोध उत्पन होने जा रहा है। इसके साथ ही परवेज मुशर्रफ ने यह आभास देने के लिए कि वह किसी तरह के समझौते के लिए अत्यधिक प्रयासरत है, वाजपेयी के साथ अकेले में लंबी बातचीत की जबकि मिली जानकारी के मुताबिक वास्तविकता यह थी ही नहीं। वाजपेयी के निमंत्रण पर मुशर्रफ का जबाब गलत अनुमानों पर आधारित था। उन्होंने सोचा कि :

(क) भारत आसानी से बाहरी दबावों में आ जाएगा ;

(ख) भारत सरकार और सुरक्षा बल उस स्तर तक थक-हार गए हैं कि वे देश में पाक प्रायोजित अलगाववाद व आतंकवाद का मुकाबला करने में दृढ़ नहीं रह पाएंगे;

(ग) उन्होंने मान लिया कि वाजपेयी के नेतृत्व वाली गठजोड़ सरकार गुटबाजी से ग्रसित है और उसे विपक्ष के दबाव का भी सामना करना पड़ रहा है, जिसके कारण वाजपेयी पाकिस्तानी दलीलों के खिलाफ कोई कड़ा रुख नहीं अख्यितार कर सकेंगे।

मुशर्रफ का लगा कि इस परिप्रेक्ष्य में वह कश्मीर पर पाकिस्तानी एजेंडे के दायरे में भारत से कोई समझौता करवा सकेंगे। उनका यह भी अनुमान था कि वाजपेयी अपनी पहल पर आयोजित हो रही शिखर वार्ता को विफल होते नहीं देख पाएंगे। 15 और 16 जुलाई को हुई बातचीत ने यह साबित कर दिया कि इन अनुमानों के मामले में मुशर्रफ बिल्कुल गलत थे। उनकी यह वैकल्पिक योजना कि शिखर बैठक के विफल होने पर दुनिया को अपनी समझदारी और भारत की हठधर्मिता की बात बताएंगे, जरूर आंशिक रूप से सफल रही। कश्मीर पर एक यथार्थवादी समझौते अथवा भारत के साथ शांति नहीं चाहने वाली इस्लाम-पसंद पार्टियों तथा सुरक्षा बल की मदद से सत्ता में बने रहने का मुशर्रफ का हित भी इससे सधता था।

यद्यपि शिखर वार्ता की विफलता से भारत में कोई भी निराश हो सकता है, लेकिन व्यापक संदर्भों में शायद यही देश के लिए अच्छा है। पाकिस्तान के साथ शांति की अस्थायी और अनिश्चित संभावनाओं की सूरत में पूरी दृढ़ता के

साथ अपने हितों के संरक्षण का हमने स्पष्ट संदेश दिया। भारत के लिए उदास या हताश होने की कोई बात नहीं।

जुलाई में भारत-पाकिस्तान शिखर बैठक से पूर्व भारत का महाशक्तियों से संपर्क

जबकि दक्षिण एशिया क्षेत्र के राजनैतिक हलकों और मीडिया का ध्यान जुलाई के मध्य में दिल्ली व आगरा में होने वाली भारत पाकिस्तान शिखर बैठक पर केंद्रित है, भारत व पाकिस्तान ने दुनिया के प्रमुख शक्तिशाली देशों से संपर्क साधने का महत्वपूर्ण कूरनीतिक अभियान शुरू कर दिया है ताकि शिखर बैठक के निहित उद्देश्यों तथा वाजपेयी- मुशर्रफ बैठक के नतीजों को लेकर अपनी -अपनी आकांक्षाओं से उन्हें अवगत कराया जा सके। पाकिस्तान के विदेश मंत्री ने पश्चिम यूरोपीय देशों की यात्रा की और 3 जून के तीसरे सप्ताह में उनका अंतिम पड़ाव अमेरिका रहा। उन्होंने राष्ट्रपति बुश, विदेश मंत्री कोलिन पावेल तथा अमेरिकी प्रशासन के अन्य महत्वपूर्ण व्यक्तियों से मुलाकात की और उनके सामने पाकिस्तान का तीन-सूत्री संदेश रखा। पहला, कि पाकिस्तान अपनी धरती से संचालित होने वाली अंतर्राष्ट्रीय आतंकवादी गतिविधियों को नियंत्रित करने के लिए जो कुछ भी संभव होगा, करेगा तथा पाकिस्तान में ऐसे तत्वों से लोहा लेने में अमेरिका की मदद करेगा। (कश्मीर में कथित 'जेहाद' तथा आतंकवाद की सामान्य प्रकृति को अलग-अलग खानों में रखने के प्रति वह खासा सावधान रहे।) दूसरा, उन्होंने इस बात पर जोर दिया कि कश्मीर मसले का हल निकालने के अपने सच्चे प्रयासों के तहत राष्ट्रपति मुशर्रफ प्रधानमंत्री वाजपेयी के साथ शिखर बैठक को राजी हुए हैं। साथ ही जोड़ा कि अलग-थलग पड़े जम्मू-कश्मीर के अवाम की सहमति के बिना कोई भी समझौता संभव नहीं है। संदेश का तीसरा पहलू यह था कि पाकिस्तान पुनः लोकतंत्र की राह पर लौटेगा और अमेरिका व बहुपक्षीय वित्तीय संस्थानों के सुझावों के अनुकूल उद्देश्यपूर्ण आर्थिक सुधारों को लागू करेगा। लेकिन सत्तार की दलीलों की विश्वसनीयता को तब करारा झटका लगा जब जनरल मुशर्रफ के पाकिस्तान के राष्ट्रपति पर काबिज हो जाने से ऐसा संकेत गया कि वह अगले पांच साल तक राष्ट्रपति बने रहेंगे जबकि उसी दरम्यान सत्तार पाकिस्तान में वर्ष 2002 तक लोकतंत्र की पुनः बहाली का आश्वासन दिए जा रहे थे। वाशिंगटन से मिली खबरों के मुताबिक विदेश मंत्री कोलिन पावेल ने सत्तार से बातचीत के दौरान खीझ और निराशा का इजहार किया जबकि सत्तार ने इस बात की वकालत की दरअसल उन्हें भी

जनरल मुशर्रफ के आसन्न फैसले की जानकारी नहीं थी और यह कदम उनके लिए भी चौंकाने वाला था। (पाकिस्तान की सत्ता संरचना में असैनिक व सैनिक समीकरणों को देखते हुए सत्तार की दलील सही हो सकती है)। बहरहाल, अमेरिकी प्रशासन ने सत्तार को स्पष्ट तौर पर कहा कि आगरा शिखर बैठक से भारत के साथ सार्थक बातचीत की प्रक्रिया शुरू होनी चाहिए तथा कश्मीर एवं नाभिकीय संयम सुनिश्चित करने के दो मुद्दों पर भारत और पाकिस्तान को ध्यान केंद्रित करना चाहिए।

अमेरिकी सरकार मुशर्रफ के राष्ट्रपति पद पर काबिज हो जाने की कटु आलोचक है। लेकिन संभावना यही है कि अमेरिकी सरकार, राष्ट्रकुल सचिवालय व ब्रिटेन द्वारा उठाई गई आरंभिक आपत्तियों के बाद मुशर्रफ स्वीकार कर लिए जाएंगे। समानांतर रूप से भारत ने भी उपयोगी स्तर पर अमेरिका व रूसी परिसंघ के साथ-साथ चीन से भी संपर्क स्थापित किया है। प्रधानमंत्री के प्रधान सचिव ब्रजेश मिश्रा द्विपक्षीय एवं क्षेत्रीय, दोनों ही तरह के मुद्दों पर विचार-विमर्श के लिए अमेरिका रवाना हो चुके हैं। मोटे तौर पर अफगानिस्तान से संबद्ध भारत-रूस संयुक्त कार्यदल की बैठक में भाग लेने के सिलसिले में विदेश सचिव चोकिला अय्यर 23 जून से तीन दिन के लिए मास्को में रही। उस व्यापक परिप्रेक्ष्य को ध्यान में रखने की जरूरत है जिसके तहत वरिष्ठ भारतीय अधिकारियों ने वाशिंगटन व मास्को की यात्राएं की। इस वर्ष जनवरी में जार्ज डब्ल्यू बुश के सत्ता में आने के बाद अमेरिकी प्रशासन और वाजपेयी सरकार के बीच संपर्कों में उल्लेखनीय तेजी आई है। ब्रजेश मिश्रा वाशिंगटन गए और विदेश विभाग एवं राष्ट्रीय सुरक्षा परिषद के अधिकारियों से विचार-विमर्श के अलावा उन्होंने अपने अमेरिकी समकक्ष से भी मुलाकात की। इससे पूर्व सुरक्षा व भारतीय उपमहाद्वीप के नाभिकीय हथियारों से लैष हो जाने से संबद्ध मुद्दों पर म्यूनिख में उनकी बातचीत अमेरिकी रक्षा मंत्री डोनाल्ड से हुई थी। विदेश मंत्री जसवंत सिंह भी वाशिंगटन गए और कॉलिन पावेल व राष्ट्रपति बुश से बातचीत की। राष्ट्रीय प्रक्षेपास्त्र रक्षा प्रणाली की तैनाती संबंधी बुश की योजना की तार्किकता को समर्थन देने की भारत ने असाधारण रूप से अविलंब पहल की। अमेरिकी योजना पर उसके पश्चिम यूरोपीय मित्र राष्ट्रों की ओर से भी आपत्ति दर्ज कराए जाने की पृष्ठभूमि में भारत की प्रतिक्रिया ने अवश्य ही उसे कुछ अतिरिक्त राजनैतिक महत्व दिलाया। इस मसले पर राष्ट्रपति बुश और राष्ट्रपति पुतिन की बातचीत से रूसी परिसंघ से निकट संबंधों के बावजूद भारत की प्रतिक्रिया और अन्य महत्वपूर्ण देशों की प्रतिक्रिया का अंतर स्पष्ट रूप से उजागर

हुआ। इसका नतीजा था राजनैतिक, सुरक्षा और राजनैतिक मुद्दों पर विस्तार से परस्पर विचारों के आदान-प्रदान के लिए बुश का विदेश उपमंत्री आर्मिटेज को मई में दिल्ली भेजना। आर्मिटेज न केवल भारत सरकार की शीर्ष हस्तियों से मिले बल्कि नेता प्रतिपक्ष सोनिया गांधी को अमेरिकी नीतियों की जानकारी देने और उनकी प्रतिक्रिया लेने की पहल भी की। यह महत्वपूर्ण है कि डा॰ मनमोहन सिंह, नटवर सिंह और अर्थशास्त्र के विशेषज्ञ डा॰ जयराम रमेश के साथ श्रीमती सोनिया गांधी जून के अंतिम सप्ताह में अमेरिका के लिए रवाना हुईं। वरिष्ठ सरकारी हस्तियों के अतिरिक्त वह बुश प्रशासन के सर्वाधिक प्रभावशाली व्यक्ति उपराष्ट्रपति डिक चेनी से भी मिलीं।

जून के उत्तरार्द्ध में राष्ट्रपति बुश ने एक बयान में वाशिगंटन में भारत के नए राजदूत ललित मान सिंह का स्वागत करते हुए भारत-अमेरिका संबंधों को सुदृढ़ और विस्तृत करने की अपनी इच्छा पर जोर दिया। इसी के साथ अमेरिका से आधिकारिक तौर पर इस आशय के संकेत मिले कि राष्ट्रपति बुश अगले साल (वर्ष 2002 में) भारत यात्रा की योजना बना रहे हैं। इस सकारात्मक पृष्ठभूमि में ब्रजेश मिश्रा की वाशिंगटन यात्रा हो रही है। मूलतः उनकी बातचीत संभवतः उनकी समकक्ष कोंडोलिजा राइस से होगी। लेकिन वह अमेरिकी कांग्रेस के सदस्यों और मीडिया प्रतिनिधियों से भी मिलेंगे।

चर्चा का सर्वाधिक महत्वपूर्ण विषय है भारत-पाकिस्तान शिखर बैठक। श्री मिश्रा ने इन तथ्यों पर जोर देते हुए जम्मू-कश्मीर की जमीनी सच्चाइयों की विस्तृत जानकारी अमेरिकी सरकार को दे दी होगीः पहला यह कि नवम्बर 2000 में भारत सरकार द्वारा एकतरफा संघर्ष विराम की घोषणा के बाद भारत घेरलू राजनीति के संदर्भ तथ्यों व मानदंडों के दायरे में कश्मीर मसले का कोई हल निकालने के लिए राज्य के सभी तबकों के लोगों को बातचीत में शामिल करने की लगातार गंभीर कोशिशें करता रहा है। ब्रजेश मिश्रा ने श्री के॰ सी॰ पंत की बातचीत के ब्योरे के साथ ही हुर्रियत के नेतृत्व वाले अलगाववादी गुटों एवं पाकिस्तान स्थित आतंकवादी संगठनों की संदिग्धता और हठधर्मिता की बात भी बताई। दूसरा, शिखर वार्ता के लिए भारत यात्रा का वाजपेयी का निमंत्रण मुशर्रफ द्वारा स्वीकार कर लिए जाने के बाद भी सीमा पार आतंकवाद को समर्थन जारी रखने के पाकिस्तान के जमीनी यथार्थ की ओर भी श्री मिश्रा ने अमेरिका का ध्यान दिलाया। ब्रजेश मिश्रा जिस बात पर जोर देते रहे वह यह कि पाकिस्तान से रिश्तों को सामान्य बनाने के लिए भारत पूरी ईमानदारी से प्रतिबद्ध है, लेकिन अपनी क्षेत्रीय अखंडता और प्रमुख सुरक्षा हितों से भारत के समझौता करने का सवाल ही नहीं उठता।

जहां तक नाभिकीय मुद्दों का सवाल है, इस बात पर जोर दिया गया कि इस समस्या से जुड़े क्षेत्रीय अथवा वैश्विक आयाम से निपटने में भारत सकारात्मक रूप से अमेरिका का साथ देते रहना चाहेगा। पिछले छह माह के दौरान अमेरिकी सरकार से मिल रहे संकेतों के परिप्रेक्ष्य में ब्रजेश मिश्रा इस यथार्थवादी आकलन के साथ वापस आए कि पोखरण द्वितीय के बाद भारत के खिलाफ लगाए गए अमेरिकी प्रतिबंध किस हद तक और कब तक हटाए जाएंगे। इस अभ्यास से यह बुनियादी उद्देश्य पूरा हुआ कि भारत-पाकिस्तान शिखर बैठक पर भारत के रुख और बैठक से उसकी अपेक्षाओं से अमेरिका को अच्छी तरह अवगत करा दिया गया और इस तरह गलतफहमी अथवा गलत व्याख्या की संभावना खत्म हो गई।

विदेश सचिव चोकिला अय्यर की मास्को यात्रा भी समय और उनकी बातचीत के परिप्रेक्ष्य में उतनी ही महत्वपूर्ण है। उनकी यात्रा के बाद ही गर्मी के शुरूआती दिनों में विदेश मंत्री जसवंत सिंह की रक्षा मंत्री के रूप में मास्को यात्रा हुई। पिछले साल राष्ट्रपति पुतिन की भारत यात्रा के बाद जसवंत सिंह की यात्रा भारत की ओर से रूसी परसिंघ की सर्वाधिक महत्वपूर्ण राजनैतिक यात्रा थी। रूसी नेताओं से उनकी बातचीत न केवल राजनैतिक व सुरक्षा से जुड़े मुद्दों के समग्र परिप्रेक्ष्य में हुई बल्कि क्षेत्रीय रणनैतिक स्थिरता को प्रभावित करने वाली समस्याओं तथा रूसी परिसंघ व भारत के बीच रक्षा सहयोगों पर भी विचार-विमर्श हुआ। उनकी यात्रा के फलस्वरूप भारत और रूस के बीच प्रौद्योगिकी हस्तांतरण व रक्षा उपकरणों के संयुक्त निर्माण समेत दीर्घकालिक रक्षा सहयोग के समझौते पर हस्ताक्षर किए गए। इसके अतिरिक्त मध्य एशिया व अफगानिस्तान के घटनाक्रमों के आकलन को लेकर विचारों में स्पष्ट सहमति भी दिखी।

विदेश सचिव चोकिला अय्यार को अपने रूसी समकक्ष के साथ अफगानिस्तान पर बातचीत संयुक्त राष्ट्र महासचिव के विशेष प्रतिनिधि श्री फ्रांसिस वेन्डिूल की हाल की इन घोषणाओं के परिप्रेक्ष्य में हुई कि अन्तर्राष्ट्रीय समुदाय को अफगानिस्तान संकट के समाधान का रास्ता निकालना चाहिए और यह भी देखना चाहिए कि वहां के मौजूदा संकट पर किसी समझौते को प्रोत्साहित करने के लिए संयुक्त राष्ट्र एवं इसके सदस्य देश कैसे अपने प्रभाव का इस्तेमाल कर सकते हैं। इस संदर्भ में रूसी परिसंघ एवं ईरान से भारत ने संपर्क बनाए रखा है। यद्यपि अफगान संकट से निपटने में भारत की प्रत्यक्ष भूमिका की अपेक्षा नहीं, लेकिन अफगानिस्तान विवाद से निपटने और तालिबान के नेतृत्व में अफगान राजनीति की अतिवादी अंतर्धारा का सामना करने की

अंतर्राष्ट्रीय सलाहकार प्रकिया में चोकिला अय्यर की मास्को में हुई बातचीत एक महत्वपूर्ण तत्व अवश्य है। इससे भी महत्वपूर्ण बात यह है कि रूसी विदेश विभाग में अपने समकक्ष के साथ बातचीत में चोकिला अय्यर में उन्हें भारत-पाकिस्तान संबंधों तथा मुशर्रफ-वाजपेयी की आसन्न बैठक की पृष्ठभूमि व संभावनाओं से भी अवगत कराया।

यह भी ध्यान देने योग्य बात है कि श्रीमति अय्यर ने उपमहाद्वीपीय घटनाक्रमों के इस महत्वपूर्ण मुकाम पर भारत-रूस संपर्को का आधार विस्तृत करते हुए रूसी सदन डूमा में विदेश मामलों से संबद्ध समिति के अध्यक्ष व इसके नेताओं से भी मुलाकात की। एक संवेदनशील समस्या जिससे उन्हें निपटना पड़ा, था-भारत-रूस रक्षा सहयोग पर चिंता जताते हुए रूसी सरकार को दिए गए पाकिस्तान के संदेश। 31 मई को रूसी समाचारपत्र 'इजवेस्तिया', को दिए एक साक्षात्कार में मुशर्रफ ने पाकिस्तान को आधुनिक हथियार बेचने से रूस के इन्कार पर निराशा जताई थी। उन्होंने साक्षात्कार में कहा कि पाकिस्तान के पास पैसे है और वह सुखोई- 30 लड़ाकू विमान खरीदना चाहता था। उन्होंने इस बात पर भी जोर दिया कि मास्को द्वारा भारत को एकतरफा समर्थन से पाकिस्तान चिंतित है। उन्होंने यह भी स्पष्ट किया कि वस्तुस्थिति तो यह है कि भारत के साथ बातचीत में मध्यस्थता के लिए पाकिस्तान रूस का स्वागत करेगा।

मास्को में श्रीमती अय्यर की बातचीत का महत्वपूर्ण नतीजा यह है कि क्षेत्रीय सुरक्षा मामलों एवं भारत-पाकिस्तान सम्बंधों पर रूस को विश्वास में लिया गया और इससे भारत की चिंताओं और उसके रुखों पर रूस की समझ गहरी होगी, जो हर दृष्टिकोण से एक इच्छित राजनैतिक-रणनैतिक उद्देश्य है।

यद्यपि जून में सीमा विवाद के मसले पर भारत-चीन संयुक्त कार्यकारी समूह के विशेषज्ञ दल की बैठक एक उच्चस्तरीय राजनैतिक संपर्क नहीं, लेकिन यह पाकिस्तान को एक संदेश देती है। लंबी बातचीत के बाद भारत व चीन के प्रतिनिधिमंडल नियंत्रण रेखा के चित्रांकन के मामले में ठोस विचार-विमर्श की दिशा में बढ़ रहे हैं। शुरूआती अनिच्छा के बाद चीन उन सेक्टरों के नक्शों के परस्पर आदान-प्रदान को सहमत हो गया है जहां वास्तविक नियंत्रण रेखा को लेकर भारत एवं चीन के बीच मतभिन्नता है। यदि यह अभ्यास सफल निष्कर्ष में परिणत होता है, तो सीमा विवाद को हल करने की दिशा में यह एक ठोस कदम होगा और पाकिस्तान को इस घटनाक्रम पर गौर करना होगा। भारत-चीन सम्बंधों की बेहतरी निश्चित रूप से भारत के प्रति पाकिस्तान के

रूख को प्रभावित करेंगी। अमेरीका, रूष व चीन के साथ भारत की यह राजनैतिक-कूटनीतिक पहल प्रासंगिक और समयानुकूल है।

मुशर्रफ-वाजपेयी शिखर बैठकः परिप्रेक्ष्य एवं संभावनाएं

वाजपेयी-मुशर्रफ शिखर बैठक की तारीखों की घोषणा हो गई है– आगरा में 14 व 16 जुलाई को होगी। मुशर्रफ ने 20 जून को अपना ओहदा बदलते हुए खुद को पाकिस्तान का राष्ट्रपति घोषित कर दिया, इस तरह वाजपेयी से बातीचीत के लिए भारत आने से पहले उन्होंने खुद को कहीं अधिक औपचारिक राजनैतिक दर्जे से लैस कर लिया है।

16 और 20 जून के बीच वाजपेयी और मुशर्रफ के बयानों से संकेत मिलते हैं कि कश्मीर पर बातचीत के उनके नजरिये में कोई बुनियादी बदलाव नहीं है। वाजपेयी ने कहा कि जम्मू कश्मीर भारत का अखंड हिस्सा है और शिखर बैठक की कार्यसूची में पाकिस्तान अधिकृत कश्मीर का मुद्दा रखना होगा। दूसरी ओर मुशर्रफ ने कहा कि कश्मीर के भावी दर्जे को तय करना विभाजन के समय का एक अधूरा काम है। यही वह व्यापक राजनैतिक व सजावटी परिप्रेक्ष्य हैं जिनके तहत शिखर बैठक होगी।

प्रेक्षक और विश्लेषक वाजपेयी के निमंत्रण व मुशर्रफ के सकारात्मक जवाब के कारणों की गंभीर आकलन और अनुमान में जुटे हुए हैं। कुछ ने तो यह पारंपारिक सुझाव भी दे डाला कि पाकिस्तान की कथित विकट स्थिति के मद्देनजर उसे भारत के साथ एक तर्कसंगत समझौता कर लेना चाहिए ताकि वह इन स्थितियों से निकल सके।

कोई यह राय देगा कि एक अपेक्षाकृत मजबूत स्थिति में होते हुए भी इस बातचीत में भारत के शामिल होने को लेकर किसी सुखानुभूति अथवा आशावादिता की कोई जगह नहीं अथवा यह मान लेना कि जनरल मुशर्रफ अत्यधिक दबाव में इस शिखर बैठक के लिए आ रहे हैं। आगामी शिखर बैठक को प्रभावित करने वाले परिप्रेक्ष्य व उत्प्रेरणों की विशलेषणात्मक समीक्षा आवश्यक है। वाजपेयी सरकार इस निष्कर्ष पर पहुंच गई है कि नवम्बर में एकतरफा संघर्ष विराम से शुरू हुई उसकी शांति प्रक्रिया बिना किसी ठोस परिणाम के अंतिम पड़ाव तक आ पहुंची है। भारत के इस रुख के अंतर्गत कि कश्मीर से जुड़े मुद्दों के दो पहलू हैं– एक इसका घरेलू आयाम है जिसे हमें कश्मीर के विरोधी गुटों के साथ मिलकर हल करना होगा और दूसरा है कश्मीर में पाकिस्तान की हस्तक्षेपपूर्ण संलिप्तता सरकार ने पहले पहलू से निपटने के

लिए श्री के० सी० पन्त को नियुक्त किया और एक साहसी रुख अपनाते हुए जनरल मुशर्रफ को श्री वाजपेयी से बातचीत के लिए भारत यात्रा का निमंत्रण दिया। मुशर्रफ को दिए गए निमंत्रण से कश्मीर मुद्दे पर पाकिस्तान के मुख्य कार्यकारी से बातचीत के प्रति भारत की इच्छा जाहिर होती है। हुर्रियत व अन्य अलगाववादी गुटों की प्रतिक्रिया में विरोधाभासों और अस्पष्टता के बावजूद जम्मू-कश्मीर से जुड़े मुद्दों का संभावित हल खोजने के प्रयासों के तहत इन गुटों से बातचीत में अपनी दिलचस्पी से भारत विमुख नहीं हुआ है। हालांकि इन अलगाववादी गुटों के आतंकवाद एवं हिंसा से बाज नहीं आने की पृष्ठभूमि में भारत सरकार ने एकतरफा संघर्ष विराम बरकरार रखने का अपना फैसला वापस ले लिया, इसी समय जनरल मुशर्रफ को निमंत्रण दिया गया।

इस अभ्यास का मकसद तीन-सूत्री संदेश देना जान पड़ता है। पहला कि भारत सरकार ने इसलिए संघर्ष विराम का प्रस्ताव नहीं किया था कि वह थक-हार गई थी या आतंकवादी हिंसा को रोकरने की राजनैतिक इच्छाशक्ति की उसमें कमी थी। दूसरा, भारत तब तक संयम बरतने का इच्छुक है जब तक अलगाववादी गुट भारत सरकार से सार्थक बातचीत को तैयार नहीं हो जाते। तीसरा यह कि शांति और स्थिरता के व्यापक हित के मद्देनजर भारत ने अपने रुख में बदलाव किया और जनरल मुशर्रफ के नेतृत्व वाले पाकिस्तान से बातचीत कर रहा है।

संघर्ष विराम खत्म करना इस भारतीय जनमत के भी अनुकूल था कि जम्मू-कश्मीर के हिंसक तत्व संघर्ष विराम का फायदा उठा रहे हैं। इस पहल का गैर-उपमहाद्वीपीय आयाम है कश्मीर के हालात को लेकर महत्वपूर्ण शक्तियों व अंतर्राष्ट्रीय समुदाय की प्रतिक्रिया के प्रति भारत की चिंता। भारत का आकलन यह है कि कश्मीर पर भारतीय सरोकारों के प्रति अंतर्राष्ट्रीय समझ व समर्थन बरकरार रखने के लिए एक उच्चस्तरीय और बहु-विषयगत बातचीत अनिवार्य है। भारतीय राजनीतिक हलकों, जनमत में कुछ तबके ऐसे हैं जिन्हें नहीं लगता कि इस शिखर बैठक से कोई ठोस परिणाम निकलेगा, लेकिन अधिसंख्य लोग वाजपेयी की पहल का समर्थन करते हैं। वाजपेयी की पहल पर जनरल मुशर्रफ के सकारात्मक जबाव के कारक रूझान व आवेग हैः प्रथम और सर्वाधिक महत्वपूर्ण यह है कि भारत के प्रधानमंत्री द्वारा परस्पर बातचीत में शामिल कर लिए जाने से मुशर्रफ का क्षेत्रीय और अंतर्राष्ट्रीय संदर्भों में वैधता पा जाना। दूसरा, अपने नजरिये से जनरल मुशर्रफ कह सकते हैं कि उन्होंने विशेष तौर पर कश्मीर मुद्दे को लेकर शिखर बैठक बुलाने के लिए भारत को मजबूर

किया। तीसरा, वाजपेयी के साथ उनकी बैठक से इस्लामी अतिवाद और आतंकवाद को समर्थन देने वाले राष्ट्र के तौर पर पाकिस्तान की छवि में सुधार होगा। भारत के साथ बातचीत और हरकत-उल-अंसार, जैश-ए-मोहम्मद एवं यहां तक कि जमात-ए-इस्लामी जैसे संगठनों पर प्रतिबंध लगाने के चंद अस्थायी कदमों का इस्तेमाल पाकिस्तान यह दावा करने में कर सकेगा कि अंतर्राष्ट्रीय समुदाय, खास तौर पर पश्चिमी लोकतांत्रिक देशों में आलोचनात्मक एवं नकारात्मक अवधारणाओं को देखते हुए पाकिस्तान ने उपुयक्त कदम उठाया।

यह भी काबिले गौर है कि पाकिस्तान के विदेश मंत्री अब्दुल सत्तार जून के तीसरे सप्ताह के दौरान वाशिंगटन में विदेश मंत्री कॉलिन पावेल तथा राष्ट्रपति बुश के साथ थे, और निसंदेह सत्तार ने इस अवसर का लाभ उठाते हुए न केवल जम्मू-कश्मीर पर पाकिस्तान की चिंताओं बल्कि वाजपेयी के साथ शिखर बैठक से अपेक्षाओं से भी अमेरिकी नेताओं को अवगत कराया होगा। इस्लामाबाद में राष्ट्रीय सीरत सम्मेलन में 6 जून को दिया मुशर्रफ का भाषण उल्लेखनीय है। उन्होंने इस्लाम-पसंद पार्टियों के नेताओं और अतिवादी संगठनों को झिड़की लगाते हुए उन्हें भारत के खिलाफ आतंकवादी मंशाओं को उजागर करते अपने अति उत्साही एवं गैरजिम्मेदाराना बयानों से बाज आने को कहा। मुशर्रफ ने इन लोगों को साफ कहा कि इनकी गतिविधियों ने पाकिस्तान की छवि को खराब किया है और इन संगठनों के इस दावे को गलत साबित किया है कि वे पाकिस्तान की पहचान और आबरु को लेकर प्रतिबद्ध हैं। 6 जून के इस भाषण से संभवत: यह बात साफ हो जाती है कि पाकिस्तान की सत्ता संरचना में मुशर्रफ ने अपनी स्थिति सुदृढ़ कर ली है और वह खुद को इतना सुरक्षित महसूस कर रहे हैं कि पाकिस्तान में पिछले ढाई दशकों या इससे भी अधिक समय से व्याप्त अतार्किक रूढ़िवादिता को रोक सकें या इसका मुकाबला कर सकें। वाजपेयी के निमंत्रण को स्वीकार करने पर इन कट्टरपंथी गुटों की प्रचंड प्रतिक्रिया उम्मीदों के अनुकूल ही रही। महत्वपूर्ण बात यह है कि इस विरोध का आगामी शिखर बैठक के प्रति मुशर्रफ के रुख या नजरिये पर कोई असर नहीं पड़ा।

जून के आरंभ से ही दोनों देशों के विदेश विभागों के बीच तैयारी स्वरूप आरंभिक बातचीत तथा अनौपचारिक दस्तावेजों का आदान-प्रदान जारी है। भारतीय उच्चायुक्त नाम्बियार प्रधानमंत्री के प्रधान सचिव ब्रजेश मिश्रा और विदेश सचिव चोकिला अय्यर को ताजा हालात की जानकारी देने तथा विचार-विमर्श के लिए दिल्ली आए हैं। उन्होंने प्रधानमंत्री तथा राष्ट्रीय सुरक्षा

परिषद से संबद्ध कैबिनेट मंत्रियों को भी वस्तुस्थिति से अवगत कराया। प्रधान सचिव ब्रजेश मिश्रा इस शिखर बैठक से पूर्व वाशिंगटन तथा रास्ते में पड़ने वाले चंद अन्य देशों की राजधानी भी जा रहे हैं। और वह संबद्ध देशों को शिखर बैठक पर भारत के व्यापक नजरिये से अवगत कराएंगे। अमेरिका व अन्य महत्वपूर्ण शक्तियां, संयुक्त राष्ट्र महासचिव तथा एशियाई क्षेत्र के महत्वपूर्ण देशों ने भी जनरल मुशर्रफ को निमंत्रित करने की वाजपेयी की पहल का स्वागत किया है तथा ऐसी उम्मीद की जा रही है कि यह शिखर बैठक भारत व पाकिस्तान के बीच कश्मीर मसले पर संभावित समझौते के लिए एक प्रक्रिया की बुनियाद रखेगी।

फिर विशिष्ट संदर्भों में शिखर बैठक से क्या संभावनाएं हैं? कुछ मायने में लाहौर प्रक्रिया की बहाली एक सीमित उपलब्धि होगी। इस बात की संभावनाएं हैं कि नाभिकीय संघर्ष टालने तथा नाभिकीय जोखिम को घटाने से संबद्ध सहमति ज्ञापन पर काम करते हुए दोनों नेता आगे के कदम उठाने का फैसला करें। यद्यपि सियाचिन में सैनिक विवाद, सर क्रीक, में सीमा निर्धारण तथा परस्पर विश्वास बढ़ाने के और उपायों जैसे अन्य मुद्दों पर चर्चा हो सकती है, लेकिन केंद्रीय मुद्दा कश्मीर ही होगा। यह महत्वपूर्ण है कि नई दिल्ली में पाकिस्तानी उच्चायुक्त अशरफ जहांगीर काजी ने न केवल भाजपा और सत्तारूढ़ गठबंधन में इसके सहयोगियों बल्कि वामपंथी नेताओं समेत विपक्षी दलों से संपर्क किया और उन्हें इस बात के लिए राजी करने का विशेष प्रयास किया कि दोनों शासनाध्यक्षों के बीच कश्मीर के भावी दर्जे पर बातचीत हो। यह माना जा सकता है कि काजी को आंशिक सफलता मिली। फिर भी शिखर बैठक के बाद निकट भविष्य में किसी ठोस प्रगति की कतई संभावना नहीं। भारतीय जनमत व राजनैतिक हलके भारत से जम्मू-कश्मीर के किसी भी प्रकार के क्षेत्रीय अलगाव के सख्त खिलाफ हैं।

जहां तक जम्मू-कश्मीर की बात है, लद्दाख और जम्मू के लोग उपरोक्त मत के हैं। कश्मीर घाटी के राजनैतिक समूहों और लोगों में इस बात को लेकर अस्पष्टता व विरोधाभास है कि कश्मीर का क्या हल हो जो उनकी आकांक्षाओं को पूरा करता हो। जहां तक घाटी के लोगों की बात है, उनमें से कुछ पाकिस्तान के साथ जाना चाहते हैं, जबकि कुछ अन्य चाहते हैं कि भारत, पाकिस्तान एवं संयुक्त राष्ट्र से समुचित सुरक्षा गारंटी के साथ जम्मू-कश्मीर को स्वतंत्र कर दिया जाए। कुछ ऐसे भी हैं जो कश्मीर को तीन क्षेत्रीय इकाइयों लद्दाख, कश्मीर घाटी और जम्मू में बांटने तथा घाटी को किसी न किसी तरह पाकिस्तान से

संबद्ध रखने की वकालत करते हैं। इसके साथ ही विस्थापितों का जीवन बिता रहे कश्मीरी हिन्दुओं की ओर से भी एक स्वाभाविक सा सुझाव आता है कि कश्मीर को चार भागों में बांटा जाए–

(क) लद्दाख,

(ख) जम्मू,

(ग) झेलम के पश्चिम की घाटी, जिसे पाकिस्तान को दे दिया जाए और

(घ) झेलम के पूर्व की घाटी, जिसे कश्मीरी हिन्दुओं की मातृभूमि बना दिया जाए। इसके बाद और अधिक स्वायत्तता अथवा केंद्र से मजबूत जुड़ाव बना रहे इनमें से किस पर आधारित हल हो, इस चर्चा का एक घेरलू राजनैतिक आयाम भी है।

जहां तक पाकिस्तान की बात है, उनकी नीतियों में कोई सूक्ष्म अंतर भी नहीं और न ही इस बात का कोई संकेत है कि कश्मीर मुद्दे पर उनके बुनियादी रुख में कोई भी बदलाव आया है। 8 अप्रैल को 'एशियन एज' में प्रकाशित एम॰ जे॰ अकबर को दिए साक्षात्कार में मुशर्रफ ने कहा कि कश्मीर मसले का हल संभव है यदि भारत व पाकिस्तान इतने लचीले हो जाएं कि अपने-अपने घोषित रुखों से हट पाएं। मुशर्रफ महसूस करते है कि एक बार बातचीत शुरू हो जाने पर आगे बढ़ना संभव हो सकता है। विशिष्ट संदर्भों में बात करें तो जनरल मुशर्रफ चाहते हैं कि संयुक्त राष्ट्र सुरक्षा परिषद के जनमत संग्रह प्रस्ताव के आधार पर कश्मीर मसले का हल होना चाहिए। कश्मीर मुद्दे पर अपनी अवधारण को विस्तार से सामने रखते हुए मुशर्रफ ने कहा – कश्मीर के हालात की खासियत है वहां चल रहा स्वतंत्रता संग्राम। "यथार्थ की बात करूं, तो कश्मीर के हालात की संचालन शक्ति यह स्वतंत्रता संग्राम ही है जिसे दुनिया के तमाम हिस्सों से कश्मीरियों ने शुरू किया।" वह महसूस करते है कि भारत को कश्मीर मुद्दे पर कश्मीरियों और पाकिस्तान, दोनों से ही व्यवहार करते समय इस सच्चाई को ध्यान में रखना चाहिए।

हाल के महीनों में न तो पाकिस्तान और न ही भारत ने शिमला में 1972 में परिकल्पित समाधान का कोई उल्लेख किया है, यानी आवश्यक संशोधनों के साथ नियंत्रण रेखा को ही अंतर्राष्ट्रीय सीमा में तब्दील कर देना-यदि भारत और पाकिस्तान किसी तरह इस बात पर तैयार हो जाएं तो इस तरह के हल को अंतर्राष्ट्रीय समुदाय का समर्थन भी मिल जाएगा। जम्मू-कश्मीर के लोग भी इस समाधान को स्वीकार कर सकते हैं यदि इसे स्वायत्तता बढ़ाने एवं पाकिस्तान के साथ आवागमन व सामान्य रिश्तों की गारंटी के साथ जोड़ दिया जाए।

वाजपेयी और मुशर्रफ इतिहास के बोझ तथा समझौता वार्ता के स्थिर रुखों के साथ शिखर वार्ता के लिए आ रहे हैं। दोनों पक्षों में 50 साल के दुश्मनी भरे रिश्तों से उत्पन्न भावनात्मक एवं मनोवैज्ञानिक आवेगों से निर्देशित जनमत तथा समाधान के लिए रखे जा रहे विरोधाभासी सुझावों की जटिलताओं ने भी इन दोनों नेताओं की हदें सीमित कर रखी है। दोनों ही नेता इस बात के लिए जरूर निश्चिंत हो सकते हैं कि उनके आपस में व्यक्तिगत बातचीत करने की पहल से भारत व पाकिस्तान की ऐसी छवि उभरेगी कि वे एक दूसरे से तर्कसंगत व व्यावहारिक बातचीत करने में सक्षम हैं। इस शिखर बैठक के लिए यह आवश्यक है कि इससे लगातार बातचीत की प्रक्रिया शुरू हो। यद्यपि यह संभव है कि शिखर बैठक से कोई सफलता नहीं मिले, लेकिन इस आधार पर अचानक बातचीत नहीं टुटनी चाहिए कि इससे कोई ठोस परिणाम नहीं निकल रहा। यह शिखर बैठक भारत और पाकिस्तान के लिए एक अत्यधिक गंभीर स्तर पर यह फैसला करने का अवसर देती है कि क्या दोनों देशों के लोगों का भविष्य कश्मीर मुद्दे का बंधक होना चाहिए?

आगरा शिखर बैठक - परिप्रेक्ष्य एवं संभावनाएं

हम वाजपेयी-मुशर्रफ शिखर बैठक से तीन दिन दूर हैं। 24 मई को वाजपेयी द्वारा मुशर्रफ को न्योता देने से लेकर अब तक मीडिया में बहुप्रचार, सार्वजनकि रूप से राजनैतिक दांव-पेंच तथा शिखर बैठक के परिणामों को लेकर अटकलों का दौर रहा। घोर निराशाबाद से लेकर इस तरह की भविष्यवाणी कि शिखर बैठक एक अवसर है जिसका इस्तेमाल भारत-पाकिस्तान शत्रुता को मिटाकर दोस्ती व सहयोग के एक रचनात्क दौर को शुरू करने में किया जाएगा; तरह-तरह की अटकलें तैरती रहीं। इस परिप्रेक्ष्य में इस बात का आकलन उपयुक्त होगा कि इस शीर्षस्तरीय राजनैतिक बैठक से भारत व पाकिस्तान के लोग विवेकपूर्वक क्या उम्मीद करते हैं।

सबसे पहले उन बुनियादी उद्देश्यों पर गौर करना चाहिए, जिनके साथ वाजपेयी और मुशर्रफ शिखर बैठक में शामिल हो रहे हैं। दूसरा, व्यापक परिप्रेक्ष्य जिसमें शिखर बैठक हो रही है तथा शिखर बैठक से ठीक पहले के सप्ताहों के दौरान अपनाए गए सार्वजनिक रुख व घोषणाओं की समीक्षा करनी चाहिए और विचार करना चाहिए कि बातचीत पर वे कैसा प्रभाव डाल सकते हैं। तीसरा, संभवत' हमेशा की तरह ही इस बात का अनुमान लगाना कि पिछले 50 सालों से चले आ रहे भारत-पाकिस्तान के शत्रुतापूर्ण रिश्तों को ठीक करने के सिलसिले में बैठक में क्या और कितना कुछ किया जा सकता है।

दोनों ही नेताओं की यह मंशा है कि भारत-पाकिस्तान रिश्तों पर प्रतिकूल प्रभाव डालने वाली कश्मीर समेत अन्य समस्याओं पर बातचीत कर दोनों देशों के रिश्तों को वापस पटरी पर लाने की कोशिश की जाए। दूसरी बात संभवतः दोनों ही पक्षों को इस बात का अहसास होना है कि दोनों देशों की नाभिकीय हथियार और पक्षेपास्त्र समताओं को देखते हुए किसी भी नाभिकीय टकराव को टालने के लिए द्विपक्षीय रिश्तों को जहां तक हो सके, स्थिरता प्रदान करने की कोशिश होनी चाहिए। जहां तक और भी विशिष्ट उद्देश्यों की बात है, भारत का उद्देश्य- जैसा कि पिछले छह सप्ताहों पर नजर डालने से समझा जा सकता है- इस बात का पता लगाना है कि क्या पाकिस्तान को इस बात के लिए राजी किया जा सकता है कि वह सीमा पार आतंकवाद में लिप्त तथा जम्मू-कश्मीर में अलगाववाद को हवा देने वाले तत्वों को समर्थन बंद कर दे? दूसरा, यह पता लगाना कि कश्मीर मुद्दे पर किसी समझौते तक पहुंचने के लिए क्या पाकिस्तान के सहयोग से राजनैतिक प्रक्रिया शुरू हो सकती है, जो कश्मीर विवाद के स्थायी समाधान का आधार बने। कश्मीर विवाद एक प्रमुख कारक रहा है जिसकी वजह से दोनों देशों का नजरिया एक-दूसरे के प्रति आक्रामक हो गया। तीसरा, क्या इस प्रक्रिया को भारत व पाकिस्तान के बीच अन्य क्षेत्रों में सहयोगात्मक बातचीत से बढ़ावा अथवा टेक दिया जा सकता है, जिससे दोनों का भला हो? चौथा, क्या पाकिस्तान को नाभिकीय खतरे को घटाने की योजना में शामिल होने के लिए राजी किया जा सकता है, फरवरी 1999 में लाहौर में नाभिकीय खतरे को घटाने पर सहमति भी हुई थी (जैसा कि नवाज शरीफ और वाजपेयी की मौजूदगी में भारत और पाकिस्तान के तत्कालीन विदेश सचिवों द्वारा हस्ताक्षरित दस्तावेज में सुनिश्चित किया गया था)। पांचवां, इस बात का पता लगाना कि सियाचिन, सर क्रीक सीमा इत्यादि अन्य प्रमुख मुद्दों को सुलझाने के लिए क्या फिर से बातचीत शुरू हो सकती है।

पाकिस्तान के उद्देश्यों का अत्यधिक स्पष्टता से पता चलता है राष्ट्रपति परवेज मुशर्रफ द्वारा वरिष्ठ भारतीय संपादकों को दिए दो साक्षात्कारों से-पहला इस साल के आरंभ में 'एशियन एज' के प्रधान संपादक एम.जे.अकबर को दिया साक्षात्कार था तो दूसरा 'टाइम्स ऑफ इंडिया' के कार्यकारी संपादक दिलीप पदगांवकर को दिया गया जो 4 जुलाई को टाइम्स ऑफ इंडिया में प्रकाशित किया गया। मुशर्रफ ने कहा कि दोनों देशों के लोगों की भावी बेहतरी के लिए वह चाहते है कि भारत और पाकिस्तान अपनी पुरानी सोच से बाहर निकलें और सकारात्मक दिशा में अपने संबंध बनाए। उनका मत है कि भारत और पाकिस्तान

अपने रिश्तों को तभी सामान्य बना सकते हैं जब भारत कश्मीर को केंद्रीय मुद्दे के रूप में स्वीकार कर इसके हल के लिए बात करे। उनका आकलन है कि निकट भविष्य में कश्मीर मसले का हल निकाला जा सकता है, बशर्ते भारत इस मुद्दे पर 'लचीलापन' और 'ईमानदारी' दिखाए। मुशर्रफ के मुताबिक जिसे भारत 'समग्र वार्ता प्रक्रिया' कहता है, उसके तहत वह भारत-पाकिस्तान रिश्तों को प्रभावित करने वाले अन्य सभी मुद्दों पर बातचीत को तैयार हैं, बशर्ते भारत यह स्वीकार कर ले कि इस प्रक्रिया में कश्मीर को सर्वोच्च प्राथमिकता दी जाए। उनका उद्देश्य भारत पर इस बात के लिए दबाव बनाना है कि वह जम्मू-कश्मीर से अपने जुड़ाव की मैजूदा यथा स्थिति में बदलाव के लिए तैयार हो जाए। उनका उद्देश्य यह पता लगाना भी है कि क्या भारत को जम्मू-कश्मीर में सुरक्षा बलों की मौजूदगी घटाने के लिए तैयार किया जा सकता है? यद्यपि वह यही दावा करेंगे कि वह इस स्थिति में नहीं कि सीमा-पार आतंकवाद एवं अलगाववाद को पूरी तरह रोकने की गारंटी दे सकें।

अंतर्राष्ट्रीय दबाव, खास तौर पर अमेरिकी दबाव के मद्देनजर वह दोनों देशों के बीच नाभिकीय खतरे को कम करने की प्रक्रिया अपनाने पर रजामंद हो सकते हैं। भारत-पाकिस्तान आर्थिक सहयोग की प्रासंगिकता को स्वीकार करते हुए भी मुशर्रफ यही दलील देंगे कि यह सहयोग केवल तभी संभव है जब केंद्रीय मुद्दा कश्मीर हल हो जाए। जहां तक कश्मीर समस्या के हल की बात है कि 1947-48 के संयुक्त राष्ट्र प्रस्तावों के आधार पर जनमत संग्रह के जरिये ही मामला सुलझ सकता है।

दोनों ही पक्षों की शीर्ष राजनैतिक हस्तियों की दो सार्वजनिक घोषणाओं से भारत-पाकिस्तान रिश्तों पर दोनों ओर के जनमानस में पैठे पूर्वाग्रहों का स्पष्टतया पता चलता है। मुशर्रफ ने कहा कि कश्मीर समस्या का हल करना "विभाजन का अपूर्ण काम" है। उन्होंने यह मत भी व्यक्त किया कि कश्मीर में हिंसक आंदोलन स्थानीय और वाजिब है, तथा अलगाववादियों को पाकिस्तान महज राजनैतिक, नैतिक और कूटनीतिक समर्थन देता है। मुशर्रफ ने हुर्रियत नेताओं को भेजे अपने पत्र में इसी बात को दोहराया था, जिसका मीडिया में 6 जुलाई को उल्लेख किया गया। मुशर्रफ ने धार्मिक अतिवाद को गैर-जिम्मेदाराना करार देकर इससे अपना विरोध घोषित कर दिया है, लेकिन वह अपने आम नजरिये से तब फर्क कर जाते हैं जब कहते हैं कि जम्मू-कश्मीर में वाजिब संघर्ष अथवा जेहाद चल रहा है। उन्होंने कहा है कि वह लाहौर प्रक्रिया को पुनर्जीवित करने के इच्छुक है, पर यह भी जोड़ते हैं कि बाजपेयी के साथ उनकी बातचीत संयुक्त

राष्ट्र प्रस्तावों तथा पिछले अन्य अंतर्राष्ट्रीय समझौतों व प्रतिबद्धताओं पर टिकी होनी चाहिए। उन्होंने ताशकंद और शिमला समझौतों का यूं ही जिक्र कर दिया।

उधर भारतीय पक्ष में, वाजपेयी ने घोषणा की कि वह मुशर्रफ से कश्मीर पर बातचीत करना चाहते हैं, लेकिन उनका ध्यान केंद्रित होगा जम्मू-कश्मीर को प्रभावित करने वाले सीमा-पार आतंकवाद व अलगाववाद पर और इसके साथ ही पाकिस्तान द्वारा अवैध रूप से कब्जा किए जम्मू-कश्मीर के तिहाई भाग पर भी। विदेश मंत्री जसवंत सिंह ने जोर देकर कहा कि भारत पूरे जम्मू-कश्मीर को भारतीय गणतंत्र का अखंड हिस्सा मानता है। जहां मुशर्रफ ने साफ कहा कि हुर्रियत और कश्मीरियों से बगैर बातचीत किए कश्मीर मसले का हल नहीं निकल सकता, भारत की प्रतिक्रिया यह रही कि इस मामले में त्रिपक्षीय वार्ता का सवाल ही नहीं उठता और मुशर्रफ की हुर्रियत से मुलाकात कोई मसला है ही नहीं क्योंकि भारत स्पष्ट रूप से इस तरह की बैठक के खिलाफ है। भारत ने स्पष्ट तौर पर यह भी कहा कि वह अब और विभाजन नहीं होने देगा।

शिखर बैठक को लेकर दोनों ही देशों की घरेलू राजनीति में विरोधाभास व्याप्त है। मुशर्रफ द्वारा हाशिए पर धकेल दी गई पाकिस्तान की राजनैतिक पार्टियां शिखर बैठक के खिलाफ है। इन पार्टियों के नेताओं ने ऐलान किया है कि मुशर्रफ द्वारा किए गए किसी भी समझौते अथवा फैसले की कोई वैधानिकता अथवा स्वीकार्यता नहीं होगी क्योंकि वह एक निर्वाचित नेता नहीं है। जेहादी संगठनों ने घोषणा कर रखी है कि शिखर बैठक और इसके फैसलों के बावजूद वे हिंसा जारी रखेंगे। जमात-ए-इस्लामी जैसी 'इस्लाम-पसंद' पार्टियां हालांकि मुशर्रफ के साथ बैठक को तैयार हो गई (24 जून को हुई बैठक का मुख्य राजनैतिक पार्टियों ने बहिष्कार किया था), लेकिन मुशर्रफ को आगाह भी किया गया कि कश्मीर पर पाकिस्तान के दृष्टिकोण से वह कोई समझौता न करें। भारत में भी वाजपेयी के अविवादित लोकतांत्रिक दर्जे को छोडकर इसी तरह की मतभिन्नता हैं।

फिर सोची-समझी रणनीति के तहत पाकिस्तानी मीडिया में 'आजमाइशी गुब्बारे' छोड़े जाते हैं, जैसे कि; शिखर बैठक के अंत में भारत सियाचिन से इकतरफा तौर पर हटने को राजी हो सकता है, जम्मू-कश्मीर को तीन भागों में विभक्त करने पर कोई सहमति बन सकती है जिसके तहत घाटी या तो स्वतंत्र हो जाएगी या फिर पाकिस्तान से मिल जाएगी या, संभव है कि भारत पूरे जम्मू-कश्मीर को किसी तरह का स्वत्रंत दर्जा देने और इसके चंद वर्षों बाद जनमत संग्रह के लिए तैयार हो जाए, तथा राष्ट्रपति बुश, नेल्सन मंडेला अथवा पुतिन को कश्मीर मुद्दे पर मध्यस्थता के लिए राजी किया जा सकता है। यह

महत्वपूर्ण बात है कि भारतीय मीडिया अथवा विशेषज्ञों में इस तरह की कोई विशिष्ट अटकलें नही हैं, हां इस श्रेणी के लोगों में एक ऐसा तबका जरूर है जो यह दलील देता है कि जम्मू-कश्मीर पर भारत को अपने स्थिर नजरिये से बाहर निकलकर किसी नए फार्मूलें की तलाश करनी चाहिए। राष्ट्रपति मुशर्रफ के इस वक्तव्य को ध्यान में रखना महत्वपूर्ण होगा कि उनके मतानुसार शिखर बैठक की परिणति एक निश्चित समय सीमा के अन्दर कश्मीर समस्या के हल जाने के फैसले के रूप में होनी चाहिए। इन सबसे एक ही चीज साफ होती है कि जहां तक जानकारी है, परस्पर उद्देश्यों में महज एक आंशिक और सीमित समानता के साथ ही प्रधानमंत्री वाजपेयी और राष्ट्रपति मुशर्रफ शिखर बैठक में शामिल होने जा रहे हैं।

चर्चा के मुद्दों पर भारत और पाकिस्तान में बुनियादी मतभेदों के कारण पिछली शिखर वार्ता के फैसलों के गुम हो जाने से माहौल और भी नकारात्मक हो जाता है। फिर आगरा शिखर बैठक में क्या हासिल किया जा सकता है? एक संभावित सकारात्मक कारक यह है कि दोनों में से कोई भी नेता बिना किसी परिणाम के शिखर बैठक से लौटना नहीं चाहेगा।

इसलिए इतना ही काफी होगा यदि वे अधोलिखित बातों पर सहमत हो जाएं:

पहला, यह कि जब कभी भी जरूरी होगा, वे अनावश्यक राजनैतिक वर्जनाओं के बगैर एक-दूसरे से मिलते रहेगें। दूसरा, यदि वे कश्मीर मसले के हल का फार्मूला तैयार करने की मंशा से लगातार बातचीत (जिसमें दोनों ही पक्षों के सलाहकार सहयोग दें) के लिए अपने-अपने विशेष दूत नियुक्त करने पर राजी हो जाएं अथवा वैकल्पिक तौर पर वे इस बात के लिए सहमत हो जाएं कि कश्मीर पर चर्चा बनाए रखने के उद्देश्य से दोनों पक्षों के विदेश मंत्री एवं विदेश सचिव हर तीन या छह माह पर नियमित मिला करेगें। तीसरा, नाभिकीय खतरे को कम करने की व्यवस्था और प्रक्रिया तय करने के लिए एक संयुक्त स्थायी विशेषज्ञ दल बन जाए। चौथा, दोनों नेता भारत और पाकिस्तान के बीच आर्थिक सहयोग शुरू करने को तैयार हो जाएं जिसमें ऊर्जा क्षेत्र (पाकिस्तान से बिजली की ब्रिक्री तथा पाकिस्तान होते हुए ईरान से गैस पाइपलाइन) पर विशेष ध्यान हो। पांचवां, परस्पर सैन्य संयम और आतंकवाद से निपटने पर विशेष ध्यान के साथ अन्य सभी मुद्दों पर अधिकारी-स्तर की बातचीत के लिए वे तैयार हो जाएं (इस बात का अंदाजा लगाया जा सकता है कि आतंकवाद से निपटने की बात उठाने से मुशार्रफ खिन्न हो सकते हैं, फिर भी हम सुझाव तो दे ही सकते हैं)।

यह स्पष्ट है कि शिखर बैठक से कश्मीर अथवा अन्य मुद्दों पर किसी विशेष सफलता की उम्मीद नहीं की जा सकती। शिखर बैठक को लेकर न तो अति उत्साह की कोई जगह है और न ही निराशा की। महत्वपूर्ण बात यह है कि वाजपेयी-मुशर्रफ बैठक का परिणाम जो भी निकले, कश्मीर मुद्दे के महत्व को स्वीकार करते हुए पाकिस्तान से बातचीत जारी रखने को लेकर भारत ने अपनी प्रतिबद्धता बना रखी है।

आगरा शिखर बैठक-बाद की स्थिति व अनुमान

वाजपेयी-मुशर्रफ की आगरा शिखर बैठक से तीन बाते साबित हुई। वे हैं: पहली यह कि सार्थक बातचीत के लिए एकतरफा मांगों से जड़ सोच ठीक नहीं। दूसरी यह कि आडंबरपूर्ण रंगमंच किसी नपी-तुली और सुगठित विदेश नीति से जुडी पहल का विकल्प नहीं हो सकता। तीसरी यह कि समझौते के लिए मीडिया को हथियार के तौर पर इस्तेमाल करना प्रतिप्रभावी है। 17 जुलाई को भारत और पाकिस्तान के विदेश मंत्रियों ने शिखर वार्ता के विफल नहीं रहने पर अपने-अपने प्रेस संबोधनों में जो कुछ भी आश्वासन दिया, वह तर्कसम्मत अभिव्यक्ति थी। यद्यपी दोनों नेताओं और दोनों ही सरकारों ने बातचीत जारी रखने पर सहमति जताई, लेकिन वास्तविकता यही है कि पाकिस्तान से सुलह करने के लिए हमारे प्रधानमंत्री द्वारा की गई एक अहम कुटनीतिक पहल पाकिस्तानी दृष्टिकोण के पत्थरों से टकराकर चूर हो गई। साथ ही मुशर्रफ और उनकी सरकार कश्मीर समस्या को 'विभाजन का अपूर्ण काम' मानती है तथा उसे पूरा करना चाहती है। यहां उद्देश्य यह है कि शिखर बैठक की कार्यवाही की तत्काल यांत्रिक समीक्षा से कहीं व्यापक होते हुए बैठक के षड्यंत्रकारी पहलुओं को उजागर करते हुए भारत-पाकिस्तान रिश्तों की संभावनाओं का यथार्थवादी आकलन किया जाए।

आगरा में शिखर वार्ता के टूट जाने का कारण भारत सरकार और पाकिस्तान सरकार के उत्प्रेरणों में गहरा विरोधाभास तथा बैठक में भाग लेने को लेकर वाजपेयी और मुशर्रफ के उद्देश्यों में मतभेदों का होना रहा। दूसरा, भारतीय दृष्टिकोण के बारे में दावे व अनुमान तथा वे विकट स्थितियों जिनके आधार पर राष्ट्रपति मुशर्रफ ने समझौता-वार्ता के लिए अपना रुख निर्धारित किया। तीसरा कारण, बातचीत के लिए अपने एजेंडे को आगे बढ़ाने के लिए मीडिया को हथियार के रूप में इस्तेमाल करने का पाकिस्तानी राष्ट्रपति का फैसला-जिसके लिए 15 जुलाई को सूचना मंत्री सुषमा स्वराज के भारत-केंद्रित संवाददाता संबोधन से उन्हें एक मौका मिल गया क्योंकि सुषमा ने बातचीत के दौरान

पाकिस्तान ने क्या कहा, इसका उल्लेख नहीं किया था। इन कारकों में कुछ विस्तार से जाना जरूरी है।

आगरा शिखर बैठक में आने से पुर्व मुशर्रफ और वाजपेयी के उत्पेरणों में गहरा विरोधाभास था। भारत के अधोलिखित उत्प्रेरण थेः पहला, कश्मीर मसले के समाधान के लिए राजनैतिक विचार-विमर्श के एक अन्य वैकल्पिक मार्ग की संभावनाओं का पता लगाना क्योंकि एकतरफा संघर्ष विराम समेत नवम्बर 2000 से की गई अन्य पहल मई के मध्य तक कामयाब नहीं हो सकी थीं। दूसरा, भारत ने महसूस किया कि पाकिस्तान को प्रत्यक्ष रूप से शीर्ष बातचीत में शामिल करने से हुर्रियत की इन मांगों पर हठधर्मिता और कठोरता कहीं कम हो जाएगी कि उसे ही जम्मू-कश्मीर के लोगों के एकमात्र प्रतिनिधि के रूप में मान्यता मिले एवं पाकिस्तान को साथ लेकर त्रिपक्षीय बातचीत शुरू की जाए। पाकिस्तान के साथ बातचीत से विवादों को हल करने के पक्ष में व्यापक जनमत व राजनैतिक दलों के मत के मद्देनजर पाकिस्तान से रिश्तों को सामान्य बनाने की प्रक्रिया शुरू करने को लेकर वाजपेयी की हार्दिक ईमानदार इच्छा थी। चौथा, भारत सीमा पार पाकिस्तान समर्थित आतंकवाद एवं कश्मीर समस्या के तर्कसंगत समाधान की जरूरतों के परस्पर सम्बंधों की और ध्यान आकर्षित करना चाहता था। पॉचवी, भारत व पाकिस्तान के नाभिकीय सशक्तीकरण के कारण क्षेत्रीय सुरक्षा के लिए उत्पन्न गंभीर खतरों को काबू करने की क्रियाविधि एवं प्रक्रिया शुरू करने में भारत की खास तौर पर रूचि थी। छठा, भारत का ध्येय उन अंतर्राष्ट्रीय सरोकारों व चिन्ताओं पर भी उचित प्रतिक्रिया करना था कि कश्मीर में संघर्ष दुर्घटनावश भारत-पाकिस्तान के नाभिकीय टकराव में परिणत हो सकता है।

कुल मिलाकर वाजपेयी भारत को एक ऐसे राष्ट्र के रूप में प्रस्तुत करना चाहते थे जो पाकिस्तान के लगातार शत्रुतापूर्ण रवयै के कारण अपनी एकता और क्षेत्रीय अखंडता के लिए उत्पन्न खतरे के बावजूद शांतिपूर्ण उपायों के प्रति कृतसंकल्प है। परवेज मुशर्रफ और उनकी सरकार के उद्देश्य उपरोक्त भारतीय लक्ष्य से एकदम उलट थे। पहला, भारत द्वारा मान्यता मिलने एवं उससे शीर्ष स्तर पर बातचीत में शामिल होने से पाकिस्तान सरकार के मुखिया के तौर पर मुशर्रफ की राजनैतिक एवं संस्थागत वैधता की पुष्टि हो रही थी। दूसरा, मुशर्रफ की मंशा यह साबित करने की थी कि 54 सालों में वह पाकिस्तान के पहले ऐसे शासनाध्यक्ष एवं राष्ट्राध्यक्ष हैं जिसने एक पृथक एवं उच्च प्राथमिकता वाले मुद्दे के रूप में कश्मीर समस्या पर चर्चा के लिए भारत को मजबूर किया। तीसरा, शिखर बैठक से पहले मुशर्रफ और उनके सरकारी सहयोगियों द्वारा दिए गए तमाम बयानों में साफ तौर पर यह कहा गया कि अपने संदर्भ तथ्यों के

अनुसार पाकिस्तान कश्मीर समस्या के समाधान को दोनों देशों के रिश्तों को सामान्य बनाने की अपरिवर्तनीय पूर्व शर्त मानता है। चौथा, मुशर्रफ की मंशा यह सुनिश्चित करने की थी कि इसी शिखर वार्ता के दौरान भारत जम्मू-कश्मीर के राजनैतिक व अधिकार-क्षेत्र सम्बंधी दर्जे में बदलाव पर चर्चा को तैयार हो जाए। इसी उद्देश्य में यह मंशा भी निहित थी कि नियंत्रण रेखा की पवित्रता को पूरी तरह नष्ट कर दिया जाए।

भारतीय दृष्टिकोण और उसकी विकट स्थितियों के बारे में पाकिस्तान की धारणाएं थी:

1. कि कश्मीर पर अपना कब्जा बनाए रखने के भारतीय दम-खम एवं राजनैतिक इच्छाशक्ति में कमी आ गई है;
2. कि पाकिस्तान प्रायोजित आतंकवाद एवं छद्म युद्ध का मुकाबला करने के मामले में भारतीय सेना व सुरक्षा बल थककर चूर हो गए हैं और इस संदर्भ में अपनी इच्छाशक्ति भी खो रहे हैं;
3. कि भारत के नाभिकीय सशक्तीकरण के परिप्रेक्ष्य में उसपर अमेरिका का दबाव है कि वह कश्मीर पर पाकिस्तान के साथ समझौता कर ले;
4. कि वाजपेयी के नेतृत्व वाली गठबंधन सरकार न केवल आंतरिक गुटबाजी के दबाव से दो-चार हो रही है बल्कि कोई भी कड़ा रुख अख्तियार करने के लिए उसे विपक्षी राजनैतिक दलों का समर्थन नहीं मिलेगा;
5. यह कि परवेज मुशर्रफ को एकतरफा पहल की और इसलिए वाजपेयी के लिए यह असंभव नहीं तो काफी मुश्किल तो होगा ही की आगरा शिखर बैठक के अन्त में कोई ठोस परिणाम नहीं दिखा पाएं;
6. कि जम्मू-कश्मीर एवं भारत के अन्य भागों में जेहादी आतंकवादी गतिविधियों के बढ़ने की वाजपेयी को आशंका रहेगी और इस कारण वह पाकिस्तान की मांगों का काफी हद तक जवाब देने के इच्छुक होंगे।

यही वे धारणाएं थी जिन्होंने परवेज मुशर्रफ को इस मांग के लिए प्रेरित किया कि वह चाहते हैं कि एक निश्चित समय सीमा के अन्दर कश्मीर समस्या का समाधान हो जाए। लेकिन ये सारी धारणाएं गलत साबित हुईं। 16 तारीख की सुबह नाश्ते के दौरान संवाददाता सम्मेलन में मुशर्रफ का हठपुर्ण रुख स्पष्टतया शिखर बैठक में अपने एजेंडे को पुरा करने के लिए मीडिया के इस्तेमाल का एक विचारहीन व प्रतिप्रभावी प्रयास था।

अब प्रश्न यह उठता है कि यहां से हम कहां जाते हैं? 17 जुलाई के बाद के सरकारी बयानों पर गौर करें तो संभावनाएं उत्साहजनक नहीं दिखतीं। 17

जुलाई को सामानांतर रूप से जसवंत सिंह और अबदुस सत्तार द्वारा उल्लेखित दो बिन्दुओं को ही आंशिक रूप से सकारात्मक माना जा सकता है:

1. यह कि शिखर बैठक विफल नहीं रही बल्कि भारत-पाकिस्तान में बातचीत बहाल करने की दिशा में एक महत्वपूर्ण कदम थी;

2. कि प्रधानमंत्री वाजपेयी और मुशर्रफ फिर मिलेंगे और इसी तरह अधिकारी-स्तरीय एवं मंत्रिस्तरीय बैठक जारी रहेगी। लेकिन वास्तविकता यही है कि समझौता वार्ता पर दोनों देशों के रुखों में कठोरता ही आई है। सत्तार ने सीमा-पार आतंकवाद एवं इसे पाकिस्तानी समर्थन को लेकर भारतीय चिंताओं को समझने से इकांर कर दिया। उन्होंने यह कुतर्क दिया कि कश्मीर में कोई अंतर्राष्ट्रीय सीमा नहीं, इसलिए वहां सीमा-पार आतंकवाद तो हो ही नहीं सकता। उन्होंने यह कहते हुए नियंत्रण रेखा की पवित्रता पर भी सवाल किए कि नियंत्रण रेखा स्पष्ट रूप से निर्धारित ही नहीं की गई। उन्होंने जम्मू-कश्मीर में भारतीय दमन के पाकिस्तानी आरोपों को दृढ़तापूर्वक दोहराया। उन्होंने इसे भी दोहराया कि जबतक कश्मीर समस्या हल नहीं हो जाती, परस्पर रिश्ते सामान्य बनाने के अन्य उपायों पर चर्चा के लिए पाकिस्तान तैयार नहीं। इन्हीं विचारों को परवेज मुशर्रफ ने अपनी सरकार और मीडिया को संबोधन के दौरान कहीं अधिक दृढ़तापूर्वक दोहराया। दूसरी ओर भारत ने सत्तार के इस दावे को खारिज कर दिया कि दोनों देशों में एक संयुक्त वक्तव्य को लेकर लगभग सहमति बन गई थी।

भारत सरकार के प्रवक्ताओं ने साफ शब्दों में कहा कि निजी जान-पहचान के अलावा आगरा शिखर बैठक ने आगे की बातचीत के लिए कोई आधार नहीं बनाया और अगली जब भी अगले दौर की बातचीत होती है, शिमला समझौते के अवधारणागत आधार पर लाहौर शिखर बैठक से ही धागों को चुनना पड़ेगा। किसी भी पक्ष ने किसी भी स्तर पर अगले दौर की बातचीत के लिए संभावित समय का कोई संकेत नहीं दिया, जो बेहतर ही है। जबकि हम सिद्धांत रूप से बातचीत जारी रखने के प्रति प्रतिबद्ध हैं, हमें अगले दौर की बातचीत में बिना तैयारी शामिल नहीं होना चाहिए और न ही पाकिस्तान के इस आशवसन के बगैर कि विषयगत वास्तविकताओं को ध्यान में रखते हुए परस्पर समझौते की मार्ग की तलाश के लिए वह हमारे साथ मिलकर काम करने का इच्छुक है। पाकिस्तान के इस नजरिये कि भारत से कश्मीर को अलग करना विभाजन का अब तक छूटा हुआ काम है एवं यह कि वह सीमा-पार आतंकवाद को प्रायोजित

नहीं कर रहा, से स्पष्ट है कि वे वास्तविकताओं के आधार पर समझैता करने के इच्छुक नहीं। हमें पाकिस्तान के साथ किसी भी स्तर की बातचीत के लिए तब तक हड़बड़ी नहीं दिखानी चाहिए जब तक वह यथार्थ के आधार पर मुद्दों पर चर्चा में दिलचस्पी नहीं दिखाता।

आगरा शिखर बैठक-एक विश्लेषणात्मक पश्चलेख

आगरा शिखर बैठक को करीब एक माह हो चुका है। मीडिया और राजनैतिक विश्लेषक बैठक की बातों को याद करने और अपने तौर पर विवरणात्मक समीक्षा में अत्याधिक मशगूल हैं, लेकिन ऐसा प्रतीत होता है कि ये लोग मनन-चिंतन के लिए उन तीन मुख्य बिन्दुओं को भूल गए जो भारत-पाकिस्तान रिश्तों की अनुमानित संभावनाओं के बजाय कहीं यथार्थपरक हैं। आगरा में क्या किया गया और बाद की घोषणाओं पर ध्यान केंद्रित रहा है। जबकि जरूरत इस बात की पड़ताल करने कि है की आगरा में उत्पन्न गतिरोध के बाद भारत और पाकिस्तान किस दिशा में बढ़ेंगे। पहला, द्विपक्षीय बातचीत के भविष्य को लेकर शिखर बैठक के बाद भारत और पाकिस्तान सरकारों के प्रतिनिधियों द्वारा की गई अधिकारिक घोषणाओं पर ध्यान देना चाहिए। दूसरा, इस बात का आकलन करना होगा कि द्विपक्षीय बातचीत के संदर्भ में वास्तव में क्या होने जा रहा है। और तीसरी बात यह कि आगरा शिखर बैठक के बाद उभरी जमीनी वास्तविकताओं के आधार पर इन सार्वजनिक घोषणाओं की वैधता और इनकी संभावनाओं का पता लगाना होगा।

दोनों सरकारों के प्रतिनिधियों की नीतिगत घोषणाओं में विरोधाभास और अस्पष्टता का खासा पुट मौजूद है। 17 जुलाई को अपने-अपने संवाददाता सम्मेलनों में अब्दुल सत्तार और जसवंत सिंह, दोनों ने ही शिखर वार्ता को उपयोगी करार दिया। उन्होंने संयुक्त घोषणापत्र पर सहमति न बन पाने की विफलता को अंतिम क्षणों में उभर आईं चंद जटिलताओं और समय की कमी की बात कर तर्कसंगत ठहराने का प्रयास किया और जोर देकर कहा कि उच्चस्तरीय राजनैतिक संपर्क जारी रहेगा तथा बातचीत बिना रूके चलती रहेगी। उद्देश्य था भारत-पाकिस्तान रिश्तों को सामान्य बनाने की सकारात्मक प्रक्रिया को आगे बढ़ाना। हालांकि नुकसान भरपाई की यह कवायद अस्थायी और मृतजन्मा ही साबित हुई। अपने बहुचर्चित संवाददाता सम्मेलन में जनरल परवेज मुशर्रफ ने आगरा शिखर बैठक की विफलता की जिम्मेदारी बेहिचक भारत सरकार पर डाल दी और इस नजरिये के उलट प्रधानमंत्री वाजपेयी की व्यक्तिगत रूप से तारीफ की। इससे भी महत्वपूर्ण उनका यह दो टूक वक्तव्य

था कि भारत-पाकिस्तान रिश्तों के अन्य पहलुओं पर तभी ध्यान दिया जा सकता है जब भारत-पाकिस्तान के विषयगत ढांचे में कश्मीर के दर्जे पर बातचीत को तैयार हो जाए, (यह संवाददाता सम्मेलन से उद्धृत नहीं है बल्कि कश्मीर पर मुशर्रफ ने जो कुछ भी कहा, यह उसका स्पष्ट निहितार्थ है)। उन्होंने बेबाक तरीके से बड़े जोरदार अंदाज में यह झूठ बोला कि पाकिस्तान उन भाड़े के आतंकवादियों और अलगाववादियों को कोई मदद नहीं दे रहा जो दावा करते हैं कि वे स्थानीय स्वतंत्रता सेनानी हैं। साथ ही मुशर्रफ ने उनकी गतिविधियों की तुलना फिलस्तीनियों के संघर्ष तथा चेचन्या, कोसोवो इत्यादि की अलगाववादी मुहिम से की। उन्होंने कश्मीर पर पाकिस्तान के रवैये की तुलना बांग्लादेश के गठन में भारत की भूमिका से करते हुए अपनी दलील को प्रभाव पूर्ण बनाया। इससे भी आगे बढ़ते हुए कारगिल में पाकिस्तान की सैनिक घुसपैठ को इस आधार पर वाजिब करार दिया कि भारत ने सियाचिन में पाकिस्तानी घुसपैठ को लेकर पहले ही कार्रवाही कर डाली थी। उन्होंने यह घोषणा करते हुए नियंत्रण रेखा की पवित्रता पर सवाल खड़ा किया कि जम्मू-कश्मीर में नियंत्रण रेखा ही समस्या है, और इसलिए किसी भी भावी समाधान के लिए यह आधार नहीं बन सकती। उनका यह दावा कि कश्मीर को 'विवाद' नहीं बल्कि 'मुद्दा' कहे जाने पर सहमति जताकर उन्होंने कश्मीर पर समझौतापूर्ण रुख अख्तियार किया, शिखर बैठक के बाद संवाददाता सम्मेलन में उनके द्वारा उठाए गए मुद्दों के संदर्भ में अप्रासंगिक बयान मात्र ही था।

पाकिस्तान के विदेश मंत्री अब्दुल सत्तार ने भी 17 जुलाई को संवाददाता सम्मेलन के दौरान सीमा पार आतंकवाद के बारे में पूछे गए एक सवाल का जवाब देते हुए नियंत्रण रेखा की पवित्रता पर सवाल उठाया। उन्होंने कहा कि जम्मू-कश्मीर में भारत और पाकिस्तान के बीच कोई सीमा नहीं। इसलिए सीमा पार आतंकवाद पर भला कैसे कोई बातचीत हो सकती है? उन्होंने इस मसले को खारिज करने के अदांज में कहा, वहां तो महज नियंत्रण रेखा है। सत्तार का यह बयान एक सोचा-समझा कुतर्कयुक्त अभ्यास है जो पाकिस्तान के इस ध्येय की ओर इशारा करता है कि पहले तो नियंत्रण रेखा पर लगातार सवाल उठाया जाए और फिर इसकी वैधता को ही खारिज कर दिया जाए।

शिखर बैठक के बाद पाकिस्तान पर अपने नीति घोषणाओं के संदर्भ में हम भी आश्चर्यजनक रूप से खुशफहमी में रहे। हमने इस बात पर जोर दिया कि शिखर बैठक इसलिए विफल हो गई क्योंकि पाकिस्तान सीमा पार आतंकवाद की हकीकत और इस आतंकवाद को पालने-पोसने में अपनी भूमिका

स्वीकार करने को तैयार नहीं था। जबकी कश्मीर को एक महंत्वपूर्ण मुद्दा मानने पर विचार करने के लिए आरंभिक तौर पर राजी हो जाने के बाद हम वापस इस रुख पर चले आए कि पूरा जम्मू-कश्मीर भारत का अभिन्न अंग है और भारत इसे क़िसी क्षेत्रीय विवाद के रूप में नहीं मानता तथा जम्मू-कश्मीर के दर्जे में कोई भी परिवर्तन राजनैतिक व सैद्धांतिक संदर्भों में भारत की राष्ट्रीय पहचान के लिए एक चुनौती है।

6 अगस्त, 2001 को संसद में दिए गए विदेश मंत्री जसवंत सिंह के बयान से पाकिस्तान की भारत संबंधी नीतियों के बारे में हमारी अवधारणाएं सही तरीके से परिभाषित होती हैं जब उन्होंने कहा: ''जम्मू-कश्मीर समस्या की जड़ दो-राष्ट्र सिद्धांत के कारण भारत के प्रति पाकिस्तान की बाध्यतापूर्ण निरंतर शत्रुता में हैं।'' जहां तक भारत-पाकिस्तान वार्ता के जारी रहने की बात है, ऐसे संकेत हैं कि वाजपेयी और मुशर्रफ दक्षेस और संयुक्त राष्ट्र आमसभा की आगामी बैठको के दरम्यान मिल सकते हैं। लेकिन जहां तक वाजपेयी और जसवंत सिंह के उन्हें निमंत्रण के जवाब में पाकिस्तान जाने की बात है, संकेत यही है कि इनके लिए कोई निश्चित समय-सीमा सुनिश्चित नहीं की गई है और ये यात्राएं भारत-पाकिस्तान संबंधों तथा जम्मू-कश्मीर की जमीनी वास्तविक्ताओं के आधार पर ही हो सकती है। भारत की विदेश सचिव चोकिला अय्यर के 8-10 अगस्त, 2001 को दक्षेस विदेश सचिवों की स्थायी समिति की कोलंबो में हो रही बैठक के दरम्यान अपने पाकिस्तानी समकक्ष इनाम-उल-हक से मिलने की संभावना है। अगरा शिखर बैठक के दौरान हुई बातचीत की प्रकृति और बैठक के उपरांत शीर्षस्तरीय नीतिगत बयानों को देखते हुए मुझे नहीं लगता कि द्विपक्षीय वार्ता प्रक्रिया को आगे बढ़ाने के संदर्भ में दोनों देश के विदेश सचिव कोई विशिष्ट नया कदम उठा पाएंगे।

यह भी गौर करने की बात है कि कश्मीर पर निष्फल सोच-विचार को परे खिसकाते हुए पाकिस्तान ने इसकी तुलना में नाभिकीय खतरे को घटाने के कहीं महत्वपूर्ण और गंभीर मुद्दे पर भी बातचीत से इनकार कर दिया। मुशर्रफ बस कश्मीर की ही रट लगाते रहे। और उसपर यह कि बातचीत उनकी शर्तो पर हो। द्विपक्षीय बातचीत को शिमला समझौते तथा लाहौर प्रक्रिया के कुछ पहलुओं से जोड़ने के चंद दिखावटी बयानों को छोड़कर पिछले दो माह के दौरान पाकिस्तानी नीति संबंधी उद्घोषणाओं में इन समझौतों व घोषणापत्रों की प्रासंगिकता खारिज ही की गई है। 14 जुलाई को राष्ट्रपति भवन में आयोजित भोज के दौरान सैनिक समाधान की अप्रासंगिकता को रेखांकित करते जनरल परवेज मुशर्रफ के भाषण तथा राजघाट में आगंतुक पुस्तिका में व्यक्त किए गए उनके

उन्नत विचारों के बारे में हमारे मीडिया में काफी कुछ कहा-लिखा गया। लेकिन उनकी कथनी और करनी में अंतर रहा क्योंकि जम्मू-कश्मीर में पाकिस्तान प्रायोजित हिंसक वारदात तब भी हुई जब शिखर बैठक चल रही थी। शिखर बैठक के बाद जमीनी स्तर पर उभरे और उभर रहे माहौल ही वह सर्वाधिक महत्वपूर्ण कसौटी है जिसके आधार पर एक सकारात्मक व उद्देश्यपूर्ण बातचीत की संभावनाओं का पता लगाया जा सकता है। परस्पर विश्वास बढ़ाने के उपायों के तहत शिखर सम्मेलन के दौरान भारत के सभी एकतरफा प्रयासों को पाकिस्तान ने खारिज कर दिया है। शिखर बैठक से पूर्व अधिकारी स्तर पर कुछ जमीनी तैयारी करने, हमारे सैन्य संचालन महानिदेशक को इस्लामाबाद भेजने, यात्रा सुविधाओं तथा वीजा व्यवस्था को उदार बनाने संबंधी हमारे सुझावों को सिरे से खारिज कर दिया गया। अमरनाथ जाने वाले श्रद्धालुओं पर पाकिस्तान समर्थित आतंकवादियों ने हमला किया है। मुशर्रफ के इस्लामाबाद लौटने के बाद आम लोगों विशेषकर हिन्दू नागरिकों के खिलाफ निरंतर की जाने वाली हिंसा की प्रचंडता और बारंबारता में निश्चित रूप से इजाफा हुआ है। नियंत्रण रेखा पर भारी गोलाबारी फिर शुरू हो गई है। पाकिस्तान की "इस्लाम पसंद पार्टियां लद्दाख व जम्मू के लोगों की जातीय-धार्मिक सहबद्धता व पहचान पर यह कहते हुए सवाल खड़े कर दिए कि वे भी जम्मू-कश्मीर की व्यापक इस्लामी पहचान के अधीन हैं।

भारत ने अपनी ओर से यह घोषणा कर दी है कि अब वह मुशर्रफ को बातचीत के लिए आने का कोई नया निमंत्रण नहीं देने जा रहा। एक निमंत्रण पहले से ही है। पिछले नवम्बर से जम्मू-कश्मीर में संघर्ष विराम से जुड़ी पहल और राज्य के लोगों के साथ विशेष बातचीत शुरू करने के लिए के. सि. पंत को नियुक्त करने का कोई बेहतर परिणाम नहीं निकल सका है क्योंकी इस तरह की विवेकपूर्ण बातचीत के खिलाफ पाकिस्तान ने दबाव बना रखा है।

प्रधानमंत्री वाजपेयी ने 28 जुलाई को भाजपा की राष्ट्रीय कार्यकारिणी को संबोधित करते हुए भारत के प्रति पाकिस्तानी नीतियों का बिल्कुल सही आकलन पेश किया जब उन्होंने कहा कि जनरल मुशर्रफ विशिष्ट स्वहित लक्ष्यों के साथ एक सैनिक के रूप में आगरा आए थे और वह शांति बहाल करने को लेकर गंभीर नहीं थे। इससे अनिवार्यतः यही निष्कर्ष निकाला जा सकता है कि भारत व पाकिस्तान के बीच बातचीत में राजनैतिक मुद्दों की वास्तविकता के बारे में अस्थायी एकमतता भी नहीं। दुसरा, पाकिस्तान इस तथ्यपरक हकीकत को स्वीकार करने को भी तैयार नहीं कि वह भारत के खिलाफ अलगाववादी ताकतों को मदद कर रहा है। इससे भी महत्वपूर्ण बात यह है कि इस मदद को रोकने

में उसकी दिलचस्पी नहीं। तीसरा, पाकिस्तान ने न केवल जम्मू-कश्मीर बल्कि भारत के अन्य भागों में भी अपने अघोषित युद्ध को जारी रखने का फैसला किया है जिससे और भी गंभीर निष्कर्ष निकलता है कि पाकिस्तानी वृहत् एजेंडा भारत के विखंडन को लक्ष्य करके हमारे यहां सांप्रदायिक आधार पर अलगाववादी आवेगों को पैदा करना है। यह कोई कोरी कल्पना नहीं फील्ड मार्शल अयूब खान के पुत्र और पाकिस्तान राष्ट्रीय असेंबली के पूर्व स्पीकर गौहर अयूब ने 1993 में सार्वजनिक रूप से कहा कि दक्षिण एशियाई उपमहाद्वीप में शांति की प्राप्ति भारत के छोटी इकाइयों में विखंडन से ही हो सकती है। एक तरह से उन्होंने विभाजन के समय ब्रिटिश साम्राज्य की रणनैतिक चाल को ही प्रतिध्वनित किया जिसे भारत सरदार पटेल की प्रतिभा और जवाहरलाल नेहरू की समकालिक व धर्मनिरपेक्ष राजनैतिक सोच की बदौलत विफल कर सका था।

आगरा शिखर सम्मेलन की अत्यंत कम उपलब्धि रही। जनरल मुशर्रफ की सोच और उद्देश्यों के परिप्रेक्ष्यों में हमारे नेताओं की उनसे व्यक्तिगत पहचान हुई। हमने अपने राष्ट्रीय हितों की रक्षा के संदर्भ में अपनी दृढ़ता का संदेश दिया और अंततः शांति व स्थिरता के व्यापक हितों के मद्देनजर पाकिस्तान के साथ बातचीत जारी रखने की इच्छा भी जताई। भारत-पाकिस्तान बातचीत निश्चित ही जारी रहनी चाहिए, लेकिन जमीनी हकीकतों और जनरल मुशर्रफ की गलत राजनैतिक हठधर्मिता व प्रकल्पित विश्वास के मद्देनजर वाजपेयी एवं जसवंत सिंह को इस्लामाबाद जाने की हड़बड़ी धीमी कर देनी चाहिए।

10

आतंकवाद विरोधी अभियानः पाकिस्तान की भूमिका एवं नीतियां

अमेरिका के आतंकवाद विरोधी अभियान में पाकिस्तान की भूमिकाः संभावनाएं और संकेत

स्वाभविक रूप से भारत के रणनैतिक विश्लेषकों और भारत सरकार का ध्यान 16/17 अक्टूबर को अमेरिकी विदेश मंत्री कोलिन पावेल की नई दिल्ली यात्रा पर केंद्रित है। भारतीय नेताओं से उनके विचार-विमर्श से वे व्यापक संदर्भ तथ्य निकलेंगे जिनके आधार पर पाकिस्तान के प्रति भारतीय नीति व क्षेत्रीय आतंकवाद से निपटने की रणनीति निर्धारित होगी। इस संदर्भ में भारतीय दृष्टिकोण का विवेकपूर्ण आकलन अनिवार्यतः 7 अक्टूबर को अमेरिकी सैनिक अभियान शुरू होने के बाद अफगानिस्तान एवं पाकिस्तान के घटनाक्रमों की समझ पर निर्भर करेगा। उभरती हुई जमीनी वास्तविकता यही है कि अमेरिका ने तालिबान तथा ओसामा बिन लादेन के अलकायदा आंदोलन के केंद्रीय नेतृत्व के खिलाफ मुख्यतः हवाई हमले का एक अभियान शुरू कर दिया है। निश्चित रूप से यह व्यापक अभियान का पहला चरण है जिसका उद्देश्य दुश्मन की वायुसेना क्षमताओं को खत्म करना है। इस हवाई हमले के अन्य लक्ष्य तालिबान सरकार की कमान व नियंत्रण प्रणाली एवं संचार प्रणालियों को छिन्न-भिन्न करने के साथ ही तालिबान की अस्त्र प्रणालीयों व अस्त्र भंडार को अधिकतम संभावित हद तक नष्ट करना है ताकि तालिबान की जमीन व हवा में मार करने की विभिन्न प्रणालियों की क्षमता खत्म हो जाए।

अमेरिकी नेतृत्व वाले गठबंधन के आतंकवाद-विरोधी अभियान के भावी स्वरूप के बारे में राष्ट्रपति बुश ने दो महत्वपूर्ण संकेत दिए है। पहला, कि यह लंबे समय तक चलने वाला अभियान होगा, जब तक कि अलकायदा आंदोलन का पूरा आतंकवादी ढांचा नेस्तनाबूद नहीं कर दिया जाता। उन्होंने इसके लिए

'एक-दो साल' की समय-सीमा का अनुमान लगाया है। बुश द्वारा कही गई दूसरी महत्वपूर्ण बात यह है कि अभियान का दायरा बढ़ाकर इसके तहत उन देशों के खिलाफ भी कार्रवाई होगी जो अलकायदा के आतंकवादी संगठन एवं इसके सहयोगियों के मददगार रहे हैं। अनुमान है कि अमेरिकी सैनिक अभियान के दायरे में आगे इराक और संभवतः ईरान व सूडान भी आ जाएंगे। अमेरिकी सैनिकों की इकाइयां पाकिस्तान के क्वेटा वायु अडड्े और पसनी व ग्वादर के बंदरगाहों पर तैनात हैं। यह तैनाती उत्तर की दिशा से भी जमीनी कार्रवाई शुरू करने के लिए उजबेकिस्तान-अफगानिस्तान सीमा पर मुस्तैद अमेरिकी और कुछ ब्रिटिश व आस्ट्रेलियाई सशस्त्र बलों के अतिरिक्त है। रूसी परिसंघ ने उत्तरी गठजोड़ को सैन्य उपकरणों की आपूर्ति बहाल कर दी है जो अमेरिकी हवाई हमले का लाभ उठाते हुए युद्ध मोर्चे पर दक्षिण में काबुल-कंधार धुरी की ओर बढ़ गया है।

उजबेकिस्तान ने अंतर्राष्ट्रीय गठबंधन को अपनी जमीन पर वायु सेना अड्डे और सैन्य ठिकानों की सुविधाएं उपलब्ध करा रखी हैं। अमेरिकी सरकार की ओर से ऐसी नीतिगत उद्घोषणाएं भी हुई हैं जो संकेत देती हैं कि अमेरिका आने वाले समय में उजबेकिस्तान और पाकिस्तान, दोनों के ही साथ कुछ नए सुरक्षा समझौते करेगा। अभियान का व्यावहारिक उद्देश्य अलकायदा आंदोलन को खत्म करना तथा इसके नेताओं, खास तौर पर ओसामा बिन लादेन को गिरफ्त में लेना अथवा खत्म कर देना है। जबकि व्यापक स्तर पर राजनैतिक उद्देश्य अफगानिस्तान में तालिबान सरकार की जगह ऐसी नई सरकार को स्थापित करना है जो उदार एवं आतंकवाद के खिलाफ हो तथा जो अमेरिका के साथ-साथ खाड़ी, मध्य एशिया व दक्षिण-पूर्वी क्षेत्र के देशों के आम उद्देश्यों व हितों की समर्थक हो।

यह गौर करने की बात है कि राष्ट्रपति मुशर्रफ शुरु में अफगानिस्तान की तालिबान सरकार को हटाए जाने के खिलाफ थे, लेकिन इस मसले पर अमेरिकी दृढ़ता के कारण ही उन्होंने कहा कि उत्तरी गठजोड़ के नेतृत्व में कोई भी सरकार पाकिस्तान को मंजूर नहीं और इस सैनिक अभियान के समाप्त होने पर जब अफगानिस्तान में नई सरकार की रूपरेखा बनाई जाएगी, तब इस्लामाबाद के विचारों का महत्व हो। ऐसा प्रतीत होता है कि अमेरिका ने मोटे तौर पर यह बात मान ली, जैसा कि इन दो राजनैतिक-सैनिक फैसलों से जाहिर है:

1. अमेरिका ने उत्तरी गठजोड़ को कह दिया कि वह अपना सैन्य अभियान धीमा कर दे और काबूल पर कब्जा न करे;
2. अमेरिका ने काबुल के उत्तर में स्थित पहाड़ियों पर खासी तादाद में तैनात तालिबान बलों के खिलाफ हवाई हमले से परहेज किया है– काबुल की

ओर बढ़ने तथा काबुल से जलालाबाद एवं गजनी होते हुए काबुल से कांधार के मुख्य संचार मार्गों पर नियंत्रण के किसी भी प्रयास की दृष्टि से तालिबान के लिए इन पहाड़ियों पर तैनात ये बल काफी मायने रखते हैं। ऐसा प्रतीत होता है कि इसका उद्देश्य यह सुनिश्चित करना है कि बचे हुए तालिबान पाकिस्तान के समर्थन से अफगानिस्तान में नई सरकार के गठन की कवायद में शरीक हो सकें।

अमेरिकी अधिकारियों व राजा जहीर शाह तथा जहीर शाह के प्रतिनिधियों एवं पाकिस्तानी अधिकारियों के बीच हुई बातचीत से संकेत मिलते हैं कि जहीर शाह के नाममात्र के नेतृत्व में सरकार गठन की योजना है तथा उत्तरी गठजोड़ को बता दिया गया है कि प्रस्तावित सरकार में उसे मुख्य नहीं बल्कि सहयोगी भूमिका निभानी है।

राष्ट्रपति जनरल परवेज मुशर्रफ के लिए उभरते हालात तनाव और राजनैतिक अनिश्चितता से भरे हैं। यद्यपि मुशर्रफ अमेरिका को अभियानगत और सैन्य-संचानल संबंधी पूर्ण सहयोग देने को सहमत हो गए हैं, लेकिन इस फैसले को लेकर उन्हें घरेलू स्तर पर विरोध व आंदोलन का सामना करना पड़ रहा है और आगे भी करना पड़ेगा। मुशर्रफ को न केवल कट्टरपंथी 'इस्लाम-पसंद' पार्टियों व संगठनों बल्कि अपने सशस्त्र बलों के वरिष्ठ पदाधिकारियों के साथ मतभेदों का भी सामना करना पड़ रहा है। मुशर्रफ को जमात-उल-इस्लाम के मौलाना फजलुर रहमान एवं अन्य मौलवियों को हिरासत व नजरबंदी में रखना पड़ा। इससे भी महत्वपूर्ण बात यह है कि उन्हें पाकिस्तानी सशस्त्र बलों में शीर्ष स्तर पर व्यापक फेरबदल करना पड़ा। 7 से 10 अक्टूबर के बीच उन्हें पाकिस्तानी सेना के ग्यारह वरिष्ठतम जनरलों में से सात को बदलना या सेवानिवृत्त करना पड़ा। सबसे महत्वपूर्ण परिवर्तन था ले. जनरल उस्मानी, ले. जनरल अजीज, कार्प्स कमांडर्स व ले. जनरल महमूद, आईएसआई प्रमुख को बदलना। अजीज को ज्वाइंट चीफ्स ऑफ स्टॉफ कमेटी के अध्यक्ष के गैर-संचालन पद पर तैनात किया गया, उस्मानी व महमूद को सेवानिवृत्त कर दिया गया। इस बात को याद रखना प्रासंगिक होगा कि यही वे जनरल थे जिन्होंने अक्टूबर 1999 में मुशर्रफ को सत्ता दिलाई। इस बात की पुष्टि हो चुकी है कि सैनिक हाईकमान के कम-से-कम आधे जनरल अमेरिका के राजनैतिक एवं रणनैतिक दबावों के आगे परवेज मुशर्रफ के घुटने टेक देने के खिलाफ थे। पाकिस्तानी अवाम के अधिसंख्य तबकों ने अमेरिकी सैन्य अभियान को मदद देने के मुशर्रफ सरकार के कदम का खुलकर विरोध किया है। इस आंदोलन

में केवल धार्मिक विद्रोह के तत्व ही नहीं थे, बल्कि इसमें पाकिस्तान के दो राज्यों उत्तर पश्चिम सीमांत प्रदेश व बलूचिस्तान में रहने वाली पठान कबायली आबादी के जातीय विद्रोह का पुट भी था।

इसके साथ ही पाकिस्तान का अफगानिस्तान से बड़े पैमाने पर आ रहे शरणार्थियों से भी पाला पड़ रहा है जिसके कारण इन दो राज्यों में जनसांख्यिक आधार पर सामाजिक-आर्थिक दबाव व तनाव उत्पन्न होगा। आने वाले महीनों में मुशर्रफ सरकार की स्थिरता के लिए चुनौती उत्पन्न होने जा रही है और मुशर्रफ व अमेरिकों नेताओं को इस व्यापक गंभीर स्थिति से निपटना होगा। यदि मुशर्रफ सत्ता में नहीं रह पाते हैं तो अमेरिका के आतंकवाद विरोधी मंच का बड़ा हिस्सा तितर-बितर हो जाएगा ओर नकारात्मक परिणामों की वजह से अमेरिकी कार्रवाई की संघटता व सक्षमता पर असर पड़ेगा जबकि अमेरिका ने एक दीर्घकालिक अभियान की कड़ी के रूप में यह कार्रवाई शुरु की है।

अफगानिस्तान में तालिबान सरकार की जगह एक नई सरकार का गठन भी उतना ही जटिल और कहीं अधिक कठिन काम है। उत्तरी गठजोड़ के नेतृत्व में अफगानिस्तान की कोई भी सरकार स्थायी नहीं हो सकती क्योंकि उत्तरी गठजोड़ में मुख्यत: उजबेक, ताजिक और कुछ हाजरा हैं। पठान अथवा पख्तून आबादी के जनसांख्यिक आकार की तुलना में ये तीनों ही अफगानिस्तान में अल्पसंख्यक समुदाय हैं। अफगानिस्तान की किसी भी नई सरकार में पख्तून जनजातियों के विभिन्न तबकों को व्यापक प्रतिनिधित्व देना होगा। और इन प्रतिनिधियों की सोच ऐसी होनी चाहिए जो उपरोक्त अन्य जातीय अल्पसंख्यकों के साथ सत्ता बांटने की बात को स्वीकार कर ले।

हाल के सालों के दौरान अफगानिस्तान में पख्तूनों और गैर-पख्तूनों के बीच टकरावपूर्ण राजनीति के मद्देनजर समाज के सभी जातीय समूहों के प्रतिनिधियों को लेकर गठबंधन गठन करना एक तनावपूर्ण व नाजुक काम होगा। यह भी संभव है कि मौजूदा समय में पाकिस्तान सरकार के खिलाफ मोर्चा खोले इस्लामी अतिवादी मुहिम की दिशा को मुशर्रफ सरकार बदलकर भारत के खिलाफ करने की कोशिश करे, यह एक ऐसी स्थिति होगी जिसमें भारत के लिए नकारात्मक सुरक्षा परिणाम अंतर्निहित हैं। पाकिस्तान ने कोलिन पावेल के सामने उनकी इस्लामाबाद यात्रा के दौरान कई मांगें रखीं। पहली, अमेरिका और पाकिस्तान के मध्य बहु आयामी रक्षा, राजनैतिक व आर्थिक रिश्तों की बहाली। दूसरी, पाकिस्तानी नाभिकीय हथियारों व प्रक्षेपास्त्र क्षमताओं के संदर्भ में इस्लामाबाद से दबाव हटाने के साथ-साथ प्रतिबंध भी वापस लिए जाएं। तीसरी, अमेरिका अपने आतंकवाद विरोधी अभियान के दायरे में जम्मू-कश्मीर में हो रही

हिंसा को शामिल न करे। चौथी, भारत पर अमेरिका इस बात के लिए विशेष दबाव डाले कि वह जम्मू-कश्मीर के मसले पर पाकिस्तान के साथ समझौता करने को तैयार हो जाए। पावेल की प्रतिक्रिया पहली, दूसरी मांगों पर कथित तौर पर सकारात्मक रही तथा चौथी मांग के संदर्भ में उन्होंने कुछ शर्तें रखीं–जो भारतीय चिंताओं और संवेदनशीलता के अनुकूल है। पाकिस्तानियों द्वारा उठाया गया यह मुद्दा कोलिन पावेल के लिए समस्यापूर्ण रहा होगा कि अफगानिस्तान के खिलाफ अभियान बहुत लंबा नहीं खिंचना चाहिए एवं इस अभियान को विस्तार देकर इसके दायरे में अन्य देशों को नहीं लाया जाना चाहिए। इसलिए सहज ही यह अनुमान लगाया जा सकता है कि क्षेत्र की राजनैतिक स्थिति अस्थिर और अनिश्चितता पूर्ण होगी जिसके कारण अमेरिका के भारत व पाकिस्तान से रिश्तों पर तो असर पड़ेगा ही, आने वाले एक-दो दशक तक हमारे क्षेत्र का रणनैतिक व सुरक्षा माहौल भी प्रभावित होगा।

इन घटनाक्रमों के मद्देनजर भारत को मुख्य रूप से दो संदेश मिलते हैं। पहला, अमेरिका और पाकिस्तान की नीतियों को सुनिश्चित मानकर हमें अपनी नीतियां निर्धारित नहीं करनी चाहिए। दूसरा, आतंकवाद से जुड़ी समस्याओं से निपटने एवं अपने सुरक्षा वातावरण को दुरूस्त रखने के संदर्भ में भारत को आत्मनिर्भर होना पड़ेगा।

अमेरिका पर आतंकवादी हमले के बाद पाकिस्तान की नीतियां: एक आकलन

अमेरिका के आतंकवाद-विरोधी अभियान में शामिल होकर पाकिस्तान ने एक बार फिर कूटनीतिक व राजनैतिक दृष्टि से भारत को पटकनी दी है। पिछले चार हफ्तों के दौरान की गई तमाम घोषणाएं उस पारंपरिक विचारधारा के लिए दुखद हैं कि अमेरिका के निकट आने की दशक लंबी भारत की कोशिशों के बावजूद अमेरिकी हित व ध्यान की दृष्टि से भारत की तुलना में पाकिस्तान अधिक महत्वपूर्ण है। भारत का यह दुख वाजिब है या नहीं, इसके आकलन के लिए अमेरिका के संदर्भ में पाकिस्तानी नीतियों तथा आतंकवाद के खिलाफ मौजूदा अंतर्राष्ट्रीय अभियान की समीक्षा करना उचित होगा। इस संदर्भ में सर्वप्रथम पाकिस्तानी नीतियों की विशेषताओं को याद करना होगा।

वाशिंगटन एवं न्यूयार्क में आतंकवादी हमले पर मुशर्रफ की पहली सार्वजनिक प्रतिक्रिया घटना के करीब 24 घंटे बाद आई जिसमें उन्होंने हमले की निंदा की, अमेरिका के प्रति शोक व्यक्त किया, घोषणा की कि पाकिस्तान

सभी तरह के आतंकवाद के खिलाफ है और अंतर्राष्ट्रीय आतंकवाद से निपटने में सहयोग की पेशकश भी की। अमेरिका में पाकिस्तानी राजदूत मलीहा लोदी के जरिये भेजे गए संदेश में मुशर्रफ ने कहा कि अमेरिका जिस आतंकवाद विरोधी अभियान की तैयारी कर रहा है, उसमें पाकिस्तानी सहयोग इन शर्तों पर निर्भर करेगा:

1. कि अमेरिका पाकिस्तान के खिलाफ 1990 के दशक के पूर्वार्द्ध में, और खास तौर पर चगई नाभिकीय परीक्षण के बाद, लगाए गए आर्थिक व प्रौद्योगिकी प्रतिबंधों को हटा ले;
2. द्विपक्षीय तौर पर तथा बहुपक्षीय वित्तीय संस्थानों से विभिन्न श्रेणियों के तहत मिलने वाली वित्तीय मदद के प्रवाह को अमेरिका फिर बहाल करे;
3. पाकिस्तान द्वारा भुगतान किए जाने वाले ऋण पर अमेरिका रियायत उपलब्ध कराए;
4. कि पाकिस्तान आतंकवाद के खिलाफ अमेरिकी नेतृत्व वाले अंतर्राष्ट्रीय गठबंधन में तभी शामिल होगा जब भारत और इस्राइल द्वारा पूरे समर्थन व सहयोग की पेशकश के बावजूद अमेरिका इन दोनों देशों को इससे अलग रखे;
5. अमेरिका द्वारा पाकिस्तान को द्विपक्षीय वित्तीय व रक्षा मदद बहाल की जाए;
6. अमेरिका स्पष्ट रूप से यह प्रतिबद्धता जताए कि यह अभियान इस्लाम विरोधी नहीं बल्कि आतंकवाद की खास गतिविधियों के खिलाफ है;
7. पाकिस्तान चाहेगा कि अमेरिका के खिलाफ आतंकवादी हमलों में ओसामा बिन लादेन और तालिबान की लिप्तता के ठोस साक्ष्यों की उसे जानकारी दी जाए;
8. कश्मीर मसले के समाधान के लिए राष्ट्रपति बुश प्रत्यक्ष तौर पर सक्रिय हैं।

अमेरिका ने परवेज मुशर्रफ द्वारा रखी गईं लगभग सभी शर्तों को स्वीकार कर लिया, हालांकि अमेरिकी सरकार ने इन पूर्व-शर्तों पर कोई भी औपचारिक अथवा सार्वजनिक प्रतिक्रिया नहीं दी। पाकिस्तान के खिलाफ आर्थिक प्रतिबंध हटाए जा चुके हैं, वित्तीय एवं रक्षा मदद फिर से बहाल हो गई है। भारत और इस्राइल को अमेरिकी सरकार की ओर से बताया गया कि समर्थन व सहयोग की उनकी पेशकश का स्वागत है, लेकिन दोनों ही देश अपरिहार्य बाध्यताओं

को छोड़ आतंकवाद के खिलाफ किसी भी एकतरफा कार्रवाई से परहेज करें इसके साथ ही भारत व इस्राइल दोनों को कहा गया कि इस अवस्था में अमेरिका को इन दोनों देशों से किसी भी संचालन संबंधी मदद की जरूरत नहीं है। पाकिस्तान में अमेरिकी राजदूत ने अमेरिका के खिलाफ आतंकवादी हमले में ओसामा बिन लादेन, उनके संगठन अलकायदा और तालिबान की लिप्तता के बारे में निजी तौर पर विस्तृत जानकारी दी।

पिछले चार सप्ताहों के दौरान मुशर्रफ की नीतियों में आए चंद सूक्ष्म पर महत्वपूर्ण बदलावों पर गौर करने की जरूरत है। मुशर्रफ ने स्पष्ट तौर पर कहा है कि जम्मू-कश्मीर की हिंसा आतंकवाद नहीं, आशय यह है कि अमेरिकी नेतृत्व वाले अभियान के दायरे में जम्मू-कश्मीर की हिंसा नहीं आ जाए जो पाकिस्तान से उत्पन्न हो रही है। उन्होंने यह भी साफ कर दिया कि यद्यपि पाकिस्तान ओसामा बिन लादेन व तालिबान के खिलाफ अभियान में अमेरिका एवं गठबंधन में शामिल अन्य देशों को संचालन संबंधी तथा सैन्य-व्यवस्था से जुड़ी तमाम सुविधाएं उपलब्ध कराएगा, लेकिन पाकिस्तानी सेनाएं अफगानिस्तान में चलने वाले किसी भी अभियान में भाग नहीं लेंगी। जब बुश ने यह घोषणा की कि अंतर्राष्ट्रीय अभियान का एक उद्देश्य अफगानिस्तान की सत्ता से तालिबान को हटाना और उत्तरी गठजोड़ की मदद से राष्ट्रपति बुरहानुद्दीन रब्बानी के नेतृत्व में वहां एक स्वीकार्य सरकार की स्थापना करना होगा, मुशर्रफ ने इसपर यह कहते हुए आपत्ति की कि तालिबान को सत्ता से हटाने की पाकिस्तान अनदेखी नहीं कर सकता। अफगानिस्तान की नई प्रस्तावित सरकार में जहीर शाह को नाम मात्र का मुखिया बनाने के उद्देश्य से रोम में अमेरिकी प्रतिनिधियों और जहीर शाह के बीच बातचीत का भी मुशर्रफ ने विरोध किया। पाकिस्तान सरकार के प्रतिनिधिमंडल व पाकिस्तान के धार्मिक नेताओं के प्रतिनिधिमंडल की तालिबान के साथ हुई बातचीत का कोई नतीजा न निकलने के बाद ही मुशर्रफ के उक्त नजरिये में बदलाव आया।

संभवतः इसका एक अन्य कारण तालिबान का मुशर्रफ के इस प्रस्ताव पर कोई उत्साह नहीं दिखाना था कि तालिबान से अगले दौर की बातचीत के लिए वह खुद काबुल जाएंगे। अब मुशर्रफ ने राजा जहीर शाह से अनुरोध किया है कि पाकिस्तान सरकार से विचार-विमर्श के लिए वह अपने विशेष प्रतिनिधि को भेजें। यद्यपि इसका यह मतलब नहीं कि मुशर्रफ ने अफगानिस्तान के उस तालिबान शासन को छोड़ देने का फैसला कर लिया है जो मूलतः पाकिस्तान के सैन्य प्रतिष्ठान एवं इंटर-सर्विसेज इंटेलिजेंस की देन है।

इन नीतिगत झुकावों की पृष्ठभूमि तैयार करने वाली जमीनी वास्तविकताएं हैं: अमेरिका की ओर से पाकिस्तान पर पड़ता अत्यधिक राजनैतिक व कूटनीतिक दबाव कि वह सहयोग करे। पाकिस्तान इस बात के लिए तैयार हो गया है कि अमेरिकी व सहयोगी देशों के सशस्त्र बल सैनिक अभियान के लिए पाकिस्तान के वायु क्षेत्र उसके भू-भाग एवं उसके समुद्री क्षेत्र का इस्तेमाल कर लें। एयरक्राफ्ट कैरियर 'किटी हॉक' के नेतृत्व में अमेरिकी नौसैनिक बल कराची और ग्वादर के बीच पाकिस्तानी जल क्षेत्र में तैनात हो रहे हैं। इन क्षेत्रों से पाकिस्तानी सशस्त्र बलों को हटा लिया गया है। पाकिस्तानी सुरक्षा बलों को पाकिस्तान-अफगानिस्तान सीमा पर तैनात कर दिया गया है ताकि अमेरिकी हमले की आशंका से मध्य व पूर्वी अफगानिस्तान से बड़ी संख्या में आने वाले अफगान शरणार्थियों को प्रवेश से रोका जा सके।

इसके दो कारण हैं:

1. पाकिस्तान नहीं चाहता है कि तालिबान शरणार्थियों के रूप में उसके उत्तर-पश्चिमी सीमांत प्रदेश तथा बलूचिस्तान में प्रवेश कर इन संवेदनशील प्रदेशों में विध्वंसकारी हिंसा की आशंका बढ़ा दें।
2. इन शरणार्थियों के कारण अतिरिक्त बोझ को आर्थिक रूप से वहन करना तथा शरणार्थियों के इस प्रवाह के सामाजिक दुष्परिणामों से निपटना पाकिस्तान के लिए अत्यधिक कठिन होगा। इसके साथ ही मुशर्रफ सरकार ने उन सभी संगठनों के प्रशिक्षण शिविरों को बंद कर दिया है जो अमेरिका की निषेध सूची में आतंकवादी गुटों के तौर पर दर्ज हैं। वैसे भी शिविरों को बंद करना और उक्त संगठनों के कार्यकर्ताओं को अस्थायी तौर पर तितर-बितर कर देना रणनीतिक दृष्टि से तर्कसंगत है और नीतिपूर्ण भी। सबसे महत्वपूर्ण जमीनी हकीकत यह है कि पाकिस्तानी जनमत के कई खंड तथा अधिसंख्य "इस्लाम-पसंद" पार्टियां मुशर्रफ के अमेरिका के साथ सहयोग करने के खिलाफ हैं क्योंकि वे अमेरिकी अभियान को एक इस्लाम-विरोधी अभ्यास के रूप में देखते हैं।

यह कहने के साथ ही माना जा सकता है कि पाकिस्तान की प्रमुख राजनैतिक पार्टियां तथा सशस्त्र बल प्रतिष्ठान की सत्ता संरचना आम तौर पर मुशर्रफ की मौजूदा नीतियों के पक्ष में हैं। अमेरिका के साथ मुशर्रफ के बात-वयवहार के कारण तथा इसके पीछे मुशर्रफ की मंशा स्पष्ट है। 1998-99 से पाकिस्तान अत्यधिक मुश्किल आर्थिक स्थितियों में है। इस स्थिति से निकलने के लिए मुशर्रफ को अमेरिकी मदद चाहिए थी। यदि मुशर्रफ अमेरिका

के साथ सहयोग से इंकार कर देते तो पाकिस्तान के तालिबान से करीबी रिश्तों तथा आईएसआई व ओसामा बिन लादेन के सर्वविदित संपर्कों के मद्देनजर पाकिस्तान पर आतंकवाद को समर्थन देने वाले देश का लेबल लग जाता। इन सब बातों के अतिरिक्त पाकिस्तान स्थित विभिन्न आतंकवादी संगठनों एवं ओसामा बिन लादेन के नेतृत्व वाले अलकायदा के बीच संपर्क रहा है। अपने कारगिल दुस्साहस के समय अमेरिकी प्रतिक्रिया की यादों की पृष्ठभूमि में मुशर्रफ को इस बात का भी भय था कि यदि उनहोंने अमेरिका की बात नहीं मानी तो पाकिस्तान के खिलाफ दंडात्मक कार्रवाई के लिए अमेरिका भारत का समर्थन कर सकता है।

आम आर्थिक दिक्कतों को छोड़ दें तो पाकिस्तानी सशस्त्र बलों को अमेरिका से खासी रक्षा आपूर्ति हासिल करने की जरूरत है। मुशर्रफ का गणित यह है कि यदि वह अमेरिका के साथ सहयोग करते हैं तो अमेरिका और पाकिस्तान के बीच रक्षा संबंध, खास तौर पर रक्षा उपकरणों की आपूर्ति के संदर्भ में बहाल हो जाएंगे। बुश पहले ही घोषणा कर चुके हैं कि आतंकवाद-विरोधी अभियान में अमेरिका का साथ देने वाले देशों को सैनिक मदद दी जाएगी। इस खास संदर्भ में मुशर्रफ की एक और मंशा यह है कि यदि अमेरिका से सैन्य आपूर्ति बहाल हो जाती है और रक्षा संबंध मजबूत हो जाते हैं तो सशस्त्र बल मुख्यालय की सत्ता संरचना उनके पक्ष में होगी। मुशर्रफ के लिए यह एक महत्वपूर्ण तथ्य है क्योंकि अमेरिका से सहयोग करने के मसले पर आरंभिक चरणों में पाकिस्तान 11 काटर्स कमांडरों में से कम-से-कम चार या पांच बहुत अधिक उत्साही नहीं थे। दरअसल, इंटर-सर्विसेज इंटेलिजेंस के पूर्व प्रमुख ले. जनरल हमीद गुल ने तो सार्वजनिक रूप से कहा था कि मुशर्रफ की नीतियां गलत हैं और ये पाकिस्तान के दीर्घकालिक हितों को पूरा नहीं करतीं।

एक अत्यंत महत्वपूर्ण आकांक्षा जिसके आधार पर मुशर्रफ ने अमेरिका के साथ सहयोग की अपनी नीति निर्धारित की है, यह है कि यदि अमेरिका उनकी कश्मीर नीतियों तथा भारत के संदर्भ में विदेश नीति उद्देश्यों का समर्थन नहीं भी करेगा तो कम से कम उनके पक्ष को बेहतर तरीके से समझेगा। मार्च 2000 में क्लिंटन की भारत यात्रा से भारत-अमेरिका रिश्तों में एक सकारात्मक तालमेल की शुरूआत और फिर बुश द्वारा इसे आगे बढ़ाने की पूरी कवायद को अमेरिका के साथ पाकिस्तान की सहयोगात्मक गतिविधियों के जरिये खत्म अथवा निष्प्रभावी किया जा सकेगा। मुशर्रफ की यह आकांक्षा आंशिक रूप से पूरी हुई जब अमेरिका ने विशेष तौर पर पाकिस्तान का उल्लेख ऐसे देश के तौर पर नहीं

किया जहां से आतंकवाद पैदा होता हो। इसके साथ ही अमेरिका ने औपचारिक रूप से भारत को सलाह भी दी कि वह पाकिस्तान स्थित आतंकवादियों के खिलाफ कोई दंडात्मक कार्रवाई न करे। इसमें कोई संदेह नहीं कि घरेलू दबावों के संदर्भ में मुशर्रफ एक अत्यधिक दबावयुक्त पतली राजनैतिक रस्सी पर चल रहे हैं। यह तो मानना ही होगा कि अबतक उन्होंने यह काम बड़ी कुशलता से किया है। अमेरिका के अल्पकालिक हितों और प्राथमिकताओं के परिप्रेक्ष्य में अमेरिकी प्रशासन द्वारा पाकिस्तान को दिए जा रहे महत्व के कारण हमारा रक्तचाप नहीं बढ़ना चाहिए। यद्यपि हमें राजनैतिक संवेदनशीलता और सतर्कता के साथ घटनाक्रमों पर नजर रखनी चाहिए। यदि अमेरिका व पाकिस्तान का मौजूदा सहयोग किसी ऐसे नीतिगत दिशा-निर्देश में परिणत हो जाता है जो भारतीय हितों के लिए नुकसानदेह हो तो उस स्थिति के लिए हमें उचित राजनैतिक व कूटनीतिक विकल्पों के साथ तैयार रहना चाहिए। अमेरिका का रणनैतिक व विदेश नीति को लेकर ध्यान आकर्षित करने के लिए हमारा पाकिस्तान के साथ होड़ करने का कोई तर्क नहीं। पिछले दशक के दौरान हमने जो कुछ भी पहल की और अमेरिका से संबंधों की बेहतरी के मामले में जो कुछ भी कदम उठाए, उसके परिप्रेक्ष्य में अमेरिका के प्रति हमारी नीतियों का उद्देश्य एक मजबूत दीर्घकालिक संबंध होना चाहिए। लगातार इस बात को ध्यान में रखने से कि अमेरिका और पाकिस्तान दोनों ही मूलतः अपने-अपने राष्ट्रीय हितों के दायरे में रहकर ही काम करेंगे, हमारे नजरिये में नरमी आएगी। इस बाध्यकारी वास्तविकता को नजरअंदाज कर हमें अपनी नीतियां निर्धारित नहीं करनी चाहिए।

अमेरिका का वैश्विक आतंकवाद के विरूद्ध अभियान-पाकिस्तान पर इसका प्रभाव

अफगानिस्तान में अमेरिकी नेतृत्व वाले आतंकवाद विरोधी अभियान एवं इस अभियान में पाकिस्तान के शामिल होने के परिणामों में एक पहलू ऐसा भी है जिसपर उतना ध्यान नहीं दिया गया है जितना दिया जाना चाहिए था। यह है इन घटनाक्रमों का पाकिस्तान के घरेलू राजनैतिक माहौल पर पड़ने वाला असर तथा एक जटिल अवस्था जिसमें पाकिस्तान ने खुद को डाल दिया है।

जब भी कोई पाकिस्तान की बात कर रहा होता है, उसका आशय मुख्यतः राष्ट्रपति जनरल परवेज मुशर्रफ की सरकार की नीतियों से होता है। ध्यान में रखने वाली मुख्य बात यह है कि अमेरिका पर हुए आतंकवादी हमले एवं इसके

बाद अमेरिकी प्रतिक्रिया का सरकार की स्थिरता एवं सामाजिक संघटता के संदर्भों में पाकिस्तान के लिए जटिल परिणाम आने हैं। पाकिस्तान में अंदर ही अंदर क्या चल रहा है और आगे क्या हो सकता है, इसको अच्छी तरह समझने के लिए पाकिस्तान के घोषित नीतिगत दिशानिर्देशों और इन दिशानिर्देशों से संबद्ध सार्वजनिक उदघोषणाओं से आगे जाने की जरूरत है। इस बात पर अवश्य ही गौर करना चाहिए कि परवेज मुशर्रफ ने दबाव के तहत अनिच्छा अमेरिका को सहयोग किया है। अनिच्छा से इसलिए कि पाकिस्तान का जनमत पड़ोस के एक मुस्लिम देश और ओसामा बिन लादेन के नेतृत्व वाले करिश्माई धार्मिक आंदोलन के खिलाफ किसी भी अमेरिकी सैनिक अभियान के पक्ष में नहीं था।

लगभग साढे तीन दशकों के दौरान पाकिस्तानी समाज और सत्ता संरचना के अत्यधिक इस्लामीकरण की परिणति इस भावुक धर्मिक सोच में हुई है। बेशक पाकिस्तान के सरकारी प्रवक्ता इस बात का दावा करें कि मुशर्रफ के फैसले का विरोध महज चंद तबके कर रहे हैं, लेकिन मुशर्रफ को यह बात बखूबी पता थी कि अमेरिका को समर्थन एवं उसके साथ सहयोग करने के उनके फैसले का पाकिस्तान की जनता में व्यापक विरोध होगा। वह दोतरफा दबाव था जिसके कारण मुशर्रफ को अमेरिकी अभियान में शामिल होना पड़ा: पहला, यदि वह अमेरिकी नेतृत्व वाले गठजोड़ में शामिल नहीं होते तो इस बात की संभावना उठ खड़ी होती कि पाकिस्तान से अमेरिका एक ऐसे देश के तौर पर निपटता जो आतंकवाद को मदद व प्रायोजित कर रहा है– विशेषकर तब जब पाकिस्तानी सैन्य प्रतिष्ठान के तालिबान के साथ-साथ ओसामा बिन लादेन के अलकायदा आंदोलन से निकट संबंध हो। फिर एक संभावना यह भी थी, जिसका खुद मुशर्रफ ने सार्वजनिक तौर पर जिक्र किया, कि जिसे वह "पाकिस्तान की सामेरिक संपदा" कहते हैं, जैसे नाभिकीय व प्रक्षेपास्त्र क्षमताएं तथा संबद्ध प्रौद्योगिकीय पूंजी, उसे अमेरिका नष्ट कर सकता है। तीसरा, 1998 के नाभिकीय परीक्षणों के बाद लगाए गए प्रतिबंधों की वजह से मुशर्रफ सरकार गंभीर आर्थिक हालात से गुजर रही थी और सैनिक उपकरणों की आपूर्ति में भी खासी कमी आई थी। मुशर्रफ ने सोचा कि यदि उन्होंने अमेरिका के साथ सहयोग नहीं किया तो प्रतिबंध जारी रहेंगे और इससे पाकिस्तान कमजोर होगा, जबकि यदि वह अमेरिका के पाले में आ जाते हैं तो अमेरिका पाकिस्तान के खिलाफ प्रतिबंध हटा लेगा और तमाम क्षेत्रों में विभिन्न श्रेणियों की मदद भी बहाल हो जाएगी। मुशर्रफ का यह आकलन सही साबित हुआ है। इस बात पर भी गौर करना होगा कि अमेरिका के साथ सहयोग करने के अपने फैसले पर

मुशर्रफ को सशस्त्र बलों के शीर्ष कमान का बिना शर्त समर्थन नहीं मिला था। इस तरह की खबरें हैं कि अमेरिका पर आतंकवादी हमले के बाद सितम्बर के दूसरे सप्ताह में पाकिस्तान के सैन्य कमांडरों की बैठक में 11 में से 7 सैन्य कमांडरों को पकिस्तान के अमेरिका की राजनैतिक समर्थन देने पर आपत्ति थी। इससे भी कहीं अधिक तीखा विरोध अमेरिकी सेनाओं को पाकिस्तान की जमीन और इसकी समुद्री सीमाओं में सैन्य-व्यवस्था संबंधी मदद तथा संचालन सुविधाएं मुहैया कराने को लेकर था। मुशर्रफ द्वारा अपने वरिष्ठ सहयोगियों को रक्षा आपूर्ति व रक्षा सहयोग बहाली का आश्वासन देने के बाद ही ये लोग मुशर्रफ के अमेरिका-समर्थक फैसले पर सहमत हो सके, वह भी अनिच्छा से।

अनिवार्य रूप से यही निष्कर्ष निकलता है कि मुशर्रफ का फैसला पाकिस्तान की सत्ता संरचना एवं जनता में संदेहों एवं विरोध की गहन अंतः धाराओं के खिलाफ रहा है। पिछले 8 सप्ताहों के बीच पाकिस्तान के आंतरिक घटनाक्रम से इस निष्कर्ष की वैधता की पुष्टि होती है। अमेरिका से सहयोग करने की राष्ट्रपति मुशर्रफ की नीति के खिलाफ क्वेटा, पेशावर, कराची, रावलपिंडी और लाहौर में विशाल प्रदर्शन हुए जिनका नेतृत्व पाकिस्तान की सभी ''इस्लाम पसंद'' पार्टियों ने किया। पाकिस्तान की दोनों प्रमुख राजनैतिक पार्टियों, मुस्लिम लीग एवं पीपीपी ने राष्ट्रपति मुशर्रफ को पूरा समर्थन नहीं दिया है। इन प्रदर्शनों को लेकर मुशर्रफ सरकार की चिंताएं किस गंभीर स्तर तक पहुंच गई, यह इसी बात से साबित हो जाती है कि मुशर्रफ को जमात-ए-इस्लामी एवं अन्य धार्मिक पार्टियों के नेताओं को नजरबंद करना पड़ा, उनपर पाबंदियां लगानी पड़ीं। अंतर्राष्ट्रीय आतंकवाद में शामिल संगठनों की जो सूची अमेरिका ने तैयार की थी, पाकिस्तान में उन उग्रवादी इस्लामी गुटों की संपत्ति और संसाधनों पर अमेरिका के निर्देशानुसार मुशर्रफ को रोक लगानी पड़ी। इससे मुशर्रफ और उनकी सरकार के खिलाफ बड़े पैमाने पर रोष फैलने लगा था। अक्टूबर के मध्य तक मुशर्रफ को अपनी सशस्त्र सेना की उच्चत्तर कमान से होने वाले संभावित गंभीर विरोध को लेकर चिंता होने लगी थी। उन्हें यथाशीघ्र अपने ग्यारह वरिष्ठतम सैन्य सहकर्मियों में से सात को स्थानांतरित या सेवानिवृत्त करने का कठोर कदम उठाना पड़ा– उनके इन सहकर्मियों में शामिल थे लेफ्टिनेंट जनरल अजीज, वास्तव में जिन्होंने मुशर्रफ को 1999 में सत्ता तक पहुंचाया, दूसरे थे आई एस आई के प्रमुख महमूद अहमद, जिनके अफगानिस्तान की तालिबान सरकार से नजदीकी संपर्क थे। मुशर्रफ के लिए यह बड़ी पसोपेश की घड़ी थी। एक तरफ उनको अमेरिका की वाहवाही लेनी थी, दूसरी तरफ एक पाकिस्तानी

शासक और नेता के रूप में इस्लाम के सरोकारों और विचारधारा के प्रति प्रतिबद्ध होने की अपनी विश्वसनीयता भी नहीं खोनी थी।

राष्ट्रपति बुश ने मुशर्रफ की बहुत सारी मांगों को अस्वीकार कर दिया जिससे उन्हें काफी उलझन हुई और घरेलू राजनैतिक स्तर पर उनकी विश्वसनीयता भी काफी कम हो गई। पाकिस्तान के पश्चिमी तटीय समुद्र क्षेत्र में अमेरिकी युद्धपोतों की तैनाती पंजगुर, पस्नी, जकोबाबाद और दलबंदिन के वायु सेना ठिकानों को अमेरिकी सेना द्वारा इस्तेमाल किए जाने के लिए मुशर्रफ की ओर से दी गई अनुमति ने न सिर्फ सार्वजनिक आलोचना को हवा दी बल्कि पाकिस्तान के रणनैतिक और सुरक्षा विशेषज्ञों की आलोचना का सामना भी उन्हें करना पड़ा। इन आलोचनाओं का सबसे पैना पहलू यह है कि मुशर्रफ के निर्णय आम जनता की भावना के विरूद्ध हैं और उन्होंने ये नीतिगत निर्णय पाकिस्तान के नागरिकों और राजनैतिक दलों को विश्वास में लिए बगैर लिए। इस तथ्य के मद्देनजर एक उचित अनुमान यह लगाया जा सकता है कि पिछले ढाई दशकों के दौरान जनरल जिया-उल-हक के कार्यकाल के समय से पाकिस्तान सेना के अधिकारियों के अमले में तेजी के साथ रूढ़िवादी धार्मिक विचारधारा के प्रवाह ने इसका इस्लामीकरण कर दिया है। सत्ता में बने रहने के लिए यह मुशर्रफ के सामने खड़ी सबसे नाजुक चुनौती है, क्योंकि हकीकत यह है कि सशस्त्र सेना का समर्थन ही उनके अस्तित्व के लिए सबसे महत्वपूर्ण कारक है।

अमेरिकी सैन्य अभियान का अब तक किसी भी निर्णयात्मक या ठोस उपलब्धियों के परिणाम तक नहीं पहुंचना, मुशर्रफ की नीतियों की वैधता और दलील के सामने प्रश्नचिन्ह खड़ा करता है।

पाकिस्तान के पूरे परिदृश्य के लक्षण इस प्रकार हैं:

1. मुशर्रफ को पाकिस्तान में सार्वजनिक रुख का आम समर्थन प्राप्त नहीं है। उनका पद पर बने रहना इस बात पर निर्भर करता है कि पाकिस्तानी सशस्त्र सेना किस हद तक उन्हें समर्थन देती है। सेना की ओर से किसी निश्चित सीमा से बाहर दिया गया समर्थन अपने आप ही संदेह पैदा करता है।

2. उत्तर-पश्चिम सीमांत प्रांत और बलुचिस्तान में पठान सीमा पार कर अफगानिस्तान जा कर अमेरिका के खिलाफ तालिबान की लड़ाई में शामिल होना चाहते हैं।

3. पाकिस्तान का नागरिक समाज मुशर्रफ सरकार से अलग अपने आप में ही खतरनाक रूप से ध्रुवीकृत है।

4. आगामी भविष्य में अफगानिस्तान में ऐसी किसी स्थायी सरकार के उभर कर आने के आसार दिखाई नहीं देते जो अफगानिस्तान से जुड़े पाकिस्तानी सरोकारों या सामान्यत: इस्लामी देशों के संबंध में आघात के जैसा होगा। हो सकता है मुशर्रफ सशस्त्र सेना के सहारे पाकिस्तानी राजनीति पर नियंत्रण रखने में समर्थ हों, पर व्यक्तिगत तौर पर उनका अस्तित्व पाकिस्तान के ही अंदर उग्रवादी इस्लामी गुटों द्वारा आतंकवादी इस्लामी गुटों द्वारा आतंकवादी कार्रवाई के खतरे से घिरा है।

अतएव, पाकिस्तान के अंदर अस्थिरता और राजनैतिक उथल-पुथल से भरे एक दौर का अनुमान आसानी से लगाया जा सकता है, जो भारत के प्रति वैर और विद्वेष का विकराल रूप धारण कर सकता है।

11

भारत के विदेश संबंध: उभरते रूझान

उपमहाद्वीपीय राजनीति में अमेरिका

लगभग दो साल पहले 1993 में अमेरिका की सहायक विदेश मंत्री रॉबिन रैफेल द्वारा जम्मू-कश्मीर पर भारत के अधिकार पर सवाल खड़ा करने पर भारत में हुए हंगामे पर प्रतिक्रिया व्यक्त करने के लिए अमेरिका के विदेश विभाग के प्रवक्ता से जब पूछा गया तो उनका जबाव यह था कि अमेरिकी लोग इस बात को नहीं समझ पाते हैं कि रॉबिन रैफेल के छींकते ही भारतीयों को फ्लू और तेज बुखार क्यों हो जाता है।

भारत में नियुक्त अमेरिका के राजदूत फ्रैंक विजनर की 9 से 15 जुलाई 1995 की पाकिस्तान यात्रा और वहां उनके सार्वजनिक बयानों ने अमेरिका की मंशा को लेकर भारत में फिर से तनावपूर्ण उत्सुकता को जन्म दिया है। पाकिस्तान से उनके लौटने के पहले ही भारत-पाक पर होने वाली विचार-गोष्ठियों और विचार-विमर्श में विजनर के दौरे को कश्मीर मुद्दे पर भारत और पाकिस्तान के बीच अमेरिका को मध्यस्थ बनाने के प्रयास के रूप में देखते हुए संवेदनशील और आशंकापूर्ण सवाल उठाए जाने लगे थे। 10 जुलाई को क्वेटा के कमांड और स्टाफ कॉलेज में दिए गए उनके सम्बोधन पर सुक्ष्मदर्शीय राजनैतिक विश्लेषण और उंचे काल्पनिक अनुमान आरोपित हुए। अमेरिका की मंशा और विजनर के भाषण किस हद तक उसे प्रतिबिंबित करते हैं, इसका निष्कर्ष निकालने से पहले कुछ आधारभूत बिन्दुओं को सामने लाना होगा।

भारत की कश्मीर नीति में दो धर्मशास्त्रीय मत इस प्रकार हैं:

(क) भारत मसले का अंतर्राष्ट्रीयकरण नहीं करेगा। यह एक घरेलू मसला है जिसमें पाकिस्तान अपने नकारात्मक अभिप्रेरण के साथ खुद ब खुद उलझ गया है, अत: इस विषय को द्विपक्षीय तौर पर ही सुलझाना होगा।

(ख) पाकिस्तान के साथ इस मुद्दे को सुलझाने में भारत किसी भी मध्यस्थ, अथवा बाहरी एकल या बहुपक्षीय भूमिका स्वीकार नहीं करेगा।

युक्ति और साधन तंत्रीय संदर्भ-सूत्रों के मद्देनजर भारत ने इन सिद्धान्तों को 1972 में शिमला समझौते पर हस्ताक्षर होने के समय से ही कश्मीर पर अपनी सार्वजनिक मुद्राओं और नीतियों में बदलने का प्रयास किया है। पर वास्तविकता यह है कि ये दोनों ही सिद्धान्त वृहत् स्तरीय राजनीति पर शुरु से ही क्षीण रहे। पहली स्थिति तो यह हुई कि भारत ही इस मसले को संयुक्त राष्ट्र में ले गया था, इस तरह इसका अंतर्राष्ट्रीयकरण होने की वजह से यह अंतर्राष्ट्रीय क्षेत्राधिकार के अधीन हो गया। दूसरा, 1948 से 1996 तक–ट्रूमन से क्लिंटन तक, एटली से जॉन मेजर तक, ख्रुश्चेव से येल्सिन तक–कश्मीर मसले पर बाहरी हस्तक्षेप या मध्यस्थता को अनुमति न देने के हमारे सार्वजनिक रुख के बावजूद विश्व की प्रमुख शक्तियों ने न सिर्फ सक्रिय दिलचस्पी दिखाई, बल्कि राजनैतिक और रणनैतिक रूप से भी भारत-पाक के बीच के कश्मीर विवाद के परिणामों को हाथ से बाहर निकलने से रोका। भारत "बाहरी हस्तक्षेप को खारिज करना है" को जपता हुआ इस प्रक्रिया में भागीदार बना रहा। इस बात को ब्योरेवार याद करने की जरूरत नहीं कि जब भी कश्मीर मुद्दा एक संवेदनशील मोड़ पर पहुंचा, ओवेन डिक्सन, ग्राहम

एवेरेल हैरिमन, डंकन सैंडीज, ग्रोमाइको, फिर्यूबिन और कुज्नेत्सोव ने स्थिति को उलझाने में साल दर साल कैसी भूमिका निभाई है। जनवरी 1966 में ताशकंद सम्मेलन में भारत की भागीदारी, सामेरिक रूप से बढ़त की स्थिति में होने के बावजूद, इस बात का निर्विवाद प्रमाण है कि समय-समय पर कश्मीर संबंधी गतिविधियां बाहरी दबाव से प्रभावित होती रही हैं। यहां तक कि शिमला शिखर वार्ता भी अमेरिकी सोवियत आम सहमति की ही परिणाम थी जिसमें यह माना गया था कि बांग्लादेशियों के स्वतंत्र होने के वैध उद्देश्यों को हासिल करने में मदद करने के बाद भारत को पश्चिम पाकिस्तान को और आगे विघटित करने से रूकने की सलाह दी जाए। तत्कालीन गतिविधियों के बारे में बात करें तो दिसम्बर 1989- जनवरी 1990 में जम्मू-कश्मीर में अलगाववादी अभियान के पुनः हिंसक हो उठने के बाद से अमेरिका, इंग्लैंड, रूसी परिसंघ और ईरान कश्मीर मुद्दे पर राजनैतिक और कूटनीतिक रूप से बराबर सक्रिय रहे। इन देशों की ओर से मध्यस्थता के लिए किए गए प्रयास औपचारिक या संस्थानिक नहीं रहे हैं, बल्कि ये ज्यादातर उच्च-स्तरीय द्विपक्षीय संपर्कों और कूटनीतिक

हस्तक्षेप के रूप में रहे हैं जिनका ध्येय भारत व पाकिस्तान के बीच तनाव कम करने, द्विपक्षीय वार्ता को बढ़ावा देने और सैन्य और सुरक्षा मामलों में विश्वास बढ़ाने के उपायों का स्वरूप तैयार करने और उसे लागू करने में सहायता करना रहा है। इस स्थिति का निर्विवाद राजनैतिक-रणनैतिक यथार्थ यह है कि अंतर्राष्ट्रीय समुदाय को चिंता है कि कश्मीर पर भारत-पाक विवाद कहीं अंतर्राष्ट्रीय सैन्य संघर्ष में तब्दील न हो जाए—अब, जबकि नाभिकीय हथियारों का पहलू भी सिर उठाए खड़ा है। इस ध्येय को सुनिश्चित करने में महत्वपूर्ण शक्तियां साधनों और प्रभाव को अपने अख्तियार में रखते हुए इस दिशा में सक्रिय बनी हुई हैं और आगे भी बनी रहेंगी।

अमेरिका, बेहद महत्वपूर्ण वैश्विक शक्ति होने के नाते इस प्रक्रिया में निश्चित रूप से मुख्य भूमिका निभाने वाला है। लिहाजा विजनर की पाक यात्रा के अभिप्रेरणों से जरूरत से ज्यादा अर्थ निकालने की आवश्यकता नहीं हैं। निश्चित तौर पर अमेरिका इस बात को लेकर परेशान है कि अभी जिस तरह से दक्षिण-एशिया उपमहाद्वीप संघर्ष-संभावित क्षेत्र बना हुआ है वह कहीं सचमुच एक संघर्षरत क्षेत्र न बन जाए। अमेरिका एशिया-प्रशांत क्षेत्र, मध्य एशिया और खाड़ी देशों में अपने आर्थिक और सामेरिक सरोकारों के मद्देनजर यह समझाता है कि इस उपमहाद्वीप की भू-रणनैतिक स्थिति की वजह से इसका स्थिर बने रहना जरूरी है। अमेरिका यह भी चाहता है कि भारत व पाकिस्तान में स्थिर सरकार बरकरार रहे जिनकी नीतियां, जहां तक संभव हो, इस क्षेत्र में अमेरिकी नीतियों के उद्देश्यों के साथ मेल खाएं। फिलहाल, अमेरिका यह मानता है कि उदार आर्थिक नीतियों के साथ पाकिस्तान में लोकतांत्रिक सरकार का दृढ़ीकरण और भारत में लोकतांत्रिक संस्था का बरकरार रहना उसके हितों को पूरा करेगा। यही वह परिप्रेक्ष्य है जिसमें राजदूत विजनर की पाकिस्तान के नेताओं के साथ बातचीत और क्वेटा में कमांड एंड स्टाफ कॉलेज में दिए गए उनके भाषण का विश्लेषण और आकलन होना चाहिए।

विजनर की यात्रा और उनके दृष्टिकोणों में सबसे पहले गौर करने वाली बात यह है कि वह राष्ट्रपति क्लिंटन और अमेरिकी विदेश विभाग की ओर से भारत-पाक के अधिकारी स्तर की वार्ता को पुनः आरम्भ करने की बात पर बेनजीर भुट्टो-देवगौड़ा के बीच हुए पत्रों के आदान-प्रदान के बारे में की गई सकारात्मक और समर्थनपूर्ण टिप्पणियों का अनुसरण करते हैं। विजनर की यात्रा राष्ट्रपति लेघारी के उस वक्तव्य का भी पालन करती है जिसमें उन्होंने कहा है कि पाक कश्मीर मुद्दे पर युद्ध को बतौर समाधान नहीं देखता है। विजनर-यात्रा

विदेशमंत्री गुजराज की इस सलाह का भी ध्यान रखती है कि भारत-पाक संपर्क संसद सदस्यों के बीच उच्चतर राजनैतिक स्तरों पर पुनर्जीवित होने चाहिए और यह प्रक्रिया विस्तारित आर्थिक संबंधों और दोनों देशों के लोगों के बीच परस्पर संपर्कों के सहारे आगे बढ़नी चाहिए। पाकिस्तान के सैन्य प्रतिष्ठान को दिए गए विजनर के भाषण के कुछ बिन्दुओं पर गौर करना लाजिमी है:

1. उन्होंने कहा है कि लोकतंत्र को निष्पक्ष रूप से निर्वाचित नागरिक नेतृत्व के नियंत्रण के अंतर्गत काम कर रहे सशस्त्र सैन्य बल के साथ सुनिश्चित किया जा सकता है।
2. अप्रसार मुद्दों को इंगित करते हुए वह कहते हैं कि उनके ऊपर जो भी मतान्तर हों, परिपक्व राष्ट्रों के रूप में हमें अपने मतभेदों से निपटना अवश्य आना चाहिए क्योंकि हमारे हितों का कुल योग हमारे मतभेदों (भारत व पाकिस्तान और अमेरिका के बीच के मतभेदों) के कुल योग से कहीं अधिक है।
3. अमेरिका की आशंकाओं के बारे में स्पष्ट रूप से बताते हुए उन्होंने कहा: "आप युद्ध करने गए.... आपने एक दूसरे को बार-बार धमकियां दी, आपने हम सबके लिए दुष्चिंताएं खड़ी की, खासतौर पर जबकि आपने अपने-अपने तरीके से नाभिकीय विकल्प के लिए इजाजत दी।"
4. उन्होंने भारत-पाक आर्थिक संबंधों को विस्तार देकर इस माध्यम से शांति के लिए एक मौका तैयार करने कि वकालत की है।
5. कश्मीर पर कही गईं उनकी बातें भारत और पाकिस्तान की चिंताओं के बारे में संतुलित संवेदनशीलता अभिव्यक्त करती हैं। उनहोंने कहा, "बाहर के लोग आपके मंगल की कामना कर सकते हैं, पर यह आपके और भारत के ऊपर निर्भर करता है कि आप मिल कर काम को कैसे अंजाम देते हैं। यह आपकी शांति का मामला है और आप ही इसे अपना बना सकते हैं।" (अगर यह द्विपक्षीयवाद का समर्थन नहीं है, तो फिर क्या है?)
6. वह आगे कहते हैं, "कश्मीर विवाद के उलझनपूर्ण इतिहास के पन्नों को फिर से उलटना, समस्या का समाधान नहीं है। मैं चाहता हूं कि आप पक्ष विशेष को यह बात कहें, ऐसा ही करने के लिए मैंने अपने भारतीय मित्रों से भी कहा है।"
7. उन्होंने अपने पाकिस्तानी श्रोताओं से ताशकंद और शिमला में भारतीय और पाकिस्तानी नेताओं द्वारा पेश किए गए उदाहरण का अनुसरण करने के

लिए कहा। उन्होंने न तो संयुक्त राष्ट्र प्रस्ताव को इंगित किया न ही अमेरिकी मध्यस्थता की पेशकश की।

8. जहां एक तरफ कश्मीर में हुए हालिया चुनावों के अपूर्ण होने की बात उन्होंने स्वीकारी, वहीं इस बिन्दु पर जोर दिया कि यह कश्मीरी लोगों के सशक्तिकरण की दिशा में उठाया गया कदम है और मुद्दे को सुलझाने की राजनैतिक प्रक्रिया का आरंभ भी हो सकता है।

9. उन्होंने इस बात की वकालत की कि दोनों देशों की ओर से जो कोई भी समाधान निकाला जाए, इसका आधार "यथार्थ स्थिति" को स्वीकार करते हुए ही तैयार करना होगा, जो दोनों सरकारों के बीच भविष्य में कश्मीर पर होने वाले किसी भी गंभीर विचार-विमर्श के लिए आगे जाने के लिए उपयोगी बिन्दु मुहैया कर सकता है।

उनकी यात्रा के बाद हाल के सप्ताह में अमेरिकी नीतियों और सार्वजनिक घोषणाओं द्वारा किसी भी तरह के हस्तक्षेप या मध्यस्थता के पेचीदे प्रयास मुझे नजर नहीं आते। सबसे अहम तो यह है कि जिस तरह कोई भी आदमी अकेला नहीं है वैसे ही कोई देश भी अकेला नहीं है। हमें मित्रवत और हितैषी देशों की हमारे क्षेत्र में शांति और स्थिरता बहाल करने के लिए हमारी और पाकिस्तान की मदद करने पर डरने की कतई जरूरत नहीं है। यदि हम अपने उद्देश्य और अपने मुख्य हितों को लेकर स्पष्ट हैं और यदि हम एक देश के नागरिक और सरकार के रूप में इन उद्देश्यों को पूरा करने के प्रयोजन के साथ एकजुट हैं, तो हमें अपने आसपास के देशों के बारे में चिंतित होकर और संदेह में पड़ कर भयभीत रहने की आवश्यकता नहीं, क्योंकि उनकी दिलचस्पी भी शायद हमारी ही तरह हमारी स्थिरता, शक्ति और समृद्धि में ही है।

भारत-अमेरिका संबंध-उतार-चढ़ाव भरा पथ

अमेरिकी कांग्रेस की कमेटी द्वारा प्रेसलर के प्रतिबंधात्मक शर्तों को रूपांतरित करते हुए पाकिस्तान को शस्त्रों की आपूर्ति को पुनर्बहाल करने के हैंक ब्राउन के संशोधन को स्वीकृति दिए जाने ने आग में घी का काम किया है। वातावरण चेतावनी, प्रतिरोधों, दुष्चिंताओं और आशंकाओं से भरा हुआ है। भारत के राजनैतिक टीकाकारों, रक्षा विशेषज्ञों को भारत-अमेरिका रिश्ते में एक अवश्यम्भावी हास की आशंका दिख रही है। इस बात पर निराशा व्यक्त की गई है कि अमेरिका ने फिर भारत को नीचा दिखाया है, जबकि इस बार भारत ने अमेरिका के साथ सकारात्मक समीकरणों का विकास करने के लिए सच्चे

प्रयास किए थे। यहां पर यह सवाल खड़ा होता है कि क्या यह भावनात्मक उद्‌गार उचित है या उससे भी अहम, क्या दोनों ही देशों के लिए महत्वपूर्ण–निश्चित तौर पर यह भारत के लिए ज्यादा मायने रखता है– भारत-अमेरिका संबंधों के संतुलित स्वरूप को बनाए रखने की जरूरत के लिए यह प्रासंगिक है? (जब तक कि अमेरिका भारत के प्रति स्पष्टतया विरोधी रुख नहीं अपनाता)

ध्यान में रखने वाली पहली बात यह है कि देशों द्वारा विदेश और रक्षा नीति से जुड़े निर्णय मुख्य रूप से उनके अपने हितों से जुड़ी उनकी सोच पर निर्भर करते हैं। दूसरा बिन्दु यह है कि ऐसे निर्णयों में भावनात्मक पहलुओं की कोई जगह नहीं है। तीसरा बिन्दु यह है कि किसी देश की कोई नीति, यहां पर हमारा इशारा अमेरिका की ओर है, भारतीय हितों पर नकारात्मक प्रभाव डालती है तो उसका मतलब यह कतई नहीं कि संबद्ध देश, अमेरिका, भारत के प्रति जानबूझ कर विरोधी रवैया अपना रहा है। इन संदर्भ सूत्रों पर खास बल देने के बाद चलिए हम भारत–अमेरिका संबंधों और भारत–पाक रिश्तों की मौजूदा अवस्था का निश्चित ऐतिहासिक संदर्भों के परिप्रेक्ष्य में आकलन करें। शीत युद्ध की समाप्ति के साथ पूर्व सोवियत संघ के साथ राजनैतिक, आर्थिक और रक्षा समीकरणों के कारण भारत की विदेश व रक्षा नीतियों को मिल रहा सहारा खत्म हो गया। भारत ने अमेरिका के साथ नए समीकरणों की रचना करते हुए उसके साथ नए जुड़ाव की शुरूआत की। अंतर्राष्ट्रीय संबंधों में नए राजनैतिक, तकनीकी, सूचनापरक, प्रौद्योगिकीय, आर्थिक रूझानों ने भारत की आर्थिक और विदेश नीतियों में बदलाव लाने के साथ पश्चिम के साथ इसके रिश्तों की पुनर्संरचना का भी सूत्रपात किया। इन परिवर्तनों ने पिछले पांच सालों के दौरान अमेरिका के साथ ज्यादा सकारात्मक और संतोषप्रद संबंध को साकार किया है।

हालांकि भारत–अमेरिका संबंधों का यह सकारात्मक रुख किसी राजनैतिक शून्य में नहीं पनपा है। जहां भारत–अमेरिका संबंधों में बेहतरी के लिए गुणात्मक परिवर्तन हुए हैं, वहीं स्वतः ही ऐसा मानना ठीक नहीं कि अमेरिका ने अन्य देशों, खास कर पश्चिम और दक्षिण एशिया के प्रति अपनी प्रवृत्तियों और रणनैतिक हितों में आमूल परिवर्तन कर दिए होंगे। दरअसल, भू–रणनैतिक गतिविधियां, सोवियत संघ से विघटित होकर अनेक मध्य एशियाई देशों का उभरना और इन देशों की शक्ति संरचनाओं पर इस्लामी अतिवाद के हावी होने के खतरे ने न सिर्फ अमेरिका की सोच व उसकी नीतियों के बरकरार रहने में योगदान किया, बल्कि अमेरिकी योजना में सऊदी अरब और पाकिस्तान जैसे देशों की अहमियत में भी इजाफा किया। यह सिलसिला ऐतिहासिक है। बहुत

पहले 1953 में अमेरिका के विदेश मंत्री ड्यूल्स ने आकलन किया था कि ''पाकिस्तान मध्य-पूर्व में उभरने वाले किसी भी रक्षा योजना का एक सहयोगी सदस्य होगा। हमें पाकिस्तान को सैन्य सहायता मुहैया करने के लिए किसी शर्त रूपी औपचारिक रक्षा व्यवस्थाओं का इंतजार करने की जरूरत नहीं है। पाकिस्तान हमारे लिए एक संभावित सशक्त बिन्दु है। 1953 के ग्रीष्मकाल में दक्षिण एशिया की अपनी यात्रा के बाद उन्होंने अपने इस आकलन को अभिव्यक्त किया था। खाड़ी क्षेत्रों में अमेरिका की स्पष्ट दिलचस्पी, मध्य एशियाई गणतंत्रों में अपने प्रभाव को बढ़ाने की उसकी इच्छा, ये गणतंत्र कहीं रूढ़िवादी इस्लामी देश न बन जाएं या रूसी प्रभाव के पुन: अधीन न हो जाएं से जुड़ी उसकी चिंता के मद्देनजर बड़ा ही स्वाभाविक दिखता है कि वह पाकिस्तान की शक्ति को सुदृढ़ीकृत करने और उसके (पाक) साथ एक सारपूर्ण सहयोगी संबंध बनाए रखने को खासा महत्व दे। जॉन फास्टर ड्यूल्स का आकलन अमेरिकी विदेश नीति में आज भी एक प्रभावी कारक के रूप में विद्यमान है।

खासकर रक्षा और रणनैतिक संदर्भों में अमेरिका की नीति के उद्देश्य ''यू एस डिफेंस प्लानिंग गाईड फार दि पोस्ट वॉर एरा'' शीर्षक दस्तावेज में स्पष्ट रूप से अभिव्यक्त किए गए हैं। यह दस्तावेज 1992 के जनवरी-मार्च के बीच तैयार किया गया था। इसके खंड जो प्रासंगिक हैं, वे इस प्रकार व्यक्त किए गए हैं: ''हम (अमेरिका) यह प्रयास करेंगे कि भारतीय उपमहाद्वीप में नाभिकीय शस्त्रों की होड़ को आगे बढ़ने से रोका जाए। इस संबंध में हमें इस तरह काम करना चाहिए कि भारत और पाकिस्तान, दोनों ही देश नाभिकीय अप्रसार सन्धि से बंधे रहें और अपने नाभिकीय ऊर्जा साधनों को अंतर्राष्ट्रीय परमाणु उर्जा अभिकरण के सुरक्षा उपायों के अंतर्गत स्थापित करें। हमें हिंद महासागर और दक्षिण एशिया के अन्य देशों के ऊपर भारत की आधिपत्यपूर्ण आकांक्षाओं को बढ़ावा नहीं देना चाहिए। पाकिस्तान को उचित सम्मान देते हुए, मध्य एशिया और दक्षिण-पश्चिम एशिया में स्थिर सुरक्षा के माहौल का विकास करने के लिए अमेरिका-पाकिस्तान के बीच एक सकारात्मक सैन्य संबंध का निर्माण हमारी रणनीति में एक महत्वपूर्ण तत्व होगा। अत:, हमारी नाभिकीय दुष्चिंताओं को दूर करने के स्वीकार्य प्रस्ताव के मद्देनजर हमें हमारे सामेरिक रिश्ते के पुनर्निर्माण का प्रयास करना चाहिए।''

निष्कर्ष यह निकलता है कि अमेरिका भारत के साथ नए व सकारात्मक समीकरण तो बनाना चाहेगा, पर वह यह नहीं चाहेगा कि भारत दक्षिण एशियाई

क्षेत्र में एक वृहत् राजनैतिक और सामेरिक प्रभाव हासिल करे। इसका मुख्य कारण यह है कि एक लोकतांत्रिक देश होने या अमेरिका के हितों के अनुकूल अपनी अर्थव्यवस्था की पुनर्संरचना करने के बावजूद भारत अपनी सुरक्षा से संबंधित नीतिगत निर्णय लेने के मुद्दे पर अपनी स्वायत्तता को लेकर अभी भी अडिग है। वास्तविकता तो यह है कि शीतयुद्ध के अंत होने और परिणामस्वरूप वैश्विक समीकरणों में परिवर्तन होने के बावजूद अमेरिकी और भारतीय सुरक्षा सरोकार पूरी तरह से एकाकार नहीं हुए हैं। हालांकि जहां तक अमेरिका का सवाल है, अल्प या मध्यकालिक संदर्भ में सीधे तौर पर उसको प्रभावित करे, हितों का ऐसा कोई टकराव मौजूद नहीं।

1993 के आरंभ से ही राष्ट्रपति क्लिंटन और विदेश मंत्री वारेन क्रिस्टोफर द्वारा विदेश नीति के बारे में दिए गए महत्वपूर्ण वक्तव्यों का विश्लेषण अमेरिकी विदेश नीति के जिन आम उद्देश्यों को इंगित करता है वे अधोलिखित हैं:

1. अमेरिका के अंदर एक ऐसा हठी आत्मविश्वास पनप गया थ कि वह ही अंतर्राष्ट्रीय समुदाय की सबसे प्रमुख राजनैतिक और सैन्य शक्ति है, लिहाजा इससे नई विश्व व्यवस्था की संरचना की प्रक्रिया में अपनी कार्यसूची को लागू करने में अमेरिका सक्षम होगा और वहां अमेरिकी हित सुरक्षित हो पाएंगे और उनका कोई प्रतिरोध भी नहीं होगा।

2. अमेरिका एक ऐसी अंतर्राष्ट्रीय व्यवस्था चाहता है जो अधोलिखित बातों को सुनिश्चित करे:

   (i) अन्य सभी देशों के ऊपर अमेरिकी सैन्य वर्चस्व;

   (ii) यह सैन्य वर्चस्व विश्व के विभिन्न भू-भागों में मौजूद अमेरिका के निश्चित मित्रराष्ट्रों के साथ सहयोग द्वारा हासिल हो;

   (iii) अमेरिका को विश्व के विभिन्न भागों के प्राकृतिक संसाधनों और सामेरिक महत्व के कच्चे पदार्थों की प्राप्ति का मार्ग मुहैया करने के तहत आर्थिक और राजनीतिक-रणनीतिक व्यवस्थाओं का निर्माण करना;

   (iv) एक ऐसे अंतर्राष्ट्रीय आर्थिक माहौल की संरचना करना जहां विश्व के विभिन्न देशों के बाजारों तक अमेरिकी निर्यात की पकड़ सबसे अधिक और सुरक्षित हो। इस प्रयोजन के लिए विभिन्न देशों को निवेश और अन्य आर्थिक साधनों के संदर्भ में अमेरिका खास नपे-तुले सकारात्मक कदम उठाने को इच्छुक होगा।

(v) अमेरिका के लिए एक दीर्घकालिक सैन्य वर्चस्व और आर्थिक प्रतिस्पर्धा की स्थापना करने में प्रतिबंधात्मक सामेरिक निर्यात नियमों का निर्माण और परिपालन, प्रौद्योगिकीय हस्तांतरण और सूक्ष्म शुल्क एवं गैर-शुल्क बाधाओं का निर्माण, ताकि अमेरिका के हितों की रक्षा हो;

(vi) उपरोक्त उद्देश्यों को हासिल करने में आवश्यक रूप से स्थिर और संघर्षरहित अंतर्राष्ट्रीय वातावरण की जरूरत है। संघर्षपूर्ण स्थितियों की रोकथाम करने और अंतर्राष्ट्रीय स्थिरता और सुरक्षा को बनाए रखने के लिए अमेरिका को खुद ही मुख्य भूमिका निभानी होगी;

(vii) इस संबंध में खुद अपनी भूमिका को सुदृढ़ करने के अलावा इस आखिरी उद्देश्य की पूर्ति के लिए अमेरिका को इसके निमित्त एक ज्यादा सक्रिय संयुक्त राष्ट्र का उपयोग करने में भी समर्थ होना होगा जिसका अर्थ यह होगा कि जहां संयुक्त राष्ट्र के संदर्भ में अमेरिका के लक्ष्यों को संयुक्त राष्ट्र के अधिसंख्य सदस्यों का समर्थन प्राप्त है, वहीं अल्पसंख्यकों के लिए खुद संयुक्त राष्ट्र की पुनर्व्यवस्था व पुनर्संरचना हो;

इस क्षेत्र में अमेरिका के उद्देश्यों को आगे बढ़ाने और अमेरिकी हितों को सुरक्षित रखने में एक स्थिर विश्वसनीय मित्र के रूप में पाकिस्तान को मजबूत किया जाना चाहिए, खास कर वहां की लोकतांत्रिक प्रक्रिया को, पाकिस्तान की शक्ति संरचना में पाकिस्तानी सेना की केन्द्रीय भूमिका को कम किए बगैर, मजबूत किया जाना चाहिए। पाकिस्तान की आर्थिक और सैन्य क्षमताओं को संरक्षण देते हुए इनमें और वृद्धि करनी होगी, ताकि खाड़ी में अमेरिकी हितों की रक्षा हो और अमेरिका की नीतियों को चुनौती देने वाले ईरान जैसे देशों की काट की जाए और दक्षिण एशिया में भारत को वर्चस्वपूर्ण स्थिति हासिल करने से रोका जाए।

दूसरा महत्वपूर्ण घटनाक्रम था भारत का कश्मीर संकट और कश्मीर में अलगाववादी शक्तियों को पाक द्वारा दिए जा रहे समर्थन से उसके और विकट बन जाने के कारण इन उपमहाद्वीप के संबंध में सक्रिय भूमिका निभाने के मद्देनजर अमेरिका द्वारा लिया गया निर्णय। अप्रैल-मई 1990 से, अमेरिका को, वाजिब तौर पर, कश्मीर में हो रहे उपद्रवों के भारत-पाक के बीच एक सामान्य युद्ध में तब्दील हो जाने की आशंका जब होने लगी तो उन्होंने स्थिति को शांत करने और अमेरिका की तरफ से इस संदेश को पहुंचाने के लिए सरकारी

अधिकारियों के समूह को क्रमवार भारत और पाकिस्तान भेजा कि वह उन दोनों देशों के बीच विस्फोटक संघर्ष को रोकने के लिए अपने प्रभाव और अपनी शक्ति का इस्तेमाल करेगा।

यही वह परिप्रेक्ष्य है जिसमें ब्राउन संशोधन के निहितार्थों का आकलन करना होगा। इसके लिए हमें आवश्यक रूप से पीछे मुड़ कर इतिहास के कुछ पन्ने पलटने होंगे। पाकिस्तान को शस्त्रों की आपूर्ति करने की दिशा में प्रेस्लर संशोधन द्वारा पेश किए गए प्रतिबंध उसी तरह के हैं जो 1980 के दशक में सिमिंग्टन और ग्लेन संशोधन के जरिए पहले भी पाकिस्तान पर लगाए गए थे। पर अफगानिस्तान में अमेरिकी ध्येय को पूरा करने में पाकिस्तान को सैन्य सहयोग मुहैया कराने में उनका भी परिहार कर दिया गया। अतः अमेरिका ने जो कुछ भी किया है वह नया नहीं है। अमेरिका की नीतियों में एक तरीके की स्थिरता है। यह भी काबिले गौर है कि नाभिकीय प्रौधोगिकी में पाकिस्तान की शुरूआती पैठ अमेरिका की जानकारी में और उसके सहयोग से हुई। यह जानी हुई बात है कि पाकिस्तान के सशस्त्रीकरण कार्यक्रम को गुप्त रूप से सहयोग करने की चाल अमेरिका की थी। अमेरिकी रवैये का एकमात्र अतिरिक्त व्यवहार्य पहलू जो हैंक ब्राउन संशोधन के परिणामस्वरूप सामने आया, वह है अमेरिका द्वारा पाकिस्तान के नाभिकीय हथियार आकांक्षाओं को औपचारिक रूप से वैध ठहराया जाना। यदि ''वास्तविक राजनैति'' के संदर्भों में इसकी जांच की जाए तो ये अमेरिका द्वारा क्षैतिज नाभिकीय प्रसार की रोकथाम करने के घोषित उद्देश्यों के सर्वथा विपरीत दिखती हैं, पर इससे कोई खास फर्क नहीं पड़ता है।

1993 में कश्मीर पर अमेरिकी सहायक विदेश मंत्री राबिन राफेल के वक्तव्यों के बाद हुए नुकसान की भरपाई के लिए भारत और अमेरिका द्वारा किए गए प्रयास प्रधानमंत्री राव की मई 1994 में अमेरिका की यात्रा और अमेरिका के मंत्रिमंडल के उच्चस्तरीय अधिकारियों के भारत के दौरे में दिखे तो जरूर, पर इन प्रयासों को कोई सफलता नहीं मिली। जहां तक भारत का सवाल है, मौजूदा लक्ष्य यह है कि भारत और अमेरिका के संबंध में आई नई जटिलताओं को कैसे सुलझाया जाए और उन्हें कैसे बनाए रखा जाए। महत्वपूर्ण मुद्दों जैसे नाभिकीय-अप्रसार, निः शस्त्रीकरण और शस्त्र नियंत्रण, प्रक्षेपास्त्र विकास, प्रौधोगिकीय हस्तान्तरण, बौद्धिक संपदा अधिकार और वातावरण प्रबंधन इत्यादि के ऊपर दोनों देशों के बीच के मतभेदों से उत्पन्न जटिलताओं के कारण भारत-अमेरिका रिश्ते को कठिन समय से गुजरना पड़ेगा। ये मतभेद

पाकिस्तान को बढ़ी हुई सैन्य क्षमता से युक्त करने की दिशा में अमेरिका द्वारा सबसे हाल में लिए गए निर्णयों की वजह से भारत में उपजी खतरे की आशंकाओं से और भी विकट हो गए हैं।

मुझे नहीं लगता कि अमेरिका के विरुद्ध भावनात्मक उद्‌गार था टकरावपूर्ण रुख से भारत के हितों की पूर्ति होगी। हमें यह बात याद रखनी होगी कि अमेरिका हमारे व्यापार का सबसे बड़ा भागीदार है। भारत में सबसे बड़ा विदेशी निवेशकर्ता भी अमेरिका ही है। वह हमारी अर्थव्यवस्था के महत्वपूर्ण क्षेत्रों जैसे बिजली, सड़क परिवहन, हाईड्रोकार्बन, दूरसंचार और इलेक्ट्रॉनिक्स में योगदान कर रहा है। भारत-अमेरिका संबंधों में खटास और भारत अत्याधुनिक प्रौधोगिकी के हस्तान्तरण को लेकर अमेरिका के मौन के बावजूद भारत-अमेरिका रक्षा सहयोग में धीरे-धीरे विस्तार हो रहा है।

जहां हमें एक तरफ अमेरिका द्वारा पाकिस्तान को शस्त्र मुहैया कराए जाने के निहितार्थों का निर्णयात्मक रूप से सामना करना चाहिए और हमारे सुरक्षा सरोकारों की पूर्ति के लिए विदेश और रक्षा नीतियों के विषय पर विकल्पों की अपनी स्वतंत्रता को अक्षुण्ण रखना चाहिए, वहीं अमेरिका के साथ हमारा एक व्यावहारिक और क्रियाशील संबंध बरकरार रखना भी जरूरी है। आपस में विरोध रहने के बाद भी ऐसे संबंध जीवित रहते हैं और इनकी जरूरत बनी रहती है और ये परस्पर लाभदायक भी होते हैं। अमेरिका के साथ हमारा संबंध हमारे कई विशिष्ट हितों को पूरा करता है। हाल के सप्ताह में अमेरिकी नीतियों में हमने जो नकारात्मक खुशामद देखी, उसके बावजूद इस देश के प्रति अपनी नीतियों और रुखों की रूपरेखा तय करते समय हमें इस पहलू को कतई नजर अंदाज नहीं करना चाहिए।

चुनावी वर्ष में भारतीय विदेश नीति की दुविधाएं

जनवरी के शुरू में पश्चिम बंगाल के मालदा में एक सार्वजनिक सभा को संबोधित करते हुए भाजपा नेता एल. के. आडवाणी ने यह घोषणा की कि भाजपा के चुनावी घोषणापत्र का मुख्य नारा राष्ट्रीय सुरक्षा मुद्दे से जुड़ा होगा। ऐसे आसार हैं कि अगला चुनाव अप्रैल के उत्तरार्द्ध में होगा। अत: यह स्वाभाविक है कि चुनावों के पहले के सप्ताहों में सारे राजनैतिक दल संवेदनशील सरोकार से जुड़ी राष्ट्रीय नीति के दो पहलुओं पर अपना ध्यान केन्द्रित करेंगे। इनमें से पहला होगा एक सामूहिक और प्रतिस्पर्धी चिंतन, जो सत्तासीन दल द्वारा 1991 से शुरू किए गए आर्थिक उदारीकरण और सुधार नीतियों के बारे में होगा। दूसरा

राष्ट्रीय सुरक्षा और विदेश नीति के परिदृश्य में संवेदनशील गतिविधियों पर होगा। यह एक पीड़ादायक सत्य है कि आर्थिक नीतियों पर किए गए विचार-विमर्श से भी भारत के विदेशी आर्थिक संबंधों पर प्रतिकूल प्रभाव पड़ेगा। अतः विदेश नीति से जुड़े मुद्दे का एक विस्तृत आयाम ही चुनाव प्रचार के दौरान आलोचनात्मक मूल्यांकन और पक्ष-समर्थन का मुख्य बिन्दु बनेगा।

इस अभ्यास की कसौटी यह होगी कि किस सीमा तक भारत शीत युद्ध की समाप्ति और सोवियत संघ के विघटन के परिणामस्वरूप सामने आए रूपांतरित शक्ति समीकरणों और संक्रमणों के साथ तालमेल बिठाने में सफल होता है या विफल होता है। निश्चित रूप से चुनावी राजनीति विपक्षी दलों को इस बात के लिए उकसाएगी कि वे यह साबित करने का प्रयास करें कि भारत संक्रमण के साथ तारतम्य बिठाने में सफल नहीं रहा है। सत्तारूढ़ दल को अपनी विदेश नीति से जुड़े कार्यों को परिभाषित करना होगा और मतदाताओं को विदेश नीति से संबद्ध निर्णय लेने और उन्हें लागू करने से जुड़े तर्क को लेकर मतदाताओं को सहमत करना होगा। यहां, कुछ आधारभूत कारकों को याद करना प्रासंगिक होगा, जिन्होंने भारत की विदेश नीति के स्वरूप निर्धारण में इसके सारे आयामों पर प्रभाव डालते हैं। सोवियत संघ का विघटन, शीतयुद्ध का अंत और अमेरिका को विश्व में सबसे प्रभावशाली शक्ति के रूप में उभरने से भारत के लिए यह जरूरी हो गया है कि वह रणनैतिक अनिवार्यताओं और शक्ति समीकरणों की पूरी नई व्यवस्था के साथ सामंजस्य बिठाए। भारत अपने विदेश संबंधों में संकट की घड़ी उत्पन्न होने पर मदद का हाथ बढ़ाने के लिए अपने साथ हमेशा एक महाशक्ति के खड़े होने का सहारा खो चुका है। भारत को भूमडंलीकरण के उभरते अंतर्राष्ट्रीय आर्थिक रूझानों और सारे देशों में जड़ें फैलाते मुक्त बाजार अर्थव्यवस्थाओं से भी तारतम्य बिठाना होगा। भारत को अंतर्राष्ट्रीय व्यापार, प्रौधोगिकी के उच्च और दोहरे उपयोग के हस्तांतरण, नाभिकीय अ-प्रसार को सुनिश्चित करने और अंतरिक्ष और प्रक्षेपास्त्र प्रौधोगिकी के विस्तार के लिए निर्धारित की गई नई शासन व्यवस्थाओं के साथ में तालमेल बिठाना होगा। भारत को वातावरण प्रबंधन और मानवाधिकारों के वैश्विक मानदंडों के नए स्वरूपों के लिए निश्चित की गई शर्तों के साथ भी सामंजस्य करना होगा, इसमें से 'मानवाधिकारों' वाला बिन्दु खासतौर पर उत्तर-पूर्वी राज्यों, पंजाब और जम्मू-कश्मीर में भारत द्वारा झेले जा रहे संकट के संदर्भ में अहम है।

नई विश्व व्यवस्था के इन घटकों का जो एक महत्वपूर्ण पहलू सामने आया वह यह था कि ये शर्तें और शासन व्यवस्थाएं किसी उचित अंतर्राष्ट्रीय विचार-

विमर्श या आम सहमति के आधार पर नहीं संरचित हुई थीं। इनमें से अधिकत्तर, आर्थिक या सामेरिक रूप से ज्यादा शक्तिशाली देशों द्वारा उपदेशात्मक या निर्देशात्मक शैली में ढाले गए थे। इसके साथ बार-बार यह इशारा भी दिया जाता रहा कि यदि उन शर्तों और निर्देशों का पालन नहीं किया गया तो वैसे देशों के खिलाफ दंडात्मक कार्रवाई की जाएगी जिसका बुरा असर उन देशों की अर्थव्यवस्था पर तो पड़ेगा ही और उनकी राजनीतिक स्थिरता भी प्रभावित हो जाएगी।

पिछले पांच सालों के दौरान इन चुनौतियों को जवाब देने के लिए भारत ने जहां तक संभव हुआ है एक व्यावहारिक और यथार्थपरक स्वरूप तैयार किया है, पर इन अनुक्रियाओं को राष्ट्रीय आम सहमति या राजनैतिक सुसंगति का समर्थन प्राप्त नहीं हुआ था। 80 के दशक तक भारत की राजनीतिक नीतिगत अभिवृत्तियों की सबसे बड़ी मनोवैज्ञानिक और राजनैतिक ताकत थी, घरेलू राजनैतिक मसलों पर मतभेदों के बावजूद, भारत की विदेश सुरक्षा और आर्थिक नीतियों पर दलबंदी की सीमाओं को पार कर आपस में एकनिष्ठ सहमति। आज ऐसा नहीं है। भारत के विदेश आर्थिक संबंधों, नाभिकीय मुद्दों पर भारत की नीतियों, उसकी रक्षा नीतियों, यहां तक कि नए उभरे शक्ति केन्द्रों के साथ भारत के रणनैतिक और राजनैतिक समीकरण क्या होना चाहिए इस बात को लेकर भी विस्तृत रूप से विरोधी दृष्टिकोण दिखाई पड़ते हैं। 1979 के आखिर में अफगानिस्तान में रूसी अतिक्रमण पर इंदिरा गांधी की प्रतिक्रिया ने एक ऐसे मोड़ को जन्म दिया जहां से विदेश नीति और राष्ट्रीय सुरक्षा मुद्दों पर राष्ट्रीय सोच को टुकड़ों में बांटने की प्रक्रिया का सूत्रपात किया। उसके बाद हुई गतिविधियों के साथ हमारे जनमत के नजरिए के आंतरिक विरोधों में सिर्फ वृद्धि ही आई है और नीतिगत विकल्पों को ग्रहण करने में भी ऐसे ही विरोध नजर आए हैं। आने वाले चुनाव अभियान में नजर आने वाले ज्वलंत मुद्दों में सबसे पहला होगा भारत की राष्ट्रीय सुरक्षा को सुनिश्चित करने और उसकी क्षेत्रीय अखंडता की रक्षा करने के तहत लिए जाने वाले नीतिगत निर्णयों की उपयुक्तता इस बात पर एक बहस हो कि हमें भारत के खिलाफ पाकिस्तान के अतिक्रमणपूर्ण उपद्रवी क्रियाकलापों के प्रति तीव्र प्रतिक्रिया दिखानी चाहिए थी या हमारा संयमी और समझौतापूर्ण रवैया ही सही था। उस तरीके की जांच भी हो जिस प्रकार हमनें दक्षेस क्षेत्र के अन्य पांच देशों, खासकर नेपाल, श्रीलंका और बांग्लादेश, के साथ अपने संबंधों का तालमेल बिठाया है। पिछले पांच सालों के दौरान भारत-चीन, भारत-जापान और भारत-रूस के बीच रहे संबंधों का

सूक्ष्म परीक्षण भी करना होगा, ताकि इस बात का आकलन हो सके कि उसके साथ हमने जिन समीकरणों का निर्माण किया हमारे हितों और सरोकारों को पूर्णतः पूरा करते हैं कि नहीं। ऐसे मूलभूत प्रश्न भी उठाए जाएंगे कि क्या विकसित औधोगिक देशों और अमेरिका के दबाव के सामने हमने राष्ट्रीय सुरक्षा मुद्दे और विदेश नीति पर निर्णय लेने के सिलसिले में अपने विकल्पों को स्वतंत्रता और सम्प्रभुता का समर्पण करने की प्रक्रिया का आरंभ तो नहीं कर दिया है। मुस्लिम देशों के साथ, खासतौर पर ईरान और सऊदी अरब के साथ हमारे अंतर्व्यवहार को लेकर भी सवाल खड़े किए जाएंगे। इस बात को लेकर उत्सुकता रहेगी और आलोचनात्मक मूल्यांकन भी होगा कि क्या हमने नए रूप में उभरते मध्य एशियाई गणतंत्रों के साथ सार्थक रिश्तों को सुनिश्चित करने लिए उपयुक्त प्रयास किए हैं? ऐसे सवाल भी होंगे कि क्या अपने ज्यादा तात्कालिक सरोकारों के कारण हमने अफ्रीका और दक्षिण अमेरिका की उपेक्षा तो नहीं की है? दक्षेस देशों में सहयोग की प्रगति बहुत धीमी दिख रही है जबकि इसके ठीक विपरीत आसियान का कार्य सफलतापूर्वक हो रहा है और एपेक (ए. पी. इ. सी) और नाफ्टा (एन. ए. एफ. टी. ए.) जैसे देशों के क्षेत्रीय समूह भी आकार ले रहे हैं। हमारी ओर से एपेक और एशिया सुरक्षा मंच में शामिल होने के सिलसिले में किए गए प्रयासों के बावजूद सफल न हो पाने पर विपक्षी दलों की आलोचना झेलनी होगी।

इन सबके ऊपर, नाभिकीय अस्त्रीकरण, प्रक्षेपास्त्र और अंतरिक्ष के क्षेत्र में विकास, और प्रस्तावित व्यापक परीक्षण प्रतिबंध सन्धि (सी. टी. बी. टी.) के प्रति हमारा रुख अ-प्रसार सन्धि और उक्त विषय पर इस लेख में पहले उल्लेख किए गए नियामक व्यवस्थाओं के अनिश्चित और अरूपांतरित विस्तार के परिप्रेक्ष्य में ध्यान का केन्द्रबिन्दु होगा। आने वाले चुनाव अभियान में केन्द्रीय मसला यह होगा कि भारत जैसे गरीब देश में आर्थिक उदारीकरण और विदेशी भागीदारी के लिए दरवाजे खोलना हमारी आत्मनिर्भरता और वितरणात्मक न्याय सुनिश्चित करने की हमारी क्षमता पर कहीं असर तो नहीं डालेगा?

इन मसलों से निबटने के लिए राजनैतिक दलों की अपनी-अपनी प्रवृत्ति होगी। ये प्रवृत्तियां अनिवार्य रूप से भावनात्मक और लोक लुभावनी बाध्यताओं के अधीन होंगी। यह भारतीय मतदाताओं के ऊपर निर्भर करता है कि वे उन दलों की वकालतों और उनकी कही बातों की वैधता की जांच करें। आने वाले समय में हम इस देश की जनता के रूप में दिलचस्प समय देखने जा रहे हैं।

मैडलीन अल्ब्राइट का दौरा–वृहत्तर परिदृश्य

अमेरिकी विदेश मंत्री मैडलीन अल्ब्राइट एक दिन के लिए भारत आईं, हमारे प्रधानमंत्री के साथ विचार-विमर्श किया, महत्वपूर्ण नेताओं के साथ निकट भविष्य में भारत में संभावित शक्ति संरचना के उभरने के विषय का अंदाजा लिया और वापस हो गईं। जहां उन्होंने लगभग एक सप्ताह खाड़ी देशों में बिताया ताकि अमेरिंका के इराक के साथ सुलगते टकराव के मुद्दे पर समर्थन जुटा पाएं, वहीं उन्होंने पाकिस्तान और भारत का दौरा सिर्फ ढाई दिनों में ही निपटा डाला। सारपूर्ण विचार-विमर्श के लिए उनके द्वारा दोनों देशों को दिया गया कुल समय दस-बारह घंटे से ज्यादा नहीं होगा। इस तरह, एक हद तक अमेरिकी विदेश नीति में दक्षिण एशिया के लिए सापेक्ष प्राथमिकता नजर तो आती है। गौरतलब है कि पिछले अगस्त में दक्षिण एशिया में एक सशक्त अमेरिकी उपस्थिति दर्ज कराने की क्लिंटन की घोषणा के बाद से ही अमेरिका द्वारा भारत और एशियाई क्षेत्र पर थोड़ा ज्यादा ध्यान दिया जाने लगा है। पर सच तो यह है कि पश्चिम एशिया व मध्य एशिया में अमेरिकी हितों और चीन, जापान और रूस के संबंध में अमेरिकी प्राथमिकताओं की तुलना में भारत अमेरिका की विदेश नीति में ऊंची प्राथमिकता की श्रेणी में नहीं आता है। फिर मैडलीन अल्ब्राइट दिल्ली क्यों आईं? उनके तात्कालिक उद्देश्य इस प्रकार थे: पहला, राष्ट्रपति क्लिंटन के पहले कार्यकाल की तुलना में इस बार अमेरिकी विदेश नीति में भारत को उच्च स्तरीय ध्यान दिए जाने का संकेत देना। उनका दूसरा उद्देश्य था फरवरी, मार्च 1998 में राष्ट्रपति क्लिंटन की नई दिल्ली की यात्रा के लिए भूमिका तैयार करना। तीसरा उद्देश्य रहा होगा अमेरिका के प्रति भारतीय नीतियों और भारत-अमेरिका रिश्ते की संभावनाओं के सभी पहलुओं का मध्य या अल्पकालिक संदर्भ में आकलन करना। उनका चौथा उद्देश्य रहा होगा इस बात का आकलन करना कि भारत की उभरती राजनैतिक स्थिति क्या है और राष्ट्रपति क्लिंटन की भारत यात्रा, 1998 में, अनिश्चितता के दौर से गुजर रहे भारत में कितनी उपयोगी होगी। उनका पांचवां ध्येय रहा होगा इस बात पर गौर करना कि अमेरिका कश्मीर पर भारत-पाक संबंधों को सामान्य बनाने में मददगार हो सकता है कि नहीं। छठी मंशा रही होगी भारतीय अर्थव्यवस्था में अमेरिकी भागीदारी की संभावनाओं को तलाशना। सातवां उद्देश्य रहा होगा इस बात का आकलन करना कि भारत और अमेरिका में अ-प्रसार, शस्त्र नियंत्रण और निःशस्त्रीकरण जैसे मसले पर दृष्टिकोणों में मूलभूत मतान्तर होने के बावजूद इन विषयों पर किस तरह आपसी संपर्क बरकरार रखते हैं। उनका

आठवां ध्येय हो सकता है प्रधानमंत्री गुजराल को दक्षिण एशियाई क्षेत्र की स्थिति और इस क्षेत्र की स्थिरता को बेहतर करने और आर्थिक आधुनिकीकरण को बढ़ावा देने के तहत भारत-अमेरिकी सहयोग की संभावनाओं के बारे में सिलसिलेवार जानकारी देना। इस प्रक्रिया में वह भारत के रूस, चीन और आसियान देशों के साथ संबंधों के बारे में जानने के लिए भी उत्सुक होंगी, जिसके पीछे उनकी मंशा अमेरिकी हितों और विश्व की महाशक्तियों के प्रति उभरते भारतीय रूझानों के परिप्रेक्ष्य में एक समीकरण तैयार करने की रही होगी।

मीडिया ने पाकिस्तान और भारत में अल्ब्राइट के विचार-विमर्श के बारे में विस्तृत रूप से ब्योरा दिया जिसे हम "तात्क्षणिक विश्लेषण" कहेंगे। भारत-अमेरिकी रिश्ते को दरअसल व्यापक और दीर्घकालिक कारक प्रभावित कर रहे हैं जिनके बारे में चिंतन की आवश्यकता है। शीत युद्ध की समाप्ति और उसके परिणामस्वरूप भारत-रूस रिश्तों में उत्पन्न सूक्ष्म अंतर के साथ भारत अमेरिका के साथ अपने संबंध बढ़ाने में ज्यादा उत्सुक है और ऐसा होना भी चाहिए। ऐसा माना जा सकता है कि अमेरिका भारत के पूर्व समाजवादी देशों के साथ जुड़े होने के तथ्य को लेकर शीत युद्ध की उलझनों से परेशान नहीं होगा और उसे भारत के साथ एक ज्यादा संतोषप्रद संवाद बनाने में दिलचस्पी रखनी चाहिए। जहां एक ओर आसियान देशों और चीन के साथ अमेरिका के सारपूर्ण आर्थिक संबंध हैं, वहीं भारत उसके लिए एक बाजार और निवेश क्षेत्र के रूप में विस्तार लेते अवसरों का क्षेत्र है। मध्य एशिया में अमेरिका के बढ़ते हितों और खाड़ी में उसके चिरस्थायी सरोकारों के मद्देनजर पाकिस्तान पर उसकी एक-आयामी रणनैतिक एकाग्रता में परिवर्तन हो सकता है यदि भारत वृहत्तर रूप से नहीं भी तो समान रूप से ही सही, इस क्षेत्र में अमेरिकी हितों में योगदान देने वाले प्रभावकारी कारक के रूप में खड़ा हो जाए। हालांकि अमेरिका व रूस और अमेरिका व चीन के बीच के संबंधों में पारस्परिक सुधार दिखा है, ये दोनों ही देश अपने प्रौधोगिकीय और नाभिकीय क्षमताओं के कारण अमेरिका की नजर में अहम विरोधी और प्रतिस्पर्धी हो सकते हैं। एशिया के विस्तृत बाजारों, प्राकृतिक संसाधनों, मानवशक्ति और निवेश क्षमता से परिपूर्ण होने के कारण अमेरिका की दीर्घकालिक दिलचस्पी इस क्षेत्र में तो होनी ही है, लिहाजा एशियाई क्षेत्र में एक रणनैतिक और राजनीतिक सभ्यता सुनिश्चित करने के लिए राजनैतिक रूप से स्थिर और आर्थिक और प्रौधोगिकीय रूप से मजबूत भारत को भारत-अमेरिकी संबंधों के जरिए अमेरिका की एशिया से जुड़ी नीतियों में संतुलनकारी कारक के रूप में आगे बढ़ाना उसके हित में होगा। ऐसा अनुमान

लगाया जा रहा है कि कम से कम अगले पचास सालों तक प्रौधोगिकीय क्षमताओं सैन्य शक्ति, राजनैतिक स्थिरता और आर्थिक मजबूती के सम्मिश्रण के कारण अंतर्राष्ट्रीय व्यवस्था में अमेरिका सबसे महत्वपूर्ण शक्ति बना रहेगा। चीन आर्थिक और सैन्य.प्रभाव के लिहाज से इसका सबसे नजदीकी प्रतिस्पर्धी होने जा रहा है, हालांकि चीन के पास निकट भविष्य में अमेरिका जैसी वैश्विक पहुंच और प्रौधोगिकीय क्षमताएं नहीं होंगी। फिर भी संभावनाएं ऐसी हैं लंबे समय के बाद एशिया-प्रशांत क्षेत्र में अमेरिका के अहम रणनैतिक और आर्थिक हित चीन की महत्वाकांक्षाओं के साथ टक्कर ले रहे होंगे।

चीन और पाकिस्तान के संबंध में भारत के दीर्घकालिक सुरक्षा सरोकार आमतौर पर न सिर्फ एशिया-प्रशांत क्षेत्र में बल्कि हिंद महासागर, खाड़ी और मध्य एशियाई क्षेत्र में भी अमेरिका की स्थिरता और शांति की जरूरतों से मेल खाते हैं। एक आधुनिक अर्थव्यवस्था का निर्माण करने की भारत की आकांक्षा काफी हद तक अमेरिका और औधोगिक और प्रौधोगिक रूप से विकसित पश्चिमी लोकतांत्रिक देशों और जापान के सहयोग पर निर्भर करती है। लंबे समय तक अमेरिका भारत के लिए निवेश और प्रौधोगिकी, दोनों ही मुहैया कराने वाला मुख्य स्त्रोत होने की सामर्थ्य रखता है। अमेरिका के साथ बनाए गए सहयोग संबंध पर विश्व के अन्य अहम शक्ति केन्द्रों जैसे यूरोपीय संघ, रूस, जापान और चीन के साथ भारत द्वारा अपने रिश्तों का विस्तार करने से अमेरिका के साथ बने उसके संबंध पर झंझावाती असर पड़ेगा। अन्य शक्ति केन्द्रों के साथ भारत द्वारा समीकरणों के ऐसे स्वरूप के निर्माण से अमेरिका के साथ व्यवहार करने में उसे एक सापेक्ष समानता और प्रभावी स्थिति हासिल होगी। यही वह परिप्रेक्ष्य है, जिसमें भारत व अमेरिका को अपने बीच के कुछ बेहद आधारभूत मदभेदों, जो सुरक्षा, निः शस्त्रीकरण और अ-प्रसार से जुड़े हैं, का निपटारा कर लेना चाहिए। इन मुद्दों पर अमेरिका के साथ ''सब कुछ या कुछ भी नहीं का समझौतापूर्ण रुख भारत व अमेरिका दोनों ही के सरोकारों के लिए अहितकर होगा। अमेरिका के अ-प्रसार और शस्त्र नियंत्रण सरोकार भारत विशिष्ट नहीं हैं। वे आवश्यक रूप से वैश्विक रणनैतिक आयामों से संबद्ध हैं।

इस संदर्भ में भारत के सरोकार मूल रूप से अपने आसपास के रणनैतिक व सुरक्षा वातावरण के प्रति हमारी सोच और सुरक्षा दुष्चिंताओं में निहित हैं। दोनों ही देशों की प्रवृत्ति यह होनी चाहिए कि वे तकनीकी और विषय-विशिष्ट विचार-विमर्श और वार्ता के माध्यमों से सकारात्मक संपर्क का मार्ग प्रशस्त करें। क्लिंटन को प्रधानमंत्री गुजराल द्वारा दी गई औपचारिक सलाह कि अमेरिका और

भारत ऐसी वार्ता को पुनः आरम्भ करें, एक व्यावहारिक नजरिया है। हमें मजबूती के साथ अवश्य अपनी बात कह देनी चाहिए कि सुरक्षा से जुड़े अपने नीतिगत विकल्पों के साथ भारत समझौता नहीं कर सकता है, पर इसी के साथ अमेरिका को इस बात के लिए आश्वस्त कर देना होगा कि जहां तक वह हमारे दृष्टिकोण के अनुसार व्यवहार करेगा, हमारी विदेश और रक्षा नीतियां उसके हितों के खिलाफ नहीं खड़ी होंगी इसी तरह ''मूझे मत छूंना''

ग्रंथि, जो भारत-पाक रिश्तों के विषय पर अमेरिका से बात करने के सिलसिले में हमारे अंदर है, दरअसल हमारे आत्म-विश्वास की कमी की द्योतक है। हमें ऐसी बातचीत से परहेज नहीं करना चाहिए और हमारा नजरिया यह हो कि हम अमेरिका को इस तरह प्रभावित करें कि वह पाकिस्तान को जमीनी वास्तविकताओं के आधार पर इन मुद्दों के ऊपर भारत के प्रति व्यावहाकि नजरिया अपनाने के लिए तैयार कर पाए। हमें यह बात स्पष्ट कर देनी होगी कि नाभिकीय संघर्ष तो दूर की बात है हम पाकिस्तान के साथ सैन्य संघर्ष की भी इच्छा नहीं रखते हैं। अमेरिका भारत की अर्थव्यवस्था के प्रौधोगिकी, बिजली, परिवहन और ऊर्जा के क्षेत्रों में अहम योगदान कर सकता है यदि हमारी आर्थिक नीतियां, भारत के मौलिक हितों पर केन्द्रित रहते हुए हमारे क्षेत्र में अमेरिका के दीर्घकालिक आर्थिक हितों के अनुकूल भी हों। भारत-अमेरिका सहयोग भारत, बांग्लादेश और पाकिस्तान के बीच, खासकर ऊर्जा और बिजली के क्षेत्रों में, परस्पर पूरक क्षेत्रीय सहयोग के लिए एक तेज शुरूआत का सूत्रपात कर सकते हैं। इस बात के स्पष्ट संकेत मिले हैं कि भारतीय और अमेरिकी कंपनियां, साथ ही साथ बांग्लादेश और पाकिस्तान में उनकी समकक्ष कंपनियां ऐसी संभावनाओं को आगे बढ़ाने के लिए गंभीरता से दिलचस्पी ले रही हैं। हाल के महीनों में ये संकेत मिले हैं कि अमेरिका एक ऐसे ढांचे में भारत के ऊपर ध्यान केन्द्रित कर रहा है जो भारत व पाकिस्तान के बीच के रिश्तों को संतुलित करने के अमेरिका के पारंपरिक संदर्भ-सूत्रों से वृहत्तर है। भारत-अमेरिका संबंधों का अमेरिका के लिए अहम होने से जुड़ी सम्भावनाओं को लेकर तेजी से जागरूकता आई है। इन उभरते लक्षणों को देखते हुए भारत को अमेरिका से जुड़ी नीतियों को इन्हीं के अनुकूल गढ़ना चाहिए, क्योंकि इससे भारत के हितों की भी अप्रत्यक्ष रूप से पूर्ति होगी।

भारत द्वारा अपनी आर्थिक क्षमताओं की धुरी के इर्द-गिर्द क्षेत्रीय आर्थिक सहयोग को बढ़ावा देने की उसकी क्षमता और अपनी आर्थिक शक्ति का विकास करने का उद्देश्य तभी पूरा हो सकता है, यदि उसे अमेरिका के साथ

दीर्घकालिक मजबूत और मैत्रीपूर्ण संबंध का सहारा मिले। भारत के आर्थिक आधुनिकीकरण और स्थायित्व एवं स्थिर क्षेत्रीय सहयोग व्यवस्था संरचित करने के उद्देश्य की मांग यह है कि वह अमेरिका के साथ अपने उभयमुखी दृष्टिकोण का परित्याग करे। 'यथार्थपरक राजनीति' और भारत के दीर्घकालिक हित, दोनों ही अमेरिका के साथ एक सार्थक और व्यावहारिक समीकरण के पक्ष में तर्क पेश करते हैं।

भारत के खिलाफ–विपरीत क्षेत्रीय रणनैतिक संतुलन का आकार लेना

भारत एक राजनैतिक अनिश्चितता के दौर से गुजार रहा है, जो मार्च 1998 में आम–चुनाव के खत्म होते ही ठीक हो जाएगा, ऐसी आशा है। एक समंजित विदेश नीति और राष्ट्रीय सुरक्षा दृष्टिकोण, बहुत हद तक, केन्द्र में स्थायी सरकार के सत्तारूढ़ होने पर निर्भर करेगा। जबतक भारतीय मतदाताओं को इस बात का अहसास नहीं होता और वे इस अहसास को उपयुक्त मतदान पद्धति में साकार नहीं करते, भारत राष्ट्रीय सुरक्षा सुनिश्चित करने की राह में बेहद संवेदनशील घटनाओं का सामना करता रहेगा, खासतौर पर 1997 के ग्रीष्मकाल के समय से हो रही गतिविधियां जैसा दर्शा रही हैं। यहां पर इशारा पाकिस्तान और चीन में हो रहा शस्त्रों का भंडारण और उनकी बढ़ती सैन्य क्षमता की ओर है। अभी हाल से ही भारतीय सुरक्षा की समस्याओं पर पुनः ध्यान केन्द्रित करने के पीछे वजह यह है कि पाकिस्तान द्वारा मध्यम दूरी तक मार करने वाली मिसाइल (आई आर बी एम) क्षमता हासिल कर लेने की खबर मिली है। ऐसी भी खबरें हैं कि पाक ने चीन के सहयोग से एक प्रक्षेपास्त्र पद्धति हासिल कर ली है जिसका नाम है 'गौरी'। यह वस्तुतः चीन द्वारा मूल रूप से बनाए हुए प्रक्षेपास्त्र पर ही आधारित है जिसे चीन के सहयोग और चीनी तकनीक के सहारे विकसित किया गया है।

वृहत स्तरीय राजनीतिक रूझानों से यह पता चलता है कि पाकिस्तान के साथ वार्ता पुनः आरम्भ करने के बावजूद भारत के साथ संबंध सामान्य बनाने के मामले में पाकिस्तान का नजरिया नकारात्मक ही है। पाकिस्तान के विदेश राज्यमंत्री एस. के. कंजू ने 20 दिसम्बर को यह कहा था कि कश्मीर पर पाकिस्तान को अपनी नीतियों के पुनरावलोकन की आवश्यकता नहीं है, आगे उन्होंने यह भी जोड़ा कि कश्मीर में अलगाववादी आंदोलन को सहयोग देने के बिन्दू पर पाकिस्तान विशव के सामने क्षमाप्रार्थी होने के लिए बाध्य नहीं है।

इसके बाद 27 दिसम्बर 1997 को पाकिस्तानी राजनयिकों के एक सम्मेलन को संबोधित करते हुए पाकिस्तानी विदेशमंत्री गौहर अयूब खान ने कहा कि भारत द्वारा अत्याधुनिक हथियारों का संग्रह देश की सुरक्षा के लिए गंभीर खतरा बन रहा है। उन्होंने इस बात पर भी बल दिया कि दक्षिण एशिया में आधिपत्यपूर्ण प्रवृत्ति अभी भी एक अहम कारक है, उनका इशारा स्पष्टतः भारत की ओर था। यहां पर बस उन हालिया इशारों का ही जिक्र किया जा रहा है जो अविछिन्न रूप से उनके विरोधपूर्ण नीतिगत रुखों और घोषणाओं में लगातार दिखते रहे, जबकि भारत की ओर से पाकिस्तान को लगातार सहयोग और स्थिति सामान्य बनाने के संकेत भेजे जा रहे थे। पाकिस्तान के नेताओं ने तो यह घोषित कर ही दिया है कि उनका देश एक नाभिकीय हथियार संपन्न देश है। वे अपने अस्त्र-शस्त्र का संग्रह लगातार बढ़ा रहे हैं। हाल की एक खबर बहुत ही महत्वपूर्ण है कि चीन और पाकिस्तान सुपर-7 नामक युद्धक विमान, जो पाकिस्तान को मिलेगा, के सहउत्पादन के लिए 'सहमति ज्ञापन' पर हस्ताक्षर करने जा रहे हैं। यह घोषणा पाकिस्तान के सेवानिवृत्त रक्षा सचिव लेफ्टिनेंट जनरल इफ्तिखार अली खान ने 21 दिसम्बर को चकाला वायुअड्डे पर की।

यही वह संपूर्ण परिप्रेक्ष्य है जिसके तहत हमें भारत की सुरक्षा को प्रभावित करने वाले उभरते सैन्य संतुलन पर नजर रखनी होगी।

अपनी राष्ट्रीय सुरक्षा के कुछेक आयामों को सुनिश्चित करने के लिए यह चिंतन-मनन उचित है या नहीं, इसकी जांच करने से पहले हमारे सामेरिक प्रक्षेपास्त्र वातावरण की हाल की गतिविधियों पर नजर डालना प्रासंगिक होगा। प्रक्षेपास्त्रों की 'हत्फ' कड़ियों का परीक्षण करने के अलावा पाकिस्तान ने यह घोषणा की है कि वह अपने शस्त्रागार में प्रक्षेपास्त्रों की दो नई पद्धतियों को शामिल करने जा रहा है जिनके नाम हैं अंज़ा और 'बख्तर शिखर' चीन सामेरिक प्रक्षेपास्त्रों के सिलसिले में भारत हावी है और उसने तिब्बत में अत्याधुनिक प्रक्षेपास्त्र तैनात कर रखे हैं।

अमेरिका के राष्ट्रीय और खुफिया केन्द्र ने यह रपट पेश की है कि चीन ने प्रक्षेपास्त्र प्रक्षेपण स्थल का काम पूरा कर लिया है जो दक्षिण-पश्चिम चीन के दातोंग और दक्षिण-पूर्वी चीन के जिआन शूई के आसपास सी एस. एस II और सी एस एस IV प्रक्षेपण यंत्रों से युक्त है, जिससे भारत के अधिकतर क्षेत्रों तक चीनी आई आर बी एम की प्रभावी पहुंच हो गई है। अमेरिकी प्रशांत कमान और मध्य कमान, भू-स्थित और समुद्र स्थित, भारत उन दोनों ही कमानों के प्रक्षेपास्त्रों के दायरे के अन्दर है। इस परिप्रेक्ष्य में प्रधानमंत्री और हमारे सेना प्रमुख

का इस बात से इंकार करना कि हमने जून के उत्तरार्द्ध और शुरूआती जुलाई में पृथ्वी प्रक्षेपास्त्रों को तैनात किया है, गैर जरूरी और अराजनीतिक था। यह इंकार बड़ा घिसा-पिटा सा लगा, इसके बाद दिए गए इस प्रतिरक्षात्मक स्पष्टीकरण कि कुछ प्रक्षेपास्त्रों को पंजाब स्थानान्तरित कर दिया गया था क्योंकि हैदराबाद में उन्हें रखने के लिए उपयुक्त जगह नहीं थी, और ऐसी ही अन्य बातों से स्थिति और हास्यास्पद हो गई थी। सबसे हाल में भारत सरकार की ओर से रक्षा मंत्री मुलायम सिंह ने अपनी घोषणा में, जुलाई 1997 को इस बात को अस्वीकार किया कि भारत सरकार अग्नि प्रक्षेपास्त्रों की अगली कड़ी का विकास करने के लिए प्रयोगों को आरम्भ करेगी। यह भी एक अस्पष्ट वक्तव्य था जिसमें समय सीमाओं और सामान्य उद्देश्यों का जिक्र नहीं किया गया था।

इसी बीच अमेरिका और उसके मित्र राष्ट्रों की ओर से भारत के खिलाफ चेतावनी दी जाती रही और सावधान रहने के संदेश दिए गए कि वह अपनी सैन्य प्रक्षेपास्त्र क्षमता का विकास करने की दिशा में आगे न बढ़े। भारत को इन चेतावनी के निहितार्थों का आकलन करना होगा और उनके खिलाफ प्रभावी प्रतिक्रिया दिखानी होगी क्योंकि चेतावनी में यह स्पष्ट तौर पर इंगित किया गया है कि यदि भारत अपनी सीमाओं पर बैलेस्टिक मिसाइलों को तैनात करेगा तो अमेरिका नाकरात्मक प्रतिक्रिया कर सकता है।

भारत ने पृथ्वी प्रक्षेपास्त्र तैनात किया है या नहीं और हमारे रक्षामंत्री मुलायम सिंह यादव और प्रधानमंत्री आई. के. गुजराल द्वारा जुलाई के पहले सप्ताह में अग्नि के बारे में दिए गए अस्पष्ट वक्तव्यों पर ध्यान देने के बजाय इस बात पर गौर करना जरूरी है कि भारत को अपनी सुरक्षा करने के सिलसिले में विकल्पों की उसकी स्वतंत्रता से जुड़े तीन पहलू हैं जिनका विश्लेषण जरूरी है। पर इससे पहले कि हम विश्लेषण के लिए आगे बढ़ें हमें अग्नि प्रक्षेपास्त्र के विषय पर मुलायम सिंह और गुजराल के वक्तव्यों में परस्पर विरोधी तथ्यों को देख कर बड़ा अचरज होता है। मुलायम सिंह ने कहा कि अग्नि पर काम जारी रहेगा और भारत की सुरक्षा की मांग के अनुसार इसे तैनात किया जाएगा जबकि गुजराल ने अस्पष्ट तौर पर इस बात की पुष्टि की। जब उनसे खासकर यह पूछा गया कि क्या अग्नि पर आगे परीक्षण जारी रहेंगे तो उन्होंने जवाब देने में काफी विलंब किया। वह एक सकारात्मक जवाब नहीं दे पाए। अतः हमने हमारे प्रक्षेपास्त्र कार्यक्रम के बारे में गूढ़ सरकारी प्रशस्तिगान के परिप्रेक्ष्य में विकल्पों की अपनी स्वतंत्रता के बारे में विचार-विमर्श किया।

पहला पहलू है दबंग निरीक्षक की भूमिका जो अमेरिका ने उपमहाद्वीप मे सुरक्षा और रक्षा विषयों पर अपना रखी है और इससे भारत पर उसके सुरक्षा वातावरण को व्यवस्थित करने की विवेकशीलता पर पड़ने वाले परिणाम। दूसरा पहलू है पाकिस्तान और भारत द्वारा अपनाया जा रहा सैन्य और रक्षा रवैया और ऐसे रवैये के पीछे के कारणों के संदर्भ में जमीनी वास्तविकताएं। तीसरा आयाम संबंधित है अमेरिका की प्रवृत्तियों से, जो भारत द्वारा अपनी राष्ट्रीय सुरक्षा सुनिश्चित करने के लिए प्रौधोगिकीय और राजनीतिक संदर्भों में विकल्पों का अभ्यास करने की उसकी स्वायत्तता पर प्रभाव डाल रही हैं। हाल ही में 'वशिंगटन पोस्ट' में गोपनीय सरकारी बातों का प्रकट होना जो कैसे हुआ, यह पता नहीं लग सका पिछले सात सालों के दौरान अमेरिकी मीडिया में लगातार इस तरह से हो रहे रहस्योद्घाटनों के क्रम का एक हिस्सा है। हमें याद है कि 1990 में अमेरिकी मीडिया ने इस तरह का समाचार छाप कर कि जम्मू-कश्मीर में बढ़ती हिंसा की वजह से भारत-पाकिस्तान के बीच नाभिकीय टकराव की सम्भावना है, उपमहाद्वीप में तनाव को हवा दी थी। अमेरिकी समाचार पत्रों ने ऐसी खबरें भी छापी थीं कि राजस्थान-सिंध सीमा पर आक्रामक मुद्रा में भारत ने आधुनिक शस्त्रों से सर्जा बख्तर बंद गाड़िया तैनात कर दी हैं। इस समाचार के बाद सरकारी तौर पर राजनीतिक पहल करते हुए अमेरिका द्वारा भारत को पाकिस्तान के साथ सैन्य संघर्ष से परहेज करने को कहा गया 1995 मे पुनः अमेरिका में ऐसे ही अखबारी रहस्योद्घाटन में यह खबर दी गई थी कि भारत नाभिकीय अस्त्रों के लिए एक और परीक्षण करने जा रहा है। इसके बाद अमेरिका की ओर से और भी ज्यादा चेतावनी और सावधानी बरतने की सलाह भारत के हिस्से आई। सबसे हाल का उदाहरण है पृथ्वी प्रक्षेपास्त्र की तैनाती के बारे में फैलाई गई खबर। इस सिलसिले में अमेरिकी नीतियों की अंतर्निहत विशेष मंशा भारत व पाकिस्तान पर कूटनीतिक, राजनीतिक और मीडिया प्रदत्त दबाव डालना होगा ताकि दोनों देश उपमहाद्वीप में शांति और सुरक्षा बरकरार रखने की अमेरिकी वकालतों के अनुरूप बने रहें।

1990 से अमेरिका की ओर से भारत को लगातार ऐसी सलाह मिलती रही कि भारत को 'पृथ्वी' का विकास और इसकी तैनाती नहीं करनी चाहिए और उसे आई आर बी एम 'अग्नि' पर अपना शोध कार्य आगे नहीं बढ़ाना चाहिए। इसके जवाब में भारत ने विकल्पों की अपनी स्वतंत्रता और प्रौधोगिकी का विकास करने की अपनी स्वतंत्रता की पुरजोर वकालत की। भारत ने अपने एकीकृत निर्देशित प्रक्षेपास्त्र विकास कार्यक्रम (आई जी एम ओ पी) को रोकने

के अमेरिकी उद्देश्य को खारिज कर दिया। जहां तक भारत के सुरक्षा वातावरण और परिणामी भारतीय रक्षा रुखों की जमीनी वास्तविकताओं के दूसरे आयाम का संबंध है, एक तथ्यपरक विश्लेषण प्रासंगिक होगा। भारत के प्रक्षेपास्त्र 'पृथ्वी' की भारक सीमा 250 किलो भार के साथ 250 कि.मी. और 1000 किलोग्राम के भार के साथ 150 कि.मी. तक होती है।

इसकी तुलना में पाकिस्तान के आधुनिक शस्त्रागार में 'एम-9' और 'एम-11' बैलेस्टिक मिसाइलें हैं, जो उसने चीन से प्राप्त की हैं और उसने 'हत्फ 1', 'हत्फ 2' और 'हत्फ 3' नामक प्रक्षेपास्त्रों का खुद विकास किया है। पाकिस्तान के स्वदेशी प्रक्षेपास्त्र चीनी प्रक्षेपास्त्रों की प्रौधोगिकी पर आधारित हैं। हत्फ 1 प्रक्षेपास्त्र 500 किलोग्राम भार के साथ 60 से 100 कि.मी. तक मार सकता है। हत्फ 2 और हत्फ 3, इन दो मजबूत क्षमता के नोदक प्रक्षेपास्त्रों की मारक सीमा, भारतीय प्रक्षेपास्त्र क्षमताओं के बराबर के मार या उससे अधिक भार का वहन करते हुए, 300 कि.मी. से 800 कि.मी. तक है। जहां भारत के प्रक्षेपास्त्र कार्यक्रम पारदर्शी हैं और उन्हें काफी प्रचार मिला, वहीं पाकिस्तान के क्रिया-कलापों के ऊपर इतनी तीव्र नजर नहीं रही। जबकि वास्तविकता यह है कि पाकिस्तान अपने सैन्य प्रक्षेपास्त्र पद्धति के ऊपर 1988-89 से ही लगातार प्रयोग कर रहा है। पूर्व सेना प्रमुख जनरल असलम बेग ने सार्वजनिक रूप से यह कहा कि 1990 के बाद से पाकिस्तान 80 से 300 कि.मी. की मारक सीमा वाले प्रक्षेपास्त्रों का सफलतापूर्वक परीक्षण कर चुका है। ये प्रयोग जारी है। यह भी काबिले गौर है कि पाकिस्तान के प्रक्षेपास्त्र शस्त्रागार में अमेरिका द्वारा आपूर्ति किए गए 1100 से 1500 तक स्टिंगर प्रक्षेपास्त्र, स्वीडन से प्राप्त किए गए लगभग 300 से 350 तक 'आर बी एस 70' प्रक्षेपास्त्र और उस 7 11 स्ट्रेला के ऊपर आधारित सतह से सतह पर वार करने वाले निर्देशित प्रक्षेपास्त्र 'अन्ज़ा' मौजूद हैं। पाकिस्तान की इस प्रक्षेपास्त्र प्रणाली को ए एन टी पी क्यू 27 राडार जैसे राडार उपकरण और बेहतर संचार प्रणालियों का सशक्त सहारा मिला है। ये प्रक्षेपास्त्र पाकिस्तानी सेना में व्यवहार्य उपयोग के लिहाज से तेजी के साथ शामिल किए जा रहे हैं। पाकिस्तान की प्रक्षेपास्त्र युक्त सैन्य मुद्रा का संपूर्ण स्वरूप भारत की सुरक्षा के लिए खतरे की घंटी है। ऐसी विकट स्थिति में भारत के लिए यह उचित होगा कि वह पाकिस्तान के बराबर ही एक सक्रिय प्रक्षेपास्त्र प्रतिरक्षात्मक स्वरूप को आकर दे।

मई 1992 में भारत ने 'पृथ्वी' का सफलतापूर्वक परीक्षण किया और इसी दशक के अंत तक पृथ्वी को तैनात करने का स्पष्ट निर्णय भी लिया। यह एक

गुप्त निर्णय नहीं था। भारतीय संसद, साथ ही साथ अमेरिका, इंग्लैंड, जर्मनी व रूस जैसे देश भारत की मंशा और निर्देशित प्रक्षेपास्त्र विकास कार्यक्रम के पीछे जो तर्क था उससे भली भांति वाकिफ थे। अतः रहस्योद्घाटनों, अनुमानों और चेतावनी की जो मौजूदा लहर चल पड़ी है, वह आवश्यक नहीं दिखती।

इसी के साथ अमेरिका के अभिप्रेरणों के बारे में मौजूदा विवाद के तीसरे आयाम पर नजर जाती है। अमेरिका द्वारा उपमहाद्वीप में सैन्य टकराव की संभावनाओं के मद्देनजर उसकी पूर्व पहल को लेकर आलोचनात्मक होने की जरूरत नहीं है। यह बेशक तर्कपूर्ण और आवश्यक लगता है, पर भारत के ऊपर आक्रामक नजर और उसके द्वारा अपनी प्रतिरक्षात्मक प्रौद्योगिकी का विकास करने और अपनी आत्मनिर्भरता को बढ़ाने के सिलसिले में अमेरिका द्वारा लगातार थोपी गई आपत्तियां भारत के ऊपर अपनी राष्ट्रीय सुरक्षा के अहम पहलुओं को संभालने की विवेकशीलता पर असर डाल रही हैं। अमेरिका द्वारा दी गई गंभीर चेतावनी यह दर्शाती रही है कि भारत द्वारा महसूस किए जा रहे आसन्न खतरे के अहसास और सुरक्षा की विकट स्थिति पर अमेरिका खुद निर्णायक की भूमिका में आना चाह रहा है। यह भारत के लिए अस्वीकार्य है। प्रक्षेपास्त्र मुद्दे पर अमेरिका की प्रवृत्तियां और नीतियां उसके वृहत्तर सरोकारों पर टिकी हुईं हैं। भारत-पाकिस्तान के बीच प्रक्षेपास्त्रों का टकराव होने से अमेरिका को न सिर्फ पाकिस्तान और भारत बल्कि चीन पर भी राजनीतिक और आर्थिक प्रतिबंध लगाने के लिए बाध्य होना पड़ेगा, क्योंकि चीन पाकिस्तान के प्रक्षेपास्त्र कार्यक्रम में शामिल है। यह एक विवादास्पद और दुरूह स्थिति हो जाएगी, जिससे अमेरिका परहेज करना चाहेगा क्योंकि चीन के साथ एक संतोषजनक रिश्ता बनाए रखना उसके हित में है। उधर, भारतीय प्रक्षेपास्त्रों की तैनाती के जवाब में दिखाई गई पाकिस्तानी प्रतिक्रिया अमेरिका को इस बात के लिए बाध्य कर सकती है कि वह पाकिस्तान को दिए जाने वाले सैन्य सहयोग में और वृद्धि करे, जो अमेरिकी कांग्रेस और अमेरिकी सार्वजनिक मत के लिहाज से उचित नहीं होगा। अमेरिका के विचार के अनुसार देखा जाए तो भारत की सैन्य क्षमताओं में हस्तक्षेप करने के लिए सक्रिय होने के पीछे उसके कुछ वैध कारण हैं। पकिस्तान के सैन्य प्रमुख जनरल जहांगीर करामात ने कहा है कि भारतीय प्रक्षेपास्त्र सामर्थ्य ने पाकिस्तानी सेना की इस जरूरत को बल दिया है कि वह अपने प्रक्षेपास्त्र क्षमताओं के मुद्दे पर आत्मनिर्भर हो जाए। सारे प्रासंगिक कारकों को एक साथ जोड़ कर देखा जाए तो भारत द्वारा तथाकथित रूप से पृथ्वी प्रक्षेपास्त्र की तैनाती पर हाल का हंगामा अप्रासंगिक लगता है।

यह स्पष्ट है कि भारत अपने आस-पास उभरते प्रक्षेपास्त्र संबद्ध प्रतिकूल रणनैतिक वातावरण का सामना करने के लिए किसी बाहरी सुरक्षा आश्वासन पर विश्वास नहीं कर सकता है। रक्षा प्रौद्योगिकी विशेषज्ञों ने बिल्कुल सही अनुमान लगाया है कि भारत अधोलिखित विकल्पों में से एक का इस्तेमाल कर सकता था।–

विकल्प क: फरवरी 19, 1994 में परीक्षण किए गए 'अग्नि 1' पर आधारित एक उपयोगी प्रक्षेपास्त्र बनाना। यह एक राकेट है जिसका पहला चरण है एस एल वी-3 ठोस नोदक इंजन और दूसरा चरण है, 'पृथ्वी' जिसे तरल ईंधन राकेट इंजन द्वारा शक्ति मिलती है। यह प्रक्षेपास्त्र बड़ा बेढब होगा क्योंकि इसका तरल ईंधन इंजन चालू होने में काफी समय लेता है। इंजन काफी जटिल भी होगा, जिसे ज्यादा नियंत्रण प्रणालियों और नियंत्रकों की जरूरत होगी।

विकल्प ख: एक नए प्रक्षेपास्त्र का स्वरूप तैयार करना जैसे अग्नि 11 जो ज्यादा नये और बेहतर ठोस नोदकों की शक्ति से चले और जिसकी सीमा और विस्तृत हो। यह एक कठोर प्रणाली होगी जो सीलो, ट्रक के चेसिस या रेलवे वाहनों पर से तेजी के साथ वार करने मे सक्षम होगी। इस अग्नि 11 की गति और चालन प्रक्रिया में एक अन्य तत्व की जरूरत होगी एक वृहत्तर मारक सीमा जैसे 2,500 कि०मी० तक। अग्नि इतना सक्षम नहीं है कि वह चीन के बिल्कुल केन्द्रीय शहरों तक पहुंच पाए। यदि रक्षा अनुसंधान एवं विकास संगठन (डी आर डी ओ) दूसरे विकल्प को चुनता है तो उसे एक बिल्कुल नये राकेट का स्वरूप तैयार करना होगा, जिसके दोनों चरणों को ज्यादा प्रभावी एच टी पी बी नोदक से शक्ति मिलेगी। डी आर डी ओ को प्रक्षेपास्त्र के पथ को बदलने के लिए फ्लेक्स नोज़ल प्रौधोगिकी में सिद्धहस्त होना होगा। तरल-ईंधन चालित राकेट इंजनों को, जो 'पृथ्वी' में है, दबाव की दिशा को बदलने के लिए सर्वथा उपयुक्त तरीके से घुमाया जा सकता है। ठोस नोदकों से दिए जाने वाले धक्के को, जो कोयले के जैसे जलता है, संभालना ज्यादा मुश्किल है।

भारतीय अंतरिक्ष अनुसंधान संगठन ने अपने पी एस एल वी कार्यक्रम के लिए इस क्षेत्र में काम किया है और अंतरिक्ष में राकेट प्रक्षेपण के तीसरे चरण के लिए एक प्रणाली पर भी कुशलता हासिल की है। इसका कोई कारण समझ में नहीं आता कि डी आर डी ओ ऐसी प्रौधोगिकी, साथ ही साथ एच टी पी बी नोदकों को हासिल क्यों नहीं कर सकता है और अग्नि 11 प्रणाली के लिए इसे अपनाने में उसे क्या परेशानी है एक रक्षा विशेषज्ञ के अनुसार सबसे अच्छा समाधान है लंबी मारक क्षमता वाले प्रक्षेपास्त्रों का सम्मिश्रण। उन्होंने कहा,

''लंबी दूरी के प्रक्षेपास्त्रों के अचूक होने की क्षमता के मद्देनजर तथाकथित अचूक 'अग्नि' भी सिर्फ नाभिकीय हथियारों का भार वहन करने लिए ही प्रभावी ढंग से इस्तेमाल किया जा सकता है।' आगे उनका कहना है, यदि लक्ष्य नाभिकीय रोकथाम का है तो हम 10 से 12 अग्नि प्रक्षेपास्त्र, इतनी ही संख्या में प्रतिकृतियों को भी, तैनात कर सकते हैं। इसी बीच डी आर डी ओ को समय की भरपाई करते हुए तेजी से आगे बढ़कर ज्यादा जटिल अग्नि 11 का विकास करने में जुट जाना चाहिए।

उभरती वास्तविकता यह है कि पाकिस्तान के पास सैन्य प्रक्षेपास्त्र क्षमता में वृद्धि हो रही है। इस स्थिति के प्रति हमारी सुरक्षा सोच और साभिप्राय प्रतिक्रिया में अमेरिका व चीन भी उसी के समान वृहत रूप में हमारे सामने खड़े हैं। भारत का प्रक्षेपास्त्र कार्यक्रम पिछले दो दशकों में अपने आस-पास उभरते सुरक्षा वातावरण के प्रति दिन प्रति दिन परिपक्व होती प्रतिक्रिया का फल है।

भारत-चीन संबंध- 11 सितम्बर 2001 के बाद

फरवरी के पूर्वार्द्ध में राष्ट्रपति बुश बीजिंग में थे। वृहत् विषयों पर राष्ट्रपति जियांग जेमिन के साथ उनकी बातचीत के दौरान, उपमहाद्वीपीय दक्षिण एशिया की स्थिति की ओर भारत-पाक रिश्ते की ओर उन्होंने खास इशारा किया। चीन और अमेरिका के नेताओं ने अपने आम समझौते में यह घोषणा की कि कश्मीर मसले पर भारत-पाकिस्तान के बीच वार्ता को बढ़ावा देने के लिए वे सहयोग करेंगे। वे प्रमुख शक्तियां, जिनका रवैया और जिनकी नीतियां भारत के लिए अहम हैं, अमेरिका चीन और रूसी परिसंघ हैं। हाल के महीनों में वैसे मुद्दों पर, जो भारत व पाकिस्तान को प्रभावित कर रहे हैं, अमेरिकी नीतियों के बारे में भारत की सोच तुलनात्मक रूप से बदल गई है जिसका कारण रहा पिछले सितम्बर से भारत और अमेरिका की सरकारों के बीच बार-बार होने वाले उच्चस्तरीय संपर्क। इसके विपरीत चीन की प्रवृत्तियों और नीतियों के बारे में भारतीय सोच उतनी स्पष्ट नहीं रही है। चीन के प्रधानमंत्री झू रोंग्जी की शुरूआती जनवरी में हुई भारत यात्रा ने कुछ हद तक उस संदिग्धता को दूर किया है। 2001 के उत्तरार्द्ध से भारत ने दो वरिष्ठ चीनी नेताओं की मेजबानी की है। पूर्व प्रधानमंत्री और चीनी साम्यवादी दल के दूसरे महत्वपूर्ण नेता ली पेंग एक बड़े चीनी व्यापार शिष्टमंडल के साथ पहले ही भारत आए थे और झू रोंग्जी इस जनवरी के शुरू में आए थे। ली पेंग और झू रोंग्जी दोनों ही, अमेरिका के नेतृत्व में छेड़े गए अंतर्राष्ट्रीय आतंकवाद विरोधी अभियान के परिप्रेक्ष्य में

उपमहाद्वीपीय एशिया में बदलते रणनैतिक और सुरक्षा वातावरण के बीच भारत आए थे। इन नेताओं के साथ भारतीय नेताओं के विचार-विमर्श से पहला संकेत यह मिलता है कि वह विवाद, जो 1998 में भारत द्वारा नाभिकीय हथियार परीक्षण के उत्तर-प्रभाव के रूप में भारत-चीन संबंधों पर नकारात्मक असर डाल रहा था, परे हटा कर दोनों ही देश द्विपक्षीय संबंधों को वापस सही रास्ते पर लाने का प्रयास कर रहे हैं। दूसरा, इस बातचीत ने भारत-चीन संबंधों की पुनर्बहाली को बरकरार रखने पर बल दिया है जो राष्ट्रपति नारायणन की चीन यात्रा के साथ शुरू हुई थी। प्रधानमंत्री झू रोंग्जी की यात्रा का अर्थ राजनीतिक विशेषज्ञों और मीडिया के कुछ वर्गों ने सकारात्मक संदर्भों में निकाला है। ऐसे समय में जबकि भारत-पाक संबंध गंभीर तनाव से गुजर रहे हैं, रोंग्जी की भारत यात्रा का अर्थ यह निकाला जा रहा है कि चीन पाकिस्तान के साथ निकट राजनीतिक और रणनैतिक जुड़ाव से बिल्कुल हट कर भारत व पाकिस्तान के साथ निकट राजनीतिक और रणनैतिक जुड़ाव से बिल्कुल हट कर भारत व पाकिस्तान के साथ समदर्शी और निष्पक्ष संबंध बनाने में उत्सुक है।

इस बात की जांच अत्यावश्यक है कि क्या यह आकलन सर्वथा सटीक है? इस सिलसिले में प्रधानमंत्री झू की यात्रा की तात्कालिक पृष्ठभूमि पर नजर डालना प्रासंगिक होगा। जनरल मुशर्रफ हाल ही में दो बार बीजिंग गए थे। पहली बार, पिछले साल के अंत में और दूसरी बार उनकी यात्रा भारतीय संसद पर आतंकवादी आक्रमण की प्रतिक्रियास्वरूप पाकिस्तान के ऊपर डाले जा रहे भारतीय कूटनीतिक और सैन्य दबाव के तहत हुई थी। हालांकि मीडिया द्वारा दी गई, खबरें इस बात पर बल देती हैं कि जनरल मुशर्रफ का बीजिंग में 'ठंडा स्वागत' किया गया और 1965 एवं 1971 की तरह चीन ने भारत के ऊपर कोई प्रत्यक्ष राजनीतिक और सैन्य दबाव भी नहीं डाला, पर वास्तविकता यह है कि चीन ने पाकिस्तान को सितम्बर 2001, से हाल के महीनों में लगभग 1/2 अरब अमेरिकी डालर के मूल्य की वित्तीय सहायता और रक्षा आपूर्ति, दोनों ही, मुहैया कराई है। इसके पीछे रखी गई दलील यह है कि पाकिस्तान के साथ अपने पारंपरिक रक्षा संबंधों को बरकरार रखते हुए चीन अंतर्राष्ट्रीय आतंकवाद के खिलाफ वैश्विक संघर्ष में पाकिस्तान को एक भागीदार और मित्र के रूप में मजबूत करना चाह रहा है। यह बड़ी दिलचस्प बात है कि अमेरिकी सरकार और मीडिया ने चीन के इस हालिया सहयोग को आतंकवाद के खिलाफ अमेरिकी नेतृत्व तले खड़े गठबंधन के प्रति समर्थन के रूप में देखा है।

अर्थ जो भी निकाला जाए कुल परिणाम यह है कि पाकिस्तान की सैन्य क्षमताएं इस सहयोग से मजबूत हुई हैं और उसमें बढ़ोतरी हुई है जिसे भारत

नजरअंदाज नहीं कर सकता। हमें इस तथ्य से वाकिफ होना चाहिए कि पाकिस्तान के साथ एक नजदीकी सारपूर्ण रणनैतिक संबंध बरकरार रखते हुए चीन भारत सरकार से भी संपर्क बनाते हुए इस उपमहाद्वीप में शक्ति समीकरणों के एक राजनीतिक संतुलन का निर्माण करने की प्रक्रिया में लगा हुआ है। झू रोंग्जी ऐसे समय में यहां आए जब दक्षिण और मध्य एशिया में अमेरिकी रणनैतिक उपस्थिति लगातार बढ़ रही है। 1990-91 के खाड़ी युद्ध ने इस प्रक्रिया की शुरूआत की थी। जहां एक तरफ अमेरिका की प्रशांत और मध्य कमान ने अपने क्षेत्राधिकार की भूमिका को प्रशांत, अटलांटिक, हिंद महासागर और खाड़ी में केन्द्रित कर रखा है, वहीं अमेरिकी मध्य कमान वस्तुतः उजबेकिस्तान, किर्गिस्तान, अफगानिस्तान और पाकिस्तान में प्रत्यक्ष रूप से उपस्थित है। अमेरिका की मध्य कमान के प्रमुख ले० जनरल टॉमी फ्रैंक ने पाकिस्तान की अपने हाल की यात्रा के दौरान कहा था कि आने वाले कुछ समय में दक्षिण एशियाई क्षेत्र में अमेरिका अपनी सैन्य उपस्थिति बनाए रखेगा। राष्ट्रपति बुश की 30 जनवरी को राष्ट्र के नाम संदेश इस संकेत को मजबूत करना है। उन्होंने कहा कि आंतकवाद के खिलाफ छेड़ा गया अभियान एक शुरूआत भर है जो लंबे समय तक चलेगा। उन्होंने इस बात का इशारा किया कि उत्तरी कोरिया, इराक व ईरान अमेरिकी अभियान के अगले लक्ष्य होंगे।

अभी पेशावर, अब्बोताबाद और ग्वादार, कराची और पासनी के बंदरगाहों पर अमेरिकी सेना उपस्थित है। ग्वादार में अमेरिकी सैन्य उपस्थिति ने पाकिस्तानी बंदरगाह पर चीन की जल सेना की उपस्थिति को जटिल बना दिया है। अतः चीन के लिए यही उचित है कि इस क्षेत्र में अमेरिका की सुनियोजित दीर्घकालिक सामेरिक उपस्थिति से उसके प्रभाव के खिलाफ खड़ी अमेरिकी चुनौती के परिप्रेक्ष्य में चीन अपनी दक्षिण एशियाई नीतियों की संरचना करे। यह, एक तरह से, भारत के साथ चीन के व्यावहारिक और स्थिर संबंधों को बढ़ावा देगा, इसी के साथ पाकिस्तान के साथ अपने समीकरणों को सर्वाधिक संभावित हद तक बरकरार रखने में भी चीन सक्षम हो पाएगा। यही वह वजह थी जिसके तहत रोंग्जी ने भारत का दौरा किया जो भारत व पाकिस्तान के बीच खुद को निष्पक्ष जतलाने से ज्यादा अहम था।

हमें यह ध्यान में रखना होगा कि सापेक्ष संदर्भों में, आर्थिक और राजनीतिक कारणों से, अमेरिका और पाकिस्तान के साथ चीन के संबंध उसकी विदेश नीति में एक उच्चत्तर प्राथमिकता बने हुए हैं।

यही वह परिप्रेक्ष्य है जिसमें चीन के साथ भारत के रिश्ते की मौजूदा अल्पकालिक संभावनाओं का आकलन करना होगा। प्रधानमंत्री झू रोंग्जी की

यात्रा के दौरान छह अहम द्विपक्षीय समझौते पर हस्ताक्षर किए गए। इनमें नई दिल्ली और बीजिंग के बीच प्रत्यक्ष नागरिक उड्डयन संपर्कों की पुनर्बहाली, प्रौधोगिकी, विज्ञान, अंतरिक्ष और पर्यटन के क्षेत्रों सहयोग और आंतकवाद का सामना करने के लिए एक भारत-चीन संयुक्त कार्यदल का निर्माण। ली पेंग और रोग्जी, दोनों ने ही आर्थिक और प्रौधोगिकीय क्षेत्रों में, खासकर सूचना प्रोद्योगिकी के क्षेत्र में सहयोग बढ़ाने की चीन की दिलचस्पी पर बल दिया है। जहां तक द्विपक्षीय आर्थिक संबंधों की अतिरिक्त धारा का सवाल है, खासतौर पर व्यापार संबंध, तो इन्हें सकारात्मक रूझान कहा जा सकता है। इनसे जुड़े लक्षण भारत-चीन संबंधों के परस्पर पूरक होने से ज्यादा प्रतिस्पर्धात्मक है। सहयोग का एक क्षेत्र ऐसा है जो कुछ हद तक पूरकता पर आधारित है, वह है भारत व चीन के बीच-दक्षिणी चीन और भारत के उत्तर-पूर्वी राज्यों के बीच सहयोग स्थापित करने और बढ़ाने के लिए किए गए ट्रैक 11 विचार-विमर्श, जिसे 'कुनमिंग प्रयास' के रूप में जाना जाता है और जिसे चीनी सरकार का समर्थन प्राप्त है। यह अभ्यास अवश्य चीन के राजनीतिक-रणनैतिक, रूझानों की चेतावनी पर निर्भर होगी, जिसमें भारत के अरूणाचल प्रदेश पर उसके दावों में कोई कमी नहीं दिखाई पड़ी है। विषय सार से जुड़े राजनीतिक मुद्दों के संदर्भ में भारत व चीन को अभी भी लंबा रास्ता तय करना है। भारत-चीन संयुक्त कार्यलय ने सीमा सवाल पर अभी भी दोनों देशों के बीच वास्तविक नियंत्रण रेखा से जुड़ी विसंगतियों को दूर करने का कार्य पूरा नहीं किया है।

हालांकि, आपसी विश्वास बढ़ाने के उपायों की वृद्धि पर संहमति हुई तो है पर वे पूरी तरह से व्यवहार में नहीं उतर पाए हैं, फिर भी उनमें प्रगति तो दिखती है। बीते समय में हुई समझौता वार्ता से उपजे बोझ को अलग रखते हुए, दोनों ही पक्षों की ओर से सीमा सवाल के समाधान के लिए बातचीत करने के लिए कोई पहल नहीं की गई है। हालांकि भारत तिब्बत को चीन का ही एक स्वायत्तर क्षेत्र मानता है, पर तिब्बत का चीन के साथ प्रगामी राजनीतिक, सांस्कृतिक और जातीय समन्वयन, स्वायत्तता के लिए इसे दिए गए आश्वासनों की उपेक्षा भारत के लिए चिंता का विषय है क्योंकि भारत और चीन के बीच तिब्बत का अंत:स्थ क्षेत्र बने रहना भारत के हित में है और चीनी प्रक्षेपास्त्रों और वायु सेना ठिकानों का तिब्बत में स्थित होना भारत की सुरक्षा संबद्ध दुष्चिंताएं हैं।

चीन पाकिस्तान के साथ अपने सुरक्षा संबंध का जो भी औचित्य बताए, यह एक ऐसी व्यवस्था है जो भारत-पाक संबंधों के मौजूदा सूरतेहाल के मद्देनजर अहितकर रहेगी। भारत-चीन संबंधों की दीर्घकालिक स्थिरता दोनों

पक्षों द्वारा दूरदर्शिता के साथ इन मुद्दों से निबटने पर निर्भर करता है। विचारों की केंद्राभिमुखता के मद्देनजर चीन और भारत के बीच आधिपत्यवाद का विरोध भेदभाव रहित और व्यापक निःशस्त्रीकरण, एक न्यायसंगत और उचित आर्थिक व्यवस्था की ओर काम करने पर सहमति और द्विपक्षीय प्रौधोगिकीय सहयोग की संभावना जैसे मुद्दों पर प्रतिस्पर्धा की अंतःधाराओं व परस्पर शक करने की परंपरा रहने के बावजूद दोनों देशों के बीच एक टिकाऊ और व्यावहारिक रिश्ते की रचना करने का आधार मौजूद है।

उपमहाद्वीपीय संकट के समय झू रोंग्जी का भारत आना और उनके वक्तव्य इस बात का संकेत देते हैं कि चीन और भारत के बीच ऐसे सहयोग के पनपने के आसार हैं।

12

एक नजदीकी भारत-अमेरिका संबंधों के प्रयास

भारत अमेरिका की संबंध-आधी सदी तक चला आडंबरपूर्ण सिलसिला

15 साल पहले काबुल के यू एन डी पी कार्यालय में एक अनौपचारिक अवसर पर एक मध्य स्तरीय अमेरिकी राजनयिक ने मुझसे कहा था, ''राजदूत महोदय, क्या आप जानते हैं भारत की समस्या क्या है? वह नहीं जानता कि अंतर्राष्ट्रीय राजनीति में शक्ति समीकरणों को खड़ा करने में पहला चरण क्या है, और अमेरिकी लोगों को उनसे जरा भी सहानुभूति नहीं हैं जो मार्ग तलाशने में होशियार नहीं हैं।'' मुझे ये उपदेश मेरे कुछ आलोचनात्मक दृष्टिकोणों के जवाब में दिए गए जो ग्रेनेडा में अमेरिकी सैन्य हस्तक्षेप के बारे में मैंने अभिव्यक्त किए थे। मेरे नौजवान अमेरिकी साथी की उपरोक्त टिप्पणी के वृहत्तर आयामों पर चिंतन करने पर तीन निष्कर्ष सामने आते हैं। पहला, उन्होंने अमेरिकी सोच को अभिव्यक्त करते हुए यह कहा कि भारत की विदेश नीति में काम को कुशलता से संपन्न किए जाने का अभाव है; उन्होंने अन्य देशों के बारे में अमेरिकी सोच को स्पष्ट किया; और तीसरा, उन्होंने उन मूलभूत मतभेदों को रेखांकित किया जिसने सालों से भारत-अमेरिका संबंध पर बुरा प्रभाव डाला है।

यह बड़ी दिलचस्प बात है कि जिन अमेरिकी और भारतीय लेखकों ने भारत-अमेरिका संबंधों के संपूर्ण परिदृश्य को केन्द्र मान कर किताबें लिखी हैं, उन किताबों के शीर्षकों में आश्चर्यजनक रूप से तथ्यपरक साम्यता है। आइजैक्स हैरॉल्ड ने 1980 में प्रकाशित अपनी किताब वा शीर्षक दिया 'स्क्रैचेज ऑन आवर माइंड'' इसके पहले संयुक्त राष्ट्र में स्थायी भारतीय प्रतिनिधि राजदूत चक्रवर्ती ने अपनी किताब का शीर्षक रखा था इंडिया एंड अमेरिका: डिसटेंट फ्रेंड सबसे हाल में राजदूत डेनिस कुक्ज़ द्वारा 1992 में लिखी गई किताब का शीर्षक है ''इंडिया एंड यूनाइटेड स्टेट्स : एस्ट्रेंण्ड डेमोक्रेसीज पिछले 50 सालों

के कालखंड के दौरान भारत-अमेरिका संबंधों की यदि समीक्षा की जाए तो उन मतभेदों की पुष्टि होती है जो इन शीर्षकों और काबुल में अमेरिकी राजनयिक की टिप्पणी में अंतर्निहित हैं।

स्वतंत्रता की अपनी 50वीं वर्षगांठ पर भारत के लिए विश्व की सबसे महत्वपूर्ण शक्ति-अमेरिका के साथ अपने संबंधों की विश्लेषणात्मक समीक्षा प्रासंगिक होगी। राजदूत कुक्ज़ की किताब की प्रस्तावना में ले० जनरल पॉल जी करजन, अमेरिका की नेशनल डिफेंस यूनिवर्सिटी के अध्यक्ष, कहते हैं "1947 में जब भारत ने स्वतंत्रता प्राप्त की, तभी से भारत व अमेरिका के बीच भू-राजनीतिक संबंध कभी नजदीकी नहीं रहे, और आज इन दो घनी आबादी वाले लोकतांत्रिक देशों के बीच निकट रिश्ते बनाने के लिए आगे बढ़ने में कई विकट बाधाएं राह रोके खड़ी हैं। महत्वपूर्ण बात यह है कि अमेरिका के एक प्रतिष्ठान के वरिष्ठ व्यक्ति का यह आकलन 1992 में अभिव्यक्त किया गया। यह वह समय था जब शीतयुद्ध खत्म हो चुका था; सोवियत संघ का विघटन हो चुका था; भारत-सोवियत समीकरणों का अस्तित्व मिट चुका था; और भारत अमेरिका के नेतृत्व तले पशिचम के साथ निकट संबंध स्थापित करने के लिए पहल कर चुका था।

भारत-अमेरिका संबंध, तकनीकी रूप से, 1792 में शुरू हुए जब जॉर्ज वाशिंगटन ने राष्ट्रपति पद संभालते ही बेंजामिन जॉय को कोलकाता में अमेरिकी वाणिज्य दूत नियुक्त किया। उसके 150 साल और इस सदी के शुरूआती 40 के दशक तक भारत-अमेरिका राजनैतिक संबंधों में कुछ भी अहम नहीं घटा और दूसरी बात यह थी कि ब्रिटिश साम्राज्य तले भारत के ढांचे के अंतर्गत अमेरिका का भारत के साथ नाममात्र का संपर्क रहा। जब फ्रैंकलिन रूजवेल्ट ने सत्ता संभाली और फिर द्वितीय विश्व युद्ध हुआ तब अचानक अमेरिका के मन में भारत के लिए दिलचस्पी पैदा होने लगी। युद्ध में मित्र राष्ट्रों को दिए गए सहयोग और उन्हीं के पक्ष में भारत की भागीदारी जापानी खतरे को निपटाने के लिहाज से अमेरिका को काफी महत्वपूर्ण लगी। रूजवेल्ट ने अपने उदार और लोकतांत्रिक झुकावों के परिप्रेक्ष्य मे, यह महसूस किया कि प्रत्यक्ष औपनिवेशिक शासन से मुक्त होकर, स्वराज्य हासिल किए हुए भारत में युद्ध में सफलता प्राप्त करने को लेकर ज्यादा प्रतिबद्धता होगी और वह ज्यादा प्रभावी भागीदारी निभा पाएगा, जो लोकतांत्रिक शक्तियों को और मजबूत बनाएगा। 1942 से 1946 के दरम्यान रूजवेल्ट ने अपने तीन विश्वासपात्रों को यह कार्य सौंपा था कि वे भारत और ब्रिटेन के विवादों को सुलझाएं, ताकि भारत को मित्रराष्ट्रों के अमले में एक

इच्छुक और समान सहभागी के रूप में लाया जाए न कि एक औपनिवेशिक अस्तित्व मात्र के रूप में। भारत में रूजवेल्ट के व्यक्तिगत प्रतिनिधि लुईस जॉनसन, उनके विशिष्ट सहयोगी हैरी हॉपकिन्स और सहायक विदेश मंत्री विलियम फिलिप्स इस कार्य में लगे थे, पर वे चर्चिल के साम्राज्यवादी विचारों और भारत के प्रति उनके पूर्वाग्रहों को दूर नहीं कर पाए।

राष्ट्रपति रूजवेल्ट स्पष्ट रूप से भारत की स्वतंत्रता के पक्षधर थे। क्रिप्स मिशन के असलफ होने पर रूजवेल्ट ने यह कहा था, ''सर्वत्र यही भाव दिख रहा है (अमेरिका में) कि भारत द्वारा तकनीकी, सैन्य और नौसैनिक रक्षा नियंत्रण योग्य ब्रिटिश अधिकारियों को सौंपे जाने की इच्छा दर्शाने के बाद भी ब्रिटिश सरकार द्वारा भारतीयों के स्वराज्य के अधिकार की अवेहलना गतिरोध का कारण बनी। जवाहरलाल नेहरू द्वारा लुईस जॉनसन के मार्फत रूजवेल्ट को भेजे गए एकमात्र पत्र में उन्होंने यह सेदेश भेजा था कि भारतीय संपूर्ण स्वराज्य और स्वतंत्रता के पक्षघर हैं, पर वे इस बात के लिए भी तैयार हैं कि एक सच्ची राष्ट्रीय सरकार बने जो प्रतिरोध को लोकप्रियता के आधार पर व्यवस्थित कर पाए। उन्होंने रूजवेल्ट को यह संदेश दिया कि भारत चिंतित है और अपनी रक्षा के लिए हर तरह का प्रयत्न करने के लिए उत्सुक है और साथ ही यह भी कहा कि भारत फासीवाद के खिलाफ लड़ने वालों और लोकतंत्र और स्वतंत्रता के लिए खड़े होने वालों से सहानुभूति रखता है। रूजवेल्ट ने भारत की स्वतंत्रता के लिए अपने भावनात्मक और बौद्धिक समर्थन के बावजूद, नेहरू को जो जवाब दिया, उसमें अंतर्राष्ट्रीय संबंधों में मूलभूत तौर पर अनीतिपूर्ण कारकों की उपस्थिति, साथ ही विदेश नीति में भी राष्ट्रीय हितों को वरीयता देने की प्रवृत्ति का पता चलता है। जहां नेहरू के पत्र का जवाब देते हुए रूजवेल्ट ने यह कहा था कि जापान की आक्रामकता का सामना करने के मद्देनजर भारत को अमेरिका से हर तरह की मदद मिलेगी, वहीं भारत की स्वतंत्रता के लिए समर्थन देने की नेहरू की प्रार्थना पर उन्होंने कोई ध्यान नहीं दिया। यह स्पष्ट था कि रूजवेल्ट चर्चिल को नाराज नहीं करना चाहते थे और न ही जर्मनी और जापान से लड़ रहे पश्चिम यूरोपीय मित्रराष्ट्रों की एकता को चोट पहुंचना चाहते थे। रूजवेल्ट भारत को स्वतंत्रता मिलने के समय तक जीवित नहीं रहे। 1946 से 1952 तक अमेरिकी विदेश नीति ट्रूमेन द्वारा निर्देशित रही, इसके बाद 1960 तक आइजेनहावर और 1961 से 1965 तक क्रमश: कैनेडी और जॉनसन ने वह कार्यभार संभाला। भारत के प्रथम प्रधानमंत्री जवाहरलाल नेहरू ने अपने लंबे कार्यकाल के दौरान अमेरिका के चार राष्ट्रपतियों के साथ व्यवहार बनाए रखा।

1964 में नेहरू का स्वर्गवास हो गया। स्वतंत्रता प्राप्ति के शुरूआती वर्षों में नेहरू को अमेरिका के साथ निकट और संतोषप्रद संबंध को लेकर ऊंची अपेक्षाएं थीं। उनके उदार, फेबियन, (फेबियन सोसायटी से संबद्ध, जिसके सदस्य सरकार में क्रांतिकारी तरीके से नहीं बल्कि धीमी गति से परिवर्तन लाने पर विश्वास रखते हैं), समाजवादी और एंग्लों-सैक्सन दृष्टिकोण में यह विश्वास भरा था कि भारत की नई विदेश नीति संबंद्ध शासन प्रणाली के बौद्धिक और वैचारिक ढांचे को, जिसकी वह रचना कर रहे हैं, भारत के द्विपक्षीय संबंधों के सभी पहलुओं में स्वत: ही अमेरिका की ओर से सहयोगात्मक और सकारात्मक प्रतिक्रिया प्राप्त होगी। भारतीय स्वतंत्रता संग्राम के लिए रूजवेल्ट की सहानुभूति व लोकतंत्र और मनुष्य की स्वतंत्रता के प्रति अमेरिका की गहरी प्रतिबद्धता को महसूस कर नेहरू ने विदेश नीति को गढ़ते समय अमेरिका के साथ संबंध को एक महत्वपूर्ण हिस्सा माना था। स्तालिन के समय में रूस का भारत विरोधी पूर्वाग्रह और 'भारत छोड़ो' आंदोलन के समय भारतीय कम्युनिस्ट पार्टी के असहयोगपूर्ण रवैये ने भी नेहरू को पश्चिम-समर्थक और अमेरिका-समर्थक रूझान वाली विदेश नीति की रचना के लिए प्रवृत्त किया। अमेरिका के विशाल संसाधनों और प्रौद्योगिकीय उपलब्धियों से नेहरू भली-भांति परिचित थे और उन्हें आशा थी कि अमेरिका भारत की आर्थिक विकास और प्रौद्योगिकीय प्रगति में एक अहम भागीदार बनेगा। परंतु ठीक इसके विपरीत भारत के प्रति अमेरिका का दृष्टिकोण और रवैया निराशाजनक और अनिश्चितताओं से भरा था। 1942 में द्वितीय विश्व युद्ध के नाजुक दौर के समय ब्रिटिश सरकार पर दबाव डालने के उद्देश्य से भारत द्वारा छेड़ा गया 'भारत छोड़ो' आंदोलन अमेरिकी प्रतिष्ठान को नागवार गुजरा। 1946 से 1952 के बीच का कालखंड शीत युद्ध के लिहाज से निर्णायक दौर था। वैश्विक टकराव के इस उभरते परिदृश्य में नेहरू द्वारा किसी भी पक्ष में शामिल होने से इंकार करना और उनकी ओर से इस बात पर बल दिए जाने पर कि भारत की विदेश नीति उन शक्ति खेमों से जुड़ने से परहेज करेगी, परिणाम यह निकला कि अमेरिका भारत के अंतर्राष्ट्रीय प्रयासों को लेकर आलोचनात्मक हो उठा और भारत-अमेरिका संबंधों को बढ़ाने के बिन्दु पर मौन रहा।

1949 में नेहरू द्वारा अमेरिका का पहला सरकारी दौरा बहुत सफल नहीं रहा। अमेरिका के सादगीपसंद राष्ट्रपति ट्रूमेन और भारत के आदर्शवादी प्रधानमंत्री नेहरू के बीच, जो यह सोचते थे कि नई विश्व व्यवस्था शुद्ध रूप से नैतिक सिद्धांतों पर संरचित की जा सकती है, कोई भी सकारात्मक सामन्जस्य नहीं बन पाया। ट्रूमेन के विदेशमंत्री डीन अकेसन को नेहरू अवास्तविक, दुरूह और कुछ हद तक अभिमानी लगे, क्योंकि एक ऐसा देश (भारत) जो उनसे

आर्थिक और प्रौद्योगिकीय सहायता मांग रहा हो, उसके नेता से उन्हें उतने आत्मविश्वास और भारत की स्वतंत्रता और गौरव के प्रति वैसी प्रतिबद्धता की उम्मीद नहीं थी।

कश्मीर का युद्ध और इंग्लैंड का पाकिस्तान को समर्थन देना अमेरिका की भारत संबंद्ध नीतियों को प्रभावित कर गया। भारत की स्वतंत्रता के पहले दशक के बाद, अमेरिका की ज्यादातर विदेश नीतियां ब्रिटेन के दृष्टिकोणों और उसकी सलाह पर आधारित रहीं। अमेरिका भारत के बोधगम्य हितों और भारतीय संवेदनशीलता के परिप्रेक्ष्य में भारत के साथ प्रत्यक्ष व्यवहार करने में असफल रहा। यह बिन्दु उन मतभेदों से बिल्कुल ही अलग था, जो दोनों देशों के बीच रणनैतिक और सुरक्षा विषयों से ताल्लुक रखते थे।

ट्रूमेन के काल में भारत-अमेरिकी संबंध सहयोग या अंतर्व्यवहार के स्तर पर बिना किसी तीव्रता के सामान्य तौर पर ठीक बना रहा। इस संबंध में जटिलताएं और आर्थिक पहलू आईजेनहावर के कार्यकाल के दौरान अपनी जड़ें फैलाने लगे थे। ट्रूमेन की तुलना में आईजेनहावर से नेहरू के निजी रिश्ते कहीं बेहतर थे। यह सकारात्मक तालमेल जॉन फॉस्टर ड्यूलस द्वारा अपने विदेश नीति सिद्धान्त में यह अभिमानी नीति परायण पुट डाल देने से निष्प्रभावी हो गया कि "जो हमारे साथ नहीं हैं, वे हमारे खिलाफ हैं।" 1953 से 1960 की अवधि के दौरान भारत-अमेरिका के व्यापार व आर्थिक रिश्तों का विस्तार हुआ। महत्वपूर्ण बात यह है कि इसी अवधि के दौरान भारत-अमेरिका के मध्य प्रौद्योगिकीय सहयोग शुरू हुआ, खास तौर पर भारी उद्योग एवं नाभिकीय ऊर्जा जैसे उच्च प्रौद्योगिकी वाले क्षेत्रों में। भारत-अमेरिका संबंधों को सुदृढ़ करने में 1956 से 1961 तक दिल्ली में रहे अमेरिकी राजदूत चेस्टर बाउल्स के योगदान की प्रमुख भूमिका रही। निशस्त्रीकरण और नाभिकीय मुद्दों पर नेहरू और आईजेनहावर के विचारों में एक निश्चित समानता थी जो आईजेनहावर के 'शांति के लिए परमाणु' कार्यक्रम और आंशिक परीक्षण प्रतिबंध संधि को नेहरू के समर्थन के रूप में अभिव्यक्त हुई। यद्यपि संकरे रास्ते पर बढ़ते हुए द्विपक्षीय संबंधों में सुधार आया लेकिन रणनैतिक व सुरक्षा मामलों के साथ-साथ भारत की घरेलू अर्थिक नीतियों के चंद पहलुओं पर भारत-अमेरिका संबंधों में गहरे मतभेद भी उभरे। इसी अवधि के दौरान नाटो से लेकर सिएटो तक गठित सैन्य गठबंधन व्यवस्थाओं के प्रति भारत के विरोध, अमेरिका-पाकिस्तान के बीच रक्षा समझौतों व परिणामस्वरूप रक्षा सहयोग की भारत द्वारा कड़ी आलोचना, संयुक्त राष्ट्र में कश्मीर के मुद्दे पर भारत व पकिस्तान को अमेरिका द्वारा एक

ही तराजू से तौलने पर भारत के विरोध, सोवियत संघ और चीन के साथ भारत के घनिष्ठ होते संबंधों जिसे नेहरू की मास्को व बीजिंग की यात्राओं ने और बढ़ावा दिया तथा स्वेज पर इंग्लैंड-फ्रांस आक्रमण की आलोचना करने के बावजूद भारत का 1956 में हंगरी पर सोवियत आक्रमण के बारे में चुप्पी साध लेने से अमेरिका को यकीन हो गया कि एक निर्गुट देश होने का भारतीय दावा दरअसल एक युक्तिपूर्ण चाल है जबकि तथ्य यह है कि भारत सोशलिस्ट खेमे का हिस्सा बनता जा रहा है। 1950 के दशक के मध्य में दिल्ली विश्वविद्यालय में मुझे 'अमेरिकी इतिहास एवं संस्थान पढ़ाने वाले एक अमेरिकी प्रोफेसर का मत था कि "यदि भारत लाल न भी हो तो निश्चित रूप से वह उनके साथ चलने वाला एक अस्वीकार्य गुलाबी यात्री है।" (बेशक भारत सोशलिस्ट खेमे में पूरी तरह न हो लेकिन वह उस खेमे के साथ तो है ही)। भारत के प्रति अमेरिकी शंकाओं के बावजूद यह आईजेनहावर काल ही था भारत के प्रमुख व्यापार साझेदार एवं उसे आर्थिक व खाद्य सहायता देने वाले के रूप में अमेरिका का उद्भव हुआ। भारत और अमेरिका के बीच शैक्षणिक व सांस्कृतिक आदान-प्रदान से भारतीय विकास के संदर्भ में सर्वाधिक महत्वपूर्ण विदेशी अनुसंधानकर्ताओं व पर्यवेक्षकों के रूप में इंग्लैंड और जर्मनी की जगह अमेरिकी बौद्धिक व शैक्षणिक प्रतिष्ठानों ने लेना शुरू किया। जॉन फॉस्टर ड्यूलस की भारत के प्रति तीखी आपत्तियों और उनके इस आकलन के बावजूद कि भारत सोवियत संघ एवं चीन के साथ अपने संपर्कों को बढ़ाकर जान-बूझकर अमेरिकी हितों के खिलाफ काम कर रहा है, आईजेनहावर ने महसूस किया कि भारत का लोकतांत्रिक प्रयोग अमेरिकी समर्थन के काबिल है। इस मत की सर्वाधिक ठोस अभिव्यक्ति थी 1959 में आईजेनहावर की भारत यात्रा। यह किसी भी अमेरिकी राष्ट्रपति की सर्वथा पहली भारत यात्रा थी जो जन संपर्क और राजनीति, दोनों ही लिहाज से सफल रही। यद्यपि आईजेनहावर काल के अंतिम वर्ष में अमेरिका का कश्मीर पर भारतीय रुख का समर्थन से इन्कार वी. के. कृष्ण मेनन के प्रति अमेरिकी उदासीनता तथा गोवा पर बलपूर्वक भारतीय कब्जे के प्रति अमेरिकी विरोध जैसी घटनाएं हुईं।

कैनेडी के राष्ट्रपति बनने के बाद अमेरिका के साथ कहीं अधिक सकारात्मक संबंधों के प्रति भारत में आशाएं जगी। कैनेडी से मुलाकात के लिए नेहरू की वाशिंगटन यात्रा हालांकि कैनेडी के लिए निराशाजनक रही। भारत-चीन युद्ध और चीन के हाथों भारत की शिकायत के कारण भारत-अमेरिकी संबंधों में एक अस्थायी निकटता आई जो मुख्य रूप से व्यावहारिक राजनीति

पर आधारित थी। रक्षा सहायता के लिए नेहरू के अनुरोध पर कैनेडी उदार रहे और उन्होंने तत्काल कार्रवाई की। लेकिन यह उदारता चीन पर अंकुश और अनौपचारिक रूप से ही सही, भारत को पश्चिम के साथ एक कम्युनिस्ट विरोधी रणनैतिक समीकरण में शामिल करने के उत्प्रेरण पर भी आधारित थी। लेकिन भारत को अमेरिकी मदद का सकारात्मक असर तब निष्प्रभावी हो गया जब अमेरिका ने भारत को कश्मीर पर पाकिस्तान के साथ समझौता करने को कहकर एक तरह से अपनी मदद का प्रतिदान पाने का फैसला किया। राजदूत एवरल हैरिमैन की दिल्ली के प्रति कूटनीति ने भारत को इस बात का अहसास कराया कि अंतर्राष्ट्रीय संबंधों में परोपकारवादी सदाशयता व मदद जैसी कोई चीज नहीं होती। सिक्के का दूसरा पहलू यह रहा कि क्यूबा के प्रक्षेपास्त्र संकट पर भारत ने गोल-मोल सा रुख अख्तियार किया जबकि भारत को दी गई मदद के मद्देनजर अमेरिका को स्वाभाविक तौर पर उम्मीद थी कि क्यूबा तथा प्रक्षेपास्त्र संकट पर सोवियत संघ के प्रति टिप्पणियों के मामलों में भारत अस्थायी रूप से ही सही अमेरिका का समर्थन करेगा। कैनेडी दृश्य से हटे और राजनीतिक रूप से मोह भंग की स्थिति का सामना कर चुके नेहरू का मई 1964 में निधन हो गया।

भारत-अमेरिकी संबंध जिस बुनियादी दायरे में उभरे और 1990 तक बरकरार रहे, वह इसी अवधि के दौरान अस्तित्व में आया। इस दायरे के तत्व थे:

1. लोकतांत्रिक देश होने के बावजूद अपने-अपने रणनैतिक व सुरक्षा हितों के संदर्भ में भारत और अमेरिका के बीच बुनियादी मतभेद रहे।
2. भारत की निर्गुट विदेश नीति और इसके द्वारा निर्गुट आंदोलन की नींव रखने-जिसे तीसरी दुनिया के अधिसंख्य देशों ने समर्थन दिया-को ऐसे रुख के तौर पर देखा गया जो अमेरिकी हितों और उसकी रणनैतिक योजनाओं के लिए हानिकारक था।
3. भारत की नियोजित अर्थव्यवस्था तथा इसके समाजवादी दिशानिर्देशों ने भारत-अमेरिका के बीच ठोस आर्थिक व प्रौद्योगिकीय सहयोग की संभावनाओं को खत्म कर डाला।
4. निशस्त्रीकरण पर भारत के विचार अमेरिका के राजनीतिक-रणनैतिक सिद्धांतों के अनुकूल नहीं थे।

भारत के प्रधानमंत्री के रूप में डेढ़ साल के अपने छोटे से कार्यकाल के दौरान लाल बहादुर शास्त्री और राष्ट्रपति जॉनसन के मध्य बहुत कम बातचीत

हुई। केवल एक ही समय भारत-अमेरिका संपर्कों में काफी सक्रियता रही और वह था 1965 में भारत-पाकिस्तान युद्ध का समय हालांकि युद्ध के दौरान अमेरिका ने पाकिस्तान का सैन्य आपूर्ति निलंबित कर दी, लेकिन पाकिस्तान की दुस्साहसी मंशाओं की जानकारी अमेरिकी प्रशासन की ओर से न दिए जाने और युद्ध के दौरान अपने खिलाफ इस्तेमाल हो रहे अमेरिकी हथियारों से भारत खिन्न हो गया। यह उन कारणों में से एक था जिसकी वजह से संघर्ष में मध्यस्थता करने की शुरूआती अमेरिकी कोशिशें सफल न हो सकीं और बाद में अमेरिका ने सोवियत संघ को मध्यस्थता के लिए प्रोत्साहित किया और जिसके फलस्वरूप ताशकंद समझौता हुआ। 1966 में जब इंदिरा गांधी प्रधानमंत्री बनीं, तो भारत अमेरिका संबंधों के संदर्भ में उन्हें यही विरासत मिली। 1966 से 1984 के बीच के अपने कार्यकालों के दौरान उन्होंने लिंडन जॉनसन, निक्सन, फोर्ड और रीगन से व्यवहार किया। जॉनसन और रीगन के साथ उनके संबंध बेहतरीन रहे जबकि निक्सन और किसिंजर के साथ बेहद खराब। फोर्ड प्रशासन के दौरान भारत और अमेरिका के बीच बामुश्किल कोई सार्थक संपर्क हुआ। जबकि आर्थिक, शैक्षणिक एवं सांस्कृतिक रिश्तों को सामान्य स्तर पर बनाए रखा गया, राजनीतिक और रणनैतिक मतभेद भारत-अमेरिकी संबंधों को प्रभावित करते रहे। 1971 में पूर्वी पाकिस्तान के संकट के भारत-पाकिस्तान युद्ध में परिणत हो जाने से भारत-अमेरिका संबंध पिछले 50 साल के अपने सबसे खराब दौर में पहुंच गए। पाकिस्तान के पक्ष में निक्सन के झुकाव, 1971 में शुरूआती अगस्त में अपनी दिल्ली यात्रा के दौरान किसिंजर की मनोवैज्ञानिक युद्ध चालों और अंततः भारत-पाक युद्ध के बीच में ही अमेरिका के सातवें जहाजी बेड़े को बंगाल की खाड़ी के लिए रवाना कर देने से भारत-अमेरिकी रिश्तों में गतिरोध आ गया जो 1971 से 1974 के बीच तीन सालों तक बना रहा। नवंबर 1971 में वाशिंगटन में श्रीमती गांधी और निक्सन की मुलाकातों के बारे में निजी प्रत्यक्षदर्शियों ने काफी विस्तार से लिखा है जिसमें श्रीमती गांधी के प्रति निक्सन की निजी नापसंदगी और निक्सन के प्रति श्रीमती गांधी के अनादर का ब्योरा मिलता है। निक्सन के जेहन में उन दिनों की याद भी थी जब आईजेनहावर के कार्यकाल के दौरान उप-राष्ट्रपति के रूप में भारत यात्रा के दौरान उनके साथ साधारण व्यवहार किया गया जबकि अपनी इसी यात्रा के दौरान पाकिस्तान में उनका भव्य स्वागत किया गया। पूर्वी पाकिस्तान संकट पर भारत और अमेरिका में टकराव दोनों देशों के रणनैतिक हितों व अवधारणाओं में बुनियादी फर्क पर आधारित था। भारत को भी राजनैतिक यथार्थवाद के संदर्भ में एक अतिरिक्त

सीख मिली क्योंकि उस संकट में अमेरिकी रुख मानवाधिकारों व लोकतंत्र के प्रति अक्सर जताई गई उसकी प्रतिबद्धता के एकदम उलट था।

हालांकि 1974 में अमेरिका द्वारा एक दक्षिण एशियाई ताकत के रूप में भारत को मानने और द्विपक्षीय रिश्तों को बढ़ावा देने तथा विस्तार देने के लिए भारत-अमेरिका संयुक्त आयोग के गठन से भारत-अमेरिका संबंधों में बहाल होती सामान्य स्थिति की कुछ झलक मिली, लेकिन श्रीमती गांधी के देश में आपातकाल लगा देने से भारत-अमेरिका संबंधों में एक बार फिर गिरावट आ गई। इस अवधि पर गौर करने से केवल एक सकारात्मक घटनाक्रम पर नजरें ठहरती हैं जब भारत में विकास के लिए अमेरिका संचित पी एल 480 कोष के इस्तेमाल पर सहमत हुआ और अंततः इस राशि का इस्तेमाल हुआ तथा राजदूत डैनिएल पैट्रिक मोनिहान की सकारात्मक पहलकदमियों की बदौलत यह ऋण बट्टे खाते में डाल दिया गया। यह भी याद रखने की बात है कि 1966 से 1971 के मध्य भारत ने नाभिकीय अप्रसार संधि का पुरजोर विरोध कर अमेरिका को नाखुश कर दिया था। भारत इस संधि को भेदभावपूर्ण मानता है। यह प्रतिरोध तब और भी उग्र हो उठा जब श्रीमती गांधी ने मई, 1974 में पोखरण में भूमिगत नाभिकीय परीक्षण को हरी झंडी दिखा दी। बेशक यह परीक्षण आत्मविश्वास और प्रौद्योगिकीय लक्ष्यों के लिहाज से सफल रहा, लेकिन इसके कारण अंतर्राष्ट्रीय नाभिकीय अनुशासनात्मक योजनाओं जो अमेरिका के जेहन में थीं – को छिन्न-भिन्न करने वाले देश के रूप में भारत की औपचारिक पहचान स्थापित हो गई। 1977 के पूर्वार्द्ध में श्रीमती गांधी के हाथ से सत्ता जाती रहीं मोरारजी देसाई और कार्टर तकरीबन एक साथ ही सत्तासीन हुए। मोराजी देसाई के दक्षिण की ओर राजनैतिक झुकाव तथा भारत के वाणिज्य एवं वित्त मंत्री के रूप में उनके वर्षों के कार्यकाल के दौरान मुक्त बाजार अर्थव्यवस्था के प्रति अभिव्यक्त हुए उनके लगाव के कारण भारत-अमरिका संबंधों में एक अस्थायी सहयोग भाव का प्रादुर्भाव हुआ। मोरारजी देसाई ने जून 1977 में वाशिंगटन की चात्रा की और कार्टर ने 1977-78 की सर्दियों में नई दिल्ली की। आईजेनहावर की यात्रा के करीब दो दशकों बाद अमरिकी राष्ट्रति के रूप में कार्टर की यह यात्रा हुई। जनसंपर्क व मीडिया में प्रचार के लिहाज से कार्टर की यह यात्रा काफी सफल रही। लेकिन कार्टर ने अमरीका से अच्छे संबंधों के लिए भारत के सामने अप्रसार संधि के अनुसरण की अनिवार्यता रखकर इस यात्रा के संभावित सकारात्मक प्रभाव को खत्म कर डाला।

रीगन के सत्ता संभालने के बाद चंद महीनों के भीतर ही 1980 में श्रीमती गांधी फिर से सत्ता मे आईं। 1980 के शुरूआती महीनों में अफगानिस्तान संकट के कारण भारत-अमेरिका संबंध मुरझा गए। अमेरिका राजनीतिक तौर पर अफगानिस्तान में सोवियत अतिक्रमण के जरिये जमीन पर इसका प्रतिरोध करने का फैसला किया। यद्यपि भारत सोवियत संघ के इस कदम का समर्थक नहीं था, लेकिन अपनी व्यापक रणनैतिक जरूरतों के लिहाज से – जिसके लिए सोवियत संघ के साथ समीकरण बनाए रखना आवश्यक था – उसने इस मसले पर टाल-मटोल का रवैया अपनाया। इन घटनाक्रमों के कारण 1966 से 1980 के मध्य भारत-अमेरिका के राजनीतिक मतभेदों में वृद्धि हुई। आश्चर्यजनक बात है कि इसी अवधि के दरम्यान भारत में अमेरिकी निवेश में इजाफा हुआ और भारत के सबसे बड़े व्यापार साझेदार के रूप में अमेरिका उभरकर सामने आया। नाभिकीय अप्रसार और इससे जुड़े मुद्दों पर मतभिन्नता के बावजूद नाभिकीय ऊर्जा के शांतिपूर्ण इस्तेमाल एवं वाह्य अंतरिक्ष के क्षेत्र में भारत व अमेरिका के बीच सहयोग में विस्तार हुआ। 1980 के दशक के दौरान भारत-अमेरिका संबंधों का एक दिलचस्प पहलू रहा श्रीमती गांधी एवं श्री रीगन के बीच विकसित हुई निकट मित्रता एवं आपसी समझ-बूझ। श्रीमती गांधी की मैक्सिको के कानकुन तथा वाशिगंटन में श्री रीगन के साथ हुई मुलाकतों से भारत-अमेरिका संबंधों में अंतर्विरोधों एवं तनावों को कम करने तथा रणनैतिक मतभेदों, जो मौजूद थे, के दायरे से बाहर उन क्षेत्रों में सहयोग बढ़ाने में मदद मिली जिनमें दोनों देश सकारात्मक तरीके से परस्पर व्यवहार कर सकते थे।

1984 में श्रीमती गांधी की हत्या के बाद राजीव गांधी सत्ता में आए और उन्हें श्रीमती गांधी व श्री रीगन के बीच अच्छे तालमेल का लाभ मिला। रीगन के दूसरे कार्यकाल से लेकर राष्ट्रपति बुश के कार्यकाल तक की अवधि के दौरान भारत-अमेरिका के संबंधों में स्थिरता रही। अपवाद का समय रहा वी० पी० सिंह की जनता सरकार का कार्यकाल जब सरकार ने कुवैत पर इसकी आक्रमण के मामले में द्विअर्थी एवं अस्पष्ट रुख अख्यितार किया। राजीव गांधी ने अपने प्रधानमंत्रित्व काल के दौरान दो बार अमेरिका की यात्रा की। उनका वहां बड़ी गर्मजोशी से स्वागत हुआ और उन्हें अमेरिकी कांग्रेस को संबोधित करने का अवसर समेत सर्वोच्च सम्मान दिया गया। यही वह अवधि थी जिसके दौरान प्रौद्योगिकीय सहयोग के चंद विशिष्ट सहमति ज्ञापन पर हस्ताक्षर किए गए। इसी अवधि के दौरान अमेरिका भारत में सबसे बड़ा निवेशकर्ता देश बनने के साथ-साथ भारत का सर्वाधिक महत्वपूर्ण व्यापार भागीदार बना। दिसंम्बर 1989

से जून 1991 के बीच प्रधानमंत्री के रूप में श्री वी॰ पी॰ सिंह व श्री चरण सिंह के कार्यकालों के दौरान भारत-अमेरिका के रिश्तों के संदर्भ में कोई खास घटना नहीं हुई, खाड़ी संकट को छोड़कर जब भारत के अजीबों-गरीब अस्पष्ट रुख ने अमेरिका को खिन्न कर दिया।

1991 के आरम्भ में खाड़ी युद्ध की समाप्ति तथा 1991 के दिसंबर में सोवियत संघ के विखंडन से अंतर्राष्ट्रीय माहौल में गुणात्मक बदलाव आया। नरसिन्हा राव सरकार को बदले रणनैतिक माहौल तथा अंतर्राष्ट्रीय आर्थिक रुखों में बुनियादी बदलाव के साथ तालमेल बैठाना पड़ा। सोवियत संघ के साथ अपने रणनैतिक समीकरण का लाभ भारत खो चुका था। नए रूसी परिसंघ के सोवियत संघ की भांति रणनैतिक हित नहीं थे। भारत को अपने रणनैतिक व रक्षा संपर्कों का विस्तारीकरण करना पड़ा। उसे मध्य एशिया व पूर्वी यूरोप के साथ नए समीकरण बनाने पड़े तथा सर्वाधिक प्रभावशाली विश्व शक्ति के रूप में उभरे अमेरिका के साथ अपने संबंधों की पुनः संरचना करनी पड़ी। नरसिम्हा राव ने इन लक्ष्यों को हासिल करने के लिए आवश्यक यथार्थवादिता व लचीलेपन का परिचय दिया। न्यूयार्क में जनवरी, 1992 के अंत में राष्ट्रपति बुश के साथ अपनी बातचीत के दौरान अमेरिका से नए तरह के रिश्तों की आधारशिला रखी। इस विचार-विमर्श के दौरान उभरे तीन बुनियादी संदर्भ तथ्य थे :

1. जबकि भारत और अमेरिका के बीच निशस्त्रीकरण, रणनैतिक एवं सुरक्षा के मुद्दों पर बुनियादी मतभेद हैं, हमारा रुख परस्पर टकरावपूर्ण नहीं होना चाहिए, बल्कि कोशिश यह होनी चाहिए कि इन मतभेदों को नियंत्रण में रखने के लिए – यदि इन्हें खत्म नहीं किया जा सकता। लगातार बातचीत की जाए।

2. मुक्त बाजार आधारित अर्थव्यवस्था व वैश्वीकरण के प्रति अंतर्राष्ट्रीय समुदाय के झुकाव तथा इस मुख्यधारा में शामिल होने के भारत के फैसले के दृष्टिगत भारत-अमेरिका आर्थिक व प्रौद्योगिकीय सहयोग को विस्तार देने के नए अवसर सामने हैं।

3. भारत की प्रौद्योगिकीय व रक्षा जरूरतों को देखते हुए तथा इस कारक पर विचार करते हुए कि अब शीत युद्ध खत्म हो चुका है, दक्षिण एशिया क्षेत्र में शांति व स्थिरता बनाए रखने के संदर्भ में भारत-अमेरिका के बीच सहयोग की संभावनाएं हैं।

दो अवरोधों को छोड़कर 1991 से 1996 तक दोनों ही देशों ने अपने संबंधों को बढ़ाने में इन संदर्भ तथ्यों का पालन किया। ये दो अवरोध थे– पहला,

1994 में अप्रसार के मुद्दे पर भारत-अमेरिका वार्ता का टूट जाना और अमेरिका द्वारा एकतरफा तरीके से अप्रसार संधि को अपरिमित विस्तार देने की ओर बढ़ना। दूसरा अमेरिकी विदेश उपमंत्री राबिन राफेल द्वारा जम्मू-कश्मीर के भारत में विलय के वैधानिक आधार पर अनावश्यक रूप से सवाल उठाकर कश्मीर मुद्दे को लेकर भारत-अमेरिकी मतभेदों को तीव्र कर देना। मेरा आकलन है कि ये अशुभ घटनाएं मुख्य रूप से इस वजह से हुईं कि क्लिंटन की दक्षिण एशिया में काफी कम दिलचस्पी थी और यहां के बारे में जानकारी भी अल्प थी। तथापि वह भाग्यशाली थे कि दिल्ली में थॉमस पिकरिंग और फ्रैंक विजनर जैसे लोग राजदूत थे और वाशिंगटन में स्ट्रॉब तालबोट विदेश उपमंत्री थे जिन्होंने भारत-अमेरिका संबंधों को संतुलित बनाए रखने में उत्कृष्ट भूमिका निभाई। यहां तक कि तालबोट ने इन अशुभ घटनाओं के बाद भी 1995 की गर्मियों में नरसिम्हा राव की वाशिंगटन यात्रा को बहाल करने में सफलता पाई। भारत के आर्थिक पुनर्गठन व उदारीकरण कार्यक्रमों ने भारत-अमेरिका संबंधों को खासा आवेग प्रदान किया है। भारत-अमेरिका व्यापार अभी 5 से 7 अरब डालर सालाना के बीच है। भारतीय अर्थव्यवस्था की बुनियादी क्षेत्रों में अमेरिकी निवेश बढ़ रहा है।

भारत-अमेरिका में प्रौद्योगिकीय एवं रक्षा सहयोग की शुरूआत हो चुकी है जो समय के साथ एक सार्थक राजनैतिक व सुरक्षा समीकरण में तब्दील हो सकता है, बावजूद इसके कि दोनों देशों के बीच रणनैतिक एवं सुरक्षा मुद्दों पर मतान्तर हैं और जिसके बने रहने का अनुमान है–खास तौर पर अप्रसार निरस्त्रीकरण व शस्त्र नियंत्रण, द्विपक्षीय सामुदायिक रिश्तों के चंद पहलुओं और प्रौद्योगिकी हस्तातंरण के संदर्भों में। हाल के महीनों के दौरान इन मतभेदों की झलक मिली जब अमेरिका ने भारत को विश्व व्यापार संगठन की मध्यस्थता प्रक्रिया तक ले जाने की इच्छा जताई। व्यापक परीक्षण प्रतिबंध संधि (सीटीबीटी) के भेदभावपूर्ण उपबंधों पर भारत के जोरदार विरोध के बावजूद अमेरिकी द्वारा इसे आगे बढ़ाना, सीटीबीटी पर दस्तखत से भारत का इंकार तथा प्रस्तावित विखंडनीय पदार्थ नियंत्रण संधि (एफएमसीटी) को लेकर भारत का विरोध ऐसे मसले हैं जो भारत-अमेरिका संबंधों के लिए बाधक हैं। 1996 में संयुक्त मोर्चा की सरकार के सत्ता में आने के समय से ही अमेरिका के प्रति भारतीय नीतियों के लिए ये बाधाएं चुनौती बनी हुई हैं। फिर ऐसे में आने वाले दशकों में भारत-अमेरिका संबंधों के लिए क्या संभावनाएं हैं? दरअसल, एक नई विश्व व्यवस्था के लिए अमेरिका की रणनैतिक योजनाओं और इसके बारे में भारत के

भिन्न दृष्टिकोण के बीच के बुनियादी अंतर्विरोधों पर ही इन दोनों देशों के संबंध निर्भर रहेंगे। भारत के प्रति अमेरिकी अवधारणाएं बदलती रही हैं। अमेरिकी रक्षा खुफिया ऐजेंसी में दक्षिण एशिया मामलों के विशेषज्ञ जेरोल्ड एल्किन की बातों से ये अवधारणाएं व्यक्त होती हैं:

"भारत अपनी तीन सैद्धांतिक रणनीतिक मंशाओं को लेकर चलता है : दक्षिण एशिया में अपनी प्रभुत्वकारी स्थिति को और सुदृढ़ करना; पूरे हिन्द महासागर में सैन्य प्रभुता हासिल करना तथा अंतर्राष्ट्रीय समुदाय में अपने उच्च दर्जे को सफलतापूर्वक पाने के लिए समुचित सैन्य शक्ति से खुद को लैस करना।" परिणामस्वरूप अमेरिकी विदेश विभाग की रक्षा योजना मार्गदर्शिका के 1992 के पूर्वार्द्ध में तैयार पहले मसौदे में कहा गया: "अमेरिका की नीति हिन्द महासागर तथा दक्षिण एशिया के अन्य देशों पर प्रभुता हासिल करने की भारतीय आकांक्षाओं को हतोत्साहित करने की होगी। दक्षिण पश्चिम एशिया और मध्य एशिया में स्थिर सुरक्षा माहौल को प्रोत्साहित करने की हमारी रणनीति में सकारात्मक अमेरिका-पाकिस्तान सैन्य संबंध एक महत्वपूर्ण कारक होगा।" भारत-अमेरिका के बीच संयुक्त सैनिक अभ्यासों, जो 1992 में शुरू हुए, तथा भारतीय विदेश व रक्षा मंत्रालयों एवं अमेरिकी प्रशासन के विदेश व रक्षा विभागों के बीच विचार-विमर्श की श्रृंखला के बावजूद इस तरह की बातें कही गईं। ऐसे में दोनों देशों के बीच बढ़ते आर्थिक सहयोग पर आधारित एक अच्छे कार्यविधिक रिश्ते की ही उम्मीद की जा सकती है। परस्पर राजनीतिक विश्वसनीयता के रणनैतिक हितों के एकाकार होने पर आधारित घनिष्ठ रिश्ते की संभावना नहीं दिखती क्योंकि लोकतांत्रिक आदर्शों पर साझा विचार एवं स्वतंत्रता व मानव आजादी पर एकसमान प्रतिबद्धता के बाबजूद भारत और अमेरिका मौजूदा समय में अलग-अलग दुनिया से संबद्ध हैं।

अमेरिकी रक्षा मंत्री पेरी की भारत-यात्रा : सनसनीखेज प्रचार बनाम वास्तविकता

12 जनवरी को डा० विलियम पेरी के नई दिल्ली पहुंचने पर शाम में विदेश मंत्रालय के प्रवक्ता ने प्रेस से बातचीत में कहा कि उस दिन भारतीय नेताओं के साथ हुए विचार-विमर्श में डा० पेरी ने कश्मीर अथवा अप्रसार के मुद्दों को नहीं उठाया। पेरी की यात्रा से चंद दिनों पहले ही पेंटागन के प्रवक्ता ने कहा था कि अमेरिकी रक्षा मंत्री के अपनी भारत यात्रा के दौरान कश्मीर एवं अप्रसार जैसे विवादास्पद मुद्दों पर ध्यान केंद्रित करने की संभावना नहीं है। यद्यपि भारतीय

विदेश मंत्रालय और पेंटागन के प्रवक्ताओं की "दिखावटी" ब्रीफिंग ने संभव है कि अस्थायी तौर पर सभी को शांत कर दिया हो, लेकिन वास्तविकता कुछ और ही है। राजनीतिक मामलों से संबद्ध अमेरिकी विदेश उपमंत्री पीटर टर्नाफ ने वाशिंगटन में 11 जनवरी को यह कहते हुए पेंटागन प्रवक्ता की बातों का खंडन कर दिया कि "भारत-अमेरिका बातचीत में अप्रसार व एमटीसीआर अब भी केंद्रीय मुद्दे हैं।" अब इन सबसे क्या अर्थ निकाला जाए?

इस उपमहाद्वीप के मामले में अमेरिका बुनियादी रणनैतिक तर्कसंगत आधार में कोई बदलाव नहीं आया है। डा॰ पेरी भारत आने से पहले पाकिस्तान गए। इस रुख में यह निहित है कि भारत और पाकिस्तान से अपने संबंधों के मामले में अमेरिका समानता चाहता है।

डा॰ पेरी के रूप में किसी अमेरिकी रक्षा मंत्री की भारत यात्रा सात सालों के बाद हुई, इससे पहले 1988 में रक्षा मंत्री फ्रैंक कालुर्सी ने नई दिल्ली की यात्रा की थी। श्री राजीव गांधी द्वारा सोवियत संघ के आंतरिक घटनाक्रम पर बारीक नजर रखने और फिर गोर्बाचोव व रीगन के बीच बातचीत ने भारत-अमेरिका रक्षा संपर्क की शुरूआत की। राजीव इस निष्कर्ष पर पहुंचे थे कि भारत को अपनी रक्षा तैयारियों के स्रोतों का विविधीकरण करना चाहिए। 1986 से 1989 के मध्य भारत-अमेरिका में विचार-विमर्श का नतीजा यह हुआ कि ले जनरल किर्कलाइटर ने दोनों देशों में सैनिक सहयोग के कई प्रस्ताव रखे, जिनमें से कुछ पर 1991 के मध्य से ही अमल शुरू हो गया। डा॰ पेरी की यह यात्रा शीत युद्ध की समाप्ति और सोवियत संघ के विखंडन के परिप्रेक्ष्य में हुई थी, लेकिन गौर करने वाली बात यह है कि रूसी प्रधानमंत्री चेर्नोमिर्दिन की दिल्ली यात्रा जिस दौरान दोनों देशों में रक्षा नियोजन व सहयोग के समझौते पर दस्तखत हुए—के लगभग एक पखवाड़े बाद अमेरिकी रक्षा मंत्री की भारत यात्रा हुई। डा॰ पेरी ने हमारे प्रधानमंत्री व गृहमंत्री से मुलाकात की। हमारे रक्षा प्रतिष्ठान के शीर्ष सैनिक व असैनिक पर आसीन लोगों के साथ उनकी बैठकें हुईं। इस यात्रा के उद्देश्य, जैसा कि सुस्पष्ट है, थे:

(क) भारत-पाकिस्तान संबंधों की मौजूदा स्थितियों के परिप्रेक्ष्य में रक्षा व रणनैतिक दृष्टिकोणों से उपमहाद्वीप के समग्र राजनीतिक वातावरण का आकलन करना।

(ख) पाकिस्तान के साथ विश्वास बढ़ाने के सैन्य सहयोग संबंधी उपायों को जारी रखते हुए भारत में अमेरिकी दिलचस्पी का स्पष्ट संदेश देना जिससे उपमहाद्वीप में संघर्ष की संभावनाओं को टाला जा सके;

भारत को अपने रक्षा खर्चे में कटौती और सशस्त्र बलों में कमी के लिए समझाना-बुझाना; नाभिकीय हथियारों व प्रक्षेपास्त्रों के अप्रसार की दिशा में वह भारत से कुछ आगे बढ़ने की उम्मीद करते थे।

(ग) वह कश्मीर पर भारत की उभरती नीतियों का आकलन करना चाहते थे।

(घ) यह यात्रा रक्षा आपूर्ति-खास तौर पर हल्के लड़ाकू विमान, भारतीय नौसेना के लिए उपकरणों और इलेक्ट्रानिक साजों सामान से संबद्ध क्षेत्रों में भारत-अमेरिकी संबंधों को और सुदृढ़ करने की संभावनाओं को तलाशने के लिए थी। इस यात्रा के बड़े सुस्पष्ट वाणिज्यिक व आर्थिक उद्देश्य थे।

(ड.) इस उद्देश्य के समानांतार, वह यह भी आकलन करने आए थे कि भारत-रूस सहयोग का भारत-अमेरिका सहयोग पर क्या असर है।

इस यात्रा का व्यावहारिक परिणाम रहा तीन भागों वाला भारत-अमेरिका रक्षा सहयोग पर क्या असर है।

इस यात्रा का व्यावहारिक परिणाम रहा तीन भागों वाला भारत-अमेरिका रक्षा सहयोग समझौता जिस पर डा० पेरी और रक्षा राज्यमंत्री मल्किार्जुन ने हस्ताक्षर किए। समझौते के पहले भाग में अमेरिकी रक्षा विभाग और भारतीय रक्षा मंत्रालय के बीच असैनिक संपर्क की व्यवस्था हैं। दूसरा भाग रक्षा उत्पादन व अनुसंधान के क्षेत्र में सहयोग से संबद्ध है। तीसरा भाग सैन्य सहयोग संबंधी किर्कलाइटर के सुझावों को साकार करता है। यह समझौता भारतीय व अमेरिकी रक्षा प्रतिष्ठानों के बीच लगातार शीर्षस्तरीय राजनीतिक व सैन्य संपर्कों का परिणाम था। 1992 में शरद पवार की अमेरिका यात्रा किसी भी भारतीय रक्षा मंत्री की पहली अमेरिका यात्रा थी।

उक्त समझौता राजनीतिक स्तर पर भारत और अमेरिका के बीच पहला रक्षा समझौता होने के कारण महत्वपूर्ण है। यद्यपि यह मानने के पर्याप्त आधार हैं कि रक्षा के क्षेत्र में भारत-अमेरिका संबंधों में एक सकारात्मक और ठोस शुरूआत हुई है, लेकिन यह शुरूआत अमेरिकी नीतियों के व्यापक दिशानिर्देशों पर आधारित चंद बाध्यताओं पर निर्भर है। समझौते पर दस्तखत के बाद डा० पेरी ने स्पष्ट किया कि इसकी परिणति तत्काल अस्त्र प्रौद्योगिकी हस्तांरण में होने की संभावना नहीं है। उन्होंने बेबाक तरीके से कहा कि "इस समय यह सरोकार का मुख्य क्षेत्र नहीं हो सकता।" समझौते में भी बाध्यताओं की झलक है। इसमें कहा गया कि रक्षा उत्पादन एवं अनुसंधान में विस्तारीकृत भारत-अमेरिकी रिश्ते दोनों

देशों के कानून, नीतियों व समझौते के अनुकूल होंगे। इसका साधारण सा अर्थ है कि जब तक हम अमेरिकी निर्यात व्यवस्थाओं और नाभिकीय व अंतरिक्ष प्रौद्योगिकी से जुड़ी अन्य अंतर्राष्ट्रीय व्यवस्थाओं का पालन नहीं करते, अत्याधुनिक प्रौद्योगिकियों के हस्तांतरण और यहां तक कि वाणिज्यिक आधार पर हमें दिए जाने वाले हथियारों के मामले में भी अमेरिका सतर्कता बरतता रहेगा। डा० पेरी ने एक बार फिर एशिया में सुरक्षा व स्थिरता सुनिश्चित करने में अमेरिकी भूमिका की इच्छा का इजहार किया। उन्होंने कहा कि इस उद्देश्य के अनुरूप चीन, रूस व पाकिस्तान के साथ अपनी रक्षा बातचीत के बारे में अमेरिका भारत को अवगत कराता रहेगा। इसके साथ ही भारत और अमेरिका सहयोग के विस्तृत कार्यक्रम को सलाना आधार पर तैयार करने के लिए एक संयुक्त तकनीकी समुह के गठन पर भी राजी हुए।

डा० पेरी की भारत यात्रा के परिणामों को उनकी पाकिस्तान यात्रा एवं वहां जो कुछ हुआ, उसके परिप्रेक्ष्य में आंकना होगा। पेरी की इस्लामाबाद यात्रा के दौरान लिया गया सर्वाधिक महत्वपूर्ण फैसला था सलाना सुरक्षा विचार-विमर्श के लिए साढ़े चार साल के अंतराल के बाद द्विपक्षीय सलाहकार दल को पुनः बहाल करने पर परस्पर सहमति। यह सलाहकार दल तमाम सुरक्षा मुद्दों पर विचार-विमर्श करेगा। इस पाकिस्तान-अमेरिका सलाहकार दल के बीच विचार-विमर्श की विषय-सूची में क्षेत्रीय सुरक्षा माहौल पर अपनी-अपनी सोच को परस्पर बांटना, संभावित खतरों पर परस्पर विचारों का आदान-प्रदान तथा संयुक्त सैनिक अभ्यास एवं प्रशिक्षण कार्यक्रमों की रूप-रेखा तैयार करना स्थायी रूप से शामिल होंगे।

अमेरिका द्वारा भारतीय संवदेनशीलताओं का ध्यान रखने के बारे में तमाम गलतफहमियां हैं, लेकिन भारत और पाकिस्तान की मौजूदा यात्रा के दौरान डा० पेरी और राबिन राफेल के बयानों से स्थिति साफ हो जाती है। 11 जनवरी, 1995 को इस्लामाबाद में अपने प्रेस संबोधन में डा० पेरी ने कहा:

(क) "मैंन जिस बात पर जोर दिया वह यह कि व्यापक संहार के हथियारों, चाहे वे प्रक्षेपास्त्र हों या फिर नाभिकीय हथियार, से जुड़ी किसी भी गतिविधियों को बढ़ावा न देने में महत्व को समझा जाए। वह आगे कहते हैं:

(ख) "सभी महत्वपूर्ण राजनीतिक मुद्दे कश्मीर के रंग में रंगे हैं। दोनों देशों (भारत और पाकिस्तान) के बीच सामान्य संबंध से पूर्व इसके समाधान की आवश्यकता है।

12 तारीख को नई दिल्ली में अपने शीर्षस्तरीय विचार-विमर्श के बाद संवाददाता सम्मेलन में उन्होंने कहा :

"जबकि भारत के साथ अमेरिका नए सुरक्षा संबंधों की शुरूआत कर रहा है, वाशिंगटन दक्षिण व दक्षिण एशिया के अपने एजेंडे में नाभिकीय व प्रक्षेपास्त्र कार्यक्रमों को काफी ऊपर मानता है। यह महत्वपूर्ण है कि नाभिकीय हथियारों एवं इन्हें ढोने की प्रणालियों का प्रसार किसी होड़ तक न बढ़ जाए... चूंकि भारत और पाकिस्तान, दोनों ही नाभिकीय क्षमता वाले देश हैं इसलिए दांव काफी बड़ा हो जाता है। दोनों राष्ट्रों ने दुनिया के अप्रसार एजेंडे के लिए अलग किस्म का सवाल खड़ा कर दिया है।"

सहायक मंत्री रॉबिन राफेल ने नई दिल्ली में कहा: "हम भारत सरकार से अनुरोध करते हैं कि कश्मीर में राजनीतिक दृष्टि से एक विश्वसनीय प्रक्रिया अपनाए।" पेरी ने भारत की ओर से उनके साथ बातचीत करने वालों से पूरी दृढ़ता के साथ कहा कि प्रक्षेपास्त्रों की तैनाती से तनाव बढ़ता है। भारतीय जनमानस के लिए अन्य दो बिंदु भी सरोकारयुक्त हैं– डा० पेरी का यह कहना कि पाकिस्तान को आतंकवाद बढ़ाने वाले देशों की सूची में डालने के पर्याप्त साक्ष्य नहीं हैं, साथ ही उन्होंने इस बात की पुष्टि भी की कि उपमहाद्वीप में भूकंप तथा नाभिकीय परीक्षणों/घटनाओं पर नजर रखने के लिए अमेरिका पाकिस्तान में एक निगरानी सुविधा स्थापित करने की प्रक्रिया में है। इसके स्पष्ट से निहितार्थों को समझने के लिए किसी विश्लेषण की जरूरत नहीं होनी चाहिए। डा० पेरी की यात्रा का आकलन उन शपथपूर्ण बयानों के परिप्रेक्ष्य में भी किया जाना चाहिए जिन्हें सीआईए के निवर्तमान निदेशक जेम्स वूलसे तथा खुफिया व अनुसंधान से संबद्ध सहायक विदेश मंत्री टोबी टी. गेटी ने जनवरी के प्रथम सप्ताह के दौरान सेंट्रल इंटेलिजेंस कमेटी को दिए। इन दोनों भद्रजनों ने इस इस बात को जोर देकर कहा कि अमेरिकी सरकार और खास तौर पर सीआई एशिया क्षेत्र में नाभिकीय प्रौद्योगिकी, अतंरिक्ष प्रौद्योगिकी, व उन्नत हथियार प्रौद्योगिकी के संदर्भ में परीक्षण, निर्माण तथा निर्यात से जुड़े घटनाक्रमों की बारीक निगरानी कर रही है।

इस बात पर जोर दिया जा रहा है कि सुखानुभूति अथवा अत्यधिक आशावादिता का कोई औचित्य नहीं। निश्चित रूप से चंद शिक्षाविदों तथा सरकारी तबकों द्वारा व्यक्त इस आशावादिता को कोई कारण नहीं कि अप्रसार, शस्त्र नियंत्रण, प्रौद्योगिकी व्यवस्था अथवा प्रौद्योगिकी हस्तातंरण पर भारत के रुख पर अमेरिका अधिक मुरव्वत भरा है। अमेरिकी रक्षा व नाभिकीय नीतियों

के लिए अप्रसार, सीटीबीटी, विखंडनीय पदार्थों के उत्पादन पर अंकुश और कमी करना तथा बिना शर्त अप्रसार संधि को विस्तार देना अब भी केंद्रीय मुद्दे हैं। तुलनात्मक संदर्भों में पाकिस्तान रणनैतिक दृष्टि से अमेरिका के लिए कहीं अधिक महत्वपूर्ण है। डा॰ पेरी की यात्रा की प्रमुख राजनीतिक उपलब्धि यह रही कि इससे भारत-अमेरिका रक्षा संबंध सही परिप्रेक्ष्य में तैयार हुए। इस यात्रा का संदेश यह है कि अमेरिका भारत से आर्थिक व वाणिज्यिक सहयोग के आम रुख के साथ-साथ रक्षा सहयोग को धीरे-धीरे ही विस्तार देना चाहता है। तथा दूसरा संदेश यह है कि यह सहयोग अमेरिकी विदेश एवं रक्षा नीतियों के मूल दिशानिर्देशों पर निर्भर होगा।

पेरी की यात्रा ने निश्चित रूप से भारत-अमेरिका संबंधों में एक और आयाम जोड़ा है, लेकिन यह भारत व अमेरिकी के परस्पर भिन्न सरोकारों की बाध्यताओं पर निर्भर करेगा।

कोलिन पॉवेल नई दिल्ली में – भारत अमेरिका संबंधों पर एक यथार्थवादी नजर

सितंबर के अंत में प्रधानमंत्री अटल बिहारी वाजपेयी ने एक लंबे-चौड़े साक्षात्कार में यह विचार व्यक्त किया कि भारत में इस बात को लेकर कुछ निराशा है कि आतंकवाद के बारे में भारत की चिंताओं पर अमेरिका शायद उतना संवेदनशील नहीं जितना कि भारत ने उम्मीद कर रखी थी। समानांतर रूप से पिछले तीन सप्ताहों के दौरान अमेरिकी प्रतिष्ठान के वरिष्ठ सदस्यों ने मुझसे कहा कि अमेरिका इस बात को लेकर भी निराश है कि भारत यह नहीं समझ रहा है कि आतंकवाद के खिलाफ अमेरिकी अभियान किस हद तक भारतीय हितों व सुरक्षा सरोकारों की रक्षा कर रहा है। उन घटनाओं व सैनिक गतिविधियों का पृष्ठभूमि को दरकिनार करते हुए जिसके तहत अमेरिकी विदेश मंत्री कोलिन पॉवेल ने 15 से 17 अक्टूबर, 2001 के बीच पाकिस्तान व भारत की यात्रा की, परस्पर निराशा के यही वे मनौवैज्ञानिक व राजनीतिक परिप्रेक्ष्य हैं जिसके तहत पॉवेल ने 16-17 अक्टूबर को नई दिल्ली में बातचीत की। जसवंत सिंह आडवाणी और प्रधानमंत्री वाजपेयी के साथ हुई बातचीत का ब्योरा जिस हद तक सार्वजनिक किया जा सकता है, मीडिया द्वारा बताया गया; इसी तरह पॉवेल द्वारा संबोधित संवाददाता सम्मेलन के बारे में भी बताया जा रहा है। यहां मंशा यात्रा के वर्णित आयामों व संबद्ध विश्लेषण से कहीं आगे निकलकर लेखा-जोखा तैयार करना है, यही बात 11 सितंबर को अमेरिका के खिलाफ आतंकवादी हमले के बाद भारत-अमेरिका रिश्ते की भी है।

भारत में नकारात्मक अवधारणाएं अथवा प्रतिक्रियाएं जो अमेरिकी सरकार को निराश करती है; अधोलिखित हैं:

- भारत द्वारा अमेरिका को बिना शर्त पूर्ण समर्थन की पेशकश के बावजूद अफगानिस्तान में केंद्रित अंतर्राष्ट्रीय आतंकवाद के खिलाफ अभियान के लिए अमेरिका ने भारत की तुलना में पाकिस्तान को अपना सक्रिय भागीदार चुना है।
- परिणामस्वरूप अमेरिका पाकिस्तान की ओर झुक गया है और शायद उसने जम्मू-कश्मीर जैसे मुद्दों पर भारतीय हितों के खिलाफ पाकिस्तान को समर्थन भी दिया है।
- भारत के विरूद्ध पाकिस्तान प्रायोजित आतंकवाद के खिलाफ कार्रवाई के प्रति अमेरिका की दिलचस्पी नहीं। अमेरिका का सरोकार केवल उसके, उसके पश्चिम यूरोपीय मित्र राष्ट्रों और जापान जैसे देशों के खिलाफ आतंकवाद से है।
- अफगानिस्तान के बाद संभवतः पश्चिम एशिया के चंद देशों के खिलाफ कार्रवाई कर अमेरिका अपना आतंकवाद विरोधी अभियान खत्म कर देगा और भारत को स्वयं ही आतंकवाद से जुड़ी अपनी समस्याओं से निपटने के लिए छोड़ देगा।
- अमेरिका को समर्थन के बदले पाकिस्तान को आर्थिक व सैन्य सहायता बहाल करने से भारत के खिलाफ पाकिस्तान का आक्रामक रुख और दृढ़ होगा।
- अमेरिका को पाकिस्तानी समर्थन के फलस्वरूप अमेरिका-पाकिस्तान के बीच रक्षा सहयोग व्यवस्थाओं में संभावित विस्तार से भारतीय सुरक्षा हितों पर प्रतिकूल प्रभाव पड़ेगा और इसकी परिणति उपमहाद्वीप में शस्त्रों की होड़ में होगी।
- कोलिन पॉवेल के इस बयान पर भारत पर आपत्ति जताई है कि भारत-पाकिस्तान रिश्तों में जम्मू-कश्मीर एक केंद्रीय मुद्दा है। भारत ने पूरी दृढ़ता के साथ कहा कि केंद्रीय मुद्दा जम्मू-कश्मीर नहीं बल्कि सीमा पार आतंकवाद है।
- भारत को इस बात से निराशा हुई है कि अमेरिका ने पाकिस्तान को आतंकवाद प्रायोजित करने वाला देश घोषित नहीं किया।

- अमेरिका द्वारा छेड़े गए आतंकवाद विरोधी अभियान से भारत के लिए उभरे सकारात्मक परिणामों को भारत के लोगों अथवा मीडिया ने नहीं समझा।
- 17 अक्टूबर को हमारे नेताओं के साथ हुई बातचीत के दौरान कोलिन पॉवेल के सामने इनमें से चंद बातें रखी भी गईं। यह गौर करने की बात है कि भारतीय सरोकारों के प्रति विदेश मंत्री कोलिन पॉवेल की प्रतिक्रिया हठपूर्ण, विवादास्पद अथवा गैर संवदेनशील नहीं थी। उनकी प्रतिक्रिया अधोलिखित तथ्यपरक घटनाक्रमों पर आधारित थीं जो सीधे तौर पर भारत से संबद्ध हैं:
- 11 सितंबर की आतंकवादी घटना के बाद अमेरिका के प्रति भारत ने जिस तरह हमदर्दी जताई और उसे पूर्ण समर्थन की पेशकश की, उससे अमेरिकी जनमानस के साथ-साथ अमेरिकी सरकार की कार्यपालिका एवं विधायिका में भारत को लेकर सच्ची तारीफ भरी है।
- ठोस भू-रणनैतिक व संचालनात्मक कारणों से पाकिस्तान को गठबंधन में भागीदार बनाया गया है क्योंकि तालिबान व अलकायदा के खिलाफ अभियान के लिए युद्ध संबंधी व संचालन सुविधाएं तथा सर्वाधिक विश्वसनीय खुफिया जानकारी उपलब्ध कराने की अपनी क्षमताओं के कारण पाकिस्तान इस अभियान में सर्वाधिक सक्षमता से सहायक हो सकता था।
- पाकिस्तान और अमेरिका के बीच सहयोग से भारत-अमेरिका संबंध किसी भी तरह से खत्म या हल्के नहीं हो सकते। हालांकि यह सार्वजनिक रूप से नहीं कहा गया, लेकिन अमेरिका ने कुछ पूर्व शर्तों (खास तौर पर संचालन संदर्भों में) के तहत ही पाकिस्तान को आतंकवाद विरोधी गठबंधन में साथ रखने का विकल्प चुना।
- इन्हीं के परिणामस्वरूप मुशर्रफ ने अपनी सरकार को अफगानिस्तान के चरमपंथी तालिबान गुटों, ओसामा बिन लादेन व अलकायदा आंदोलन से अलग कर लिया।
- मुशर्रफ को इस बात के लिए बाध्य किया गया कि वे पाकिस्तान में उग्रवादी 'इस्लाम-पसंद' पार्टियों के खिलाफ प्रतिबंधात्मक कार्रवाई करें और इन गुटों के फजलुर रहमान जैसे नेताओं को गिरफ्तार कर जेल में डाल दें।

- मुशर्रफ ने अपनी सेना के 11 में से 7 ऐसे वरिष्ठतम कमांडरों को या तो हटा दिया या उनका तबादला कर दिया जो अमेरिका को उनके सहयोग के खिलाफ थे। ये जनरल, खास तौर पर जनरल अजीज और आईएसआई प्रमुख महमूद अहमद जम्मू-कश्मीर में आतंकवाद को हवा देने में सक्रिय थे।
- कोलिन पॉवेल ने जब इस्लामाबाद में यह कहा था कि भारत-पाकिस्तान रिश्तों को सामान्य बनाने में कश्मीर केंद्रीय मुद्दा है, तो उन्होंने बड़े साफ शब्दों में यह भी कहा था कि जम्मू-कश्मीर विधानसभा पर आतंकवादी हमला गलत था ओर इसे स्वीकार नहीं किया जा सकता। उन्होंने इस बात पर भी जोर दिया था कि कश्मीर मसले का हल भारत-पाकिस्तान के बीच द्विपक्षीय बातचीत से ही करना होगा।
- पूर्व के सरकारी बयानों में अमेरिकी प्रशासन ने इस बात पर जोर दिया था कि जबतक यह बातचीत होती है, मौजूदा नियंत्रण रेखा एवं सीमा का सभी संबद्ध पक्षों द्वारा सम्मान किया जाना चाहिए।
- अमेरिका ने न केवल अलकायदा और यूरोप व अन्यत्र स्थित इससे जुड़े अन्य विदेशी संगठनों बल्कि पाकिस्तान स्थित कुछ अतिवादी इस्लामी गुटों की संपत्तियों पर रोक लगा दी।
- अमेरिका ने बारबार इस बात पर जोर दिया है कि आतंकवाद के खिलाफ यह अभियान लंबा चलेगा और पूरी दुनिया में सभी प्रकार के अंतर्राष्ट्रीय आतंकवाद को निशाना बनाया जाएगा।
- यह भी गौर करने की बात है कि अफगानिस्तान में अमेरिकी सैनिक अभियान से वहां आतंकवादी प्रशिक्षण शिविरों तथा हथियारों के भंडार के खत्म हो जाने से भारत के जम्मू-कश्मीर समेत कहीं भी सक्रिय होने की अफगानिस्तान व पाकिस्तान स्थित आतंकवादियों की क्षमता उल्लेखनीय रूप से कम हो जाएगी।
- इसके साथ ही अमेरिका पाकिस्तान एवं दुनिया के अन्य हिस्सों में अपने नशीले पदार्थ विरोधी अभियान के अतिरिक्त अफगानिस्तान का भी अफीम व अन्य नशीले पदार्थों की उत्पादन क्षमता को नष्ट कर देगा। इससे दक्षिण एशिया क्षेत्र में सक्रिय आतंकवादी गुटों के वित्तीय संसाधन काफी कम हो जाएंगे।
- आतंकवाद के खिलाफ मौजूदा अंतर्राष्ट्रीय गढबंधन के अग्रणी सदस्यों के द्विपक्षीय एवं बहुपक्षीय विचार-विमर्श का भारत एक अभिन्न हिस्सा रहा

है। वरिष्ठ सरकारी अधिकारियों में उच्चस्तरीय बातचीत के अतिरिक्त राष्ट्रपति बुश, राष्ट्रपति पुतिन व प्रधानमंत्री टोनी ब्लेयर की प्रधानमंत्री वाजपेयी से बातचीत इस बात का पर्याप्त सबूत है कि अंतर्राष्ट्रीय आतंकवाद के खिलाफ राजनैतिक प्रक्रियाओं में शीर्ष स्तर पर भारत एक भागीदार है।

- वैधानिक व न्यायिक व्यस्थाओं से अंतर्राष्ट्रीय आतंकवादी गतिविधियों का मुकाबला करने के मसले पर भारत और अमेरिका ने पॉवेल की नई दिल्ली यात्रा के दौरान एक समझौते पर हस्ताक्षर किए जिससे दोनों देशों के बीच आतंकवाद के खिलाफ मौजूदा संस्थागत सलाहकार व्यवस्थाएं और सुदृढ हुई हैं।
- भारत-अमेरिका संबंधों में उभरते सकारात्मक रुखों की कीमत पर अमेरिकी सरकार की पाकिस्तान की ओर झुकने की मंशा नहीं।
- आतंकवाद के खिलाफ अमेरिका को समर्थन की पाकिस्तानी नीतियों के आवेग में मुशर्रफ का भारत के प्रति कहीं अधिक विवेकपूर्ण व व्यावहारिक रुख अख्तियार करने के लिए उनकी सरकार को बाध्य किया जा सकता है, बेशक ये स्थितियां दबाव में और आपत्तियों के साथ बनें। यह भारत-पाकिस्तान के बीच सार्थक बातचीत शुरू करने के एक क्रमिक अभ्यास की शुरूआत के लिए अनुकूल साबित हो सकता है।

इससे यही निष्कर्ष निकाला जा सकता है कि अमेरिकी प्रशासन महसूस करता है कि भारतीय मीडिया व जनमानस इन सकारात्मक रुखों अपने राष्ट्रीय हितों के दायरे में रहते हुए अमेरिका मौजूदा समय में भारत के लिए अधिकतम इतना ही कर सकता था– को समुचित तरीके से संज्ञान में नहीं ले रहा है। जबकि पाकिस्तान आतंकवाद के खिलाफ उनके अभियान में एक सक्रिय भागीदार है, अमेरिका से यह उम्मीद करना कि वह पाकिस्तान को आतंकवाद पोषित करने वाला देश घोषित कर दे, अव्यावहाकिर है।

भारत-अमेरिका के रिश्तों में इसके सभी बहुआयामी अंतर्निहित सामर्थ्य का पोषण करना तथा इसे विस्तार देना अमेरिका का नीतिगत ध्येय है।

कोलिन पॉवेल द्वारा हमारी सरकार को दिए गए संदेश का कमोबेश यही सार था। हमारा ध्यान अफगानिस्तान की भावी आंतरिक राजनीतिक संभावनाओं और भारत के प्रति पाकिस्तान के संभावित नीतिगत दिशानिर्देशों पर केंद्रित होना चाहिए।

अफगानिस्तान में तालिबान सरकार की जगह एक नई सरकार का गठन एक मुश्किल अभ्यास होगा। उत्तरी गठजोड़ में मुख्यत: ताजिक व उजबेक तथा कुछ हजारा हैं। पठान अथवा पख्तुन आबादी के कुल जनसांख्यिक आकार की तुलना में यह तीनों ही अफगानिस्तान में अल्पसंख्यक समुदाय हैं। अफगानिस्तान की किसी भी नई सरकार में पख्तुन जनजाति के विभिन्न हिस्सों का प्रतिनिधित्व करने वाले लोगों को होना ही होगा। और इनकी सोच ऐसी होनी चाहिए कि वे उपरोक्त अन्य जातीय अल्पसंख्यकों के साथ सत्ता बांटना स्वीकार कर सकें।

हाल के वर्षों के दौरान अफगानिस्तान में पख्तुनों व गैर पख्तुनों के बीच की टकरावपूर्ण राजनीति के परिप्रेक्ष्य में नागरिक समाज के सभी जातीय गुटों के प्रतिनिधियों को लेकर गठबंधन का निर्माण एक तनावपूर्ण व नाजुक अभ्यास होगा। फिलहाल पाकिस्तान सरकार के खिलाफ अतिवादी इस्लामी विरोध को कोई और दिशा देने की मंशा से मुशर्रफ सरकार इनका रुख भारत की ओर मोड़ सकती है, यह एक ऐसी स्थिति होगी जिसके गर्भ में भारत के लिए नकारात्मक सुरक्षा निहितार्थ हैं। कोलिन पॉवेल की इस्लामाबाद यात्रा के दौरान पाकिस्तान ने उनके सामने अधोलिखित मांगें रखी। पहली, अमेरिका ओर पाकिस्तान के बीच बहुआयामी रक्षा, राजनीतिक, आर्थिक द्विपक्षीय संबंधों को पूर्णत: बहाल किया जाए। दूसरी, पाकिस्तान की नाभिकीय हथियार व प्रक्षेपास्त्र क्षमताओं से दबाव के साथ-साथ प्रतिबंध भी हटाए जाएं। तीसरी, जम्मू-कश्मीर में हो रही हिंसा को अमेरिका अपने आतंकवाद विरोधी अभियान के दायरे में न ले। चौथी, भारत पर अमेरिका इस बात के लिए समुचित दबाव डाले कि वह जम्मू-कश्मीर मुद्दे पर पाकिस्तान के साथ समझौता करे। पॉवेल का जवाब कथित तौर पर पहली, दूसरी तथा चौथी मांगों के संदर्भ में सकारात्मक था, लेकिन कुछ शर्तों के साथ जो भारतीय चिंताओं और संवेदनशीलताओं के अनुकूल थीं। पाकिस्तान द्वारा पुरजोर तरीके से सामने रखी गई इस बात से कोलिन पॉवेल के लिए समस्या खड़ी हुई होगी कि अफगानिस्तान के खिलाफ अभियान बहुत लंबा न खिंचे तथा इस अभियान के दायरे में अन्य देशों को न लाया जाए।

ऐसे में क्षेत्र में एक उथल-पुथल व अनिश्चित राजनैतिक माहौल का ही अनुमान लगाया जा सकता है जो भारत व पाकिस्तान से अमेरिका के संबंधों के अलावा आने वाले एक-दो दशकों तक हमारे क्षेत्र के रणनैतिक व सुरक्षा वातावरण को प्रभावित करता रहेगा। इन घटनाक्रमों से भारत के लिए दोतरफा केंद्रीय संदेश निकलता है। पहला, हमें अमेरिका अथवा पाकिस्तान की नीतियों को ऐसे ही मानकर अपनी नीतियों का निर्धारण नहीं करना चाहिए। उनकी

नीतियां उनके अपने राष्ट्रीय हितों के अनुकूल होंगी। दूसरा, भारत को आतंकवाद से जुड़ी अपनी समस्याओं को सुलझाने तथा अपने सुरक्षा माहौल के प्रबंधन में आत्मनिर्भर होना पड़ेगा।

भारत-अमेरिका संबंधों में एक नया सक्रियतावाद-संभावनाएं

जनवरी में बुश के सत्ता संभालने के बाद अमेरिकी प्रशासन ने भारत के प्रति जो नीति अख्तियार की है, वह क्लिंटन प्रशासन के प्रथम छह वर्षों के एकदम उलट है क्योंकि तब क्लिटंन की नजर में भारत एक काफी कम दिलचस्पी वाला देश था। 1998 में नाभिकीय परीक्षणों के बाद कहीं जाकर क्लिंटन ने भारत को गंभीरतापूर्वक लेने की जरूरत महसूस की। उन्होंने निश्चित रूप से भारत-अमेरिका संबंधों को ठोस सकारात्मक प्रोत्साहन दिया जिसका भारत में स्वागत हुआ। वहां सत्ता में चिंता की लकीरें खिंच गई थी कि अब अमेरिका से रिश्तों में वही दृढ़ता व आवेग रह पाएगा या नहीं क्योंकि यहां आम सार्वजनिक अवधारणा यही है कि तुलनात्मक रूप से रिपब्लिकन प्रशासन भारत से दूर ही रहा है। लेकिन राष्ट्रपति बुश का रुख और काम करने का उनका ढ़ंग भारत के लिए सुखद आश्चर्य रहा है। अमेरिका की भारत संबंधी नीतियां न केवल बरकरार हैं बल्कि इसमें केंद्रीभूत आशावाद के उभरते हुए तत्व भी हैं।

पिछले साल बुश और वाजपेयी के बीच हुए विचारों के आदान-प्रदान के अलावा जसवंत सिंह व ब्रजेश मिश्रा की बुश प्रशासन की चुनाव प्रचार टीम में शामिल उनके समकक्षों से हुई बातचीत में इस आशय का संकेत दिया गया कि यदि बुश सत्ता में आए तो वह न केवल भारत-अमेरिका रिश्तों के दायरे और स्वरूप को बनाए रखेंगे, बल्कि इसे और बढ़ावा भी देंगे। पिछले साढ़े सात महीनों के दौरान इस आश्वासन को नीतिगत फैसलों तथा सरकारी संपर्कों के रूप में अमली जामा भी पहनाया गया।

ध्यान देने योग्य बाते हैं: राष्ट्रपति बुश, उपराष्ट्रपति डिक चेनी, विदेश मंत्री कोलिन पॉवेल, रक्षा मंत्री डोनाल्ड रम्सफेल्ड, राष्ट्रीय सुरक्षा सलाहकार कोंडोलिजा राइस की पिछले आठ महीनों के दरम्यान विदेश मंत्री जसवंत सिंह तथा हमारे राष्ट्रीय सुरक्षा सलाहकार ब्रजेश मिश्रा के साथ विस्तृत बातचीत हुई। दूसरी महत्वपूर्ण बात यह है कि लगभग चार दशकों में ऐसा पहली बार हुआ कि द्विपक्षीय विचार-विमर्श की आवृत्ती और इसका स्तर पिछली तमाम अमेरिकी सरकारों की तुलना में कहीं बेहतर रहे। इन विचार-विमर्शों के अतिरिक्त विदेश उपमंत्री आर्मिटेज, अमेरिकी सेनाध्यक्षों की समिति के अध्यक्ष हेनरी हयूग शेल्टन तथा दक्षिण एशिया मामलों से संबद्ध सहायक विदेश मंत्री क्रिस्टीना रोक्का ने

भारत की यात्रा की। अमेरिकी व्यापार प्रतिनिधि राबर्ट जोएलिक न केवल द्विपक्षीय व्यापार पर बातचीत करने बल्कि आगामी हफतों में दोहा में अगले दौर की विश्व व्यापार संगठन की प्रस्तावित बैठक में सहयोग की संभावनाएं तलाशने 8 अगस्त को भारत आए।

इस वर्ष की शुरूआत से ही नियमितता के साथ भारतीय विदेश सचिव तथा अमेरिका में राजनीतिक मामलों से संबद्ध विदेश उपमंत्री के बीच विचार-विमर्श होते रहने के बाद भी उपरोक्त महत्वपूर्ण बैठकें हुई। आर्मिटेज तथा जनरल शेल्टन ने राजनीतिक, रणनैतिक, सुरक्षा व रक्षा मामलों में भारत-अमेरिकी रिश्तों का दायरा बढ़ाने की अमेरिकी मंशा का इजहार किया। सहायक मंत्री क्रिस्टीना रोक्का ने इस बात पर जोर दिया कि बुश प्रशासन की मंशा भारत-अमेरिका रिश्तों को पाकिस्तान कारक के चश्मे से देखने की नहीं। अमेरिकी योजनाओं में भारत को एक महत्वपूर्ण व स्वतंत्र सत्ता के रूप में देखा जाता है। व्यापार प्रतिनिधि जोएलिक ने अपने आगमन के तत्काल बाद नीतिगत बयान दिया कि नई आर्थिक व व्यापारिक व्यवस्थाओं को तैयार करने के संदर्भ में अमेरिका भारत को एक प्रमुख हस्ती तथा एक महत्वपूर्ण भागीदार मानता है। उन्होंने भारत के वाणिज्य मंत्री मुरासोली मारन को आश्वासन दिया कि विश्व व्यापार संगठन के समझौतों के तहत चंद प्रावधानों के दोषपूर्ण क्रियान्वयन के मसले पर भारत की चिंताओं का बुश प्रशासन निराकरण करेगा। ये संकेत भारत-अमेरिकी संबंधों के लिए अच्छे हैं। इसका यह भी अर्थ निकलता है कि बुश प्रशासन भारत के प्रति दंडात्मक नीतिगत रुखों- जो मई 1998 में पोखरण के नाभिकीय परीक्षणों के बाद अख्तियार किए गए- से अब अलग हो रहा है। इन रचनात्मक झुकावों को मानते हुए भारत को यह नहीं भूलना चाहिए कि अमेरिका की भारत संबंधी नीतियों के साथ-साथ उसकी आम विदेश नीति बुनियादी रूप से अमेरिका के राष्ट्रीय हितों के बारे में बुश प्रशासन के सरोकारों के अनुकूल होगी, और इसके संबंध में एक अतिरिक्त तथ्य यह है कि मौजूदा अमेरिकी प्रशासन इन हितों को आगे बढ़ाने के मामले में कहीं अधिक सशक्त है।

उपरोक्त सकारात्मक संकेतों का यह अर्थ नहीं कि भारत-अमेरिका संबंधों को प्रभावित करने वाले सभी मुद्दों पर व्यापक सहमति है। अप्रसार के मसले पर दोनों देशों में बुनियादी मतभेद कायम है, लेकिन इस मुद्दे पर भारत के प्रति बुश प्रशासन की सोच में गुणात्मक अंतर है। नया अमेरिकी प्रशासन नाभिकीय मुद्दों पर भारत के खिलाफ तिरस्कारपूर्ण तथा दंडात्मक रुख से पीछे हट रहा है। ऐसा

प्रतीत होता है कि पारंपरिक अप्रसार एजेंडे को लेकर प्रतिबद्ध रहते हुए भी अमेरिका अब भारत के नाभिकीय शस्त्रीकरण की वास्तविकता को स्वीकार करने की ओर झुक गया है। अमेरिका का लक्ष्य यह होगा कि भारत को समझा-बुझाकर नाभिकीय हथियार व पक्षेपास्त्र क्षमताओं को मौजूदा स्तर पर ही रोक देने के लिए रजामंद करे और फिर यह सुनिश्चित करे कि भारत नाभिकीय हथियारों के परीक्षणों के बाद स्वघोषित नीतिगत फैसलों को लेकर प्रतिबद्ध बना रहे। भारत की घोषणाएं थीं– अब और परीक्षण नहीं किए जाएंगे, इन हथियारों का पहले इस्तेमाल नहीं किया जाएगा, वगैरह-वगैरह। अमेरिका इस बात की भी दलील देगा कि भारत अपनी प्रक्षेपास्त्र क्षमताओं को अंतर महाद्वीपीय प्रक्षेपास्त्र (आईसीबीएम) स्तर तक न ले जाए। मोटे तौर पर अमेरिका की नीतिपरक सोच यही होगी कि भारत को अप्रसार के सामान्य दायरे में लाया जाए। अपनी सुरक्षा सुनिश्चित करने के लिए भारत जिन भी अस्त्र प्रणालियों से खुद को लैस करने की जरूरत समझे, उसके इस संप्रभु विवेकाधिकार पर अमेरिका कोई सवाल नहीं उठाएगा, लेकिन भारत के अपनी नाभिकीय व प्रक्षेपास्त्र क्षमताओं में वृद्धि करने के क्या नकारात्मक परिणाम हो सकते है, इस पर अमेरिकी दृष्टिकोण से भारत को पूरी दृढ़ता के साथ अवगत भी कराएगा। अमेरिका का नजरिया व्यावहारिक व यथार्थपरक होगा, टकरावपूर्ण नहीं। इस बात के भी संकेत हैं कि भारत के खिलाफ लगाए गए कुछ प्रतिबंध धीरे-धीरे हटा लिए जाएंगें, इस वजह से नहीं कि अमेरिका समझने लगा है कि प्रतिबंध अनुचित हैं बल्कि इन प्रतिबंधों का भारत पर कोई मूर्त प्रभाव नहीं पड़ा है। इनसे दोनों देशों के बीच विस्तारित सहयोग की संभावनाएं ही सीमित हुई हैं। अमेरिका ने राष्ट्रीय प्रक्षेपास्त्र रक्षा प्रणाली (एनएमडी) का मोटे तौर पर भारत द्वारा अनुमोदन करने का स्वागत किया है, लेकिम अमेरिका महसूस करता है कि भारत ने बाहरी अंतरिक्ष के शस्त्रीकरण का समर्थन नहीं किया। भारत की प्रतिक्रिया बड़ी सतर्कता के साथ तैयार की गई। भारत ने एनएमडी के केवल उन खंडों के औचित्य का समर्थन किया है जिनका लक्ष्य नाभिकीय हथियारों और प्रक्षेपास्त्रों को खत्म करना है। यह एक सुक्ष्म भेद है जिसपर सार्वजनिक तौर पर गौर नहीं किया गया। लेकिन इस विषय पर भारत के रुख की तार्किकता को बुश प्रशासन समझता है। यद्यपि वह विस्तारीकृत आर्थिक व वाणिज्यिक सहयोग की संभावनाओं को समझता है, लेकिन जिस तरह से भारत में महत्वपूर्ण अमेरिकी परियोजनाओं के लिए मुसीबतें खड़ी हुईं– इनमें प्रमुख है एनरॉन परियोजना उसपर अमेरिका को आपत्ति भी है। जोएलिक के तमाम आश्वासनों के बावजूद भारत और अमेरिका के बीच विश्व

व्यापार संगठन के ढांचे की व्याख्या के मुद्दे पर मतभिन्नता है क्योंकि ये द्विपक्षीय व्यापार संबंधों को प्रभावित करते है। आशा की जानी चाहिए कि जोएलिक की यात्रा एक-दूसरे के रुख के स्पष्टीकरण के उद्देश्यों को पूरा करेगी। यद्यपि इस बारे में कोई भ्रम नहीं पालना चाहिए कि विश्व व्यापार संगठन के मुद्दों पर अमेरिकी सोच में कोई नरमी आएगी, खास तौर पर अमेरिकी अर्थव्यवस्था में मौजूदा मंदी के परिप्रेक्ष्य में।

आगरा में भारत-पाकिस्तान शिखर वार्ता के बारे में अमेरिका की प्रतिक्रियाएं महत्वपूर्ण रूप से सूक्ष्म अर्थभेद युक्त रही हैं। जिस तरह से शिखर वार्ता खत्म हुई, बुश प्रशासन ने उसके आलोचनात्मक आकलन से खुद को बचाया है। अमेरिका के सरकारी प्रवक्ता ने प्रधानमंत्री वाजपेयी की पहल का स्वागत किया और कहा कि आगरा शिखर सम्मेलन की स्पष्टतः विफलता के बावजूद राजनीतिक व आधिकारिक स्तरों पर द्विपक्षीय बातचीत जारी रखने के भारत-पाकिस्तान के फैसले का अमेरिका समर्थन करता है। इस बात को रेखांकित करते हुए कि यद्यपि अमेरिका इस प्रक्रिया को प्रोत्साहित करेगा लेकिन किसी भी मध्यस्थतापूर्ण भूमिका की उसकी कोई मंशा नहीं, अमेरिका अत्यधिक सतर्क और राजनीतिक रूप से सही रहा है। जिन दो मुद्दों पर भारत और अमेरिका के विचारों में एकरूपता है, वे हैं द्विपक्षीय आर्थिक सहयोग को विस्तार देना तथा आतंकवाद से निपटने के लिए द्विपक्षीय व्यवस्थाओं को सांस्थानिक सुदृढ़ता देना। इन दोनों क्षेत्रों में सहयोग को सार्थक बनाने के लिए दोनों पक्षों की ओर से सरकारी और गैरसरकारी कदमों की उम्मीद की जानी चाहिए इस बात पर भी गौर करना चाहिए कि राष्ट्रपति बुश ने कई देशों से मिले आमंत्रण के बीच भारत यात्रा का न्योता स्वीकार कर लिया है जो अगले साल यानी 2002 में हो सकती है।

इन सबसे यह निष्कर्ष निकलता है कि भारत-अमेरिका संबंध कम-से-कम ऐसे मुकाम पर पहुंच चुके हैं जहां व्यावहारिक संदर्भो में स्थायी और यथार्थपरक रिश्ते की उम्मीद की जा सकती है।

वाशिंगटन में वाजपेयी:- भारत-अमेरिका संबंधों में स्वआरोपित मतभेद

समकालीन इतिहास में सर्वाधिक कुशल विदेश मंत्री/कूटनीतिज्ञ थे चार्ल्स मौरिस टेलीरैंड (1754-1838)। उनके सिद्धांत हैं कि किसी भी देश के विदेश संबंधों के आचरण में तीन परिस्थितियों को टालना चाहिए : अति उत्साह

(अथवा अति रूचि) नहीं होना चाहिए, अत्यधिक दुश्चिंतता नहीं होनी चाहिए और तीसरी, एक बार जब किसी नीति पर फैसला हो जाए, उसके क्रियान्वयन में स्थायित्व होना चाहिए। यदि इस वर्ष सितम्बर से भारत-अमेरिका संबंधों तथा 7-10 नवम्बर के द्वौरान प्रधानमंत्री वाजपेयी की वाशिंगटन और न्यूयार्क की यात्रा के परिणामों का आकलन किया जाए तो अनिवार्यतः यही निष्कर्ष निकलेगा कि भारत सरकार ने टेलीरैंड के तीनों ही सिद्धांतों को पूरी तरह नजरअंदाज किया।

पहला, अति उत्साही होने का मुद्दा। 11 सितंबर को अमेरिका में हुए आतंकवादी हमले के उपरांत अमेरिका को पूर्ण, अबाध समर्थन व पूर्ण सहयोग की घोषणा करने वाला भारत पहला देश था और वाजपेयी की यात्रा इसी परिप्रेक्ष्य में हुई। हमने यह फैसला तब लिया जब नाटो में अमेरिका के सर्वाधिक करीबी मित्र राष्ट्रों ने भी अपने समर्थन तथा इस समर्थन के व्यावहारिक स्वरूप की घोषणा नहीं की थी। न ही हमारे इस नीतिगत फैसले में इस बात का आकलन शुमार था कि अन्य दो प्रमुख शक्तियां रूसी परिसंघ और चीन न्यूयार्क-वाशिंगटन में हुई दुखद हिंसा पर किस तरह की प्रतिक्रिया देने जा रही हैं। हमारे उलट रूस और चीन के अमरीका में हुई त्रासदी की निंदा की और अंतर्राष्ट्रीय आतंकवाद के खिलाफ अभियान के लिए मोटे तौर पर समर्थन की घोषणा करते हुए कहा कि यह अभियान कहीं अधिक कारगर एवं विश्वसनीय होगा यदि इसे संयुक्त राष्ट्र के तत्वावधान में चलाया जाता है। चीन ने एक कदम और आगे बढते हुए अपनी नीतिगत प्रतिक्रिया में अपने राष्ट्रीय सरोकारों को भी शुमार कर दिया। उसने कहा कि अंतर्राष्ट्रीय आतंकवाद के खिलाफ प्रस्तावित अभियान के दायरे में आतंकवाद व अलगाववाद को भी लाया जाना चाहिए। आरंभिक नीतिगत बयानों में उन्होंने हमारे खिलाफ चल रहे पाकिस्तान प्रायोजित आतंकवाद के बारे में विशेष रूप से कुछ भी नहीं कहा। हमारे सरकारी प्रतिनिधि की दलील है कि अमेरिका को समर्थन की घोषणा करते वक्त यदि हम अपनी ही समस्याओं को उठाते तो यह एक सस्ता व अवसरवादी तोल-मोल की कवायद जान पड़ता। किसी भी अन्य देश की नीतिगत प्रतिक्रियाओं में इस तरह की कोई वर्जना नहीं थी। हमारे उत्प्रेरण अति आशावादिता और अमेरिका से एकतरफा अपेक्षाओं पर भी आधारित थे, जो तर्कसंगत नहीं। हमारा अनुमान था कि बिना शर्त समर्थन की घोषणा करने वाला पहला देश होने के कारण भारत की स्थिति और होगी तथा अफगानिस्तान में अपने आतंकवाद विरोधी अभियान के मामले में की तुलना में भारत पर अमेरिका कहीं अधिक निर्भर करेगा। दूसरी,

हमने यह अपेक्षा कर ली कि पूर्ण समर्थन की हमारी घोषणा की स्वाभाविक परिणति यह होगी कि अमेरिका अपने अभियान में भारत के खिलाफ पाकिस्तान प्रायोजित आतंकवाद को भी शामिल कर लेगा। तीसरा, हमारे समर्थन के फलस्वरूप अमेरिका जम्मू-कश्मीर पर पाकिस्तान की तुलना में हमारी बुनियादी स्थिति तथा समझौता-वार्ता संबंधी रुख का कहीं अधिक समर्थक होगा। चौथा, यह कि जम्मू-कश्मीर में अलगाववादी आतंकवाद के मसले पर यदि नियंत्रण रेखा के पार पाकिस्तान में कार्रवाई करने की नौबत आई तो अमेरिका इसपर आपत्ति नहीं करेगा। पांचवां, मुशर्रफ सरकार के चरित्र के खिलाफ विरोधों और लोकतांत्रिक देशों के तौर पर भारत और अमेरिका के साहचर्य के मद्देनजर यह अभियान पाकिस्तान को अलग-थलग कर देगा और इससे मुशर्रफ पर इस बात का दबाव बनेगा कि वह भारत के प्रति विवेकशील रुख अख्तियार करें। इनमें से कोई भी अपेक्षा उस तरह से पूरी नहीं हुई जैसा अनुमान किया गया। मुशर्रफ की स्थिति जिन भी विरोधी और मतभेदों की वजह से नातुक रही हो, उन्होंने इसके बाद भी समर्थन दिया और कम-से-कम अल्पकालिक तौर पर तो वह आतंकवाद के खिलाफ मौजूदा अभियान में अमेरिका के निकटस्थ एवं सर्वाधिक सक्रिय सहयोगी बन गए हैं। ऐसा नहीं कि अमेरिका ने पाकिस्तान की हर मांग मान ली है : उनकी कई भारत-विरोधी मांगों को नजरअंदाज या खारिज कर दिया गया, लेकिन अमेरिका ने जम्मू-कश्मीर पर उनकी नीतियों के खिलाफ कोई सवाल नहीं उठाया और राष्ट्रपति बुश ने भारत को विशेष तौर पर हिदायत दी कि जबतक अफगानिस्तान अभियान खत्म नहीं हो जाता है, वह पाकिस्तान के खिलाफ कोई कार्रवाई नहीं करे। इस सलाह का निहितार्थ यही था कि भारत जितनी जल्दी हो सके, कश्मीर मसले पर मुशर्रफ के साथ द्विपक्षीय बातचीत शुरू करे।

जहां तक दुश्चिंताओं की बात है, अमेरिका के साथ हमारे सरकारी एवं सार्वजनिक अंतर्व्यवहार की यह सर्वाधिक प्रभावी खासियत है।

'टाइम्स ऑफ इंडिया' के दिलीप पदगांवकर को दिए एक साक्षात्कार में प्रधानमंत्री वाजपेयी ने कहा कि अमेरिका के लिए भारत द्वारा समर्थन की घोषणा कर देने के बावजूद भारत के सरोकारों के प्रति अमेरिका के रुख को लेकर भारत में निराशा है। इस बात की चिंता थी कि पाकिस्तान ने अमेरिका के साथ मित्रता और परस्पर विश्वास की वह स्थिति फिर से पा ली है जिसे उसने 1999 से खो रखा था। इस बात की भी चिंता थी कि इसके परिणामस्वरूप अमेरिका फिर से कश्मीर मुद्दे पर मुशर्रफ का मोटे तौर पर समर्थन करने लगेगा।

इन अवधारणाओं को तब कुछ आधार मिला जब विदेश मंत्री कोलिन पॉवेल, अमेरिकी रक्षा मंत्री डोनाल्ड रम्सफेल्ड व राष्ट्रीय सुरक्षा सलाहकार कोंडोलिजा राइस ने जसवंत सिंह, जॉर्ज फर्नांडिस एवं ब्रजेश मिश्रा से बातचीत के बाद अल्पभाषी अथवा ताल-मटोल वाले बयान दिए। पिछले ढाई महीनों के दौरान यह अल्पभाषिता तब विशेष तौर पर रही जब संवाददाता सम्मेलनों अथवा सार्वजनिक घोषणाओं में जम्मू-कश्मीर से जुड़े मुद्दों पर टिप्पणियां की गईं। इन मुद्दों पर हमारा दुश्चिंताओं से घिरे जाने का कोई कारण नहीं है।

तालिबान व अलकायदा के खिलाफ अपने आतंकवाद विरोधी अभियान में अमेरिका ने क्यों पाकिस्तान के साथ निकट सहयोगपूर्ण विन्यास किया, इस बात के बड़े स्वाभाविक भू-रणनैतिक, व्यावहारिक व राजनीतिक कारण हैं। हमें इस बात को भी याद रखना चाहिए कि यद्यपि 1999 में पाकिस्तान के कारगिल दुस्साहस के प्रति अमेरिकी रुख आलोचनात्मक था, फिर भी कश्मीर मुद्दे पर अमेरिका की नीतियों में कोई ठोस बदलाव नहीं आया था।

फिर प्रधानमंत्री वाजपेयी का वाशिंगटन में बुश से विचार-विमर्श और न्यूयार्क में अन्य विश्व नेताओं से उनकी बातचीत का क्या परिणाम निकला? इस यात्रा से वाजपेयी एवं उनके वरिष्ठ सलाहकारों की सर्वोच्य स्तर पर अमेरिकी नेतृत्व के साथ निजी जान-पहचान हुई जिसके बाद अंतर्राष्ट्रीय आतंकवाद के खिलाफ अभियान के दायरे से बाहर निकलते हुए भारत-अमेरिका संबंधों के सभी पहलुओं पर व्यापक विचार-विमर्श हुआ।

अब भारत और अमेरिका के बीच रक्षा सहयोग के विस्तार की संभावनाएं हैं जिसकी पुष्टि रम्सफेल्ड ने यह कहते हुए की कि एशिया क्षेत्र में दीर्घकालिक स्थिरता और सुरक्षा सुनिश्चित करने के लिए "भारत के साथ रणनैतिक सहयोग" की आवश्यकता है। वाजपेयी और बुश दोनों देशों के आर्थिक व खास तौर पर उच्च तकनीक व्यापार के क्षेत्र में, द्विपक्षीय रिश्तों को बढ़ाने एवं इनमें नई जान डालने के लिए विशिष्ट पहल के लिए सहमत हुए। भारत में अमेरिकी राजदूत राबर्ट ब्लैकविल ने कहा कि वाजपेयी से बातचीत के बाद उम्मीद है कि भारत-अमेरिका के बीच द्विपक्षीय उच्च तकनीक व्यापार में आगामी दशक के दौरान 70 से 80 फीसदी का इजाफा होगा। ब्रजेश मिश्रा एवं राष्ट्रपति बुश के मुख्य आर्थिक सलाहकार लैरी लिंडसे को इस महत्वपूर्ण फैसले के क्रियान्वयन की देखरेख के लिए अधिकृत किया गया है।

बुश और वाजपेयी के बीच एक अन्य महत्वपूर्ण सहमति हुई जिसके तहत इन दोनों नेताओं ने अपने-अपने संबद्ध अधिकारियों एवं विशेषज्ञों को निर्देश दिया कि 'वासेनर एंड न्यूक्लियर सप्लायर्स ग्रुप' प्रौद्योगिकी व्यवस्थाओं पर काम तथा

उन रास्तों की तलाशें जिससे उच्च प्रैद्योगिकी निर्यात नियंत्रण से संबद्ध प्रक्रियात्मक समझौतों के जरिये नाभिकीय एवं अतंरिक्ष प्रौद्योगिकी के क्षेत्र में भारत-अमेरिका सहयोग बहाल किया जा सके। ऐसे सहयोग पर फिलहाल रोक है। इसका अर्थ यह हुआ कि भारत के नाभिकीय और प्रक्षेपास्त्र शस्त्रीकरण के मसले पर अमेरिका का रुख नरम पड़ा है, यद्यपि अमेरिका अप्रसार पर अपने ऐजेंडे को लेकर प्रतिबद्ध बना रहेगा।

हो सकता है कि पाकिस्तान प्रायोजित आतंकवाद के मसले पर अमेरिका की प्रतिक्रिया भारत के लिए पूर्णतया संतोषजनक न रही हो, लेकिन संयुक्त राष्ट्र में बुश का यह संबोधन कि न सिर्फ एक बल्कि हर प्रकार के आतंकवादियों के खिलाफ पूरी दुनिया को एकजूट हो जाना चाहिए तथा उनकी इस चेतावनी कि आतंकवादियों को समर्थन और पनाह देने वाले देशों को इसकी भारी कीमत चुकानी पड़ेगी, से साफ संकेत मिलते हैं कि अंतर्राष्ट्रीय व सीमा-पार आतंकवाद के खिलाफ भारत-अमेरिका सहयोग के सार रूप तथा दायरे में विस्तार होगा। बुश ने कश्मीर पर वाजपेयी को न उपदेशात्मक झिड़की लगाई और न ही अमेरिका की किसी तरह की मध्यस्थतापूर्ण भूमिका का सुझाव रखा बल्कि भारत के इस रुख का समर्थन किया कि कश्मीर मुद्दा द्विपक्षीय तौर पर हल किया जाना चाहिए। दूसरी ओर, पाकिस्तान को मिल रही सैनिक व आर्थिक रियायतों से जम्मू-कश्मीर पर मुशर्रफ के अक्रामक रुख को मजबूती मिलेगी। अल्पकालिक तौर पर पाकिस्तान के बढ़े राजनैतिक प्रभाव और बेहतर सैन्य ताकत के साथ सामंजस्य बैठाने के लिए भारत को खुद को तैयार करना होगा। राष्ट्रपति बुश के साथ अपने विचार-विमर्श के अंत में जारी संयुक्त बयान में कश्मीर मुद्दे की केंद्रीयता का जिक्र करने के लिए अमेरिका को तैयार करने में मुशर्रफ कामयाब रहे। यद्यपि वाजपेयी की अमेरिका यात्रा की उपलब्धियों का यह कोई खराब लेखा-जोखा नहीं है, फिर भी इस बात पर गौर करने की जरूरत है कि भारतीय नीतियां टेलीरैंड के तीसरे सिद्धांत एक बार जब किसी नीति पर सहमति हो जाए तो उसको लेकर निरंतरता सुनिश्चित करना– के अनुकूल नहीं रहीं। इस आशय की खबरें हैं कि अमेरिका अधोलिखित विशिष्ट क्षेत्रों में भारत के साथ रक्षा सहयोग को बढ़ाना चाहता था : हिन्द महासागर में अमेरिकी जहाजों के लिए भारतीय नौसेना की ओर से सुरक्षा, भारतीय भू-भाग में अमेरिकी सैनिकों के लिए प्रशिक्षण सुविधाएं, अमेरिकी नौसेना के जहाजों के लिए भारतीय बंदरगाहों पर ठहरने व मरम्मत की सुविधाएं तथा बंगाल की खाड़ी व अरब सागर में अमेरिकी नौसेना के लिए सैन्य संचालन संबंधी मदद। इन प्रस्तावों

की मीडिया में इस टिप्पणी के साथ प्रचार हुआ कि भारत ने इनमें से कुछ सुझावों को ठुकरा दिया है। जसवंत सिंह ने इन रिपोर्टों को आधारहीन करार देकर खारिज कर दिया। जबकि उन्होंने वाशिंगटन में उक्त आशय का बयान दिया, भारत के रक्षा मंत्री जॉर्ज फर्नांडिस ने नई दिल्ली में कहा कि इन प्रस्तावों में से कुछ पर उनके और रम्सफेल्ड के बीच बातचीत हुई है और भारत सावधानीपूर्वक विचार के बाद इन प्रस्तावों पर अमेरिका के साथ सहयोग के खिलाफ नहीं है।

मौजूदा समय में संभवत: हमारी नीति हर तरह से अमेरिका का पूर्ण समर्थन करने तथा उस देश के साथ निकट संबंध स्थापित करने की है। यदि ऐसा ही है तो जसवंत सिंह द्वारा व्यक्त विचारों और इस नीति में विरोधाभास है जबकि पिछले तीन वर्षों के दौरान वह खुद इस नीति के प्रमुख वास्तुकार रहे। जसवंत सिंह के दावों का फर्नांडिस द्वारा खंडन करने से यही ध्वनि निकलती है कि भारत दुविधा में है और भारत-अमेरिकी सहयोग के अत्यंत महत्वपूर्ण पहलुओं पर उसने मन नहीं बनाया है। यह विरोधाभास अमेरिका से हमारे उभरते रिश्तों के खास पहलुओं पर भारतीय जनता की मतभिन्नता को दर्शाता है। लेकिन विश्व के प्रमुख शक्ति केंद्रों, खास तौर पर अमेरिका से अपने संबंधों के निर्धारण के लिहाज से यह आवश्यक है कि हमने दीर्घकालिक हितों को लेकर बोधागम्य रहें, अपनी प्राथमिकताओं के बारे में बिल्कुल स्पष्ट रहें तथा अपने फैसलों के संदर्भ में सामंजस्यपूर्ण एवं निश्चित रहें। वाजपेयी-बुश मुलाकात के सकरात्मक परिणामों के बावजूद अमेरिका के प्रति हमारी नीतियां विरोधाभासों, संदेहों तथा अस्पष्टता से घिरी हैं। यह समय न केवल अपने अल्पकालिक बल्कि दीर्घकालिक सुरक्षा हितों के प्रति उद्देश्यपूर्ण होने बल्कि सोच-विचार कर तय प्राथमिकताओं पर ध्यान केंद्रित करने का है।

13

आतंकवाद के खिलाफ लड़ाई : भारत-पाक संबंध

भारत की पाकिस्तान नीतियां–सहयोग की जरूरत

13 दिसम्बर, 2001 का भारतीय संसद पर आतंकवादी हमले के उपरांत भारत ने अपनी पाकिस्तान नीतियों को बदलते हुए किसी संभावित घटना से निपटने के लिए आवश्यक पूर्व कार्रवाई को इसमें उच्च महत्व दे दिया है। भारत-पाकिस्तान संबंधों में तनाव एकदम स्पष्ट है और मोटे तौर पर राजनीतिक प्रतिफल भी कहीं अधिक। पाकिस्तान पर दबाव बनाने के लिए भारत के कूटनीतिक, राजनीतिक एवं सैन्य कदमों तथा पिछले दशक से अपने खिलाफ पाकिस्तान की ओर से चलाए जा रहे छद्म युद्ध से निपटने में भारत द्वारा कहीं अधिक निर्णायक होने का संकेत देने के बारे में प्रतिक्रियाओं के मोटे तौर पर तीन प्रतिमान उभरे हैं। इस बात को लेकर सामूहिक अंतर्राष्ट्रीय राय में चिंता है कि भारत और पाकिस्तान ऐसे सैन्य संघर्ष में न उलझ जाएं जिसमें नाभिकीय टकराव को खतरा हो। दूसरा, भारतीय जनमत में इस तरह की बात उभर रही है कि भारत को पाकिस्तान पर दबाव बनाने की नीतियों में ढील नहीं देनी चाहिए, खास तौर पर भारत-पाकिस्तान सीमा व नियंत्रण रेखा पर बड़े पैमाने पर सशस्त्र सेनाओं की तैनाती से जुड़े सैन्य दबाव के मामले में। तीसरा, इस तरह का मत है कि भारत द्वारा बनाए गए दबावों ने इस समय संभव सीमा तक भारत के उद्देश्यों को पा लिया है– राष्ट्रपति मुशर्रफ पर असर तथा भारतीय चिंताओं पर अंतर्राष्ट्रीय समुदाय के रुख के संदर्भों में– इसलिए भारत को नीतिगत दिशानिर्देशों अथवा घोषित उद्देश्यों के मर्म को बगैर बदले अपने रुख को नरम बनाने पर विचार करना चाहिए।

यह स्पष्ट है कि पाकिस्तान से हमारे व्यवहार का मौजूदा दौर ऐसे स्तर पर पहुंच गया है कि हमें अमेरिकी दबावों के प्रति पाकिस्तान की प्रतिक्रिया तथा

पिछले वर्ष दिसम्बर से भारत–पाकिस्तान के बीच तनाव के उच्च स्तर को खत्म करने के लिए सक्रियतापूर्वक जुटी प्रमुख विश्व शक्तियों के आकलनों एवं विचारों के परिप्रेक्ष्य में अपनी पाकिस्तान नीतियों के सूक्ष्म भेद की समीक्षा करनी होगी।

पिछले चार हफ्तों के दौरान असामान्य रूप से बड़ी संख्या में कई देशों के उच्चस्तरीय प्रतिनिधि भारत आए। इनमें से प्रमुख हैं ब्रिटिश प्रधानमंत्री टोनी ब्लेयर, चीन के प्रधानमंत्री झू रोंग्जी, अमेरिकी विदेश मंत्री कोलिन पॉवेल, हेनरी किसिंगर। जब यह पुस्तक प्रकाशित होगी, रूसी विदेशमंत्री आइगर इवानोव भी भारत में होंगे। कई अरब देशों के वरिष्ठ सरकारी प्रतिनिधि भी भारत आए। गौर करने वाली बात यह है कि चीन के प्रधानमंत्री को छोड़कर ये तमाम यात्राएं संबद्ध विदेशी सरकारों की पहल पर हुईं। इस बात पर ध्यान देना भी जरूरी है कि इन देशों के प्रतिनिधियों की सामानांतर रूप से पाकिस्तान सरकार से भी बातचीत हुई। ये यात्राएं मुख्य रूप से भारत–पाकिस्तान के मौजूदा तनाव पर केंद्रित रहीं। इन यात्राओं के माध्यम से अंतर्राष्ट्रीय समुदाय द्वारा प्रदर्शित रुख व सरोकारों पर हमें ध्यान देना होगा। इसके साथ ही विदेशी सरकारों के इन उच्चस्तरीय प्रतिनिधियों द्वारा हमें दिए गए सुझावों के उत्प्रेरण का भी हमें आकलन करना होगा। यह स्पष्ट है कि अंतर्राष्ट्रीय समुदाय और खास तौर पर बड़ी शक्तियों के बीच इस बात को लेकर पूर्णरूपेण सहमति है कि भारत व पाकिस्तान को संयम बरतना चाहिए और विशेष तौर पर भारत को अपने खिलाफ पाकिस्तान तथा विध्वंस फैलाने वाले उसके आतंकवादी एजेंटों की उकसावे की कार्रवाइयों के बावजूद धीरज रखना चाहिए। संयुक्त राष्ट्र सुरक्षा परिषद के पांच में से चार स्थायी सदस्यों अमेरिका, ब्रिटेन, रूस व चीन के प्रतिनिधियों ने नई दिल्ली में हमारे प्रधानमंत्री, गृह मंत्री तथा विदेश मंत्री से मुलाकात कर भारत को नरमी, संयम एवं सतर्क रुख अपनाने की सर्वसम्मत सलाह दी। इन प्रतिनिधियों ने इस सर्वसम्मत आकलन से भी भारत को अवगत कराया कि भारत के राजनीतिक–कूटनीतिक एवं सैन्य कदमों का मुशर्रफ पर इच्छित प्रभाव पड़ा है जिसके परिणामस्वरूप मुशर्रफ ने पाकिस्तान में अतिवादी धार्मिक संगठनों एवं आतंकवादी गुटों के खिलाफ प्रभावी व अकुंशपूर्ण कार्रवाई की है। बड़ी शक्तियों के दूतों ने इस बात की वकालत की कि भारत को दक्षिण एशिया में शांति व स्थिरता के व्यापक हित में पाकिस्तान के खिलाफ अपने निर्णयात्मक एवं टकरावपूर्ण रुख से पीछे हटना चाहिए।

हमें दिए गए सुझावों में शिष्टाचार व कूटनीतिक व्यवहार कौशल को पूरे खिसकाकर बात की जाए तो अमेरिका एवं अन्य महत्वपूर्ण शक्तियों का यह

स्पष्ट आकलन है कि राष्ट्रपति मुशर्रफ ने अपने देश में धार्मिक उग्रवाद तथा आतंकवाद पर अंकुश एवं इन्हें खत्म करने के लिए ईमानदार एवं प्रतिबद्ध प्रयास शुरू किए हैं और इसीलिए भारत को उन पर अत्यधिक दबाव बनाकर नहीं रखना चाहिए क्योंकि संभव है कि इसकी परिणति कुछ इस प्रकार हो कि मुशर्रफ पिछले तीन हफ्तों के दौरान की गई नीतिगत पहल से पीछे हट जाएं। इस आशय का विचार व्यक्त किया गया कि भारत द्वारा मुशर्रफ पर डाला जा रहा दबाव कम कर देने से न केवल दोनों देशों के बीच तनाव का स्तर नीचे आएगा बल्कि इससे उग्रवादियों/आतंकवादियों के खिलाफ अपनी नीतियों को बरकरार रखने के संदर्भ में मुशर्रफ के हाथ और मजबूत होंगे। भारत के लिए यह बुद्धिमत्तापूर्ण एवं व्यावहारिक होगा कि वह मुशर्रफ को बचाव की किसी मुद्रा में ढकेलने की जगह उनके प्रयासों का समर्थन करे। विशेष तौर पर अमेरिका एवं पश्चिमी लोकतांत्रिक देशों के कहीं बड़े उत्प्रेरण है पहला और सबसे महत्वपूर्ण यह कि भारत-पाकिस्तान टकराव का टाला जाना चाहिए क्योंकि इससे पश्चिम एशिया में अलकायदा एवं उससे जुड़े संगठनों के खिलाफ अमेरिका के नेतृत्व में चलाए जा रहे आतंकवाद विरोधी अभियान में बाधा आएगी। दूसरा, भारत और पाकिस्तान को किसी भी नाभिकीय टकराव में उलझने से रोकना। तीसरा, अमेरिका एवं पश्चिमी देशों का मुशर्रफ ने जिस तरह समर्थन दिया है, उसे देखते हुए पाकिस्तान में उनकी प्रभुता बनी रहनी चाहिए। यह महत्वपूर्ण है कि मौजूदा समय में मोटे तौर पर रूस और चीन के उत्प्रेरण भी यही हैं।

इन उत्प्रेरणों से यह दीर्घकालिक उद्देश्य भी जुड़ा है कि भारत-पाकिस्तान अपने परंपरागत नजरिये से हटते हुए कश्मीर समस्या के समाधान के लिए कुछ ठोस कदम उठाएं क्योंकि यदि कश्मीर समस्या का समाधान नहीं हुआ तो यह टकरावपूर्ण स्थिति के लिए बंदूक की लिबलिबी जैसा काम करती रहेगी। यद्यपि ये शक्तियां भारत के त्रास और उसकी चिंताओं को स्वीकार करती हैं, लेकिन उनका मानना है कि क्षेत्रीय स्थिरता के कहीं बड़े हित के मद्देनजर भारत को नरम होना चाहिए। भारत की पाकिस्तान नीतियों को इन रुखों के अनुकूल होना पड़ेगा क्योंकि इन मुद्दों पर दुनिया की सभी महत्वपूर्ण शक्तियों के नजरिये में सहमति है। तथापि यह अनुक्रिया भारत के सुरक्षा एवं राजनीतिक हितों की कीमत पर नहीं की जा सकती। ठोस रूप से इसे जमीनी वास्तविकताओं के आधार पर ही भारत की पाकिस्तान नीतियों में शुमार करना होगा। प्रधानमंत्री वाजपेयी एवं विदेश मंत्री जसवंत सिंह ने प्रमुख विदेशी प्रतिनिधियों से यही कहा।

इसलिए अब भारत के प्रति पाकिस्तान की नीतियों के बिल्कुल ताजा अवयवों की ओर रुख करते हैं। मुशर्रफ द्वारा जैश-ए-मोहम्मद, लश्कर-ए-तोइबा पर प्रतिबंध लगाने; उनकी संपत्तियों पर रोक लगाने तथा पाकिस्तानी प्रशासन द्वारा करीब 1900 इस्लामी कट्टरपंथियों को हिरासत में लेने के बारे में काफी कुछ कहा गया है। 12 जनवरी को दिए गए मुशर्रफ के भाषण की पाकिस्तान की भारत संबंधी नीतियों में बड़े बदलाव की शुरूआत के तौर पर व्याख्या की जा रही है। अब सवाल यह उठता है कि मुशर्रफ की नीतियों की ये सकारात्मक व्याख्याएं क्या उभरती हुई सच्चाई हैं अथवा मुशर्रफ द्वारा उठाए गए ये कदम दिखावटी एवं युक्तिपूर्ण हैं जिन्होंने सकारात्मक अनुमानों को जन्म दिया (जहां तक भारत की बात है, उसके मुताबिक दूसरी बात ही सही है।)

मुशर्रफ ने 12 जनवरी के अपने भाषण तथा 18 जनवरी को धार्मिक नेताओं के एक समूह को संबोधित करते हुए यह बात दोहराई कि जम्मू-कश्मीर में अलगाववादी आंदोलन को समर्थन की पाकिस्तान की नीतियों में कोई बदलाव नहीं आएगा। उनके अनुसार "कश्मीर पाकिस्तानियों के रक्त-प्रवाह में है।" उन्होंने जम्मू-कश्मीर में मौजूदा जमीनी वास्तविकताओं के आधार पर कश्मीर के सिलसिले में भारत के साथ समझौते से इंकार किया। उनकी सरकार की ओर से ऐसी कोई घोषणा नहीं की गई कि वे कश्मीर में अलगाववाद को समर्थन देना बंद कर देंगे। उन्होंने विशेष तौर पर यह स्पष्ट किया कि पाकिस्तान के भीतर विभिन्न अतिवादी गुटों के खिलाफ उनकी कार्रवाई अमेरिकी नेतृत्व में आतंकवाद के खिलाफ अंतर्राष्ट्रीय अभियान को समर्थन की उनकी नीति का एक हिस्सा है और इससे भी महत्वपूर्ण बात यह कि उनकी कार्रवाई का लक्ष्य पाकिस्तान में आंतरिक माहौल को स्थिर करना है जनवरी के मध्य में विदेशी पत्रकारों के साथ प्रेस कान्फ्रेंस में बातचीत के दौरान उन्होंने पूरी दृढ़ता के साथ कहा कि वह भारत के साथ युद्ध के लिए पूरी तरह तैयार हैं और वह भारत को सबक सिखाने में सक्षम हैं। भारत द्वारा वांछित 20 आतंकवादियों को सौंपने के मसले पर उनकी ओर से कोई ठोस प्रतिबद्धता नहीं है। उन्होंने और सबूत मांगे हैं। उन्होंने कोलिन पॉवेल को कहा है कि इस सूची के गैर-पाकिस्तानियों को सौंपने पर वह विचार कर सकते हैं। बशर्ते भारत और विश्वसनीय एवं ठोस सबूत मुहैया कराए।

इस पूरे परिप्रेक्ष्य में पाकिस्तान से निपटने के मामले में भारत के समक्ष जटिल हालात हैं। पहला, भारत के सरोकार वाले मुद्दों (कश्मीर, आतंकवाद, भारतीय संसद पर हमला करने वाले आतंकवादियों को सौंपने) पर पाकिस्तान

की भारत से संबंद्ध नीतियों में कोई स्पष्ट बदलाव नहीं है। दूसरा, अंतर्राष्ट्रीय आतंकवाद विरोधी अभियान के प्रति कृतसंकल्प एक विवेकशील नरमपंथी नेता तथा भारत के साथ तनाव को खत्म करने की इच्छा रखने वाले एक व्यक्ति के तौर पर मुशर्रफ की विश्वसनीयता अंतर्राष्ट्रीय धारणाओं में बढ़ी है; चाहे सच्चाई कुछ भी हो, और हमारी आपत्तियां कैसी भी क्यों न हों। यह अंतर्राष्ट्रीय अवधारण एक ऐसी बाध्यकारी घटना है जिसके प्रति हमें कदम उठाने पड़ेंगे। तीसरा, हमारे जिस तीव्र राजनीतिक सैन्य रुख की बदौलत, कुछ हद तक आरंभिक इच्छित ध्येय पूरे हुए, अब उन्हीं का उल्टा असर भी पड़ सकता है।

भारत के लिए आवश्यक है कि अपने खिलाफ विघटनकारी आतंकवाद में पाकिस्तान की लिप्तता के सवाल पर अपने सिद्धांतपूर्ण रुख से बगैर पीछे हटे वह व्यावहारिक एवं विवेकशील नजर आए। यह भी उतना ही कि हम अंतर्राष्ट्रीय समुदाय का वह व्यापक समर्थन न खो दे जो हमे पिछले साल सितम्बर से मिल रहा है। इसलिए हमारी पाकिस्तान नीतियों के निर्धारण में अधोलिखित अवयव होने चाहिए :

हमें सैन्य तनाव को शनैः शनै : तथा नपे-तुले तरीके से घटाने के विकल्पों की निश्चित रूप से समीक्षा करनी चाहिए। हमें आने वाले दो-तीन महीनों में पाकिस्तान के साथ समुचित उच्च स्तर पर तथा एक निश्चित समय के भीतर बातचीत के लिए सहमत हो जाना चाहिए। हमें पाकिस्तान पर अंतर्राष्ट्रीय दबाव बनाए रखने के लिए विश्व की महत्वपूर्ण ताकतों को साथ लेने का कूटनीतिक अभियान जारी रखना चाहिए ताकि पाकिस्तान मुशर्रफ की नीतिगत घोंषणाओं को व्यवहारिक हकीकत में तब्दील करे। समानांतर रूप से कश्मीर समस्या के घरेलू आयामों को सुलझाने के लिए हमें जम्मू-कश्मीर के सभी गुटों के नेताओं के साथ ठोस बातचीत शुरू करनी चाहिए। हमें सतर्कतापूर्वक अपनी पाकिस्तान नीतियों में किसी आकस्मिक विपघन को टालना चाहिए क्योंकि इसके परिणामस्वरूव हमें फिर बचाव की मुद्रा में आना पड़ सकता है।

भारत-पाकिस्तान सम्बंधों में तीसरे पक्ष का हस्तक्षेप-नीतिगत कदम बनाम उभरती वास्तविकताएं

सितम्बर, 2001 में अमेरिका पर तथा दिसम्बर, 2001 में हमारी संसद पर आतंकवादी हमलों के बाद से दक्षिण एशिया, खास तौर पर अफगानिस्तान, पाकिस्तान एवं भारत पर अंतर्राष्ट्रीय चिंताएं केंद्रित हो गई है। इसका एक परिणाम

यह हुआ कि 7अक्टूबर, 2001 को शुरू हुए अंतर्राष्ट्रीय आतंकवाद-विरोधी अभियान के दायरे के तहत उप-महाद्वीप के देशों के परस्पर सम्बंधों में अमेरिका तथा अन्य प्रमुख शक्तियों की सक्रियतापूर्ण भूमिका बढ़ गई है। जैश-ए-मोहम्मद ने भारतीय संसद पर हमला प्रायोजित कराया और इस हमले के कारण भारत सरकार द्वारा दृढ़ राजनैतिक एवं निर्णायक सैनिक कार्रवाई के रूप में की गई प्रतिक्रिया ने स्पष्ट तौर पर भारत और पाकिस्तान के बीच तनाव को लगभग उस स्तर तक बढ़ा दिया जैसा 1971 के भारत-पाकिस्तान युद्ध के ठीक पहले के चंद हफ्तों के दौरान था। भारत-पाकिस्तान के तनाव को खत्म करने के लिए दिसम्बर के मध्य से ही अन्य देशों के कई उच्चस्तरीय नेता दिल्ली आए और यह महज सुझाव देने वाला अभ्यास नहीं। दरअसल ये यात्राएं भारत-पाकिस्तान पर प्रत्यक्ष रूप से कूटनीतिक व राजनैतिक दबाव बनाने के लिए की गई कि भारत-पाकिस्तान अपने शत्रुतापूर्ण संबंधों को सैन्य टकराव में बदलने से रोकें।

वास्तविक मायने में ये अभ्यास भारत-पाकिस्तान सम्बंधों में तीसरे पक्ष का हस्तक्षेप है। यह महज एक कथन है, एक मुश्किल स्थिति में तीसरे पक्ष की मध्यस्थता की वैधता के बारे में कोई मूल्यांकन नहीं। ऐतिहासिक परिप्रेक्ष्य के साथ-साथ भारत एवं पाकिस्तान के घोषित नीतिगत रुखों के परिप्रेक्ष्य में दोनों देशों के रिश्तों में तीसरे पक्ष की मध्यस्थता की संभावनाओं के बारे में अनुमान लगाना जरूरी है। भारत अब भी यह कहता रहा है कि वह भारत-पाकिस्तान सम्बंधों में, खास तौर पर कश्मीर के मुद्दे पर किसी भी तीसरे पक्ष की मध्यस्थता अथवा हस्तक्षेप को स्वीकार नहीं करेगा। भारत का यह भी रुख है कि 1947 के बाद के पारित संयुक्त राष्ट्र प्रस्तावों की कश्मीर से जुड़ी समस्याओं के समाधान में कोई प्रासंगिकता नहीं है क्योंकि जम्मू-कश्मीर राज्य के भारतीय संघ में विलय के बाद कश्मीर के पूरे माहौल में संवैधानिक व राजनैतिक दृष्टि से अत्यधिक बदलाव आ गया है। इस दृष्टिकोण की बुनियादी वजह है बड़ी शक्तियों के उस भेदभावपूर्ण रवैये के प्रति भारत की निराशा जो उन्होंने कश्मीर मुद्दे पर संयुक्त राष्ट्र में तथा भारत व पाकिस्तान से अपने द्विपक्षीय व्यवहार के संदर्भ में अपनाया। बड़ी शक्तियों के उद्देश्य उनके संबद्ध भू-रणनैतिक हितों में ही समाहित रहे न कि मामले की योग्यता पर जैसे कि जम्मू-कश्मीर के भारत में विलय की संवैधानिक वैधता, पाकिस्तान द्वारा आक्रमण व हिंसा के जरिए इस विलय को निरस्त करने का रह-रहकर प्रयास।

इसके विपरीत पाकिस्तान की नीति जम्मू-कश्मीर पर संयुक्त राष्ट्र प्रस्तावों के क्रियान्वयन की वकालत करना तथा तीसरे पक्ष की मध्यस्थता के लिए इस

आधार पर जोर देना है कि द्विपक्षीय, तौर पर कश्मीर मुद्दा अब तक नहीं सुलझ सका है। पाकिस्तान ने अपनी बात इस दलील पर भी आधारित कर रखी है कि संयुक्त राष्ट्र प्रस्तावों में जम्मू-कश्मीर के भारत में विलय की वैधानिक वैधता सम्बंधी भारत के तर्क पर स्पष्ट रूप से सवाल उठाए गए हैं। औपचारिक स्तर पर भारत और पाकिस्तान के बीच कश्मीर मामले में तीसरे पक्ष को शामिल करने के मुद्दे पर इसी वजह से ठहराव तथा बुनियादी गतिरोध है। हालांकि राजनीतिक हकीकत यह है कि यह तीसरे पक्ष के हित ही हैं जिसने विवाद को जन्म दिया और यह भारत ही है जिसने विवाद में तीसरे पक्ष को शामिल करने की पहल की। भारत के रजवाड़ों के भावी राजनीतिक दर्जे के वैधानिक ढांचे को तैयार करते समय ब्रिटिश राज ने आशा की थी कि बड़े रजवाड़े स्वतंत्र रहेंगे, उपमहाद्वीपीय साम्राज्य में दो अधिराज्य भारत और पाकिस्तान होंगे तथा बड़ी संख्या में अस्तित्व में आए बड़े रजवाड़े दक्षिण एशिया उपमहाद्वीप में तीसरे भू-राजनीतिक संघटन का निर्माण करेंगे। उनका (ब्रिटिश सरकार) अनुमान था कि ये रजवाड़े और पाकिस्तान ब्रिटिश सरकार के साथ निकट संपर्क बनाए रखेंगे और इस तरह दक्षिण एशिया उपमहाद्वीप में ब्रिटिश सरकार के लिए एक दीर्घकालिक राजनीतिक-रणनैतिक प्रभाव सुनिश्चित होगा। लेकिन अधिसंख्य रजवाड़ों के भारत में विलय होने से यह ब्रिटिश योजना धरी रह गई। जम्मू-कश्मीर के महाराजा हरी सिंह की अपने प्रदेश को एक स्वतंत्र देश में परिणत करने की आकांक्षा भारत छोड़ रही ब्रिटिश सरकार के लिए एक अंतिम अवसर था जिसका इस्तेमाल उसने अपने प्रभाव को मजबूत बनाने में तथा इस उद्देश्य की पूर्ति के लिए पाकिस्तान के साथ रणनैतिक समीकरण की स्थापना से करना चाहा।

पाकिस्तान पहले काबाइलियों और फिर जम्मू-कश्मीर में सैन्य हस्तक्षेप के जरिए कूद पड़ा और परिणामस्वरूप हरी सिंह के साथ-साथ जम्मू-कश्मीर के सर्वाधिक लोकप्रिय नेता शेख मोहम्मद अब्दुल्ला ने भारतीय संघ में विलय का फैसला किया। तब भारत के गवर्नर जनरल लॉर्ड माउंटबेटन तथा ब्रिटिश प्रधानमंत्री लॉर्ड एटली, दोनों ही इस घटनाक्रम से खुश नहीं थे और उन्होंने जम्मू-कश्मीर के भारत का हिस्सा बनाने की राजनीतिक व वैधानिक वैधता पर विवाद खड़ा किया। इनके ही सुझाव पर तथा मन नहीं होने के बाद भी जवाहरलाल नेहरू जम्मू-कश्मीर में पाकिस्तानी आक्रमण का मुद्दा संयुक्त राष्ट्र ले गए तथा जम्मू-कश्मीर के लोगों के बीच जनमत संग्रह रायशुमारी कराने पर सहमत हो गए। एक बार जब यह मुद्दा संयुक्त राष्ट्र पहुंच गया, ब्रिटेन ने

आक्रमण के मुद्दे को भारत-पाकिस्तान के बीच भू-भागीय विवाद का शक्ल दे दिया और इस तरह से कश्मीर विवाद में अंतर्राष्ट्रीय अथवा तीसरे पक्ष की भूमिका की बुनियाद रख दी। आरंभिक समय में ही कठिन स्थितियों में आ गया भारत फिर इससे निकल नहीं सका।

1960 के दशक के पूर्वार्द्ध तक संयुक्त राष्ट्र मध्यस्थों की एक श्रृंखला ने कश्मीर मुद्दे पर तीसरे पक्ष की भूमिका का एक रास्ता बना डाला। उनमें से प्रत्येक द्वारा सुझाया गया हल भारतीय स्वतंत्रता अधिनियम, जो जम्मू-कश्मीर के भारत में विलय का वैधानिक आधार था, के प्रावधानों के खिलाफ था। परिणामस्वरूप भारत ने 1950 के दशक के मध्य में पूरी दृढ़ता के साथ संयुक्त राष्ट्र की भूमिका खारिज कर दी। लेकिन तीसरे पक्ष की लिप्तता कभी खत्म नहीं हुई। जब कभी भी उपमहाद्वीप में संघर्ष और संकट का समय आया, महत्वपूर्ण शक्तियों ने कश्मीर मुद्दे पर अतिक्रमणकारी मध्यस्थता तथा कूटनीतिक प्रयासों को जिंदा कर डाला। इस मामले में ज्यादा कुछ याद करने की जरूरत नहीं; 1962 के भारत-चीन युद्ध के तत्काल बाद फंकन सैंडीज व हेनरी कोबोट लॉज की मध्यस्थतापूर्ण कोशिशें तथा 1965 में भारत-पाकिस्तान युद्ध के उपरांत लिंडन जॉनसन सरकार व प्रधानमंत्री कोसिगिन के इसी तरह के प्रयास तीसरे पक्ष की लिप्पता के बने रहने के उदाहरण हैं। यह अलग बात है कि भारत ने इन दबाबों के समक्ष हथियार नहीं डाले और पाकिस्तान इन पहलकदमियों का समर्थन करने में बड़ा उत्साही रहा।

बांग्लादेश मुक्ति युद्ध के बाद जुलाई 1972 में शिमला में भारत के सामने एक अवसर था जब वह कश्मीर समस्या को द्विपक्षीय तौर पर सुलझा सकता था क्योंकि पाकिस्तान को उचित समझौते के लिए तैयार करने के लिहाज से उसकी स्थिति काफी अच्छी थी। ऐसे समझौते की रूपरेखा पर जुल्फिकार अली भुट्टो और श्रीमती इंदिरा गांधी के बीच बातचीत हुई। भुट्टो इस प्रस्ताव पर तैयार भी हो गए लेकिन उन्होंने अनुरोध किया कि उनके राजनीतिक अस्तित्व की खातिर इसे औपचारिक समझौते में नहीं डाला जाए। भारत ने भुट्टो की दलीलों को स्वीकार कर लिया। हमने द्विपक्षीयवाद पर जोर देते उपबंध को हल्का करने तथा इसका दायरा बढ़ाने की पाकिस्तानी पक्ष को इजाजत देकर अपनी स्थिती और कमजोर कर ली। इसमें लिखा गया कि कश्मीर मुद्दे का समाधान ''शांतिपूर्ण तरीके से द्विपक्षीय अथवा परस्पर स्वीकृत किसी अन्य शांतिपूर्ण तरह से किया जाए।'' इसी सूत्र के आधार पर पाकिस्तान ने लगातार तीसरे पक्ष के हस्तक्षेप की बात उठाई है।

अंतर्राष्ट्रीय भूमिका/हस्तक्षेप, खास तौर पर अमेरिका द्वारा, की संभावनाओं के अधोलिखित कारण है। पहला, हमारी मान्यता जो कुछ भी हो, अंतर्राष्ट्रीय समुदाय जम्मू-कश्मीर समस्या को एक भू-भागीय विवाद के तौर पर देखता है। उनके दृष्टिकोण में न तो जम्मू-कश्मीर के भारत में विलय की कोई जगह है और न ही पाकिस्तानी अक्रामकता। दूसरा, पचास साल बीत जाने के बाद भी विवाद अनसुलझा है और इसकी वजह से भारत व पाकिस्तान के बीच बड़ी लड़ाइयां भी हुई। तीसरा, पिछले दशक के दरम्यान भारत व पाकिस्तान द्वारा नाभिकीय हथियार एवं प्रक्षेपास्त्र क्षमताएं हासिल कर लेने से अंतर्राष्ट्रीय समुदाय में इस तरह की झड़पों को लेकर दुश्चिंता में गुणात्मक इजाफा हुआ। कश्मीर मुद्दे को संभावित नाभिकीय टकराव के कारण के तौर पर देखा जा रहा है। चौथा, अमेरिका पर हमले के बाद सीमा-पार आतंकवाद तथा व्यापक-इस्लामी उग्रवाद अंतर्राष्ट्रीय चिंता के कारण बन गए है और एसा माना जा रहा है कि जम्मू-कश्मीर जैसे विवाद उपरोक्त विनाशकारी गतिविधियों के लिए उर्वर भूमि जैसा काम करते हैं। इसके साथ ही एक ख्याली अनुमान यह भी है कि अफगानिस्तान का स्थिरीकरण अप्रत्यक्ष रूप से कश्मीर मुद्दे के निपटारे तथा भारत-पाकिस्तान संबंधों के सामान्यीकरण पर निर्भर है।

ये अवधारणाएं भारतीय संसद पर आतंकवादी हमले तथा 13 दिसम्बर से भारत द्वारा पाकिस्तान पर बनाए गए सैनिक व राजनीतिक दबाव से और मजबूत हुई हैं। किसी भी बड़े संकट के वक्त तीसरे पक्ष के हस्तक्षेप के लिए सहायक एक महत्वपूर्ण कारक है बड़ी शक्तियों में इस बात पर आम राय का होना कि कश्मीर मुद्दे के कारण किसी भी टकराव को रोकना है। भारत को अब पूर्व सोवियत संघ के साथ विशेष समीकरण का लाभ भी नहीं है। अब जो कुछ भी हो रहा है, वह कश्मीर मुद्दे पर बढ़ती तीसरे पक्ष की भूमिका है। अमेरिका एवं अन्य प्रमुख शक्तियां दिखावटी उद्देश्यों तथा व्यवहार-कौशल के मद्देनजर अब भी यह कहती रहती हैं कि जब तक दोनों देश न चाहें, उनकी भारत और पाकिस्तान के बीच मध्यथता की कोई इच्छा नहीं तथा यदि मंजूर हो तो वे एक प्रेरक की भूमिका निभाना चाहेंगी। लेकिन वास्तविक स्थिति कुछ और ही है। भारत को पाकिस्तान के मामले में संयमी एवं नरम बने रहने का आग्रहपूर्ण सुझाव तथा भारत के खिलाफ आतंकवाद प्रायोजित करने से बाज आने के लिए पाकिस्तान पर दबाव बनाना तीसरे पक्ष की लिप्तता का उदाहरण है।

भारत और पाकिस्तान के बीच तनाव खत्म करने के प्राथमिक उद्देश्य के साथ मध्य दिसम्बर से इन दोनों देशों की यात्रा पर कई उच्चस्तरीय सरकारी

व्यक्तियों के आने से बाहरी लिप्तता के तथ्य की पुष्टि होती है। प्रमुख शक्तियों द्वारा उपमहाद्वीप में उभरती राजनीतिक व सैन्य स्थितियों की सक्रिय राजनीतिक व वस्तुगत निगरानी इस लिप्तता का एक और उदाहरण है। इस तरह की अपुष्ट खबरें कि भारत ने संभवतः अमेरिका के सुझाव पर पाकिस्तान सीमा पर तैनात हमलावर टुकड़ी के कमांडर को वहां से हटा दिया क्योंकि उस कमांडर ने वहां उग्र सैन्य रुख अख्तियार कर रखा था, भारत-पाकिस्तान संबंधों में अमेरिकी सक्रियता का संकेत है।

भारत को यह साफ तौर पर समझ लेना चाहिए कि अमेरिका द्वारा उपमहाद्वीप में हस्तक्षेप करने की काफी संभावनाएं है और यह हस्तक्षेप न केवल राजनीतिक बल्कि सैन्य कार्रवाई के रूप में भी हो सकता है, यदि उनके (अमेरिका) आकलन में भारत-पाकिस्तान में नाभिकीय टकराव की सूरत हो। ऐसे किसी भी अभ्यास में अमेरिका को अंतर्राष्ट्रीय समुदाय का समर्थन होगा। भारत को उपरोक्त वर्णित वास्तविकताओं तथा खास तौर पर इस संभावना को ध्यान में रखते हुए काम करना होगा। यदि हम तीसरे पक्ष की लिप्तता को टालना चाहते हैं तो हमें जम्मू-कश्मीर की आंतरिक दुविधाओं को दूर करने को सर्वोच्च प्राथमिकता देनी होगी। इस मामले में शायद हम विपथन की स्थिति में हैं। समानांतर रूप से हमें अंतर्राष्ट्रीय समुदाय को यकीन दिलाना होगा कि इस मुद्दे पर हम पाकिस्तान के साथ गंभीर और ठोस बातचीत के इच्छुक है। तीसरे पक्ष का हस्तक्षेप एक उभरती हुई वास्तविकता है। हमारा उद्देश्य यह होना चाहिए कि इस उभरते परिदृश्य को जम्मू-कश्मीर में अपने हितों के खिलाफ जाने से रोकें।

अमेरिका के सामूहिक दृष्टिकोण में परिवर्तन : 11 सितम्बर से उभरे आतंक का प्रभाव

जनवरी 2002 में कॉलिन पॉवेल भारत की संक्षिप्त यात्रा पर आए और अब श्री आडवाणी व श्री फर्नांडिस वाशिंगटन में हैं। भारत और पाकिस्तान के बीच मौजूदा तनाव के परिप्रेक्ष्य में भारत-अमेरिका संबंध एक गंभीर दौर से गुजर रहे हैं। हमारे उपमहाद्वीप की घटनाओं को प्रभावित करने वाला एक प्रमुख कारक होगा इस क्षेत्र के प्रति अमेरिका की नीतियां। इसलिए यह आवश्यक है कि अमेरिका के नीतिगत झुकावों के पार जाते हुए अमेरिकी नीतियों को प्रभावित करने वाले बुनियादी उत्प्रेरणों से जुड़े दृष्टिकोण को समझा जाए।

जब व्यापक उद्देश्यों की केंद्राभिमुखता हो और उन्हें हासिल करने के लिए देश और राज्यों के बीच तथा संबद्ध नागरिक समाजों के नजरिये व नीतिगत

दिशानिर्देशों में सटीक अनुरूपता हो तब पर्यवेक्षण और समीक्षा उनकी नीतियों को निर्देशित करने वाले दृष्टिकोण, उभरती विचार प्रक्रियाओं की अंत:धाराओं, मानसिकता तथा सोच पर केंद्रित करनी होगी। पिछले सितम्बर को अमेरिका पर हुए आतंकवादी हमले से उत्पन्न सदमे से पूरी दुनिया वाकिफ है। इस त्रासदी के कारण अस्तित्व में आई आतंकवाद विरोधी नीतियों के प्रति भी अंतर्राष्ट्रीय समुदाय जागरूक है। अमेरिका में घरेलू सूरक्षा सुनिश्चित करने तथा अमेरिका से बाहर अंतर्राष्ट्रीय आतंकवाद को खत्म करने के लिए किस तरह इन नीतियों पर अमल किया जा रहा है, इसकी भी सार्वजनिक जानकारी है।

कहीं अधिक दिलचस्प यह बात होनी चाहिए कि किस तरह अमेरिका में जनमत एवं सामूहिक दृष्टिकोण में बदलाव आया है और अमेरिका की विदेश नीति तथा घरेलू राजनीतिक रुख पर इन बदलावों का क्या असर पड़ेगा। सन् 2001 के मध्य दिसम्बर से 2002 के मध्य जनवरी तक, करीब एक माह की अपनी विस्तृत अमेरिका यात्रा के दौरान इस तरह की बातें मेरे सामने आईं। चूंकि मेरी ज्यादातर यात्रा देश के पूर्वी राज्यों से दूर दक्षिण-मध्य तथा पश्चिमी अमेरिका की हुई, मैं यह मानकर दावा करता हूं। कि मेरी धारणाएं उन अमेरिकियों के विचारों और नजरिये पर आधारित हैं जो सरकारी सोच के प्रत्यक्ष प्रभाव एवं परंपरागत प्रतिष्ठानों के असर से कहीं दूर रह रहे है। पहला, अमेरिका में घरेलू मोर्चे पर असर की बात; इस प्रभाव का सर्वाधिक महत्वपूर्ण तत्व है घरेलू सुरक्षा के संदर्भ में सुभेद्यता का अहसास। 'मोर्चेबंद अमेरिका' के प्रति वहां के लोगों का सामूहिक आत्मविश्वास खत्म हो चुका है। पूर्व और पश्चिम में समुद्रों तथा उत्तर व दक्षिण में दोस्ताना राष्ट्रों से घिरे अमेरिका पर प्रत्यक्ष हमला भी हो सकता है, यह अकल्पनीय था। 11 सितम्बर को न्यूयार्क और वाशिंगटन में हुए आतंकवादी हमले अमेरिकी महाद्वीप की जमीन पर सन् 1812 के बाद हमले की पहली घटना थी। तब ब्रिटिश सेना ने संक्षिप्त तौर पर वाशिंगटन पर कब्जा कर लिया था। यद्यपि अमेरिका ने कई लड़ाइयां लड़ी और 1941 में हवाई में पर्ल हार्बर पर अचानक बमबारी को भी झेला, 191 वर्षों के अंतराल के बाद अमेरिकी भू-भाग पर यह पहला प्रत्यक्ष हमला था। घरेलू सुरक्षा को लेकर अमेरिका में एक सामूहिक दुश्चिंता है। "मातृभूमि सुरक्षा" एक प्रमुख राजनीतिक अवधारणा तथा उच्च प्राथमिकता के नीतिगत उद्देश्य के रूप में उभरी है।

राष्ट्रपति बुश ने 'मातृभूमि सुरक्षा' नाम से एक नया विभाग बनाया है जिसका निदेशक कैबिनेट दर्जे का है। सभी आयामों में घरेलू सुरक्षा सुनिश्चित

करने के मद्देनजर अमेरिकी सशस्त्र बलों एवं अर्द्धसैनिक बलों की भूमिका को पुनर्जीवित करने के लिए कार्यकारी आदेश तथा संगठनात्मक व्यवस्था की तैयारी की जा रही है। गौर करने वाला दूसरा आयास है भावनात्मक देशभक्ति का उभरना। कारों की विंडस्क्रीन, दुकानों की खिड़कियों पर अमेरिकी झंडे लग गए हैं। ग्रामीण इलाकों से गुजरने पर छोटे-से छोटे कस्बों में भी निजी मकानों पर अमरीकी झंडे लहराते मिल जाएंगे। उतना ही महत्वपूर्ण है निजी बातचीत, टीवी प्रसारण व बातचीत वाले कार्यक्रमों प्रिंट मीडिया आदि से प्रदर्शित होता यह सहज आम राय कि अमेरिका पर खतरे तथा इससे निपटने के नीतिगत कदमों को एकीकृत राष्ट्रीय प्रयास से सुनिश्चित करना होगा तथा इसके लिए दलगत राजनीति से न केवल आगे जाना होगा बल्कि इससे बाज आना होगा। इस दृष्टिकोण का उदाहरण इस बात से मिलता है कि आतंकवादी खतरे से निपटने के लिए राष्ट्रपति बुश द्वारा लिए गए किसी भी फैसले, यहां तक कि सुझाई गई किसी भी नीति को अमेरिकी कांग्रेस अथवा विभिन्न राज्यों की सरकारों द्वारा विरोध का सामना नहीं करना पड़ा।

इस तरह की राष्ट्रभक्ति को सितम्बर के हमले में मारे गए लोगों की याद में धार्मिक आयोजनों तथा राजनीतिक कार्यक्रमों के जरिये पोषित व मजबूत किया गया। यद्यपि अमेरिका में जरूरत से ज्यादा उद्धत राष्ट्रवादिता नहीं, लेकिन वहां विदेशियों; खास तौर पर एशिया व अरब देशों के नागरिकों के खिलाफ कुछ हद तक उन्मादी प्रवृत्ति को महसूस किया जा सकता है; बावजूद इसके कि अमेरिकी सरकार ने ऐसी भावनाओं को नियंत्रित करने के लगातार सतर्क प्रयास किए। इस्लाम के प्रति स्पष्ट दुश्चिंता तथा भय व्याप्त है, हालांकि राष्ट्रपति बुश और अमेरिकी नेतृत्व ने एक धर्म के रूप में इस्लाम तथा इसकी शिक्षाओं की गलत व्याख्या करने वाले आतंकवादियों के बीच के अंतर के प्रति जनमत को शिक्षित करने का प्रयास किया है। यद्यपि अमेरिकी सरकार इस बात पर जोर देती है कि उसका आतंकवाद-विरोधी अभियान बदले की भावना से प्रेरित नहीं, लेकिन यहां लोगों का मानना यह है कि निर्दोष अमेरिकी नागरिकों के खिलाफ की गई व्यापक हिंसा का स्पष्ट और निर्णायक तौर पर बदला लिया जाना चाहिए। यह व्यापक नजरिया इसी अहसास का एक आयाम है कि जो देश तथा लोग अमेरिका के आतंकवाद विरोधी अभियान का पूर्ण समर्थन नहीं करते और इस अभियान को संक्षिप्त व हल्का करने का सुझाव देते हैं, वे अमेरिका के दोस्त नहीं हैं और उनसे उसी प्रकार व्यवहार किया जाना चाहिए। इस उन्माद तथा दुनिया को एक ही तरीके से देखने की प्रवृत्ति के फलस्वरूप फ्लोरिडा एवं

हारवर्ड विश्वविद्यालयों में अरब व अफ्रीका मूल के चंद शिक्षाविदों और प्राध्यापकों को बहिष्कृत कर दिया गया। अपनी निर्विवाद बौद्धिक ख्याति के बावजूद नोम चोमस्की मौजूदा समय में अमेरिका में एक अधिक लोकप्रिय हस्ती नहीं हैं।

यहां तक कि ऐसे उन्माद का असर राष्ट्रपति कार्यालय के कर्मचारियों पर भी पड़ता है– राष्ट्रपति बुश के निजी सुरक्षा में तैनात एक सुरक्षा अधिकारी को काम के लिए अमेरिकी विमान सेवा से टेक्सास जाते समय बीच में ही इस आधार पर उतार दिया गया कि वह अरब मूल का है और उसके पास एक बदूंक है, जिसका वह कानूनन हकदार था।

यद्यपि पूर्व में वर्णित दृष्टिकोण एवं उद्धेश्यात्मक एकता अफगानिस्तान में आतंकवाद-विरोधी अभियान के मौजूदा दौर से परे नहीं जाती आतंकवाद-विरोधी अभियान को अन्य देशों तक ले जाने के मुद्दे पर जनमत विभाजित है (हालांकि सरकारी बयानों में इसकी स्पष्ट अभिव्यक्ति नहीं)। यहां जनमत यह है कि तालिबान नेता मुल्ला उमर तथा अलकायदा आंदोलन के शीर्ष मुखिया ओसामा बिन लादेन को पकड़ने अथवा खत्म करने के साथ ही यह अभियान समाप्त हो जाना चाहिए। अन्य देशों में बचे-खुचे आतंकवादी गुटों का सफाया मुख्य रूप से वहां की सरकारें करें जिसमें अमेरिका का अप्रत्यक्षप समर्थन हो, अत्यधिक सैन्य भूमिका नहीं। लोगों के मन में यह बात भी है कि अमेरिका पर सारा बोझ डाले बगैर विश्व की अन्य प्रमुख शक्तियों को अंतर्राष्ट्रीय आतंकवाद से निपटने के मामले में कहीं अधिक सक्रिय भूमिका निभानी चाहिए।

घरेलू जनाकांक्षा की इस व्यापक अंतर्धारा का अमेरिकी सरकार पर भी असर है और इसकी बानगी इस तथ्य से मिलती है कि वर्ष 2002 के जनवरी से रक्षा मंत्री डोनाल्ड रम्सफेल्ड अपने सार्वजनिक बयानों में आतंकवाद-विरोधी अभियान को अफगानिस्तान से बाहर तक ले जाने के मुद्दे पर खासे अस्पष्ट रहे हैं। उन्होंने यह भी संकेत दिया है कि अल्पकालिक अमेरिकी सैनिक अभियान पूर्वी व दक्षिणी अफगानिस्तान तथा पाकिस्तान के सीमांत क्षेत्रों में केंद्रित रहेगा। उन्होंने जनमत के साथ-साथ खुद अपनी सरकार के अंदर उभरती इस हताशा पर गौर किया है कि अब तक ओसामा बिन लादेन तथा मुल्ला उमर को पकड़ा या मारा नहीं जा सका है। उन्होंने इस मुद्दे पर जोर देकर कहा कि उनके खिलाफ अभियान उद्देश्यपरक है। विदेश मंत्रालय ने उनकी सोच को अभिव्यक्त किया जब अमेरिकी प्रवक्ता ने पहली बार सार्वजनिक तौर पर कहा कि जनरल मुशर्रफ की विश्वसनीयता और पाकिस्तान का भविष्य इस बात पर निर्भर करेगा कि पाक सरकार अलकायदा व अन्य आतंकवादियों से कैसे निपटती है और अमेरिका के

चल रहे अभियान में उसका सहयोग कैसा रहता है। राजनीतिक टिप्पणियों में भी बदलाव आया है, अब यह कहा जा रहा है कि मुल्ला उमर और ओसामा बिन लादेन अमेरिका के चंगुल में नहीं भी आ सकते हैं, लेकिन इससे कहीं अधिक महत्वपूर्ण उद्देश्य है इनके द्वारा खड़े किए गए आतंकवादी व अतिवादी संगठनों का खात्मा।

इससे भी दिलचस्प है अमेरिकी जनमत पर दीर्घकालिक असर का अभिप्राय तथा पश्चिमी व दक्षिण एशियाई देशों, खाड़ी, इस्लामी अरब तथा अफ्रीकी देशों के बारे में तेजी से उभरती ज्ञानमूलक संवेदनशीलता। यह गौर करने की बात है कि पिछले साढ़े तीन महीनों के दौरान अमेरिका में सार्वजनिक चर्चाओं और मीडिया की टिप्पणियों से अमेरिका के रणनैतिक व आर्थिक हितों–जो इनमें से कई देशों की निरंकुश सरकारों को किसी–न–किसी प्रकार अमेरिकी समर्थन को जरूरी बना देते हैं– तथा लोकतंत्र व मानवाधिकारों के प्रति अमेरिका की बुनियादी सैद्धांतिक प्रतिबद्धताओं के बीच के अपरिहार्य अंतर्विरोधों की स्पष्ट झलक मिलने लगी है। पत्रिका 'न्यूजवीक' ने अपने वर्षांत अंक में इस अंतर्विरोध को रेखांकित करता। एक विस्तृत लेख प्रकाशित किया जिसमें इसे अमेरिका की विदेश व सुरक्षा नीतियों के लिए सबसे बड़ी चुनौती बताया गया।

अंत में दक्षिण एशिया की बात, जो कम महत्वपूर्ण नहीं। अमेरिका के विदेश नीति नियोजन में दक्षिण एशिया पर खासा ध्यान केंद्रित किया गया है। भारत, श्रीलंका व बांग्लादेश की लोकतांत्रिक व्यवस्थाओं को बनाए रखना व मजबूत बनाना तथा नेपाल, भूटान, पाकिस्तान व म्यांमार के वास्तविक लोकतांत्रिकरण को अमेरिकी टीकाकारों ने अपने देश का प्रमुख नीतिगत उद्देश्य बताया है। अफगानिस्तान के बारे में मानना है कि एक प्रतिनिधि सरकार के गठन के साथ वहां स्थिरीकरण अमेरिका की सर्वाधिक महत्वपूर्ण अल्पकालिक प्राथमिकता है, लेकिन इसकी दिलचस्प शर्त यह है कि उस देश में अमेरिका को किसी भी दीर्घकालिक सैन्य भूमिका में नहीं पड़ना चाहिए। भारत के बारे में सार्वजनिक अवधारणा यह है कि बार-बार के अवरोधों, परस्पर शिकायतों तथा अल्पभाषिता के बावजूद भारत–अमेरिका के मजबूत रिश्ते दक्षिण एशिया में शांति व स्थिरता के लिए एक अत्यधिक महत्वपूर्ण कारक होगा।

भारत-पाकिस्तान संबंध–विकल्पों का नाजुक अवसर

दूरियां कई बार आपको परे रहकर विचार मंथन के जरिये नजरिया तैयार करने में मदद करती हैं। 13 दिसम्बर, 2001 को भारतीय संसद पर आतंकवादी

हमले के अगले ही दिन मैं दिल्ली से अमेरिका के लिए रवाना हुआ था। इस घटना के बारे में अमेरिकी प्रतिक्रियाओं के बारे में सर्वाधिक गौर करने वाली बात थी इनमें आत्मकेंद्रित अंतर्धाराओं का होना-बगैर इस बात को समझे कि भारत को किस सदमे से गुजरना पड़ा। अमेरिकी सरकार और मीडिया का केवल दो चिंताएं थीं-पहली यह कि भारतीय संसद पर आतंकवादी हमले के कारण भारत-पाकिस्तान युद्ध नहीं होना चाहिए, स्थिति बिगड़ने पर यह नाभिकीय टकराव का रूप ले सकता है। दूसरी, पाक के खिलाफ दंडात्मक कार्रवाई के परिणामस्वरूप पाकिस्तान को भारत का सामना करने के लिए राजनीतिक तथा सुरक्षा बलों के मामले में अपना ध्यान बंटाना पड़ेगा जिससे अफगानिस्तान में अमेरिका द्वारा चलाए जा रहे आतंकवाद-विरोधी सैन्य अभियान में व्यवधान आ सकता है। अमेरिका की ओर से भारत एवं पाकिस्तान की दी गई इस सलाह को अमेरिकी मीडिया का पूर्ण समर्थन प्राप्त था कि सब्र और संयम से काम लें। पाकिस्तान के उन आतंकवादी संगठन से संपर्क, जिन्होंने भारतीय संसद पर हमला किया, के बारे में भी चुप्पी साधी गई। यद्यपि इस बात पर ध्यान देना होगा कि राष्ट्रपति बुश और अमेरिकी सरकार के वरिष्ठ लोगों ने भारतीय संसद पर हमले की पूरी दृढ़ता के साथ निंदा की। विदेश मंत्रालय के प्रवक्ता ने 8 जनवरी, 2002 को कहा कि जनरल मुशर्रफ और पाकिस्तान का भविष्य इस बात पर निर्भर करेगा कि वह (मुशर्रफ) कितनी सक्षमता के साथ अपने देश में आतंकवाद से निपटते हैं।

13 दिसम्बर, 2001 के बाद भारत-पाक संबंधों के घटनाक्रमों तथा इनकी संभावनाओं को इसी संदर्भ में देखना होगा।

भारतीय संसद पर हमला करने वाले आतंकवादी स्पष्टतया पाकिस्तान स्थित आतंकवादी संगठनों जैश-ए-मोहम्मद तथा लश्कर-ए-तोइबा के सदस्य थे। इस हमले के लिए पैसे मुहैया कराने तथा हमले को प्रायोजित करने के पीछे स्पष्ट रूप से पाकिस्तान की इंटर सर्विसेज इंटेलिजेंस एजेंसी का व्यवहार्य समर्थन था। अक्टूबर में जम्मू-कश्मीर के श्रीनगर स्थित विधानसभा भवन पर इन्हीं आतंकवादी गुटों के हमले के बाद फिर भारतीय संसद पर हमले से स्पष्ट है कि पाकिस्तान स्थित आतंकवादी संगठनों की मंशा भारत के खिलाफ हिंसा के स्तर में गुणात्मक वृद्धि करना है। आम लोगों को आतंकित करने तथा भारतीय सुरक्षा बलों को रक्षात्मक मुद्रा में धकेलने की जगह अब देश की राजनीतिक एकजुटता को छिन्न-भिन्न करने व भारतीय लोकतंत्र की संवैधानिक संरचना को बाधित करना उनका उद्देश्य बन गया है। अमेरिका के आतंकवाद-विरोधी

अभियान को पाकिस्तान के समर्थन के बावजूद की गई इस आतंकवादी हिंसा का उद्देश्य जनरल मुशर्रफ के इस दावे की पुस्टि करना भी था कि भारत के खिलाफ अभियान चला रहे उग्रवादी दरअसल आतंकवादी नहीं हैं, उनका पाकिस्तान से कोई संपर्क नहीं और यह कि वे लोग स्थानीय कश्मीरी हैं जिन्हें पाकिस्तान नियंत्रित नहीं कर सकता।

पिछले एक माह के दौरान भारत की कड़ी राजनीतिक व सैनिक प्रतिक्रिया तर्कसंगत है क्योंकि भारत को पाकिस्तानी रणनीति के उत्प्रेरणों व उद्देश्यों से निपटना है।

प्रधानमंत्री वाजपेयी ने संसद पर हमले को भारतीय लोकतंत्र के स्नायु केंद्र पर प्रत्यक्ष आक्रमण बताया। उन्होंने घोषणा की कि आतंकवाद के खिलाफ भारत की लड़ाई अपने अंतिम चरण में प्रवेश कर रही है, भारत आवश्यकतानुसार उचित दंडात्मक कार्रवाई करेगा–यह कहां और कब हो, भारत पर निर्भर करेगा। जनरल मुशर्रफ ने बड़ी राजनीतिक दक्षता के साथ इसका जवाब दिया। उन्होंने आतंकवादी घटना की निंदा की और सहानुभूति व समर्थन का इजहार किया। उन्होंने तत्काल अमेरिका तथा अन्य प्रमुख शक्तियों को 13 दिसम्बर की घटना पर अपनी प्रतिक्रिया से अवगत कराया। उनकी प्रतिक्रिया एक सोची-समझी राजनीतिक व दिखावटी बाजीगरी थी। जब भारत ने मांग की कि वह लश्कर व जैश पर प्रतिबंध लगाएं और इन गुटों के नेताओं को गिरफ्तार कर भारत के हवाले करें ताकि इनके खिलाफ मुकदमा चलाया जा सके, तब उन्होंने और ठोस सबूत मांगे उन्होंने भारतीय संसद पर हमला करने वाले आतंकवादियों तथा इन संगठनों के पाकिस्तान स्थित मुख्यालयों के बीच संपर्क के समर्थन में भारत द्वारा पेश पकड़े गए संदेशों एवं दस्तावेजों को सबूत के रूप में स्वीकार नहीं किया। राष्ट्रपति बुश द्वारा जैश व लश्कर को आतंकवादी संगठनों की सूची में डालने और अमेरिकी सरकार द्वारा इन संगठनों की संपत्तियों पर रोक लगाने के बाद कहीं जाकर मुशर्रफ ने कार्रवाई की। उन्होंने जैश व लश्कर के प्रमुखों को नजरबंद कर दिया। ताजा खबरों के मुताबिक विभिन्न इस्लामी उग्रवादी गुटों के करीब 300 सदस्यों को हिरासत में भी लिया गया। है।

उन पर बनाए गए अन्य दबाव थे भारत द्वारा श्रेणीबद्ध तरीके से की गई कूटनीतिक व राजनीतिक कार्रवाई। भारत ने पाकिस्तान में अपने उच्चायुक्त विजय नाम्बियार को वापस बुला लिया। हमने भारतीय नभक्षेत्र से होकर पाकिस्तानी असैनिक वाणिज्यिक विमानों की उड़ानों पर प्रतिबंध लगाने का फैसला किया। भारत ने दोनों देशों के बीच बस और ट्रेन सेवाओं को भी

अनिश्चित काल के लिए निलंबित करने का फैसला किया। भारत ने इस्लामाबाद स्थित अपने उच्चायोग में कर्मचारियों की संख्या में कटौती का फैसला लिया, साथ ही पाकिस्तान को कहा कि वह भी नई दिल्ली स्थित अपने उच्चायोग में ऐसा ही करे। इसके साथ ही भारत ने पाकिस्तान के साथ चंद द्विपक्षीय व्यापार व्यवस्थाओं को भी निलंबित कर दिया। पाकिस्तान के लिए यह संदेश था कि यदि वह भारत को अस्थिर करने में लगा रहता है तो भारत उसके साथ औपचारिक व दिखावटी रिश्ते बनाए रखने में इच्छुक नहीं। संदेश का दूसरा तत्व यह था कि देश की एकता और क्षेत्रीय अखंडता के समक्ष आई किसी भी चुनौती तथा पाकिस्तान की विध्वंसकारी गतिविधियों से निपटने के संदर्भ में भारत हर तरह की दंडात्मक कार्रवाई पर गंभीरता से विचार करेगा। नियंत्रण रेखा तथा पूरी भारत-पाक अंतर्राष्ट्रीय सीमा पर सुरक्षा व सशस्त्र बलों की तैनाती बढ़ा दी गई है।

पाकिस्तान ने भी अनुमान के मुताबिक ही समानांतर रूप से सैनिकों की तैनाती कर दी है। ऐसी खबरें है कि उल्टेन और खरियां छावनियों से पाकिस्तानी सैनिक अग्रिम मोर्चे तक आ गए हैं तथा सरगोधा स्थित वायु सेना अड्डे को एकदम तैयार कर लिया गया है। इस तरह की खबरें भी हैं कि दोनों ही ओर सीमा से सटे गांवों को असैनिक आबादी ने खाली कर दिया है। इस तथ्य से इंकार नहीं कि भारत और पाकिस्तान के बीच तनाव में स्पष्ट रूप से काफी वृद्धि हुई है। अमेरिका व अन्य प्रमुख शक्तियां इन घटनाक्रमों से चिंतित हैं। मुशर्रफ और वाजपेयी के साथ-ही-साथ जसवंत सिंह व सत्तार से अमेरिका व अन्य महत्वपूर्ण देशों में उनके समकक्ष व्यक्तियों ने संपर्क करके धैर्य एवं संयम बरतने का सुझाव दिया है।

ब्रिटिश प्रधानमंत्री टोनी ब्लेयर की जनवरी के प्रथम सप्ताह के दौरान हुई भारत-पाकिस्तान की यात्रा से इस सुझाव को और दृढ़ता मिली।

भारत और पाकिस्तान के लिए जरूरी है कि वे मौजूदा अल्पकालिक कूटनीतिक, राजनीतिक व सैनिक कदमों के पार जाकर चीजों को देखें। भारतीय संसद पर हमले के कारण चिंताजनक अप्रियता के कगार पर पहुंचे भारत-पाक संबंध दोनों देशों के लिए अवसर प्रदान करते हैं, यहां तक कि अपने शत्रुतापूर्ण रिश्तों को खत्म करने के लिए साहसी विकल्पों की ओर मुखातिब होने को प्रोत्साहित भी करते हैं। पाकिस्तान का नागरिक समाज उदारवादी तत्वों तथा धार्मिक कट्टरता के विरोधाभासों के कारण बुरी तरह विभक्त है।

आतंकवाद के खिलाफ अंतर्राष्ट्रीय अभियान मुशर्रफ को इस बात का अवसर प्रदान करता है कि वह अतिवाद एवं कट्टरवादी हिंसा के खिलाफ

निर्णायक रूप से कार्रवाई कर सकें। उनके सामने घरेलू दबावों की जो कुछ भी बाध्यताएं हों, यदि वह अपने देश में इस्लामी उग्रवादी संगठनों को बहिष्कृत कर दें तो यह एक बहुत अच्छा कदम होगा। यदि वह दाऊद इब्राहीम, मसूद अजहर और वधावन सिंह बब्बर जैसे आतंकवादियों को गिरफ्तार कर भारत को सौंप दें तो भारत-पाक संबंधों के सामान्यीकरण की दिशा में वाकई यह ठोस सकारात्मक कदम होगा। उन्हें जम्मू-कश्मीर में आतंकवादी संगठनों को वित्तीय व सैनिक मदद बंद कर देनी चाहिए। ऐसा करके वह भारत-पाकिस्तान वार्ता बहाल करने का सुझाव भी दे सकते हैं। जाहिर सी बात है कि मुशर्रफ जो कुछ भी सार्वजनिक तौर पर और अंतर्राष्ट्रीय समुदाय के लिए कहते हैं, भारत उससे अभिभूत होने वाला नहीं। भारत उसी का जवाब देगा जो वह जमीनी स्तर पर करेंगे।

आतंकवाद के मुकाबले के लिए चौकस रहने के साथ ही भारत को कश्मीर के अलगाववादी तत्वों के साथ राजनीतिक बातचीत पर ध्यान केंद्रित करना चाहिए ताकि उनकी आकांक्षाओं के अनुकूल कोई समाधान निकल सके। यद्यपि भारत और पाकिस्तान में हर साल नवम्बर से फरवरी तक की अवधि सैनिक अभ्यास की होती है, भारत को अग्रिम मोर्चे पर सैन्य तैनाती को वापस करने की संभावनाओं की समीक्षा करनी चाहिए। ऐसा कोई भी कदम पाकिस्तान से विचार विमर्श के बाद ही उठाया जाना चाहिए ताकि यह पकिस्तानी सैनिकों की भी अग्रिम तैनाती से वापसी सुनिश्चित कर सके। दोनों देशों के सैन्य संचालन महानिदेशकों के बीच संपर्कों की पुनः बहाली कर इस काम को अंजाम दिया जा सकता है।

जसवंत सिंह और वाजपेयी ने सत्तार एवं मुशर्रफ से संपर्कों को पूर्णतः नजरअंदाज नहीं किया है, हाल के काठमांडू दक्षेस सम्मेलन में व्यावहारिक रुख अपनाया गया। इसे कम-से-कम अधोलिखित तीन कदमों के साथ जारी रखना चाहिए। पाकिस्तान द्वारा भारत से अपने उच्चायुक्त को नहीं बुलाए जाने के मद्देनजर भारत को चाहिए कि वह अपने उच्चायुक्त को पुनः इस्लामाबाद भेज दे। एक छोटे से अंतराल के बाद हमें ट्रेन व बस सेवाओं के साथ-साथ अपने नभ-क्षेत्र से पाकिस्तानी वाणिज्यिक विमानों की उड़ानों को फिर से बहाल करने पर भी विचार करना चाहिए क्योंकि इन सुविधओं का असर दोनों देशों के आम लोगों पर पड़ता है। इस साल वसंत या गर्मी के मौसम के दौरान भारत-पाक वार्ता, संभवत विदेश सचिव स्तर पर, भी शुरु हो जानी चाहिए।

यद्यपि किसी भी आतंकवादी खतरे के खिलाफ निर्णायक कार्रवाई की हमारी इच्छाशक्ति में किसी तरह की कोई कमी नहीं आनी चाहिए, लेकिन यह उचित समय भी है जब पकिस्तान भारत के प्रति अपनी शत्रुतापूर्ण व विध्वंसकारी नीतियों से अलग हटने पर गहराई से विचार करे। यह भी उतना ही महत्वपूर्ण है कि भारत राजनीतिक अंत: दृष्टि के साथ जम्मू-कश्मीर की समस्याओं की ओर मुखातिब हो तथा पाकिस्तान के मामले में वह एक नपा-तुला व व्यावहारिक राजनीतिक व सैनिक रुख बनाए रखे।

सार्थक नीतियों का विकल्प सैन्य शक्ति का प्रदर्शन नहीं हो सकता।

भारत की पाक नीतियों का मौजूदा दौर–जवाबी व्यवहार के आसार क्या धुंधले हैं?

दिसम्बर, 2001 में भारतीय संसद पर आतंकवादी हमले के बाद भारत-पाकिस्तान संबंधों में मोटे तौर पर बढ़ते तनाव का ही रुख रहा है। पाकिस्तान पर दबाव बनाने तथा पाकिस्तान प्रायोजित छद्म युद्ध का मुकाबला करने में पिछले दशक के मुकाबले कहीं अधिक निर्णायक कदम उठाने के भारत के निश्चय का संकेत देने के मामले में भारत की कूटनीतिक, राजनीतिक व सैन्य कदम संबंधी प्रतिक्रिया के मोटे तौर पर तीन प्रतिमान हैं। पहला, इस बात को लेकर एक सामूहिक अंतर्राष्ट्रीय आम राय व चिंता हैं कि भारत-पाकिस्तान को सैन्य टकराव में नहीं उलझना चाहिए, खास तौर पर जब ऐसे किसी संघर्ष के नाभिकीय टकराव में परिणत हो जाने का खतरा हो। दूसरा, भारतीय जनमानस में इस तरह के विचार उमड़-घुमड़ रहे हैं कि पाकिस्तान पर दबाव–खास तौर पर सीमा व नियंत्रण रेखा पर भारतीय बलों की व्यापक तैनाती पर आधारित सैन्य दबाव–बनाने की अपनी रणनीति में भारत को कोई ढिलाई नहीं करनी चाहिए। तीसरा, इस तरह का मत भी उठने लगा है कि भारत द्वारा बनाए गए दबाव से मौजूदा समय में हरसंभव उद्देश्य पूरे हो चुके हैं– राष्ट्रपति जनरल परवेज मुशर्रफ पर असर तथा भारतीय चिंताओं के प्रति अंतर्राष्ट्रीय समुदाय के समर्थन के संदभों में। इसलिए भारत को नीतिगत दिशानिर्देशों अथवा घोषित उद्देश्यों के मूल तत्वों को खतरे में डाले बगैर अपने अक्रामक रुख को विवेकशील बनाने पर विचार करना चाहिए।

यह बिल्कुल स्पष्ट है कि पाकिस्तान के साथ हमारा व्यवहार मौजूदा समय में ऐसे मुकाम पर पहुंच गया है जहां हमें भारत द्वार बनाए गए दबावों के प्रति पाकिस्तान की प्रतिक्रिया तथा 13 दिसम्बर, 2001 से भारत-पाक संबंधों पर

छाए अत्यधिक तनाव को खत्म करने के लिए सक्रियतापूर्वक जुटी विश्व की प्रमुख शक्तियों के आकलन व सुझावों के परिप्रेक्ष्य मे हमें अपनी पाकिस्तान नीतियों के सूक्ष्म-भेदों को भी आकना होगा।

पिछले चार हफ्तों के दौरान भारत सरकार ने असामान्य तरीके से बड़ी संख्या में विदेशी सरकारों के उच्चस्तरीय प्रतिनिधियों की अगवानी की। इनमें से प्रमुख रहे ब्रिटेन के प्रधानमंत्री टोनी ब्लेयर चीन के प्रधानमंत्री झू रोंग्जी अमेरिकी विदेश मंत्री कॉलिन पॉवेल, हेनरी किसिंगर तथा रूसी विदेश मंत्री अइगर इबानोव। कई अरब देशों से वरिष्ठ सरकारी प्रतिनिधि भी दिल्ली आए। यह गौर करने की बात है कि चीन के प्राधानमंत्री को छोड़कर उक्त सभी नेताओं की यात्राएं उनकी संबद्ध सरकारों की पहल पर आयोजित हुईं। इस बात पर भी ध्यान देना होगा कि इन प्रतिनिधियों ने समानांतर रूप से पाकिस्तान सरकार के साथ भी विचार-विमर्श किए। ये यात्राएं मुख्य रूप से भारत-पाकिस्तान के मौजूदा तनाव युक्त रिश्तों पर केंद्रित रहीं। इन यात्राओं से परिलक्षित होते अंतर्राष्ट्रीय समुदाय के नजरिये और सरोकारों पर भी हमें गौर करना चाहिए। विदेशी सरकारों के इन उच्चस्तरीय प्रतिनिधियों द्वारा हमें दिए गए सुझावों के उत्प्रेरणों का भी आकलन करना हेगा। यह स्पष्ट है कि अंतर्राष्ट्रीय समुदाय, खास तौर पर बड़ी शक्तियों में इस बात को लेकरी पूर्णरूपेण सहमति है कि भारत-पाक को संयम से काम लेना चाहिए और पाकिस्तान एवं उसके विध्वंसकारी आतंकवादी एजेंटों की उकसावे वाली हरकतों के बावजूद विशेष तौर पर भारत को धैर्य का परिचय देना चाहिए।

हमें दिए गए सुझावों में अंतर्निहित शिष्टाचार एवं कूटनीतिक व्यवहार कौशल को छोड़कर बात की जाए तो अमेरिका एवं अन्य महत्वपूर्ण शक्तियों का यह स्पष्ट आकलन है कि राष्ट्रपति मुशर्रफ ने अपने देश में धार्मिक उग्रवाद तथा आतंकवाद पर अंकुश लगाने एवं इन्हें खत्म करने के लिए ईमानदार एवं प्रतिबद्ध प्रयास शुरु किए हैं और इसलिए भारत को उन पर अत्यधिक दबाव बनाकर नहीं रखना चाहिए क्योंकि संभव है कि इसके परिणामस्वरूप मुशर्रफ पिछले तीन हफ्तों के दौरान की गई नीतिगत पहल से पीछे हट जाएं। इस आशय का विचार व्यक्त किया गया कि भारत द्वारा मुशर्रफ पर डाला जा रहा दबाव कम कर दिए जाने से न केवल दोनों देशें के बीच तनाव का स्तर नीचे आएगा बल्कि इससे उग्रवादियों / आतंकवादियों के खिलाफ बपनी नीतियों को बरकरार रखने के संदर्भ में मुशर्रफ के हाथ और मजबूत होंगे। भारत के लिए यह बुद्धिमत्तापूर्ण एवं व्यावहारिक होगा कि वह मुशर्रफ को बचाव की किसी मुद्रा में न ढकेलें। विशेष

तौर पर अमेरिका एवं पश्चिमी लोकतांत्रिक देशों के कहीं अधिक बड़े उत्प्रेरण हैं; पहला और सबसे महत्वपूर्ण यह कि भारत-पाकिस्तान टकराव को टाला जाना चाहिए क्योंकि इससे पश्चिम एशिया में अलकायदा एवं उससे जुड़े संगठनों के खिलाफ अमेरिका के नेतृत्व में चलाए जा रहे आतंकवाद विरोधी अभियान में बाधा अएगी। दूसरा, भारत और पाकिस्तान को किसी भी नाभिकीय टकराव में उलझने से रोकना। तीसरा, अमेरिका एवं पश्चिमी देशों को मुशर्रफ ने जिस तरह समर्थन दिया है, उसे देखते हुए पाकिस्तान में उनकी प्रभुता बनी रहनी चाहिए। यह महत्वपूर्ण है कि मौजूदा समय में मोटे तौर पर रूस और चीन के उत्प्रेरण भी यही हैं।

इन उत्प्रेरणों से यह दीर्घकालिक उद्देश्य भी जुड़ा है कि भारत-पाकिस्तान अपने परंपरागत नजरिये से हटते हुए कश्मीर समस्या के समाधान के लिए कुछ ठोस कदम उठाएं क्योंकि यदि कश्मीर समस्या का निराकरण नहीं हुआ तो यह टकरावपूर्ण स्थिति के लिए बंदूक की लिबलिबी जैसा काम करती रहेगी। यद्यपि ये शक्तियां भारत के त्रास और उसकी चिंताओं को महसूस करती हैं, लेकिन उनका मानना है कि क्षेत्रीय स्थिरता के कहीं बड़े हित के दृष्टिगत भारत को नरम हो जाना चाहिए। भारत की पाकिस्तान नीतियों को इन रुखों के अनुकूल होगा क्योंकि इन मुद्दों को लेकर दुनिया की सभी महत्वपूर्ण शक्तियों के नजरिये में एकरूपता है।

आइए अब भारत के प्रति पाकिस्तान की नीतियों के बिल्कुल ताजा अवयवों की ओर रुख करते हैं। मुशर्रफ द्वारा जैश-ए-मोहम्मद, लश्कर-ए-तोइबा पर प्रतिबंध लगाने; उनकी संपत्तियों पर रोक लगाने तथा पाकिस्तानी प्रशासन द्वारा तकरीबन 1900 इस्लामी कट्टरपंथियों को हिरासत में लेने के बारे में काफी कुछ कहा गया है। 12 जनवरी को दिए गए मुशर्रफ के भाषण की पाकिस्तान की भारत संबंधी नीतियों में बड़े बदलाव की शुरुआत के तौर पर व्याख्या की जा रही है। अब सवाल यह उठता है कि मुशर्रफ की नीतियों की ये सकारात्मक व्यख्याएं क्या उभरती हुई सच्चाई हैं अथवा मुशर्रफ द्वारा उठाए गए ये कदम दिखावटी एवं युक्तिपूर्ण हैं जिन्होंने सकारात्मक अनुमानों को जन्म दे डाला (जहां तक भारत की बात है, उसके मुताबिक दूसरी बात ही सही है)। मुशर्रफ ने 12 जनवरी के अपने भाषण तथा 18 जनवरी को धार्मिक नेताओं के एक समूह को संबोधित करते हुए यह बात दोहराई कि जम्मू-कश्मीर में अलगाववादी आंदोलन को समर्थन की पाकिस्तान की नीतियों में कोई बदलाव नहीं आएगा। उनके अनुसार ''कश्मीर पाकिस्तानियों के रक्त प्रवाह में है।''

उन्होंने जम्मू-कश्मीर में मौजूदा जमीनी वास्तविकताओं के आधार पर भारत के साथ कश्मीर के मामले में किसी भी समझौते से इन्कार किया।

जनवरी के मध्य में विदेशी पत्रकारों के साथ प्रेस कान्फ्रेंस में उनहोंने पूरी दृढ़ता के साथ कहा कि वह भारत से युद्ध के लिए पूरी तरह तैयार हैं और वह भारत को सबक सिखाने में सक्षम है। भारत द्वारा वांछित 20 आतंकवादियों को सौंपने के मसले पर उन्होंने कोई ठोस प्रतिबद्धता नहीं जताई है। उन्होंने और सबूत मांगे हैं। उन्होंने कॉलिन पॉवेल से क्हा है कि इस सूची के गैर-पाकिस्तानियों को सौंपने पर वह विचार कर सकते हैं बशर्ते भारत और विश्वसनीय एवं ठोस सबूत पेश करे।

इस पूरे परिप्रेक्ष्य के मद्देनजर पाकिस्तान से निपटने के मामले में भारत के समक्ष जटिल हालात हैं। पहला, भारत के सरोकार वाले मुद्दों (कश्मीर, आतंकवाद, भारतीय संसद के हमलावरों को सौंपने) पर पाकिस्तान की भारत संबद्ध नीतियों में कोई स्पष्ट बदलाव नहीं है। दूसरा, अंतर्राष्ट्रीय आतंकवाद विरोधी अभियान के प्रति कृतसंकल्प एक विवेकशील नरमपंथी नेता तथा भारत के साथ तनाव को खत्म करने की इच्छा रखने वाले एक व्यक्ति के तौर पर मुशर्रफ की विश्वसनीयता अंतर्राष्ट्रीय धारणाओं में बढ़ी है; चाहे सच्चाई कुछ भी हो और हमारी आपत्तियां कैसी भी क्यों न हों। यह अंतर्राष्ट्रीय अवधारणा एक ऐसा बाध्यकारी मामला है जिसका जवाब हमारे पास होना ही होगा। तीसरा, हमारे जिस तीव्र राजनीतिक सैन्य रुख की बदौलत कुछ हद तक आरंभिक इच्छित ध्येय पूरे हुए, अब उन्हीं का उल्टा असर भी पड़ सकता है।

भारत के लिए आवश्यक है कि अपने खिलाफ विघटनकारी आतंकवाद में पाकिस्तान की लिप्तता के सवाल पर अपने सिद्धान्तपूर्ण रुख से बगैर पीछे हटे वह व्यावहारिक एवं विवेकशील नजर आए। यह भी उतना ही आवश्यक है कि सितम्बर, 2001 से हमने अंतर्राष्ट्रीय समुदाय का जो व्यापक समर्थन हासिल कर रखा है, उसे खो न दें।

दुविधापूर्ण स्थिति में अफगानिस्तान क्या अंतर्राष्ट्रीय दिलचस्पी दम तोड़ रही है? लोया जिरगा का इंतजार

काबुल में हामिद करजई की अंतरिम सरकार के सत्ता संभालने के बाद छह सप्ताह बीत चुके हैं। बॉन में आयोजित सम्मेलन द्वारा इस सरकार को दो जिम्मेदार सौंपी गई-नए प्रशासन की स्थिरता सुनिश्चित करना और भव्य काबायली सभा 'लोया जिरगा' के लिए तैयारी करना। इस सरकार को यह भी

जिम्मेदारी दी गई कि वह 20 से भी अधिक वर्षों के सशस्त्र संघर्ष के कारण हुई बर्बादी तथा तालिबान, जिसने धार्मिक रूढ़िवाद के प्रति अपनी उत्कट दीवानगी में अफगानिस्तान के नागरिक समाज की जरूरतों को पूरी तरह नजरअंदाज कर दिया, के लूटपाट से निपटने के लिए बाहरी मदद सुनिश्चित करे। एक समानांतर अभ्यास के तौर पर आतंकवाद के खिलाफ अभियान तथा ओसामा बिन लादेन व मुल्ला उमर को पकड़ने की मुहिम जारी रखनी होगी।

इसके घरेलू परिदृश्य के बारे में तार्किकता के आधार पर कोई अनुमान लगाना अभी जल्दबाजी होगी, लेकिन अफगानिस्तान की विकट स्थितियों से अंतर्राष्ट्रीय समुदाय एवं मीडिया का ध्यान कुछ हद तक हट जाने के कारण इन संभावनाओं का पता लगाना आवश्यक भी हो गया है। तालिबान सरकार के हटने तथा अधिसंख्य अलकायदा सदस्यों (उन्हें छोड़कर जो मारे गए या गिरफ्तार कर लिए गए) के गायब हो जाने के साथ ही अलकायदा एवं तालिबान के खिलाफ सैन्य अभियान की तीव्रता में कमी आ गई है। बिन लादेन और मुल्ला उमर के भविष्य का कुछ पता नहीं। हालांकि इस तरह की अटकलें लगाई जा रही हैं कि वे पाक अधिकृत कश्मीर में हैं– जो भारत के लिए अच्छी खबर नहीं कही जा सकती।

अमेरिका का यह रुख कि "उनके लिए छिपने की कोई जगह नहीं, हम उन्हें धुएं में उड़ा देंगे" अब नरम पड़कर अपेक्षाकृत कम महत्वाकांक्षी और कहीं अधिक यथार्थवादी हो गया है। अब रुख है: "हम अंतत: उन्हें खोज निकालेंगे, उन्हें सजा देंगे। हमारा मुख्य उद्देश्य किन्हीं व्यक्ति विशेष नहीं, बल्कि धार्मिक अतिवाद के अंतर्राष्ट्रीय आतंकवादी संजाल को नष्ट करना है।"

इस क्षेत्र में मोटे तौर पर सुरक्षा व विदेश नीतिगत ध्यान भारत पाक के अत्यधिक तनाव पर केंद्रित हो गया है। मीडिया ने अपना ध्यान उपमहाद्वीप के हालात तथा "दि वाल स्ट्रीट जर्नल" के अमेरिकी पत्रकार डेनियल पर्ल के अपहरण पर केंद्रित कर रखा है। इस मोड़ पर अफगानिस्तान का क्या होगा।?

जमीनी वास्तविकताएं सामान्य स्थिति बहाली के मामले में एक मुश्किल सफर की ओर इशारा करती हैं। करजई सरकार का नियंत्रण काबुल और संभवत: कांधार पर भी है, लेकिन अफगानिस्तान के चंद हिस्सों में इसके आदेशों का ठीक तरह पालन नहीं हो पाता। इस तरह की खबरें हैं कि प्रांतस्तरीय पख्तून नेतृत्व के बावजूद खोस्त, पक्टिया, पख्तिखा और गजनी में स्थानीय सत्ता संरचना करजई को पूर्ण समर्थन नहीं दे रहीं हैं। उत्तरी गेठजोड़ के अंदर तनाव अब भी बरकरार है। जनवरी के उत्तरार्द्ध में मजार-ए-शरीफ के पास रक्षा मंत्री फहिम तथा रक्षा उपमंत्री दोस्तम के वफादार सैनिकों के बीच झड़पें हुईं।

इस क्षेत्र को विसैन्यीकृत करने के फैसले के साथ ही संकट का तात्कालिक तौर पर तो समाधान हो गया है, लेकिन उत्तरी गठजोड़ में ताजिक व उजबेक के मध्य तथा दक्षिण-पश्चिमी अफगानिस्तान व करजई समर्थक पख्तुनों के मध्य तनाव मौजूद है।

यद्यपि तालिबान सरकार का सफाया हो चुका है, यह ध्यान में रखना जरूरी है कि बड़ी संख्या में तालिबान लड़ाके अपने हथियारों के साथ ग्रामीण इलाकों में चले गए हैं और स्थानीय आबादी में घुल मिलकर वे क्षेत्रीय सेनापतियों की सेनाओं में शामिल हो गए हैं। इस बात का कोई संकेत नहीं कि उभरती हुई राजनीतिक वास्तविकताओं के साथ एक अन्य महत्वपूर्ण अल्पसंख्यक 'हजारा' किस तरह सामंजस्य बैठा रहे हैं।

फिर है गुलबुद्धीन हिकमतयार तथा बुरहानुद्धीन ख्बानी जैसी बीते दिनों की हस्तियों की ओर से सत्ता संरचना में पैठ बनाने के लिए की जा रही जोड़-तोड़। स्पष्ट है कि नई सरकार के गठन तथा स्थिरीकरण की ओर बढ़ने में करजई को खासी बाजीगरी करनी पड़ेगी। उन्हें यह सुनिश्चित करना है कि पूरे देश में नए प्रशासन को स्थापित करने में प्रांतीय काबायली नेता उनके साथ सहयोग करें।

यहां उन्हें अनुभवी व्यक्तियों की कमी की समस्या से जूझना पड़ रहा है। अफगानिस्तान की अर्थव्यवस्था का निर्माण शून्य से शुरु करना होगा। अफगानिस्तान सरकार को एक संयोजित एवं अनुशासित सशस्त्र बल तथा लोक सेवा का गठन करना है। घरेलू कानून व व्यवस्था बनाए रखने के लिए उसे एक संस्थागत व्यवस्था का पुनर्गठन करना है। इस दिशा में प्रयास जारी रखते हुए सरकार "लोया जिरगा" के लिए संदर्भ तथ्य का निर्धारण करना है, सरकार को छह माह में इसकी बैठक बुलानी है।

करजई सरकार को खास अंतर्राष्ट्रीय समर्थन हासिल है। जनवरी में तोक्यो सम्मेलन के दौरान अफगानिस्तान को विकास मदद के मसले पर महत्वपूर्ण फैसला हुआ– अमेरिकी नेतृत्व में ऋण दाता देश वित्तीय वर्ष 2002-03 के लिए 1.8 अरब डॉलर की राशि देंगे। अगले चार वर्षों के दौरान 4.5 अरब डॉलर आवंटित करने की प्रतिबद्धता जताई गई। गठबंधन का सैन्य बल अफगानिस्तान में तैनाती की प्रक्रिया में है– इसमें सर्वाधिक महत्वपूर्ण भागीदारी ब्रिटेन की होगी।

ऐसा प्रतीत होता है कि वाहय लिप्तता बीते दिनों की प्रतिद्वंद्विता से मुक्त है। सऊदी अरब व भारत जैसे देशों के साथ मध्य एशियाई गणराज्य व चीन आम सहमति के साथ काम कर रहे हैं। कोफी अन्नान ने संकेत दिया है कि विकास

कार्य शुरु करने के लिए संयुक्त राष्ट्र एजेंसियां फिर अफगानिस्तान जाएंगी। कॉलिन पॉवेल एवं रूसी विदेश मंत्री आइगर इवानोव ने भी काबुल की यात्रा कर अफगानिस्तान को मिल रहे ठोस अंतर्राष्ट्रीय समर्थन का उदाहरण पेश किया। करजई जापान, अमेरिका, ब्रिटेन, चीन, तजाकिस्तान, सऊदी अरब तथा पाकिस्तान गए जहां उन्हें मदद बनाए रखने का आश्वासन मिला। यद्यपि यह मदद केंद्र को एकजुट रखने तथा बॉन में लिए गए राजनीतिक फैसलों पर आगे बढ़ने की करजई की काबलियत पर निर्भर करेगी।

13 वर्षों के अंतराल के बाद भारत-अफगानिस्तान बातचीत में गुणात्मक तेजी आई है। बॉन तथा तोक्यो में आयोजित सम्मेलनों तथा नए अफगान नेतृत्व के साथ द्विपक्षीय विचार-विमर्श के संदर्भ में भारत के विशेष दूत एस. के. लांबा ने पर्दे के पीछे एक महत्वपूर्ण भूमिका निभाई। भारत ने एक लाख डॉलर के आर्थिक पैकेज की घोषणा की है। वाजपेयी ने 10 लाख डॉलर की अतिरिक्त सहायता की घोषणा करते हुए कहा कि अफगानिस्तान सरकार जिस मद में चाहे, इसका इस्तेमाल करे। भारत की ओर से चिकित्सीय सामान तथा चिकित्सा कर्मी अफगानिस्तान के लिए रवाना हो चुके हैं। पाकिस्तान के रवैये के कारण भारत की अनाज सहायता में जरूर तात्कालिक बाधा उत्पन्न हो गई है; अब यह ईरान के रास्ते पहुंचाई जाएगी।

इस बात पर गौर करना उपयुक्त होगा कि भारत की यात्रा करने वाले अफगान नेताओं में अधिसंख्य उत्तरी गठजोड़ से हैं, न कि पख्तून धड़े के। भारत को इस बात के प्रति जागरूक रहना होगा कि यदि वह भारत-अफगानिस्तान रिश्तों को सुदृढ़ करना चाहता है और अफगानिस्तान के स्थिरीकरण में सक्रिय और गैर-विवादित भूमिका निभाना चाहता है तो नई सत्ता संरचना के पख्तून धड़े के साथ बेहतर संबंध जरूरी हैं। मुशर्रफ आगे भी दिल्ली और काबुल के बीच निकट संबंधों के विरोध में रहेंगे। पख्तून नेतृत्व को अब भी सोवियत संघ समर्थित करमल सरकार के साथ और फिर 1980 से 1999 के बीच रब्बानी शासन एवं उत्तरी गठजोड़ से भारत के अच्छे रिश्तों के प्रति अपनी नाराजगी से उबरना है। फिर अफगानिस्तान के लिए क्या संभावनाएं हैं। आंतरिक संघर्ष के उठ खड़े होने की संभावनाएं बरकरार हैं जिसे पूर्व तालिबान लड़ाकों, उत्तरी गठजोड़ व पख्तूनों के बीच लगातार चल रही शत्रुता तथा इन समूहों के आंतरिक विरोधों से और बल मिल सकता है। अभी खासे लंबे समय तक अफगानिस्तान की आंतरिक स्थिरता और सुरक्षा अंतर्राष्ट्रीय गठबंधन की सेनाओं की मौजूदगी पर निर्भर करेगी।

उत्तर-जिरगा व्यवस्था के स्थिरीकरण में बाहरी दिलचस्पी को अभी कायम रहना होगा। यह देश अब भी कबिलाई, जातीय और क्षेत्रीय धार्मिक शत्रुता से घिरा है। बहुत कुछ इस बात पर निर्भर करेगा कि अफगानिस्तान के नागरिक समाज के बुनियादी विरोधाभासों से लोया जिरगा किस तरह निपटता है। अफगानिस्तान से अब दुनिया का ध्यान हटने लगा है। यह आवश्यक है कि अंतर्राष्ट्रीय समुदाय अफगानिस्तान के स्थायित्व के लक्ष्य पर ध्यान जमाए रखे, वर्ना एक बार फिर यह एक ऐसी अलगाववादी ताकत बन जाएगा जिसका असर मध्य व दक्षिण एशिया की शांति और सुरक्षा पर पड़ेगा।

मैनहटन में तबाही–एक जटिल निहितार्थ

11 सितम्बर 2001 को लंबे समय तक एक ऐसे दिन के रूप में याद किया जाएगा जब दुनिया की सर्वोच्च सैन्य शक्ति अमेरिका अंतर्राष्ट्रीय आतंकवाद की ताकतों के प्रत्यक्ष व सफल हमले का निशान बना। मैनहटन द्वीप के छोर पर स्थित विश्व व्यापार संगठन की जुड़वां इमारतें उन आतंकवादी अपहर्ताओं द्वारा नष्ट कर दी गईं जिन्होंने अमेरिका एवं युनाइटेड एयरलाइंस के विमानों को उड़ाकर इन दोनों इमारतों से टकरा डाला। इसी तरह अपहृत किया गया तीसरा विमान पेंटागन भवन से टकराया और चौथा विमान पेंसिलवानिया में दुर्घटनाग्रस्त होकर अपने लक्ष्य तक पहुंचने में नाकाम रहा। इस चौथे विमान का लक्ष्य व्हाइट हाउस या कैंप डेविड स्थित राष्ट्रपति का विश्रामस्थल था। एक साथ हुए ये हमले एक सटीक सैन्य अभियान की तर्ज पर हुए।

यह आतंकवादी अभियान इस्तेमाल किए गए तौर-तरीके, लक्ष्यों के रणनीतिक नियोजन, उन्नत योजना और समग्र राजनीतिक प्रभाव के संदर्भ में असाधारण रूप से महत्वपूर्ण हैं। इन पंक्तियों को लिखते समय इस हादसे में मृतक संख्या कम-से-कम 10 से 15 हजार के बीच है। सबसे महत्वपूर्ण बात यह है कि विस्फोटक हथियार के तौर पर इन विमानों के इस्तेमाल की बात एकदम अप्रत्याशित थी और इसने दुनिया को एकदम स्तब्ध कर डाला जो किसी भी आतंकवादी हमले के पीछे का सर्वाधिक महत्वपूर्ण मनोविज्ञान होता है।

नैरोबी तथा दार-ए-सलाम स्थित अमेरिकी दूतावासों पर बमबारी और इसके परिणामस्वरूप सूडान एवं अफगानिस्तान पर अमेरिकी मिसाइल हमलों के बाद अमेरिकी खुफिया एजेंसियों का अनुमान यह था कि अतिवादी इस्लामी उग्रवादी संगठन अमेरिका में बड़े पैमाने पर आतंकवादी हमले करेंगे। 11 सितम्बर की दोपहर से अमेरिका द्वारा दिए गए सरकारी बयानों से यह बिल्कुल स्पष्ट है

कि उन्हें इस बात का बिल्कुल अंदेशा नहीं था कि आतंकवादी हमले के इस एकदम अनूठे व असाधारण तरीके का इस्तेमाल करेंगे।

इन हमलों के लिए लक्ष्यों का रणनीतिक निर्धारण इस तरह किया गया कि अधिकतम प्रचार तथा राजनीतिक प्रभाव सुनिश्चित हो सके। न केवल अमेरिका बल्कि शायद दुनिया की आर्थिक राजधानी न्यूयार्क में स्थित विश्व व्यापार संगठन का जुड़वां इमारतों को ध्वस्त करना इस बात का प्रमाण है कि आतंकवादी अमेरिकी अर्थव्यवस्था को तहस-नहस करने और इस तरह अंतर्राष्ट्रीय आर्थिक कारोबार की बुनियाद पर प्रहार करने में सक्षम हैं।

वाशिंगटन के पेंटागन भवन में अवस्थित अमेरिकी रक्षा मंत्रालय और सशस्त्र बलों के मुख्यालयों पर हमले से यह समानांतर संदेश देना भी लक्ष्य था कि अमेरिका की सैन्य और प्रौद्योगिकीय सर्वोच्चता के बावजूद आतंकवादी उनकी सैन्य व रणनीतिक क्षमताओं के सर्वाधिक महत्वपूर्ण स्थलों तक भी पहुंच सकते हैं। व्हाइट हाउस अथवा पेंसिलवानिया में कैंप डेविड स्थित राष्ट्रपति के विश्रामालय के इच्छित लक्ष्यों पर हमला एक विध्वंसकारी राजनीतिक प्रतीक होता। विदेश विभाग तथा कैपिटल हिल के बाहर कार बम इस बात के सबूत थे कि आतंकवादी अमेरिकी सरकार की विधायिका तथा विदेश नीति संबंधी प्रक्रियाओं को पंगु बनाने में भले सक्षम न हों, वे इसे बाधित तो कर ही सकते हैं।

संसाधन और प्रशिक्षण के संदर्भ में इस पूरे अभियान की रूपरेखा तय करने में निश्चित रूप से 8 माह से एक साल का वक्त लगा होगा और यह बात बिल्कुल स्पष्ट है कि इस तरह की व्यापक स्तरीय आतंकवादी कार्रवाई केवल सुसंगठित अंतर्राष्ट्रीय आतंकवादी संगठनों की मदद से ही संभव हो सकती थी और वह भी किसी एक या एक से अधिक देशों की मदद से। इसीलिए राष्ट्रपति बुश का यह नीतिगत बयान आया कि अमेरिका इस हिंसा के समर्थकों को खोज निकालेगा और उनके खिलाफ कार्रवाई करेगा। इससे भी महत्वपूर्ण बात यह है कि अमेरिका इस अभियान का वास्तव में साजिश रचने वालों तथा आतंकवादियों को प्रशिक्षण एवं शरण मुहैया कराने वाले देशों में कोई अंतर नहीं करेगा।

11 सितम्बर के बाद के घटनाक्रमों के जटिल राजनीतिक निहितार्थ हैं, मोटे तौर पर दक्षिण एशिया और विशेष तौर पर भारत व पश्चिम के लिए। अमेरिकी सरकार के शीर्षस्तरीय अधिकारियों ने इस आशय के संकेत दिए हैं कि अमेरिका के खिलाफ आतंकवादी हमलों का जन्म अफगानिस्तान में हुआ, ओसामा बिन लादेन के समग्र संगठनात्मक मार्ग निर्देशन में। उन्होंने यह संदेह भी जताया है कि इस हिंसा की जड़ें अल्जीरिया, इराक और सूडान में भी हो सकती

हैं। तालिबान शासन तथा अतिवादी इस्लामी आतंकवादी संगठनों के साथ अपने संपर्कों के कारण पाकिस्तान भी निशाने पर है। अमेरिका ने लक्ष्य किए गए देशों के खिलाफ दंडात्मक सैनिक कार्रवाई की योजना बनाई है और इसकी शुरुआत अफगानिस्तान से होनी है (यदि अफगानिस्तान पर लोगों का ध्यान केंद्रित करने की आड़ में कहीं और हमले की योजना न हो)। अमेरिका को विश्व की अपार सहानुभूति मिली है और अंतर्राष्ट्रीय आतंकवादी संगठनों के खिलाफ कार्रवाई की उसकी जो कुछ भी योजना है, इसके लिए उसे व्यापक अंतर्राष्ट्रीय समर्थन हासिल है! आतंकवादियों के खिलाफ सैनिक अभियान में अमेरिका का साथ देने का वैधानिक आधार तैयार करने के लिए नाटो के सदस्य राष्ट्रों ने संगठन संधि के अनुच्छेद 5 को रद्द कर दिया है।

11 सितम्बर को अमेरिका पर आतंकवादी हमले के मोटे तौर पर चार परिणामों ने यह बात साबित कर दी है कि अंतर्राष्ट्रीय आतंकवाद न केवल आम अंतर्राष्ट्रीय समुदाय के लिए खतरा है बल्कि सर्वाधिक शक्तिशाली देशों के लिए भी।

दूसरा, इस बात से लेकर आमसहमति बनने लगी है कि न केवल राजनीतिक बल्कि सैन्य तरीकों से आतंकवाद का मुकाबला करने के लिए एक अंतर्राष्ट्रीय गठजोड़ बनना चाहिए। तीसरा, इस तरह की बात उठ रही है कि बेहतर हो यदि अमेरिकी नेतृत्व में प्रस्तावित सैनिक अभियान संयुक्त राष्ट्र के समुचित प्रस्ताव के तहत हो। चौथा, चूंकि हमारे क्षेत्र में अभियान का घोषित केंद्र अफगानिस्तान है, भारत को इस आतंकवादी घटना के गंभीर परिणामों से दो-चार होना पड़ेगा। भारत ने हमले के बाद तत्काल अमेरिका के प्रति सहानुभूति जताई और इससे भी महत्वपूर्ण बात यह रही कि भारत ने इस बात को स्पष्ट किया कि अंतर्राष्ट्रीय आतंकवाद के खिलाफ अमेरिका जो कुछ भी कदम उठाएगा, भारत उसे पूरा समर्थन देगा।

वाजपेयी और जसवंत सिंह, दोनों ने इस बात पर जोर दिया कि अमेरिका को इस समर्थन की पेशकश के पीछे कोई बदले की भावना नहीं बल्कि इसकी जड़ें खुद भारत की विकट स्थितियों में हैं। भारत कई सालों से सीमा पार आतंकवाद को झेल रहा है और उसकी इच्छा अभूतपूर्व आतंकवादी हमले का शिकार हुए अमेरिका का साथ देने की हुई क्योंकि भारत की तरह ही अमेरिका भी अंतर्राष्ट्रीय आतंकवाद का लंबे समय से घोषित लक्ष्य रहा है।

अफगानिस्तान स्थित आतंकवादियों के खिलाफ अभियान में सहयोग के लिए अमेरिका का पाकिस्तान से संपर्क करना और इसपर पाकिस्तान की

प्रतिक्रिया के भारत के लिए जटिल निहितार्थ हैं। अपने ही देश में अतिवादी इस्लामी संगठनों के विरोध के बावजूद परवेज मुशर्रफ ने अमेरिका को समर्थन की पेशकश की। उन्होंने अमेरिका की यह मांग मान ली कि आतंकवाद के खिलाफ अभियान में पाकिस्तानी भू-भाग तथा नभ क्षेत्र के इस्तेमाल की अनुमति हो इस संदर्भ में मुशर्रफ ने केवल एक ही पूर्व शर्त रखी कि पाकिस्तानी भू-भाग से चलाए जाने वाले अभियान में बहुपक्षीय सेना हो। वह अफगानिस्तान-पाकिस्तान सीमा को बंद करने तथा तालिबान सरकार को आवश्यक आपूर्ति रोकने पर राजी हो गए हैं। (आपूर्ति के प्रवाह को रोकना 'छिद्रयुक्त' सीमा और दुश्कर भौगोलिक स्थिति के कारण शायद संभव नहीं)। वह इस संदेश के साथ पहले ही विशिष्ट कूटनीतिक दल को कांधार भेज चुके हैं कि तालिबान ओसामा बिन लादेन को सौंप दे। यद्यपि उन्होंने पहले मांग की कि भारत और इजरायल को अमेरिकी नेतृत्व वाले आतंकवाद विरोधी गठबंधन से अलग रखा जाए। उन्होंने यह बात भी रखी कि जम्मू-कश्मीर में जेहाद संघर्ष को आंतकवाद विरोधी अभियान के दायरे में न लाया जाए। उन्होंने राष्ट्रपति बुश से अनुरोध किया कि भारत के साथ कश्मीर विवाद के निपटारे के लिए वह हस्तक्षेप करें। उन्होंने मांग की कि पाकिस्तान के खिलाफ सारे प्रतिबंध हटाए जाएं और पाकिस्तान के विदेशी ऋण को या तो साफ किया जाए या फिर इसकी अदायगी को आगे खिसका दिया जाए। स्पष्ट तौर पर पहला तीन मांगें पाकिस्तानी जनमत के खास तबके में व्याप्त इस्लामी अतिवादियों की भावनाओं को सहलाने तथा भारत के खिलाफ विध्वंसकारी आतंकवादी विकल्प को सुरक्षित रखने के ध्येय से रखी गईं। बाकी दो मांगों का लक्ष्य पाकिस्तान को उसकी मुश्किल आर्थिक स्थितियों से एक ही झटके में निकालना था।

अमेरिकी विदेश मंत्री कॉलिन पॉवेल का 16 सितम्बर को दिया गया यह बयान भारत के संदर्भ में कोई उत्साहजनक संकेत नहीं देता कि भारत और इजरायल के प्रति पाकिस्तानी संवेदनशीलता का अमेरिका ध्यान रखेगा। विदेश मंत्री जसवंत सिंह और राष्ट्रीय सुरक्षा सलाहकार ब्रजेश मिश्रा इन विषयों पर विचार-विमर्श के लिए सितम्बर के दूसरे सप्ताह में वाशिंगटन जा रहे हैं। अमेरिका को पूर्ण समर्थन देने की हमारी नीति तभी तर्कसंगत है जब अमेरिका भी भारत के विभिन्न भागों, खास तौर पर जम्मू-कश्मीर में पाकिस्तान समर्थित सीमा-पार आतंकवाद पर हमारी चिंताओं को साझा करने में उतनी ही दिलचस्पी दिखाए।

सीमा पार आतंकवाद को खत्म करने के लिए भारत राजनीतिक व सैनिक तरीके से जो कुछ भी कदम उठाता है, अमेरिका को उसका समर्थन करना चाहिए। पाकिस्तान का अमेरिका से प्रतिबंध हटाने तथा आर्थिक मदद की मांग करने से हमारे ऊपर कोई फर्क नहीं पड़ता। लेकिन अमेरिका हमें सलाह दे कि आतंकवाद से निपटने में हमें संयम बरतना चाहिए, इस संभावना से इनकार भी नहीं किया जा सकता। यदि ऐसा होता है, तो पिछले एक दशक से किए जा रहे भारत के उन प्रयासों को झटका लगेगा जिसके तहत उसने अमेरिका के साथ व्यापक राजनीतिक, सुरक्षा, आतंकवाद विरोधी और रक्षा सहयोग को और विस्तार देने की कोशिश की। इस तरह की किसी घटना से एक बार फिर यह बात साबित होगी कि अंतर्राष्ट्रीय आतंकवाद के खिलाफ हमारा संघर्ष मूलतः हमारी सैन्य व्यावहारिक क्षमताओं और राजनीतिक इच्छा शक्ति पर निर्भर करेगा। अपनी नीतियों के निर्धारण के समय हमें हमेशा इस वास्तविकता को ध्यान में रखना चाहिए।

चूंकि राष्ट्रपति बुश ने यह घोषणा कर रखी है कि अमेरिका का आतंकवाद विरोधी अभियान लंबे समय तक लगातार चलता रहेगा, अंतर्राष्ट्रीय समुदाय को आतंकवादी गतिविधियों को जन्म देने वाले देशों में नागरिक आबादी पर इस लंबे अभियान के कारण पड़ने वाले असर के प्रति संवेदनशील रहना चाहिए। निशाना आतंकवादी संगठन होने चाहिए, निर्दोष लोग नहीं।

वाजपेयी की अमेरिका यात्रा–क्या समय सही है?

15 से 17 सितम्बर तक प्रधानमंत्री वाजपेयी की वाशिंगटन यात्रा की आधिकारिक घोषणा हो चुकी है। इस यात्रा को लेकर सनसनीखेज राजनीतिक प्रचार मीडिया में उन्माद का संचार शुरु हो गया है। लेकिन भारत–अमेरिका संबंधों के तत्व व इनके भावी स्वरूप के मद्देनजर ये दोनों ही बिल्कुल अप्रासंगिक हैं। वाजपेयी की अमेरिका यात्रा के संभावित परिणामों का सबसे पहले मार्च में राष्ट्रपति क्लिंटन की भारत यात्रा के बाद भारत–अमेरिका संबंधों में आए रुखों के संदर्भ में आकलन करना होगा; क्या ये रुख सकारात्मक और उत्साहजनक हैं? दूसरा, क्लिंटन–वाजपेयी विचार–विमर्श के लिए भारतीय और अमेरिकी एजेंडे किस हद तक अगले अमेरिकी प्रशासन के दौरान भी बरकरार रहेंगे; इस बात के संकेत हैं कि क्लिंटन प्रशासन की जगह एक रिपब्लिकन प्रशासन लेने वाला है बशर्ते इस मामले में अब तक आए जनमत सर्वेक्षण और राजनीतिक विश्लेषण एकदम गलत न साबित हो जाएं। यद्यपि वाशिंगटन में

वाजपेयी करीब साढ़े तीन दिन ही रहेंगे, उनकी अमेरिका यात्रा कुल मिलाकर 12 दिन लंबी होने जा रही है। इस दौरान उनके सिलिकॉन वैली जाने की भी संभावना है। फिर वह संयुक्त राष्ट्र महासभा के सत्र में भाग लेंगे। विचार-विमर्श के एजेंडे पर बाद में आएंगे। पहले कुछ पहलुओं की समीक्षा जरूरी है यद्यपि अब इसके लिए विलंब हो चुका है क्योंकि कार्यक्रम तय हो गया है। क्या वाजपेयी को एक ऐसे राष्ट्रपति के बुलावे पर वाशिंगटन जाना चाहिए था जो इस मुलाकात के महज साढ़े तीन माह बाद पद भार छोड़ने जा रहा हो? इससे भी महत्वपूर्ण इस आशय की खबरें हैं कि डेमोक्रेटिक पार्टी वाजपेयी की इस यात्रा को राष्ट्रपति तथा सीनेट के चुनाव प्रचार में पार्टी को भारतीय समर्थन के तौर पर पेश करने की इच्छुक है। ऐसा अमेरिका में रह रहे प्रवासी भारतीय समुदाय की वजह से है जो अमेरिकी राजनीति में तेजी से एक प्रभावशाली कारक बनता जा रहा है। उप राष्ट्रपति गोर और श्रीमती हिलेरी क्लिंटन, दोनों के लिए ही धन और वोट महत्वपूर्ण हैं। श्रीमती हिलेरी क्लिंटन न्यूयार्क की एक सीनेट सीट के लिए लड़ रही हैं और हाल की इन खबरों के मद्देनजर कि यहूदी उनके समर्थन में नहीं हैं, हिलेरी के लिए प्रवासी भारतीयों के वोट कहीं अधिक महत्वपूर्ण हो जाते हैं। अल गोर प्रधानमंत्री के सम्मान में भोज दे रहे हैं ओर हिलेरी क्लिंटन अपने चुनाव प्रचार अभियान को छोड़कर श्री वाजपेयी के लिए व्हाइट हाउस में आयोजित भोज के दौरान उपस्थित रहेंगी।

यद्यपि यह सही है कि प्रधानमंत्री को वैसा ही गर्मजोशी का व्यवहार करना चाहिए और उन्हें राष्ट्रपति क्लिंटन के प्रति आभार भी व्यक्त करना चाहिए, लेकिन क्या वाजपेयी को डेमोक्रेटिक पार्टी की चुनावी राजनीति में पड़ना चाहिए, विशेष तौर पर रिपब्लिकन पार्टी के सत्ता में आने के अनुमानों के बीच? क्या वाजपेयी की यह यात्रा अगले वर्ष ग्रीष्म या शरद ऋतु के दौरान नहीं हो सकती थी? तब तक राष्ट्रपति चुनाव से गुजरकर अमेरिकी राजनीति में स्थिरता भी आ गई होती।

जून के मध्य से भारतीय अधिकारियों और उनके वरिष्ठ अमेरिकी समकक्षों के बीच शुरुआती संपर्क जारी हैं। श्री ब्रजेश मिश्रा और श्री जसवंत सिंह की अमेरिकी राष्ट्रीय सुरक्षा सलाहकार सैंडी बर्गर, विदेश उपमंत्री स्ट्रोब तालबोट व थॉमस पिकरिंग तथा अमेरिकी कांग्रेस के सदस्यों के साथ बातचीत हुई। जसवंत सिंह की विदेश मंत्री मैडलीन अल्ब्राइट के साथ वार्सा में विचार-विमर्श हुआ था। भारतीय तकनीकी विशेषज्ञों से संपर्क और संयुक्त राष्ट्र महासभा की बैठक में भाग लेने के स्वाभाविक उद्देश्य को छोड़कर इस यात्रा

के महत्वपूर्ण पहलुओं का मनन करने से दो तथ्य स्पस्टतया समने आते हैं। पहला, यह कि अमेरिका भारत को इस बात को लेकर जागरूक हैं कि महत्वपूर्ण राजनीतिक, आर्थिक और प्रौद्योगिकीय मुद्दों पर दोनों देशों के बीच कुछ बुनियादी मतभेद मौजूद हैं। दूसरा, दोनों ही पक्षों की ओर से यह प्रतिबद्धता है कि पिछले साल भारत–अमेरिकी संबंधों को दिए गए आवेग को इन मतभेदों के बावजूद बनाए रखा जाना चाहिए और इन्हें हरसंभव हद तक विस्तार देना चाहिए।

वाजपेयी की वाशिंगटन यात्रा के बारे में सर्वाधिक प्रासंगिक सवाल यही है कि उपरोक्त उद्देश्यों के किस हद पूरा होने की संभावना है। हालांकि वाजपेयी और क्लिंटन पहले भी मिल चुके हैं, लेकिन भारत के नाभिकीय सशस्त्रीकरण के बाद यह वाजपेयी की पहली वाशिंगटन यात्रा है। हमारे प्रधानमंत्री के लिए यह पहला अवसर होगा जब वह अमेरिकी सत्ता संरचना, विशेष तौर पर अमेरिकी विधायिका एवं मीडिया से व्यापक स्तर पर बातचीत करेंगे। अप्रसार एवं सुरक्षा संबंधी मुद्दों पर भारत के नीतिगत दिशानिर्देशों के गंभीर एवं जिरहयुक्त मूल्यांकन से निपटने का जटिल काम वाजपेयी के हिस्से होगा। उनकी उच्चस्तरीय बातचीत के एजेंडे में अप्रसार यानी शस्त्र नियंत्रण सबसे महत्वपूर्ण होगा। बेशक भारत सीटीबीटी पर दस्तखत के फैसले की घोषणा नहीं करे, फिर भी इन बातचीत से काफी उम्मीदें होंगी। इस समझौते का एक पक्ष बनने की दिशा में आगे बढ़ने के सिलसिले में भारत अपनी प्रतिबद्धता का स्पष्ट संकेत दे सकता है। निशस्त्रीकरण व शस्त्र नियंत्रण से जुड़ी अमेरिकी नीतिगत घोषणाओं व चंद घटनाओं, हाल के राजनीतिक व तकनीकी पहलुओं तथा हाल में भारत में सीटीबिटी पर बहस के राजनीतिक व तकनीकी पहलुओं के मद्देनजर वाजपेयी के लिए इस संदर्भ में अमेरिकी अपेक्षाओं को पूरा करना मुश्किल होगा। इस ग्रीष्म ऋतु के दौरान न्यूयार्क में अप्रसार संधि समीक्षा सम्मेलन में अमेरिकी विदेश मंत्री के बयानों, राष्ट्रीय प्रक्षेपास्त्र प्रतिरक्षा (एनएमडी) प्रणाली तैयार करने तथा इसकी तैनाती के प्रति अमेरिका का गंभीर झुकाव और अमेरिकी सीनेट से सीटीबीटी की पुष्टि नहीं होने से अप्रसार तथा शस्त्र नियंत्रण के मुद्दे पर अन्य देशों को अमेरिका द्वारा दी जा रही दलीलें कमजोर साबित हुई हैं। दो प्रमुख नाभिकीय शक्तियां रूस और चीन उपरोक्त अमेरिकी नीतिगत रुखों के मद्देनजर हाल की निशस्त्रीकरण पहल को लेकर अपनी प्रतिबद्धता को हल्का कर सकती हैं।

भारतीय जनमानस के महत्वपूर्ण तबकों तथा राजनीतिक दलों की ओर से सीटीबीटी पर दस्तख्त के खिलाफ पेश की गईं सैद्धांतिक और राजनीतिक

दलीलों के अतिरिक्त भारत के शीर्ष वैज्ञानिकों ने भी भारत के सीटीबीटी पर दस्तखत करने तथा आगे और नाभिकीय परीक्षणों पर स्वघोषित प्रतिबंध लगाने पर गंभीर तकनीकी आपत्तियां उठाई हैं। इसलिए इन विषयों पर वाजपेयी-क्लिंटन की बातचीत का समस्याओं से परिपूर्ण होना तय है। गतिरोध टालने के लिए दोनों ही नेताओं को संयम और समझदारी से काम लेना होगा। भारत के लिए अमेरिकी प्रतिबंध तथा प्रौद्योगिकी (खास तौर पर दोहरे इस्तेमाल वाले) के हस्तांतरण पर रोक चिंता का प्रमुख कारण बने हुए हैं। अमेरिकी अप्रसार कानून तथा इस मसले पर वैश्विक नीतिगत रुखों के कारण अमेरिका के लिए इन प्रतिबंधों को हटाना मुश्किल होगा। हालांकि अमेरिकी कांग्रेस द्वारा राष्ट्रपति को दिए गए विशेषाधिकार के तहत इस दिशा में कुछ कदम उठाए जा सकते हैं। लेकिन सवाल तो यह उठता है कि राष्ट्रपति के चुनाव वाले वर्ष क्या क्लिंटन इन प्रतिबंधों को हटा सकेंगे अथवा हटाना चाहेंगे? वाजपेयी की वाशिंगटन यात्रा के महज दो माह बाद अमेरिका में चुनाव होने हैं। भारत को दी गई किसी भी तरह की रियायत एक राजनीतिक बहस का रूप ले सकती है और इससे डेमोक्रेटिक प्रत्याशी अल गौर की स्थिति कमजोर होगी।

आतंकवाद से मुकाबला, मानवाधिकारों की रक्षा, लोकतंत्र की मजबूती ओर संयुक्त राष्ट्र की शांति स्थापना भूमिका ही ऐसे राजनीतिक मुद्दे हैं जिनके संदर्भ में सभी दलों के हित एक से हैं और इन पर सहयोग की संभावनाएं हैं। (हालांकि संयुक्त राष्ट्र की शांति स्थापना की भूमिका को सुदृढ़ करने के प्रति आमसहमति का कतई यह अर्थ नहीं कि अमेरिका संयुक्त राष्ट्र सुरक्षा परिषद में स्थायी सदस्यता के मुद्दे पर भारत की दावेदारी का समर्थक है)। इस बात की उम्मीद जरूर है कि हमारे प्रधानमंत्री अमेरिकी नेताओं के साथ अपने विचार-विमर्श तथा अमेरिकी कांग्रेस के संयुक्त सत्र को संबोधन के दौरान परस्पर हितों तथा इन क्षेत्रों में सहयोग की संभावनाओं पर जोर देंगे।

वाजपेयी-क्लिंटन वार्ता में कश्मीर तथा भारत-पाकिस्तान संबंध प्रमुख मुद्दे होंगे। अमेरिका मजबूती के साथ भारत के सामने यह बात रखेगा कि अनिश्चिततओं के बावजूद पाकिस्तान की मुशर्रफ सरकार के साथ भारत बातचीत शुरु करे। इन अनिश्चितताओं ने हिजबुल मुजाहिदीन द्वारा प्रस्तावित संघर्ष विराम और उग्रवादी गुटों के साथ बातचीत शुरु करने के लिए भारत सरकार द्वारा उठाए गए आरंभिक कदमों पर असर डाला है। उग्रवादी गुटों के साथ वार्ता प्रक्रिया का जटिल होना लाजिमी है। ऐसा अनुमान है कि इस संदर्भ में अमेरिकी दलीलों पर भारत खुले तौर पर और शर्तरहित कोई आश्वासन नहीं दे पाएगा।

द्विपक्षीय अर्थिक रिश्तों के महत्वपूर्ण क्षेत्र में चंद मुद्दों पर अमेरिका के साथ मतभिन्नता कायम है, हालांकि भारत ने कृषि आयातों तथा वस्तु व सेवाओं के लिए अपनी अर्थव्यवस्था को खोलने के कुछ कदम उठाए हैं। लेकिन सबसे चिंता का विषय यह है कि क्लिंटन की यात्रा के बाद से 10 अमेरिकी कंपनियां भारत सरकार की प्रशासनिक व प्रक्रियागत देरी के कारण अपने संचालन को प्रभावित होते देख भारतीय बाजार से हट चुकी हैं। व्यापक आर्थिक सहयोग, जिसके लिए निःसन्देह काफी संभावनाएं मौजूद हैं। सुनिश्चित करने के मामले में प्रौद्योगिकी हस्तांतरण पर प्रतिबंध एक अवरोध है।

इन सब कारकों और रुखों के कारण इस महत्वपूर्ण यात्रा पर पड़ने वाले असर से कहीं अधिक इस तथ्य पर गौर करना होगा कि वाजपेयी की यात्रा के चार माह के भीतर अमेरिका में नए राष्ट्रपति के अंतर्गत नई सरकार निश्चित रूप से अमेरिका की भारत नीतियों की समीक्षा करेगी और इनका पुनर्निर्धारण भी। दूसरी ओर, कार्यालय छोड़ रहे क्लिंटन भारत के संदर्भ में किसी भी दीर्घकालिक फैसले लेने से परहेज करेंगे और उनकी ओर से ऐसा करना बड़ा स्वाभाविक होगा। इसके बावजूद वाजपेयी की वाशिंगटन यात्रा भारत–अमेरिका संबंधों में एक महत्वपूर्ण घटना होगी, खास तौर पर यदि इस यात्रा का इस्तेमाल उन लोगों से संपर्क साधने में किया गया जो 2001 की शुरुआत में अमेरिकी सरकार के केंद्र में होंगे।

अंतर्राष्ट्रीय आतंकवाद के खिलाफ उभरते गठबंधन के प्रति भारतीय प्रतिक्रिया

न्यूयार्क तथा वाशिंगटन में झकझोर कर रख देने वाली आतंकवादी हिंसा के एक माह बाद भी दुनिया अपनी सैन्य प्रतिक्रिया का ताना–बाना बुनने में जुटी है। हालांकि अंतर्राष्ट्रीय समुदाय में मोटे तौर पर इस नीतिगत दृष्टिकोण पर सहमति है कि आतंकवाद के खिलाफ दिर्घकालिक आवश्यक पूर्व कर्रवाई की जानी चाहिए। अमरिका एवं उसके मित्र राष्ट्रों ने फैसला किया है कि आतंकवाद के खिलाफ उनकी कार्रवाई आतंकवादी संगठनों, आतंकवाद में लिप्त व्यक्तियों एवं देशों तथा आतंकवाद के लिए मददगार व शरणस्थली बने संगठनों के विरूद्ध एक लंबा अभ्यास होगा।

इस उभरती हुई आतंकवाद–विरोधी रणनीति के प्रति भारतीय प्रतिक्रिया का आरंभिक आकलन इस बिन्दु पर उचित होगा। दो ऐसे आयाम हैं जिनके संदर्भ में हमारी प्रतिक्रिया के आत्मविश्लेषण और आकलन की जरूरत है। एक

तरफ हमारी प्रतिक्रिया का विदेश नीति एवं वाहय सुरक्षा आयाम है तो दूसरी तरफ आंतरिक सामाजिक व राजनीतिक परिणाम का आयाम। इस दूसरे आयाम पर समुचित ध्यान नहीं दिया गया और न ही इसपर पर्याप्त विचार किया गया। इसलिए इस आयाम पर ध्यान केंद्रित करने की जरूरत है।

आम प्रतिक्रिया सदमे, भर्त्सना और इस बात के अहसास की थी कि सभी प्रकार के आतंकवाद के खिलाफ निर्णायक कार्रवाई करनी ही होगी। इस बात को लेकर आम सहमति है कि भारत की ओर से ऐसी कार्रवाई उसके खुद के अनुभवों के आधार पर होनी चाहिए क्योंकि भारत इस तरह के आतंकवाद का शिकार रहा है। यह नजरिया कुछ हद तक तर्कसंगत प्रतीत हो सकता है। लेकिन घरेलू राजनीतिक संदर्भों में हमारी प्रतिक्रिया के यही अवयव तथा भावनात्मक पहलू हैं जो चिंता का विषय है। न केवल जनता बल्कि यहां तक कि सरकारी हलकों में एक नकारात्मक सांप्रदायिक तथा उग्र राष्ट्रवादी प्रतिक्रिया देखी जा सकती है। यह विचार बिल्कुल बकवास तथा अतार्किक है कि इस्लाम और आतंकवादी हिंसा एक-दूसरे के पर्यायवाची हैं तथा आम तौर पर मुसलमानों में आतंकवादी हिंसा की ओर झुकाव होता है। हर लिहाज से यह एक अस्वीकार्य मत है। लेकिन यह दृष्टिकोण सरकारी नीतियों से अभिव्यक्त हो रहा है। हमारे सत्ता प्रतिष्ठान में मुस्लिम शैक्षणिक संस्थाओं, खास तौर पर मदरसों के बारे में क्यापक संदेह व्याप्त है जो तथ्यात्मक एवं राजनीतिक दृष्टि से गलत नजरिया है। स्टूडेन्ट्स इस्लामिक मूवमेंट ऑफ इंडिया, सिमी, को सितम्बर के अंतिम सप्ताह में सरकार ने प्रतिबंधित कर दिया। यदि अतिवादी धार्मिक विचारधारा तथा इस समूह द्वारा इससे संबद्ध गतिविधियों के कारण ऐसे कदम की नौबत आई तो यह पूछना बड़ा वाजिब होगा कि सरकार ने बजरंग दल एवं विश्व हिंदू परिषद पर प्रतिबंध क्यों नहीं लगाया? यह कैसे हुआ कि सरकार ने उल्फा व बोडो जैसे संगठनों तथा दक्षिण भारत में लिट्टे समर्थकों के खिलाफ कोई सुनियोजित दीर्घकालिक अभियान नहीं छेड़ा? ऐसा क्यों हुआ कि मुम्बई बम विस्फोटों तथा महाराष्ट्र में सांप्रदायिक हिंसा के लिए जिम्मेवार दाऊद इब्राहीम तथा उसके संगठन के खिलाफ भारत कोई भी प्रभावी कार्रवाई नहीं कर सका है? इस बात का क्या जवाब है कि सरकार ने बाबरी मस्जिद को ध्वस्त करने वालों के खिलाफ उचित कार्रवाई क्यों नहीं की जबकि इस घटना ने हमारे समाज पर जख्म बनाया और एक धर्मनिरपेक्ष, बहुलतावादी राष्ट्र होने के हमारे दावे पर ही सवालिया निशान लगा दिया?

यह आवश्यक है कि इम अपनी राजनीतिक व समाजिक प्रतिक्रियाओं में हम आतंक फैलाने वालों एवं सभी प्रकार की सांप्रदायिक हिंसा में अंतर करें तथा भारतीय गणतंत्र की रचना करने वाले प्रमुख समुदायों की धार्मिक, सांस्कृतिक पहचान के फर्क को समझें। हमे यह याद रखना चाहिए कि इस्लाम तथा मुसलमानों के प्रति अंध, भेदभावपूर्ण व आरोपयुक्त दृष्टिकोण भारत की एकता व भौगोलिक अखंडता के लिए आतंकवादी हिंसा की अपेक्षाकृत कहीं अधिक गंभीर खतरा पैदा करता है। हमें इससे बाज आना होगा और हम ऐसा कर सकते है। हमें इस बात को याद रखना चाहिए कि हमारे मुस्लिम देशवासी भारतीय राजनीति का एक महत्वपूर्ण प्रभावशाली और अविभाज्य हिस्सा हैं, वे उन वैचारिक संदर्भ तथ्यों के अंग हैं जिनके आधार पर एक देश के तौर पर भारत की बुनियाद रखी गई। यही वह समय है जब सभी दलों का हमारा राजनीतिक नेतृत्व, विशेष तौर पर हमारी सरकार के नेता जनमत को इस तर्ज पर शिक्षित करने का साभिप्राय अभ्यास शुरु करें कि भारत आतंकवाद की घटना, इसे बढ़ावा देने वालों तथा संयोगवश ऐसे संगठनों या व्यक्तियों के किसी खास समुदाय से संबद्ध होने को अलग-अलग मानता है।

आतंकवाद के खिलाफ आकार लेते अभियान के संदर्भ में हमारी सार्वजनिक नीतिगत प्रतिक्रियाओं में उक्त अभ्यास को अनिवार्य अवयव के रूप से शुमार करना होगा। यदि हम ऐसा नहीं करते, तो हमारी प्रतिक्रिया सांप्रदायिक नजरिए तथा शत्रुतापूर्ण रुखों को बढ़ावा देगी जो एक देश के रूप में हमारी एकता के लिए हानिकारक है।

अपनी प्रतिक्रिया के इस आयाम के बाद हम अपना रुख प्रतिक्रियाओं के विदेश नीति व वाहय सुरक्षा के आयामों की ओर करते हैं। प्रधानमंत्री वाजपेयी ओर विदेश मंत्री जसवंत सिंह, दोनों ने अपनी शुरुआती प्रतिक्रिया में अमेरिका को बिना शर्त पूर्ण समर्थन की घोषणा की। साथ ही हमारी दिल्ली संवेदना का इजहार करते हुए दुख की उस घड़ी में अमेरिकियों के साथ होने की बात कही। इन प्रतिक्रियाओं में महत्वपूर्ण राजनीतिक पहलू है भारत का यह गौर करना कि अंतर्राष्ट्रीय एवं सीम-पार आतंकवाद से पैदा खतरों को अमेरिका कहीं अधिक शिद्दत से महसूस करता है। दूसरा, यह कि भारत अमेरिका का साथ देने को तैयार है क्योंकि अंतर्राष्ट्रीय आतंकवाद की समस्या किसी खास मुद्दे अथवा देश के लिए ही नहीं। तीसरा, इस तरह की घटनाएं बहुलतावादी समाजों और राष्ट्रों की स्थिरता एवं भौगोलिक अखंडता के लिए गंभीर खतरा हैं। इस प्रतिक्रिया को विस्तार से बताते हुए भारत सरकार के प्रवक्ताओं ने स्पष्ट किया है कि अमेरिका

शुरु होने वाले अपने आतंकवाद विरोधी अभियान के लिए प्रचालन, सैन्य संचालन अथवा खुफिया सहयोग संबंधी जो कुछ भी जरूरत होगी, भारत मुहैया कराएगा। दूसरा, यह कि भारत ने बिना किसी पूर्व शर्त सहयोग की पेशकश की। तीसरा, भारत इस अभियान को आतंकवादियों के ख़िलाफ एक प्रभावकारी कार्रवाई के रूप में देखता है।

भारत आतंकवाद की घटनाओं को आम तौर पर किसी धार्मिक अथवा जातीय समुदाय से जोड़कर नहीं देखता। चौथा, भारत को उम्मीद है कि यह अभियान दुनिया के किसी भी हिस्से में चलाए जा रहे हर प्रकार के आतंकवाद को अपने दायरे में ले गया। (दूसरे शब्दों में यह अभियान प्रत्यक्ष अथवा अप्रत्यक्ष रूप से भारत के खिलाफ जारी सीमा-पार आतंकवाद को भी रोक देगा)। संदेश के इन्हीं बिंदुओं को राष्ट्रीय सुरक्षा सलाहकार ब्रजेश मिश्रा तथा विदेश मंत्री जसवंत सिंह ने सितम्बर के अंतिम और अक्टूबर के प्रथम सप्ताह के अपनी-अपनी वाशिंगटन यात्रा के दौरान राष्ट्रपति बुश एवं उनके मंत्रिमंडलीय सहयोगियों से बातचीत में सामने रखा। यह गौर करने की बात है कि जसवंत सिंह की वाशिंगटन यात्रा ऐसे समय हुई जब पाकिस्तान स्थित आतंकवादी संगठन जैश-ए-मोहम्मद ने जम्मू-कश्मीर विधानसभा भवन पर हमला किया। पिछले चार सप्ताह के दौरान जम्मू-कश्मीर में हिंसा का दौर लगातार जारी है और संभवत: इसने पाकिस्तान को यह कहने का मौका दे दिया है कि जम्मू-कश्मीर में हिंसा आतंकवादी कार्रवाई नहीं बल्कि स्थानीय आजादी की लड़ाई है। जसवंत सिंह द्वारा भारत में आतंकवादी हिंसा की ओर अमेरिकी सरकार का ध्यान आकर्षित करने की परिणति यह हुई कि विदेश मंत्री कोलिन पॉवेल ने हिंसा की इन कार्रवाइयों की निंदा की। लेकिन दिलचस्प तथ्य यह है कि अमेरिका के किसी भी वरिष्ठ सरकारी व्यक्ति ने सार्वजनिक तौर पर यह नहीं माना कि भारत के खिलाफ ऐसी आतंकवादी कार्रवाइयों का आधार पाकिस्तान है।

भारतीय नीतिगत रुखों के प्रति अमेरिकी सरकार की अब तक की प्रतिक्रियाओं ने भारतीय जनमानस को निराश ही किया है। किसी भी अमेरिकी घोषणा में इस बात पर आभार प्रकट नहीं किया गया कि भारत जैसे एक प्रमुख लोकतांत्रिक देश तथा महत्वपूर्ण एशियाई शक्ति ने अमेरिका को पूर्ण एवं बिना शर्त समर्थन की प्रतिबद्धता जताई है। इस बात का कोई संकेत नहीं दिया गया कि भारत के खिलाफ पाकिस्तान से पैदा होने वाले सीमा-पार आतंकवाद को अमेरिका अपने अभियान के दायरे में शामिल करेगा। इस बात के भी संकेत हैं

कि इस चरण में अमेरिका नभक्षेत्र के इस्तेमाल, लांचिंग सुविधाओं तथा भारतीय भू-भाग के उपयोग आदि के संदर्भ में भारत से सैन्य संचालन व व्यावहारिक सहयोग की कोई इच्छा नहीं जताई है।

दूसरी ओर, पाकिस्तान ने साफ कह दिया है कि यदि अमेरिका का पाकिस्तान का समर्थन पाने की इच्छा है तो आतंकवाद के खिलाफ अंतर्राष्ट्रीय गठबंधन से भारत और इजरायल को अलग रखा जाए। राष्ट्रपति मुशर्रफ ने रेडियो और टीवी प्रसारण में सार्वजनिक रूप से भारत को 'अलग हो जाने' को कहा। इस कारणवश प्राधानमंत्री वाजपेयी को भारतीय नीतिगत रुखों को कुछ संतुलित बनाने की कवायद करनी पड़ी। 'टाइम्स ऑफ इंडिया' को दिए एक साक्षात्कार में वाजपेयी ने कहा कि आतंकवाद को लेकर भारतीय चिंताओं के प्रति संयुक्त राष्ट्र ने उतनी संवेदनशीलता नहीं दिखाई है जितनी भारत को उम्मीद थी। दूसरी बात यह है कि आतंकवाद के खिलाफ अंतर्राष्ट्रीय गठबंधन से भारत को बाहर रखने की पाकिस्तानी जिद तथा पाकिस्तान की इस घोषित नीति के मद्देनजर कि जम्मू-कश्मीर में हो रही हिंसा आतंकवादी घटनाएं नहीं बल्कि आजादी की लड़ाई है, भारत निकट भविष्य में पाकिस्तान के साथ बातचीत शुरु होने की कोई संभावना नहीं देखता।

यद्यपि अमेरिका ने भारत को यह स्पष्ट किया कि उसने परवेज मुशर्रफ की कोई भी पूर्व-शर्त नहीं मानी है। इसके साथ ही अमेरिका ने भारत को सलाह दी कि उसे फिलहाल पाकिस्तान स्थित आतंकवादी गतिविधियों के खिलाफ किसी भी कार्रवाई से परहेज करना चाहिए ताकि अमेरिकी अभियान का मुशर्रफ का महत्वपूर्ण समर्थन कहीं पटरी से उतर न जाए। विदेश मंत्री जसवंत सिंह ने भी एक संतुलनकारी कदम उठाया। उन्होंने पाकिस्तान के विदेश मंत्री सत्तार से सितम्बर के तीसरे सप्ताह में फोन पर बात की ओर उन्हें आश्वासन दिया कि इन मुश्किल हालात में भारत की ओर से पाकिस्तान के लिए कोई परेशानी खड़ी नहीं की जाएगी। उच्चस्तरीय विचार-विमर्श के लिए राष्ट्रीय सुरक्षा सलाहकार ब्रजेश मिश्रा 24 सितम्बर से वाशिंगटन में थे। फिर सितम्बर के अंतिम सप्ताह में ही जसवंत सिंह की अमेरिका यात्रा हुई। उम्मीद की जानी चाहिए कि इन विचार-विमर्श के दौरान भारत की विशिष्ट राजनीतिक एवं सुरक्षा चिंताओं से अमेरिका को वाकिफ कराया गया होगा। वजपेयी और जसवंत सिंह यस व फ्रांस के राष्ट्रपतियों तथा ब्रिटेन के प्रधानमंत्री टोनी ब्लेयर से भी संपर्क में रहे हैं। ईरान एवं अन्य मुस्लिम देशों के साथ भी उच्चस्तरीय संपर्क साधा गया है।

अब तक उपलब्ध सूचना के आधार पर हमारे हितों के प्रति हमारी नीतियों के रुख के बारे में अधोलिखित निष्कर्ष निकाले जा सकते हैं।

व्यापक संदर्भों में भारत का नीतिगत रुख अंतर्राष्ट्रीय आतंकवाद के विरोध की हमारी नीति तथा भारत के विशिष्ट सुरक्षा हितों के अनुकूल ही रहे है।

हमारी नीतिगत प्रतिक्रिया अमेरिका से हमारे संबंधों, खास तौर पर सुरक्षा एवं राजनीतिक सहयोग के संदर्भ में, को और मजबूत करेगी।

अमेरिका को हमारा समर्थन संभवतः इस रूप में सामने आए कि वह अपने प्रभाव का इस्तेमाल कर कश्मीर मुद्दे के व्यावहारिक समाधान के लिए पाकिस्तान को भारत के साथ समझौते के लिए प्रेरित कर पाए।

संभव है कि अमेरिकी मदद से पाकिस्तान किसी व्यावहारिक समाधान से ठीक उलट कोई मांग करे।

सीमा-पार आतंकवाद के खिलाफ एकपक्षीय कार्रवाई के पक्ष में भारत की स्थिति को रणनीतिक वैधता मिली है जिसका अमेरिका तथा अन्य शक्तियां किसी भी तर्क के आधार पर विरोध नहीं कर सकतीं। (ये शक्तियां हमें संयम से काम करने आदि की सलाह दे सकती है, यह एक बिल्कुल अलग मामला है जिसकी हमें अपेक्षा करनी चाहिए लेकिन हमें इस सलाह के समक्ष हथियार नहीं डालना चाहिए।।

दूसरी ओर, हमें यह बात साफ तौर पर कहनी चाहिए थी कि आतंकवाद पर हमारी चिंताओं के प्रति अमेरिका को ध्यान रखना चाहिए। हमें तत्काल प्रस्तावित मदद का ब्योरा नहीं देना चाहिए था। इतना कहना काफी होता कि अमेरिकी जरूरतों तथा अनुरोध के आधार पर हम आवश्यक सहयोग देंगे।

हमें भारत और पाकिस्तान के बीच भावी बातचीत को लेकर ऐसे या वैसे अपनी मंशाओं को सामने लाने की कतई जरूरत नहीं थी। इस मुद्दे पर हम तब नाप-तौलकर बाद में घोषणा करते जब स्थिति और साफ हो जाती। इन सबसे महत्वपूर्ण बात यह है कि आतंकवाद-विरोधी अभियान में व्यवहार्य तौर पर शामिल होने की स्थिति आने पर हमें बड़ी संख्या में अपने मुस्लिम नागरिकों की भावनाओं तथा इस्लामी देशों से अपने महत्वपूर्ण संबंधों को अवश्य ही जेहन में रखना चाहिए। अपनी नीतियों के इस पहलू को हमें दुरूस्त करने की जरूरत है।

पाक-अमेरिका संबंध

पाकिस्तान-अमेरिका संबंधों के संदर्भ में हालिया घटनाक्रम से भारतीय जनमानस में शंकाएं और कुछ निराशा घर कर गई हैं। मैं इस कथन को यह स्वीकार करते हुए स्पष्ट कर दूं कि यह आम भावना भारतीय विदेश नीति तथा रणनीतिक समुदाय, जिसे यथार्थवादी राजनीति का वहीं अधिक अहसास है, के आकलनों से एकदम अलग है। यद्यपि मेरे द्वारा ऊपर वर्णित शंका और निराशा

के कारण भारत-अमेरिका संबंधों की आसन्न संभावनाओं पर बादल छा गए हैं। अमेरिकी वार्ताकारों का हमसे यह कहना कि वे लोकतंत्र के प्रति प्रतिबद्ध हैं, यह कि वे आतंकवाद के सख्त खिलाफ हैं, यह कि भारत में सीमा-पार आतंकवाद तथा विध्वंसात्मक गतिविधियों में पाकिस्तानी सरकारी एजेंसियों की लिप्तता की उन्हें जानकारी है एवं यह कि भारत के साथ टकरावपूर्ण रवैये से बाज आने के लिए पाकिस्तान पर अमेरिका प्रभावी दबाव बनाएगा-इन मामलों को लेकर शंकाएं हैं। निराशा इसलिए कि अमेरिका के और भारत समर्थक बनने की आशाएं (कारगिल संघर्ष के मुद्दे पर अमेरिकी रुख के मद्देनजर) जनवरी के अंतिम सप्ताह में राष्ट्रपति क्लिंटन द्वारा व्यक्त इन विचारों के साथ ही गलत साबित हो गईं कि उनके अथवा उनकी सरकार के पास इस आशय का कोई ठोस साक्ष्य नहीं कि काठमांडू से दिल्ली उड़ान भरने वाले भारतीय विमान के अपहरण में पाकिस्तान की कोई सीधी भूमिका थी। अपहरणकर्ताओं को पाकिस्तान द्वारा शरण देने तथा भारत द्वारा रिहा किए गए आतंकवादियों को भारत विरोधी उग्र प्रचार करने के लिए मुहैया कराई गई सुविधाओं पर क्लिंटन द्वारा गौर न किए जाने से भारतीय जनमानस हतप्रभ है। क्लिंटन की भारत यात्रा की तारीख के कथित तौर पर फरवरी से खिसककर मार्च के अंत में चले जाने, उनकी यात्रा की तारीख की औपचारिक घोषणा को प्रभावित कर रही अनिश्चितताओं तथा बार-बार इस अफवाह के उड़ने से कि एक निर्वाचित सरकार के तख्तापलट के बावजूद क्लिंटन पाकिस्तान जा सकते हैं, भारतीय यह सोचने को मजबूर हुए हैं कि अंततः अमेरिका पाकिस्तान के साथ अपने समीकरणों से अलग भारत के साथ रिश्ते नहीं बना सकता। अमेरिका के प्रति भारत की चिरस्थायी शिकायत यही रही है कि उपमहाद्वीप में इन दो देशों के बंटवारे और स्वतंत्रता के समय से ही, आकार, आबादी जनसांख्यिकी के लिहाज से इन दोनों में अंतर होने और भारत के एक लोकतांत्रिक देश होने के साथ बराबरी के स्तर पर ही देखता रहा है। शीतयुद्ध के संदर्भ में पाकिस्तान के साथ अमेरिका के बेहतर संबंधों को भारत ने स्वीकार कर लिया था, पर पाकिस्तान के साथ उसकी निकटता बरकरार रहने से, जैसा कि भारतीय जनता ने शीतयुद्ध के बाद की अवधि में महसूस किया, भारत के नागरिकों को उलझन होती है। यही वह परिप्रेक्ष्य है जिसमें अमेरिका-पाक रिश्तों की हाल की ज्यादातर गतिविधियों पर ध्यान जाना वाजिब है। अमेरिका ने पाकिस्तान को जम्मू-कश्मीर में कारगिल-संघर्ष के समय नियंत्रण रेखा से वापस लौटने के लिए दबाव डाला था, जिसकी खास वजह यह थी कि अमेरिका पूरी तरह से इस बात को जान

चुका था कि पाकिस्तानी बलों को खदेड़ देने के लिए भारत की राजनीतिक और सैन्य शक्ति का दृढ़ निश्चय स्पष्ट और अडिग है। क्षेत्रीय रूप से सामेरिक कार्रवाइयों के विस्तार व सैन्य गतिविधियों की वास्तविक स्थिति के मद्देनजर अमेरिकियों को नाभिकीय टकराव की आशंका सताने लगी थी। पिछले साल मई व जून के महीनों में पाकिस्तानी अधिकारियों ने खुले तौर पर प्रक्षेपास्त्रों व नाभिकीय हथियारों का प्रयोग करने की धमकी दे डाली थी। अलबत्ता इस धमकी को व्यक्त करने के पाकिस्तानी अभिप्रेरणों और परिणामी अमेरिकी नीति निर्णयों के बीच के अंतर विडंबनापूर्ण थे। पाकिस्तान की अपेक्षा यह थी कि उसके द्वारा दी गई नाभिकीय धमकियों को गंभीरतापूर्वक लेते हुए अमेरिका प्रत्यक्ष रूप से हस्तक्षेप करते हुए भारत को अपने सैन्य अभियान को रोकने के लिए दबाव डाल कर तत्काल युद्धविराम करने की मांग रखेगा। पर इसके ठीक विपरीत अमेरिका ने पाकिस्तान को फटकार लगाई कि वह अपनी बेजा हरकतों से बाज आए। इस विषय पर अमेरिकी प्रयासों को भारतीयों ने काफी सराहा। भारत ने इन प्रयासों को अति आशावादी नजरिये से देखते हुए इसका अर्थ यह निकाला कि कश्मीर के मूल मुद्दे पर अमेरिका के रवैये में यह परिवर्तन का घोतक है, पर न तो ऐसा था और न है।

नवाज शरीफ को हटा कर जनरल परवेज मुशर्रफ का सत्ता में आना उपमहाद्वीपीय गतिविधियों में अमेरिकी सक्रियता का दूसरा मोड़ था। जैसे ही मुशर्रफ ने अपनी स्थिति मजबूत कर ली, अमेरिका ने अपनी अस्थायी वर्जनाएं परे हटाई और पाकिस्तान में लोकतंत्र की वापसी सुनिश्चित करने के विचार को लेकर उनके साथ सकारात्मक संपर्क बनाने का निश्चय कर लिया। सकारात्मक संपर्क बहाली की यह प्रक्रिया पिछले तीन महीनों में लगातार बढ़ती रही है। शुरुआती तौर पर मिल रहे संकेत कि अमेरिका परवेज मुशर्रफ के शासनकाल में पाकिस्तान से दूरी बरतने के लिए एक सुविचारित नीति का पालन करेगा, कहीं गुम हो गए थे। वस्तुस्थिति यह थी कि मध्य-दिसम्बर से ही अमेरिकी अधिकारियों द्वारा पाकिस्तान की उच्च स्तरीय यात्राएं हो रही थी। अमेरिकी कांग्रेस के कई सदस्य और सीनेटरों ने इस्लामाबाद का दौरा किया। इसी के साथ अमेरिका के प्रबुद्ध वर्ग के कई प्रतिनिधि भी वहां गये। अमेरिकी प्रशांत कमान के कमांडर-इन-चीफ एडमिरल ब्लेयर और इग्लैंड के चीफ ऑफ डिफेंस स्टाफ जनरल सर चार्ल्स गुथेरी ने वहां जाकर उच्चस्तरीय विचार-विमर्श किए, साथ ही जनरल परवेज मुशर्रफ से मुलाकातें भी की। मध्य जनवरी में लंदन में जसवंत सिंह टलबॉट वार्ता के तुरन्त बाद आतंकवाद विरोधी अभियान के प्रभारी

राजदूत शीहेन को अपने साथ लेकर अमेरिका के सहायक विदेश मंत्री कार्ल रिक़ इंदरफर्थ ने इस्लामाबाद का दौरा किया था। भारतीय वक्ताओं द्वारा पूछे जाने पर कि इन क्रियाकलापों का अभिप्राय क्या है, जबाव यह मिला था कि अमेरिकी प्रतिनिधियों के इस्लामाबाद के दौरे का उद्देश्य मुशर्रफ सरकार को स्पष्ट चेतावनी देना है कि पाकिस्तान सरकार सीमा-पार आतंकवाद में शामिल होने व इसे बढ़ावा देने की अपनी हरकतों से परहेज करे। यह भी कहा गया कि इस विचार-विमर्श का लक्ष्य जनरल मुशर्रफ का ध्यान पाकिस्तान में लोकतंत्र की बहाली की तात्कालिकता और आवश्यकता की ओर आकृष्ट करना है। लेकिन जिस तरह से राष्ट्रपति क्लिंटन ने आतंकवादियों द्वारा भारतीय विमान का अपहरण होने पर पाकिस्तान की सरकार के सीधे तौर पर शामिल होने की बात को साफ खारिज कर दिया, उससे यह निष्कर्ष निकालना उचित होगा कि आतंकवाद से दूर रहने के लिए अन्य वक्ताओं द्वारा दी गई चेतावनी और सावधान रहने की सलाह निश्चित तौर पर अपना असर और अपनी शक्ति खो चुकी थी। जहां तक पाकिस्तान में लोकतंत्र बहाली के लिए मुशर्रफ को तैयार करने का सवाल है, तो उनकी सार्वजनिक घोषणाओं में यह संकेत उभरता है कि उन्हें कोई जल्दी नहीं है। 16 जनवरी को एक औपचारिक साक्षात्कार में उन्होंने कहा, ‘‘हम लोकतंत्र को बहाल करेंगे पर इसमें समय लगेगा। हमें इस बात की जांच करनी है कि पाकिस्तान की जनता के हितों के लिए किस तरह की राजनीतिक संरचना सर्वाधिक उपयुक्त होगी।'' इसके निहितार्थ स्पष्ट हैं। मुशर्रफ न सिर्फ लोकतंत्र की बहाली का समय ही तय करेंगे बल्कि यह भी निर्णय लेंगे कि पाकिस्तान में किस तरह का लोकतंत्र स्थापित किया जाए।

यह बात काबिले गौर है कि अमेरिका-पाक अंत:व्यवहार की इसी अवधि के दौरान ऐसी खबरें सुनने में आ रहीं थी कि क्लिंटन को ऐसी सलाहें दी जा रही थीं कि भारत का दौरा करते समय वह इस्लामाबाद नहीं जाएंगे तो अमेरिकी हितों के लिए यह हानिकारक होगा। ऐसी भी खबरें थीं कि वह इस्लामाबाद के बजाय कराची जा सकते हैं; प्रतीकात्मक रूप से इस्लामाबाद को एक राजधानी के रूप में वह तरजीह नहीं देना चाहेंगे जब तक पाकिस्तान एक लोकतंत्र नहीं है। अमेरिकी सरकार शायद इन्हीं आंतरिक चिंतन-मनन में उलझी हुई थी, जिस वजह से उसके उपमहाद्वीपीय दौरे की तारीखों में फरवरी से मार्च तक फेरबदल होता रहा। इस बात का अनुमान लगाना तर्कपूर्ण होगा कि उपरोक्त जिक्र किए गए सभी वैचारिक आदान-प्रदान पूरे तौर पर मुशर्रफ सरकार को मात्र सीमा-पार आतंकवाद से परहेज करने और भारत के साथ ताल-मेल बिठाने के लिए उपदेश

देने के तहत ही नहीं समर्पित किए गए। बल्कि ऐ खबरें यदि सही हैं कि पाकिस्तान जाने के लिए क्लिंटन पर दबाव था तो यह तय है कि ये विचार विनिमय पाकिस्तान के ऊपर अमेरिकी नीति की मांगों को पूरा करने के लिए जरूर प्रभाव डाल सकते थे। यह स्पष्ट है कि मुशर्रफ क्लिंटन की पाकिस्तान की यात्रा को लेकर बहुत उत्सुक होंगे, क्योंकि इससे अंतर्राष्ट्रीय और घरेलू स्तरों पर उनकी विश्वसनीयता काफी बढ़ जाएगी। यह अनुमान लगाया जा सकता है कि पाकिस्तान सरकार क्या-क्या पेशकश रख सकती है: मुशर्रफ सरकार यह दलील रखेगी कि जम्मू-कश्मीर के आतंकवाद में वह सीधे तौर पर कतई शामिल नहीं है; वह आगे यह भी कहेंगे कि कश्मीर में सक्रिय तथाकथित मुजाहिदीन को मनाने की पूरी कोशिश वह करेंगे कि वे अपनी आतंकवादी गतिविधियों पर रोक लगाएं। सबसे महत्वपूर्ण तो यह है कि मुशर्रफ अमेरिकियों को यह बात संप्रेषित कर सकेंगे कि वह अमेरिका और पश्चिमी लोकतांत्रिक देशों के खिलाफ हुई आतंकवादी गतिविधियों के खिलाफ ज्यादा निर्णायक कार्रवाई कर पाएंगे और इस प्रक्रिया में वह तालिबान को सहयोग करने के लिए तैयार करेंगे; वह इस बात का भी विशेष रूप से आश्वासन दे सकते है कि यदि भारत सीटीबीटी पर हस्ताक्षर करता है तो पाकिस्तान भी हस्ताक्षर कर देगा।

मुशर्रफ और विदेश मंत्री अब्दुल सत्तार, दोनों ने हाल के सप्ताह में इस बात के संकेत दिए हैं। सबसे अहम बात यह है कि मुशर्रफ ने शायद किसी तरह की समय-सीमा के अंदर लोकतंत्र की बहाली का संकेत दिया हो साथ में यह वादा किया हो कि इस अंतरिम अवधि में वह अपनी सरकार में जनता की भूमिका को बढ़ाएगे। यदि ऐसे आश्वासन दिए गए हैं, काफी हद तक जिसकी संभावना है, तो इसमें कोई शक नहीं कि अमेरिका को एक ऐसा आधार मिल सकता है जिसके तहत क्लिंटन अपने उपमहाद्वीपीय दौरे (अगर यह हुआ तो) के दौरान पाकिस्तान जाने के लिए भी थोड़ा सा समय निकाल सकते हैं।

हालिया घटनाओं पर नजर डालते हुए और उनके निहितार्थों का अनुमान करते हुए भारत का रवैया क्या होना चाहिए। पाकिस्तान के साथ अमेरिका के अंतर्व्यवहार से हमें उत्तेजित होने की जरूरत नहीं है। विदेश उपमंत्री स्ट्रोब टालबोट ने भारतीय संवाददाता के साथ एक साक्षात्कार में दो बिंदुओं को प्रस्तुत किया। पहला, पाकिस्तान और भारत के बीच जो कुछ भी चल रहा है वह अमेरिकी नीतियों का अतिक्रमण कर रहा है। दूसरा, अमेरिका का मानना है कि इन दोनों देशों में से हर एक के अपने अलग रुख और अलग सरोकार हैं और अमेरिका हर एक से उनकी अपनी योग्यताअें के आधार पर व्यवहार रखता है।

इसमें अंतर्निहित बिन्दु यह है कि अमेरिका यह महसूस करता है कि मध्य एशिया, खाड़ी और दक्षिण एशिया में अमेरिकी हितों के मद्देनजर पाकिस्तान एक महत्वपूर्ण देश है। अतः अमेरिका उसे बहिष्कृत नहीं कर सकता है। क्षेत्रीय संबंधों और वैश्विक समीकरणों के गंभीर स्तर पर भारत को अमेरिका के प्रति अपनी नीतियों की सशक्त अभिव्यक्ति इस तरह से नहीं करनी चाहिए जो पाकिस्तान के साथ अमेरिका के बरकरार संबंधों पर आपत्ति जतलाए। अमेरिका के साथ हमारे संबंधों की संरचना हमारे संबंधों की संरचना हमारे राष्ट्रीय हितों के ढांचे और उनके प्रति अमेरिका की प्रतिक्रिया की दायरे के अंतर्गत अलग से होनी चाहिए। इससे हमारा रुख पुनः पुष्ट होगा कि अमेरिका के साथ हमारे द्विपक्षीय संबंधों को अमेरिका-पाक रिश्तों के फंदे से परे रहना चाहिए।

हालांकि, अमेरिका को इस बात का अहसास होना चाहिए कि यदि वह पाकिस्तान को भारत के खिलाफ टकरावपूर्ण और विध्वंसक कार्रवाई करने से रोक नहीं पाता है तो इस स्थिति का असर भारत-अमेरिका संबंध पर पड़ेगा। यह बात भी निश्चित तौर पर ध्यान में रखनी होगी कि दिल्ली का दौरा करने के बाद क्लिंटन यदि इस्लामाबाद जाते हैं तो यह निश्चित तौर पर भारतीय जनमत पर उनके दौरे के प्रभाव को हल्का कर देगा। यह अमेरिका के लिए भी समान रूप से प्रासंगिक है कि भारत-अमेरिका संबंध और भारत-पाक संबध तीनों संबद्ध देशों, जिनके बीच प्रमुख कार्यकारी अधिकारियों राष्ट्रपतियों तथा प्रधानमंत्रियों के परस्पर दौरे व विचार-विमर्श हुए, के लिए बहुत गहरी अहमियत रखते हैं।

क्लिंटन की यात्रा पर पाक की प्रतिक्रिया-भारत के लिए संकेत

25 मार्च को राष्ट्रपति क्लिंटन के लौटने के बाद जनरल परवेज मुशर्रफ द्वारा बुलाया गया संवाददाता सम्मेलन दो बातों को लेकर महत्वपूर्ण था। पहला तो था कश्मीर मुद्दे को सुलझाने के लिए हिंसा का त्याग करने और लोकतंत्र की बहाली के लिए क्लिंटन द्वारा पाकिस्तान को दिए गए संदेश में छुपी चेतावनीपूर्ण अंतर्धारा को मुशर्रफ द्वारा अस्वीकार करना। दूसरा था उनके द्वारा दिया गया यह संकेत कि पाकिस्तान सरकार कश्मीर पर टकराव और हस्तक्षेपपूर्ण रवैये से पीछे हटने वाली नहीं। इसके साथ ही उन्होंने हमेशा की तरह इस बात से इंकार किया कि पाकिस्तान जम्मू-कश्मीर में किसी तरह की आतंकवादी हिंसा में लिप्त है। यह तो बाद में पता चलेगा कि उपमहाद्वीप में क्लिंटन की

यात्रा के बाद भारत के लिए उभरे संकेत कैसे हैं। इसी के साथ दिलचस्प बात यह है कि भारतीय उपमहाद्वीप के प्रति अमेरिकी नीतियों में हो रहे उत्तरोत्तर उभरते बदलाव के साथ सामंजस्य बिठाने के लिए पाकिस्तान किस तरह से अपनी नीतियों की संरचना करेगा। क्लिंटन की पाकिस्तान यात्रा से संबंधित हमारी आपत्तियों को अमेरिका को संप्रेषित करने के बावजूद उनके पाकिस्तान जाने से भारतीय जनमत पर होने वाला प्रभाव अपेक्षित था। यह सच है कि अमेरिका पाकिस्तान के साथ एक सामान्य सहयोगात्मक संबंध बनाए रखने में दिलचस्पी रखता है। लगभग 50 सालों से राजनीतिक और रणनीतिक संदर्भों में पाकिस्तान अमेरिका का एक भरोसेमंद और अनुकूल मित्र बना रहा है। जिससे अमेरिका यह महसूस करता है कि पाकिस्तान में कोई भी सरकार बने, उसकी विदेशी और सुरक्षा नीतियों के मूल में अमेरिका के प्रति हमेशा सकारात्मक झुकाव मौजूद होगा। इसके अतिरिक्त इस्लामी अतिवाद, सीमा पार और मादक-पदार्थ जन्य आतंकवाद से जुड़ी अमेरिकी दुश्चिंताओं के अतिरिक्त कारक भी हैं जो अमेरिका को इस बात का अहसास कराते हैं कि इन सरोकारों की पूर्ति के लिए पाकिस्तान के साथ संपर्क बनाए रखना जरूरी है। पाकिस्तान का बहिष्कार करने का परिणाम यह हो सकता है कि वह ज्यादा स्थायी तौर पर मादक पदार्थों, तस्करी, सीमा-पार आतंकवाद और धार्मिक अतिवाद से जुड़ी हिंसा जैसे क्रियाकलापों में ज्यादा सलंग्न हो जाएगा। अतएव क्लिंटन पाकिस्तान गए हैं। जनरल मुशर्रफ के साथ तीन घंटे की लंबी बेबाक बातचीत उन्होंने की है। उन्होंने टेलीविजन प्रसारण के जरिए पाकिस्तान के लोगों से सीधे-सीधे बात की। इधर भारत में उल्लासोन्माद और तात्क्षणिक मूल्यांकन में लिपटा अहसास यह था कि क्लिंटन ने पाकिस्तान को फटकारा है और कश्मीर, मानवाधिकारों, अच्छे प्रशासन और लोकतंत्र के बिन्दुओं पर अमेरिका द्वारा तय शर्तों के अनुकूल चलने का निर्देश दिया है। इस सोच में कुछ सच्चाई तो है पर यह भी काबिले गौर है कि क्लिंटन द्वारा भारत में की गई सार्वजनिक घोषणाओं में भी विश्व व्यापार संगठन से जुड़े मुद्दों भारत-पाक संबंधों, निःशस्त्रीकरण और शस्त्र नियंत्रण मसलों के संदर्भ में फटकार की अंतःधारा मौजूद थी। उससे भी ज्यादा अहम बात यह है कि हमें इस तथ्य पर गौर करना होगा कि राष्ट्रपति क्लिंटन ने पाकिस्तान के साथ सहयोग और मित्रता बनाए रखने में अमेरिका के बरकरार हितों को रेखांकित किया है। उन्होंने कश्मीर मुद्दे के सारभूत पहलुओं पर भारत का समर्थन या पाकिस्तान का विरोध कतई नहीं किया। पाकिस्तान के प्रति कोई विरोध न जताने की उनकी नीति के रुख का यही पक्ष पाकिस्तान में

नीति-निर्णायकों और सरकार द्वारा इस बात पर जोर देने के लिहाज से इस्तेमाल किया गया कि अमेरिका-पाक संबंधों का सिलसिला बना हुआ है तथा अमेरिका भारत सरकार के बहकावे में नहीं आया है।

फिर भी, पाकिस्तान में हुए विचार-विमर्श और वहां दिए गए नीतिगत वक्तव्यों के संबंध में क्लिंटन की यात्रा का सार यह दर्शाता है कि अफगानिस्तान विवाद और शीत युद्ध से उद्घृत रणनैतिक प्रतिफलों में निहित अमेरिका द्वारा पाकिस्तान के रणनीतिक और राजनीतिक और सुरक्षा नीतियों के दृष्टिकोणों का समर्थन करने के आम स्वरूप में काफी बदलाव आया है। धीरे-धीरे ही सही, पर सुरक्षा, राजनीतिक, प्रौद्योगिक और आर्थिक परिदृश्यों में एक दीर्घकालिक भागीदार के रूप में भारत को उत्तरोत्तर मिलती पहचान के परिप्रेक्ष्य में ही जनरल मुशर्रफ तथा क्लिंटन के बीच बातचीत हुई इससे पाकिस्तान को अवश्य निराशा हुई होगी। इसके साथ ही पाकिस्तान के लोगों को दिया गया उनका सार्वजनिक संदेश यह है कि यदि वहां की सरकार और वहां के लोग लोकतंत्र, अच्छे प्रशासन और मानवाधिकारों के प्रति वैश्विक राजनीति की प्रवृत्तियों की मुख्यधारा और इन प्रवृत्तियों द्वारा सैन्य दुस्साहस के विरोध के अनुसार कार्य नहीं करेंगे तो पाकिस्तान खुद को बहिष्कृत और अकेला पाएगा। यह बात निश्चित तौर पर पाकिस्तानी नागरिकों के लिए रूचिकर नहीं थी।

इस यात्रा को लेकर पाकिस्तानी जनमत और उस देश के राजनीतिक विशेषज्ञों के बीच भिन्न-भिन्न प्रतिक्रियाएं थीं। इमरान खान जैसे कुछ प्रबुद्ध व्यक्तियों ने कहा कि यह यात्रा अपमानजनक है, अच्छा होता कि क्लिंटन इस्लामाबाद नहीं आते। इसी तरह के विचार इस बात को लेकर भी व्यक्त किए गए कि जम्मू-कश्मीर के संबंध में पाकिस्तानी सरोकारों को लेकर क्लिंटन में सहानुभूति का अभाव था। साथ ही नवाज शरीफ को हटाने के लिए सैन्य तख्ता पलट की कार्रवाई की आवश्यकता पर क्लिंटन का सहमत न होना भी ठीक नहीं माना गया। इस बात की भी थोड़ी वकालत की गई कि पाकिस्तान इस दृष्टिकोण के साथ अपनी विदेश नीति की पुनः जांच करे जिससे भारत के प्रति हुए अमेरिकी झुकाव को संतुलित करने के लिए वैकल्पिक समीकरणों का विकास हो। पाकिस्तानी जनमत के अन्य वर्गों और बुद्धिजीवियों ने पाकिस्तान के प्रति अमेरिकी रुख में हुए बदलाव के कारणों को पहचाना और इसके लिए पिछले दशक के दौरान पाकिस्तानी सरकार की अकुशलता और अदूरदर्शिता को जिम्मेदार ठहराया। कुछ राजनीतिक विशेषज्ञों ने अमेरिकी दबाव और उसकी दक्षिण एशियाई नीतियों में परिवर्तन का प्रतिकार करने के लिए रूसी परिसंघ,

चीन और प्रतिबद्ध इस्लामी देशों के साथ समीकरणों का स्वरूप तैयार करने के विशेष वैकल्पिक उपायों की सलाह दी। क्लिंटन की यात्रा को लेकर पाकिस्तान में हुई प्रतिक्रियाओं में मौजूद मतान्तरों का सामना जनरल मुशर्रफ को इस तरह से करना होगा कि वह अमेरिका से अब भी मिल रहे सहारे को खोए बगैर पाकिस्तान की सुरक्षा और कुशलता के लिए एक प्रभावशाली समर्थक के रूप में अमेरिका के साथ रिश्ता बनाए रखें। एक बात जो स्थिति को और ज्यादा नाजुक बना रही है, वह है इस्लाम पसंद दलों की ओर से इस्लामाबाद में हुई क्लिंटन की बातचीत और उनकी नीतिगत घोषणाओं के खिलाफ दिखलाई गई जबरदस्त आलोचनात्मक प्रतिक्रिया। ये दल पाकिस्तान की राजनीति में, देश में कोई भी सरकार हो, एक संवेदनशील कारक हैं। ऐसे कुछ संकेत मिले हैं कि कुछ ऐसे बिन्दु हैं जिनपर क्लिंटन की यात्रा के ऊपर पाकिस्तान आगे की गतिविधि तय करेगा।

पाकिस्तान से मिली खबरों के अनुसार जनरल मुशर्रफ ने विशेषत: इस बात का आश्वासन दिया है कि पाकिस्तान **सीटीबीटी** पर हस्ताक्षर करेगा और अ-प्रसार की प्रक्रियाओं की मुख्य धारा में शामिल होगा बशर्ते, अमेरिका भारत को भी इस बात के लिए तैयार कर ले। साथ ही साथ, ऐसे अश्वासन भी दिए गए कि पाकिस्तान और अफगानिस्तान से अमेरिका और अन्य पश्चिमी लोकतंत्रों के खिलाफ जन्म लेने वाली अतिवादी आतंकवादी गतिविधियों पर नियंत्रण रखने में अमेरिका को सहयोग देने के लिए पाकिस्तान की सरकार तैयार है। काबिले गौर है कि जम्मू-कश्मीर में हो रही आतंकवादी गतिविधियों और हिंसा को रोकने का कोई भी आश्वासन नहीं दिया गया। वैसे तो पाकिस्तान में लोकतंत्र की बहाली का कोई निश्चित समय इंगित नहीं किया गया पर क्लिंटन को यह बताया गया कि स्थानीय निकायों की चुनाव प्रक्रियाओं, जिसकी घोषणा पहले ही हो चुकी हैं, के बाद उच्चस्तरीय चुनाव कराए जाएंगे जो राष्ट्रीय स्तर पर निर्वाचित सरकार का मार्ग प्रशस्त करेगा। इस बिन्दु पर भी खास प्रकाश डाला गया कि मुशर्रफ सरकार को पाकिस्तानी जनता का आम समर्थन प्राप्त है जिनका 1988 के बाद से आंतरायिक रूप से सत्तासीन होने वाली बेनजीर भुट्टो और नवाज शरीफ की सरकारों के कार्यकालों से बुरी तरह मोहभंग हो चुका था पाकिस्तान ने अमेरिकी प्रतिष्ठान के साथ के जनसंपर्क को मूलरूप से लक्ष्य बनाते हुए भारत के साथ वार्ता को पुन: बहाल करने के लिए सोच समझ कर एक प्रक्रिया शुरु की है। पाकिस्तानी विदेश मंत्री अब्दुस सत्तार ने मार्च के अंतिम सप्ताह में एक वक्तव्य दिया कि पाकिस्तान बिना किन्हीं पूर्वशर्तों के लाहौर

प्रक्रिया पर वापस लौटने के लिए तैयार होगा बशर्ते भारत भी ऐसा ही करे। पाकिस्तानी विदेश सचिव ने अन्योन्यता (जो भी इसका अर्थ हो।) और प्रयोजन के प्रति निष्ठा के आधार पर भारत-पाक वार्ता को सरकारी स्तर पर फिर से शुरु करने की सलाह दी। यह परवेज मुशर्रफ द्वारा संवाददाता सम्मेलन में दिए गए वक्तव्य कि वह भारत के साथ किसी समय, किसी जगह किसी स्तर पर वार्ता शुरु करने के इच्छुक हैं, के आधार पर आगे बढ़ाया गया कदम था। जब पाकिस्तान से अन्योन्यता के बारे में पूछा गया तो इसका उत्तर यह मिला कि पाकिस्तान उनके हिंसापूर्ण क्रिया कलापों को कम करने का प्रयास करेगा यदि भारत जम्मू-कश्मीर में अपने सुरक्षा बलों को कम करे या हटा ही ले। यह कोई नई सलाह नहीं थी। यह विशेषकर वही सलाह थी जो पाकिस्तान ने 1989 और 1994 में दी और पुनः 1997 और 1999 में वार्ता के पुनः आरम्भ होने पर दी थी। पाकिस्तान दरअसल यह चाहता है कि जम्मू-कश्मीर से भारतीय बलों की एक तरफा तौर पर वापसी हो जाए, जबकि वे सिर्फ आतंकवादी गतिविधियों को कम करने का प्रयास भर करेंगे। भारत की कोई भी सरकार इस झांसे में नहीं आने वाली। जनरल मुशर्रफ ने राष्ट्रीय मामलों के अपने असैनिक प्रमुख कार्यकारी अधिकारी जावेद जब्बार को अमेरिका भेजने के अलावा, पाकिस्तान के गृह मंत्री ले. जनरल मौनुद्दीन हैदर और आई एस आई के प्रमुख ले. जनरल महमूद अहमद को भी अमेरिका भेजा है। ये दौरे अप्रैल की शुरुआत में हुए। इन यात्राओं के उद्देश्य स्पष्ट रूप से क्लिंटन और उनके सलाहकारों के जनरल परवेज मुशर्रफ के साथ 25 मार्च को हुए विचार-विमर्श पर आधारित थे। मुशर्रफ भी ग्रीष्मकाल के अंत में अफगानिस्तान जाने वाले हैं। वाशिंगटन में पाकिस्तानी अधिकारियों के साथ हुई बातचीत शायद अफगानिस्तान में जन्म लेने वाले आतंकवाद के संबंध में अमेरिकी दुश्चिंताओं के लिए कुछ समाधान मुहैया करा सकती है। ये संदर्भ-सूत्र काबुल में तालिबानी नेताओं से आने वाले समय में मुशर्रफ की होने वाली बातचीत का आधार होंगे। जहां तक क्लिंटन की यात्रा के निहितार्थों का सवाल है, जनरल मुशर्रफ भारत-पाक संबंधों को वापस सकारात्मक पथ पर लाने के सिलसिले में क्लिंटन की सलाहों के अनुसार अमल करते नहीं दिखते हैं। पाकिस्तानी प्रतिक्रिया, भारत के साथ वार्ता बहाल करने के लिए जिस तरह की बातों का ऊपर उल्लेख किया गया है, बस दिखावा मात्र हैं। संभावना तो यह है कि पाकिस्तान की ओर से भारत के खिलाफ आतंकवाद और भी प्रबल हो उठेगा। जैसे-जैसे भारत के खिलाफ शत्रुतापूर्ण गतिविधि के स्तरों में वृद्धि होगी, वैसे-वैसे पाकिस्तान की भारत के खिलाफ उत्पातपूर्ण

कार्रवाई भी ज्यादा गुप्त और छद्मावरण में छुपती जाएगी।। मुशर्रफ भी यह प्रयास कर रहे हैं कि इस्लामी देशों को इस तरह से तैयार किया जाए जो उनकी विश्वसनीयता और उनकी नीतियों को सहारा दे, जैसा कि मलेशिया, इंडोनेशिया ब्रुनेई और खाड़ी के देशों की उनकी पहले की यात्राओं में दिखा।

जहां एक ओर अमेरिका के साथ सकारात्मक समीकरणों से भारतीय हितों को बढ़त मिलेगी, वहीं भारत को पाकिस्तान की शत्रुतापूर्ण भावना के प्रति हमेशा सचेत रहना होगा। क्लिंटिन की उपमहाद्वीपीय यात्रा के परिणामों में भारत-पाक संबंधों की संभावनाओं को लेकर आत्मतुष्ट होने की कोई वजह दिखती नहीं है।